Se avecina una gran tarea para regiones enteras de América Latina. *Crear una economía al servicio del hombre, pero también volver a poner ladrillos en el edificio de la cultura.* Los escritores, educadores, intelectuales, tenemos en ello una gran responsabilidad: Denunciar la irracionalidad, la violencia, la ferocidad de la filosofía y de la psicología del mercado. La locura del deseo masivo de consumo. La distancia entre las vidrieras y shoppings multicolores de la sociedad satisfecha y los vastos mundos ajenos a la salud, a la educación y a los derechos sociales.

Vivimos tiempos opacos. Extraños. Absurdos. Tiempos de "libertad económica" como ley de las sociedades y razón de las vidas. Tiempos de fetichismo de las cosas y de cosificación del hombre. Es necesario arrebatar la iniciativa a quienes pretenden cambiar la abulia por la emoción del oportunismo, la estafa y el latrocinio público, a quienes el neoliberalismo premia con tapas de revistas y horas de televisión.

Público presumiblemente sectario, compañeros de una hermandad publicitada en agonía: nos queda aún una gran faena. Hermanos del diluvio de Taiwán, de los sermones del ajuste, de la eficiente descomposición de las regiones, de la vida reconvertida en show: nos queda aún la tarea de que la poesía restablezca el tejido muerto de la pasión entre los hombres. Y de la lucha por la justicia, como un acto de creación.

Omar Borré

ROBERTO ARLT
Y LA CRITICA (1926-1990)
Estudio, cronología y bibliografía

Ediciones América Libre

Colección *Armas de la Crítica*
Dirigida por Eduardo Rozensvaig

Diseño de tapa:
Andrea Chaskielberg
Gonzalo Castro

ISBN: 987-95-226-2-1

Para
María Nilda Miller
y *Ana Borré*

Agradecimientos:

A don Edmundo Guibourg que me dio las primeras ideas para mi trabajo y me contó historias del diario *Crítica* y, me habló de su amistad con Roberto Arlt.

A Pascual Nacaratti por toda la información que me brindó: muchas cartas, patentes y recuerdos.

A Raúl Larra, a quien entrevisté en los comienzos de este libro.

A Ricardo Piglia, lector de estas páginas cuando apenas eran un borrador.

A Jorge Laforgue; Jorge B. Rivera; y a David Viñas, que propuso la publicación de esta obra.

Omar Borré

Indice

Introducción 11

1. DE LA CRÍTICA 15
1.1.   *PRIMERAS CRÍTICAS RECIBIDAS* 17
1.1.1. Críticas a **El juguete Rabioso** 21
1.1.2. Críticas a **Los siete locos** 34
1.1.3. Críticas a **Los lanzallamas** 48
1.1.4. Críticas a **El amor brujo** 54
1.1.5. Sobre **Las aguafuertes** 59
1.2.   *EL TEATRO* 63
1.2.1. Los comienzos teatrales 63
1.2.2. El Teatro del Pueblo 64
1.3.   *NUEVAS CRÍTICAS* 71
1.3.1. **Críticas después de 1942** 71
1.3.2. Otras críticas, otros enfoques 92
1.3.3. Palabras finales 104

2. DE LA CRONOLOGÍA 111
2.1.   *CRONOLOGÍA de la vida y de la obra de Roberto Arlt
        entre 1900 y 1942. Se incluyen textos completos
        que nunca fueron publicados en libros* 1113

3. DE LAS CARTAS 153
3.1.   *CARTAS ESCRITAS POR ROBERTO ARLT* 155
3.1.1. Carta a su madre. Circa 1934 156
3.1.2. Carta a su madre. Circa 1938 157
3.1.3. Carta a su madre. Circa dic. 1940/Chile 159
3.1.4. Carta a su madre. Circa 1941 161
3.1.5. Carta a su hermana Lila. Circa 1930 162
3.1.6. Carta a su hermana Lila. 1935 165
3.1.7. Carta a su hija. Circa 1934 166
3.1.8. Carta a su hija. 1941 167
3.1.9. Carta a Leopoldo Marechal. 1939 168
3.1.10. Carta a Mario Olivescki. 1935 169
3.1.11. Carta a una desconocida. 1933 172
3.1.12. Carta a una lectora. 1931 173

3.2.   *CARTA A ROBERTO ARLT*
        Carta a su madre. Circa 1940 174

4. DE LA DOCUMENTACIÓN 175
   4.1.   **Bibliografía** 177
       Guía para leer la bibliografía
   4.1.1.   *BIBLIOGRAFÍA DE ROBERTO ARLT* 178
   4.1.1.1. Obras de Roberto Arlt 179
   4.1.1.2. Obras completas y ediciones especiales 193
   4.1.1.3. Lista cronológica de todos los cuentos de Arlt entre
          1916 y 1942 y un manuscrito 196
   4.1.1.4. Lista de todos los artículos publicados en la revista
          Don Goyo. 1926/1927 204
   4.1.1.5. Lista de obras prometidas por Arlt que nunca llegó a
          escribir 205
   4.1.1.6. Lista de obras teatrales 207
   4.1.1.7. Algunas representaciones teatrales ....:........ 208
   4.1.1.8. Filmografía y televisión 210
   4.1.1.9. Transcripción de algunos textos: Artículos, notas y
          prólogos escritos por Arlt. Se reproducen algunos
          textos que nunca aparecieron en libros 211
   4.1.1.10. Adelantos de novelas en revistas 219
   4.1.1.11. Iconografía: datos sobre fotografías, dibujos y
          grabados que representan la imagen de Arlt. No se
          reproducen los grabados pero se indica donde
          se encuentran 220
   4.1.1.12. Notas aparecidas el día de su muerte, 26 de julio
          de 1942 225
   4.1.2.   *BIBLIOGRAFÍA SOBRE ROBERTO ARLT* 226
   4.1.2.1. Libros y revistas dedicados integramente o en
          parte a Roberto Arlt 226
   4.1.2.2. Guías bibliográficas específicas sobre la obra de
          Roberto Arlt 233
   4.1.2.3. Bibliografía sobre la obra de Roberto Arlt 236
   4.1.2.4. Periódicos, diarios y revistas en los que publicó
          Roberto Arlt 379
   4.1.2.5. Datos útiles. Se indica donde pueden encontrarse
          algunas publicaciones y libros sobre el tema 380

Introducción

Durante muchos años indagué sobre la forma en que Roberto Arlt había sido admitido, rechazado o consagrado por quienes, de alguna manera, podían gestar la historia de la literatura argentina. Concluí que ciertos autores que se engrandecen con el pasaje del tiempo muestran a sus lectores el reflejo, casi eterno, de esa no menos extraña expresión que es la identidad. Nadie mejor que Arlt para ofrecer al lector restos y fragmentos, de esa identidad altamente cuestionada.

Cuando comencé a leerlo recibí información de distinto tipo: que había sido ignorado por la crítica, que nadie lo leía en su tiempo y un sinnúmero de anécdotas que seguían dando vueltas y conformaban una parte de su mitología.

Leer a Arlt es una experiencia que adquiere un lector y a partir de la cual debe reenfocar sus lecturas.

He realizado muchos reportajes, valiosos como el de Edmundo Guibourg, el de Pascual Nacarati, Manuel Kantor, Raúl Larra, Zulma Nuñez. He revisado los diarios *El Mundo*, *La Nación* y *Crítica* y revistas *El Hogar*, *Mundo Argentino* y *Don Goyo* como así también revisé originales y primeras ediciones y todo el espectro bibliográfico que cientos de investigadores han realizado con mucho cuidado, desde las famosas publicaciones del Fondo Nacional de las Artes (Badal) a cargo de Raúl Cortazar, hasta los trabajos de Jorge Becco. Quería estar seguro de que todo lo que escribiera en este ensayo estuviera enmarcado en lo estrictamente verdadero o en lo absolutamente documentado. Todas las fechas y todos los datos que expongo han sido constatados con los originales y en ningún momento he citado alguna frase o pensamiento de memoria o de segunda versión.

Me parece necesario, para enfocar los aspectos de la crítica sobre Arlt, señalar:

1- Solamente después de 1942 surgieron libros y ensayos sobre su obra: Raúl Larra, Nira Etchenique, Contorno, Oscar Masotta, Angel Nuñez.

2- Todas las críticas anteriores a su muerte son comentarios o sueltos aparecidos en diarios o revistas.

3- En 1932 Arlt da a conocer su última novela *El amor brujo* y a partir de allí los críticos no vuelven a mencionarla.

4- A partir de 1932 Arlt comienza a representar sus obras teatrales y los comentarios se limitan a la página de espectáculos.

5- Muere en 1942 y lo sigue un silencio literario y crítico de casi diez años.

6- Por lo tanto se pueden establecer los siguientes períodos arltianos:

    a- 1926-1932. Aparición de sus cuatro novelas (tres para algunos críticos)

    b- 1932-1942. Presentación de piezas teatrales.

    c- 1924-1942. Publicación de sus ochenta cuentos y más de tres mil notas periodísticas.

    d- 1942-... Un silencio de casi diez años.

Después del silencio posterior a su muerte se inicia una serie de etapas:

1) Repercusión de su muerte.

2) Reedición de su obra.

3) Primeros libros críticos.

4) Las revistas literarias.

5) El interés del cine.

La obra de Arlt irrumpe en la literatura argentina en un acto de ruptura desplazando el campo semántico que los ejes de la literatura nacional imponían. Son las modalidades y la mirada sobre el hombre lo que conforma esta nueva literatura. Sin embargo la crítica estaba articulada y preocupada por problemas que hacían a la coherencia sociopolítica. De allí que las primeras críticas que recibe son de índole moral: se le recrimina el realismo de mal gusto, se le reprocha el pésimo uso del código lingüístico y la desorganización del universo narrativo.

Es muy curioso que la primera etapa arltiana sea la de la escritura interna: las novelas y los cuentos y los artículos periodísticos, y esa etapa se convierta en la escritura externa, expuesta noche a noche en el teatro, ese exterior que requiere de códigos múltiples.

A cincuenta años de su muerte los críticos han comenzado a leer a Arlt en otra perspectiva, en tanto críticos originados en el ámbito de la universidad.

Hoy los suplementos literarios, las conferencias, los artículos, las clases universitarias, en su mayoría citan a Arlt o le dedican un buen espacio y ese espacio es un espacio de lectura abierto a esa gran obra que puede seguir mostrándose en cada lectura, ampliando la libertad del lector, su goce y el campo de la reflexión crítica. Este principio ha regido todo mi trabajo en el sentido de que mi interés estuvo puesto en lo que generó la lectura de una obra cuya dimensión no podrá jamás cerrar sus significaciones. Particularmente los filósofos han tenido especial interés en indagar los mecanismos del pensamiento arltiano desde el existencialismo hasta el marxismo.

Al referirme a la crítica señalo dos conceptos: la crítica de lanzamiento (comentario bibliográfico): notas esporádicas que dan cuenta de la aparición de un libro; y la crítica que surge con posteridad, con el reconocimiento del texto literario, la crítica que crea un espacio, una lectura y nuevos lectores.

Durante su trayectoria Arlt va más o menos acompañado por la crítica bibliográfica, que registra la aparición de algunos de sus libros, especialmente en los medios en los que el autor era reconocido y aceptado. El otro nivel crítico, es el que se ocupa de la representación teatral, los estrenos y marca una visión generalizadora. esta crítica es seguida y controlada por el autor que muchas veces se ofusca por la incompresión de sus contemporáneos. El crítico teatral no es absolutamente literario, sino que se interesa por todos los elementos que intervienen en una puesta en escena: actores, director, escenografía, vestuario, interpretación y además, el texto dramático. Es aquí donde el autor sufre los mayores riesgos cuando presenta una obra de teatro. Ya no se habla más de Arlt desde lo literario sólo han quedado expuestos los personajes sin enlaces descritivos o descripciones internas.

La otra crítica, la que busca intertextualidades, implicancias sociales, políticas, referentes, es mucho más lenta con la obra de Roberto Arlt. Es una crítica que aún no ha concluido, que se ramifica en varios sustratos: elaboración de aparatos críticos en torno a los personajes de las novelas, estudio de temas, aspecto social, la vinculación con el periodismo o su impronta dramática.

De allí que exista una necesidad cronológica en la cual traté -en lo posible- de evitar todo tipo de material anecdótico, con el propósito de valorar la visión del crítico sobre el texto, aun cuando esa mirada se tradujera en discursos inconsistentes. La muerte prematura de Roberto Arlt determinó un mito ciudadano, a veces, más allá de la literatura, aunque también su condición de escritor haya sido precoz. El propio Arlt recuerda haber vendido un cuento a los ocho años, otro a los diez y seis, una novela a los veinte y un ensayo, por la misma época.[1] En 1926 la Editorial Latina de Adolfo Rosso[2] edita *El juguete rabioso* y a partir de este momento se produce el ingreso de Arlt en la literatura nacional. Aquí se inicia su laboriosa tarea de escritor, porque sorprende al investigador una cantidad de textos de distinta índole en las páginas de diarios y revistas de Buenos Aires, de Chile, España y de algunas provincias argentinas, así como también una obra teatral inédita, unas veinte cartas manuscritas y algunas libretas con apuntes de fórmulas y procedimientos químicos. Hoy, a cincuenta años de su muerte, debilitados los pruritos políticos e ideológicos, la obra de Arlt refleja la condición excepcional de un escritor con características propias dentro de la historia de la literatura argentina. Singularmente los «grandes aceptados» hoy son también los menos leídos, Arlt atraviesa la zona de sus contemporáneos y cada nueva generación encuentra en su obra la identificación del hombre de la ciudad y las temáticas del dinero, la propiedad, la inmigración, el sometimiento. Oscar Massota ha indicado que la humillación más grande que aparece en Arlt es la de pertenecer a la clase media.[3] El cúmulo de humillaciones asumidas por Arlt, desde la relación negativa con su padre, con la mujer y con los hombres en general se traslucen en su obra, tal vez con la variante que determine el justo punto de su mirada oblicua sobre el mundo y las cosas. De manera general la crítica de su época no podía distanciarse y leía sus novelas con desconfianza. Todos eran Astier, Erdosain, la Coja o Balder. No obstante Roberto Arlt continúa agrediendo a su clase social: inmigrantes alemanes y austríacos-italianos de quienes hereda la más rotunda de las humillaciones: la perversión del código lingüístico. En su casa no se habla el rioplatense como en otras casas, él desprecia el idioma alemán, no habla pero lo entiende.[4] Arlt es un puente entre el lenguaje callejero y los idiomas hablados en su casa. Se apropia entonces de un lenguaje distinto del que se habla en su familia. La culpa por esta apropiación se traduce en lo imperfecto: los errores ortográficos y la sintaxis desordenada.

He establecido un itinerario crítico que se ramifica en multitud de líneas. En principio mostraré las críticas que recibiera Arlt durante el transcurso de su vida literaria: de 1926 a 1942 y luego los grandes momentos de la crítica posterior a su desaparición, este trabajo lo inicié en 1982 y cerré la investigación sobre el año 1989-90. Luego agregué algunas bibliografías o cometarios posteriores.

NOTA: Con el fin de aligerar el texto e incluido en la cronología muchas críticas, comentarios completos, referencias y hasta pequeños artículos de Arlt y algunas críticas como la de *El Juguete*... por ser la primera.

1. DE LA CRÍTICA

1.1. PRIMERAS CRÍTICAS

Hay en Roberto Arlt una imperiosa necesidad de relacionarse con escritores renombrados o con personas inmersas en el hacer literario: Elías Castelnuovo, Alberto Gerchunoff, Ricardo Güiraldes. Personas a las que recurría para leerles sus textos o discutir cuestiones de literatura. Ricardo Güiraldes, por ejemplo, fue precisamente quien vio en *El juguete rabioso* una nueva expresión de la narrativa, tan iniciática como su *Don Segundo Sombra* pero absolutamente ligada a los espacios de la ciudad y de sus habitantes. Güiraldes provenía de la alta burguesía y terminaba de escribir su novela *Don Segundo Sombra.* Se interesó en la obra de Arlt atento a las diferencias que podía ver y reconocer. Comprendió que con él se iniciaba un hecho infrecuente en la narrativa argentina. No ocurrió así con Elías Castelnuovo que desde la editorial *Claridad* impuso reglas y formas por las que desatendió la ideología del creador, y sostuvo un argumento moral del discurso literario: «el texto no era claro, estaba mal presentado y tenía muchos errores de ortografía y de sintaxis». Opuestamente a este suceso Güiraldes elige e incluye en las páginas de la revista *Proa* (nos. 8 y 10) de 1925 dos fragmentos o dos capítulos-adelantos de la novela de Arlt: *De la vida puerca.* Los vocablos de tipo popular o lunfardos no aparecen entrecomillados, como en la edición original de *El juguete rabioso* o las notas en *El Mundo. Proa,* era, a diferencia de *Claridad* una revista de novedades literarias, de acontecimientos traducidos como Joyce o textos de Macedonio Fernandez o Saint John Perse, Jorge Rufinelli realizó una valiosa antología sobre *Proa* donde muestra alguno de estos aspectos novedosos como los últimos movimientos literarios o la incorporación del "criollismo "inadmisible en los de *Claridad.* El grupo encuadrado dentro de *Proa* no ejerce la censura en torno al lenguaje dialectal empleado en una obra o acepta todo tipo de construcciones fantásticas o maravillosas por más extravagante que pareciera

Jorge Luis Borges, vinculado estrechamente a *Proa* sufre una curiosa inquisición lingüística de parte de Tobías Bonesatti en la revista *Nosotros* (nos.

225-226) del año 1928 donde los cánones del lenguaje y las buenas costumbres parecían primar:

"Borges no escribe respetando nuestra fonación argentina..."

La crítica literaria de los años treinta es una crítica de tipo impresionista preocupada por las formas lingüísticas del texto y por los contenidos temáticos. ¿Desde dónde habla la crítica? ¿Cuál es su relación con el objeto «Arlt»? La crítica primera (1926-1932) toma como objeto de estudio las novelas de Arlt: *El juguete rabioso* (1926), *Los siete locos* (1929), *Los lanzallamas* (1931) y *El amor brujo* (1932) son recopilaciones que van del año 1928 a 1932. La obra de Arlt puede ser ordenada primero, con los cuatro volúmenes de novelas donde se narran nacimiento, penurias y muerte de un héroe (1926-1932); segundo, con los cuentos. La totalidad de los cuentos de *Arlt* fueron escritos entre 1916-fecha de publicación de *Jehová* –y 1942– fecha del último cuento publicado *Los esbirros de Venecia* Se incluyen los cuentos de *El jorobadito* (1933), *El criador de gorilas* (1941), *Viaje terrible* (1941) y *Regreso* (1932) y la mayor parte de los que refundió y convirtió en otros relatos, un total de 80 cuentos teniendo en cuenta que *La tía Pepa* y *El gato cocido* son un mismo cuento; *El poeta parroquial* –apareció como adelanto de novela–; *El silencio*, variante de *Las Fieras*, "Ruptura de compromiso", variante de *Noche Terrible*; *En la orilla* variante de *El traje del fantasma; S.O.S. Longitud 145°31'* y *Prohibido ser adivino en este barco.* variantes de *Viaje terrible; El hombre del tatuaje*, una versión de *La isla desierta* publicada en forma de cuento dialogado meses después de que el Teatro del Pueblo la había estrenado como pieza teatral. Si se consideran estas variantes el números de cuentos se reduce a 76 y si no se tomara en cuenta "Jehová", porque parece un esbozo de una futura novela, el total sería de 75 cuentos. Roberto Arlt publicó en vida todos sus cuentos. No han quedado textos inéditos, recordemos que su segunda esposa al día siguiente del funeral incineró todos los papeles. Roberto Arlt daba a conocer, semanal o quincenalmente, cuentos en las revistas *Los Pensadores, El Hogar, Mundo Argentino* y los diarios *El Mundo* y *La Nación.* Todos los relatos han sido reordenados según la fecha de publicación. (Véase: Bibliografía *Lista de cuentos).*

Solamente ha sobrevivido el bosquejo de un cuento inédito hallado en una edición de Kim de R. Kipling, el texto de puño y letra de Arlt está escrito con lápiz, no tiene fecha pero pertenece a los cuentos de *El criador de Gorilas:*

"La mujer, el marido y el orongután. Casa del orongután. (Prólogo/La hija del cazador de monos, cuando se va el novio se arroja a los brazos del orongután) La noche del casamiento el orongután se encierra. Enferma el orongután. El marido se queja y dice que no puede mantener al orongután y su mujer. El orongután con celos. Y asesinato del orongután."

Escribió cuentos entre 1916 y 1942. Recopiló nueve en *El jorobadito* (1933) las ediciones posteriores han alterado el orden, la primera edición - preparada por Arlt, ubicaba *El escritor fracasado* como el primer cuento, es decir que le había concedido cierto privilegio, Borges, ha recordado el cuento como excepcional. En *El Criador de Gorilas* (1941) incluye quince cuentos y un cuento suelto *Un viaje terrible* (1941), que no es otra cosa que *S.O.S.* y *Prohibido vaticinar en este barco* publicados con anterioridad en *Mundo Argentino* y *El Hogar.* [5]

La primera etapa de Roberto Arlt escritor abarca la narrativa, la novela que toma como materia de ficción de experiencias de su vida personal. No nos referimos a lo autobiográfico, pero muchos de los acontecimientos de sus novelas están ampliamente documentados en la experiencia de vida. Hay recurso en el uso de nombres exóticos, produce en el lector el efecto de cierto distanciamiento, particularizado por el uso dialectal de Buenso Aires de utilizar los apellidos en lugar de los nombre de pila: "Erdosain", Balder, Barsut. O el empleo de los sobrenombres "la coja" La visca" "El rengo" "el hombre que vio a la partera" "el astrólogo""El rufián melancólico" y otros…que funcionan como estrategias para alejar sospechas, conforman una isotopía de un desplazamiento semántico permanente y remite a la figura de la metonimia mucho más que a lo metafórico. Es decir, los personajes «son» pero no son totalmente ellos, siempre tienen un camuflaje apropiado, a veces el tópico de la ropa conforma un conglomerado sistemático de referencias: ropa para ver a la novia, ropa para obreros, ropa de viaje, ropa de domingo etc.

Jorge Luis Borges ha escrito: «no hay escritor de fama universal que no haya amonedado un símbolo…"[6] Estas palabras se refieren a Quevedo, pero Arlt como muchos de sus contemporáneos, ha sido rescatado a partir del símbolo amonedado que determinó un lugar propio. Tal vez, con el imperativo de ubicar, rotular, e identificar a Roberto Arlt dentro de los canones antropológicos de su producción.

En la década del veinte el espectro literario de Buenos Aires estaba escindido entre quienes pertenecían al grupo Florida y al grupo Boedo. Estas dos tendencias implican también una visión política e ideológica. De hecho estas dos tendencias, negadas por Borges y otros estudiosos, han formado parte del período mítico de la literatura nacional. Alberto Pineta ha señalado que la generación a la que él pertenecía no tenía críticos…[7] Los jóvenes -de la generación del 92 se sentían incomprendidos por los críticos de la generación anterior como Roberto Giusti, Bianchi, Julio Noé. Tanto los Martinfierristas como los Boedistas, hacían críticas exclusivamente de acuerdo a las relaciones o conocimiento personal que tenían de un autor. Pero a pesar del rechazo por la crítica formal y vetusta que los jóvenes creían ver en los críticos de renombre, Pineta sostiene que unas líneas favorables de Cansinos Assens desvelaban a cualquier joven escritor de los años treinta. Alberto Pineta recuerda a Emilio Soto como uno de los críticos más jóvenes con enfoques vitales de la literatura e inmerso en todos los problemas del hecho literario y la creación. Y olvida, intencionalmente, a Ramón Doll, cuyas famosas polémicas literarias se desplegaron en la revista *Claridad.*

Los comienzos de Arlt en las letras no indican grupos ni tendencias muy definidas, su obra oscila entre los de Florida y los de Boedo, aún cuando en el 26 la escisión estaba diluida. Arlt no tenía definiciones o posturas políticas partidarias. Se sentía un hombre de izquierda independiente, a veces socialista o partidario de los regímenes más estrictos: «Mis ideas políticas son sencillas. Creo que los hombres necesitan tiranos. Lo lamentable es que no existen tiranos geniales».[8] Edmundo Guidourg, compañero en el diario *Crítica*, ha expresado que Arlt padecía de un caos político espectacular. Las notas diarias en *El Mundo* a partir de 1928 aportan un sinnúmero de conceptos políticos e ideológicos, absolutamente arbitrarios y contradictorios.

Las aguafuertes porteñas que Arlt escribía a diario en *El Mundo*, fueron sus apuntes cotidianos en torno a la realidad ciudadana. La totalidad de estas notas forman parte de un registro muy particular de personajes, ambientes, situaciones políticas, comerciales, denuncias, observaciones sobre los ciudadanos, todas estas notas le servirán muchas veces como borrador de novelas, de cuentos y hasta de obras teatrales. Tres mil notas escritas en el diario entre 1928 y 1942. Algunos textos periodísticos que aún no han sido recopilados en su totalidad, al cierre de este libro tomamos conocimiento del trabajo de Cristina Landa que ha recopilado todas las agrafuertes de Arlt y Silvia Saitá quién ha publicado algunas recopilaciones. No hay fractura entre el texto periodístico y el resto de la obra arltiana, son solamente distintos modos unificados en una única concepción del arte. Acosado por el tiempo y las presiones económica, su premura era directamente proporcional al instinto de muerte que lo impulsaba a escribir.[9]

1.1.1. Críticas a *El juguete rabioso*

El juguete rabioso, la primera novela de Roberto Arlt, aparece en octubre de 1926 en la editorial Latina de Adolfo Rosso, que pocos días después edita *Tierra Amanecida*, de Carlos Mastronardi, y así concluye su actuación como editor. Adolfo Rosso era uno de los hermanos de los editores Rosso. El diario *La Nación* del 7 de noviembre de 1926 comenta brevemente la novela. El comentario se centra en «un relato de pilluelos de ciertos barrios de Buenos Aires», la nota subraya que esta novela ha sido la única que obtuvo la recomendación del jurado para su publicación. Ricardo Güiraldes recomienda la publicación de *El juguete rabioso* y lo vincula a Arlt con Enrique Méndez Calzada, lector de la editorial Latina y director del suplemento literario de *La Nación*.

La redacción del diario *Crítica* de Natalio Botana, según testimonio de don Edmundo Guibourg, ya conocía la novela -mucho antes de su publicación- porque Arlt leía a diario fragmentos en las redacciones. Hay varios elementos que entran en juego para la publicación de esta primera obra. En principio que los Rosso tenían una imprenta donde se imprimía el diario de Botana y los hermanos Rosso conocían a Arlt. En segundo lugar se menciona la influencia de Güiraldes sobre Méndez Calzada. No olvidemos que el concurso de la editorial Latina fue en 1925, era abierto, sin seudónimo, y se trataba de una editorial nueva que necesitaba autores.

ANUNCIO DEL CONCURSO APARECIDO EN MUNDO ARGENTINO
"*Primer Concurso Literario de la "Editorial Latina*"
"*L*a Editorial Latina, persiguiendo su propósito de mejor y más fácil difusión de las buenas obras sudamericanas, organizó en Octubre de 1925 su Primer Concurso Literario de prosa y verso para todos los escritores inéditos sudamericanos, teniendo como premio en cada género: la edición de la obra y liquidación de derechos de autor en una cantidad proporcional al monto bruto de las ventas." *Fueron recibidas las siguientes:*
Prosa:
Sombras (estudios críticos) de A. Zambonini Leguizamón (argentino);

Las Abejas de Aristeo (poemas) de Cárlos Vega López (Chileno); El sueño de Abel (cuentos) de Vicente Raúl Votta (argentino); Alma vagabunda (novela, 2 tomos) de Benavides Santos (chileno); Piernas de damas (novela) de Julio Fernández Pelaez (argentino); *El Juguete Rabioso* (novela) de Roberto Arlt (argentino); Tierra de confín (novela) de Leopoldo Pujol (argentino); La celada de cartón (novela) de Juan M. Camani Altube (argentino); Orgullo de raza (novela) de Alceste Masi (argentina); Ciudad (novela) de Aquiles F. Ortale (argentino).

Verso:

Excelsitud de Agustín Casteblanco (argentino); Mis sonetos a ella de Julio Tray Anglada (uruguayo); Sinfonía azul de Argentino A. Díaz González (argentino); Poesías de Sara Loviseto (argentina); Lira múltiple de José Picone (argentino); Canciones de ayer de Adriano J. Dri (argentino); Cantos sencillos de Germinal Argenti (argentino); Idolos de Barro de Julio Moher (argentino); Motivos de Emoción de Moisés Díaz (argentino); Meditaciones románticas (de José Gallardo Falcón (argentino); Canciones en la senda de Juan de Mata Ibañez (argentino); Versos líricos y heróicos de G. Vázquez (argentino).

La figura de Güiraldes ha sido muchas veces recordada y elogiada por Roberto Arlt, quizá la más conmovedora haya sido la dedicatoria a la primera edición de *El juguete rabioso*:

"Todo aquel que pueda estar junto a usted sentirá la imperiosa necesidad de quererlo. Y le agazajarán a usted y a falta de algo más hermoso le ofrecerán palabras. Por eso yo le dedico este libro. Roberto Arlt."

Esta dedicatoria, inexplicablemente, desapareció de la edición de 1931. Podría pensarse que la nueva editorial que editaba *El juguete rabioso* era *Claridad* y Antonio Zamora no tenía mucha simpatía por Güiraldes.

El 22 de noviembre de 1926 en el Magazin de los lunes del diario *Crítica* aparece una nota bibliográfica sobre la novela, no lleva firma. La nota es elogiosa, algunos testigos de la época manifestaron que el propio Arlt se había hecho el comentario.[10] Después de abundantes elogios a la novela, el redactor muestra de qué manera los críticos pertenecientes al grupo Boedo, subraya, le habían infringido la mayor de las condenas: la de rechazarlo como escritor. En la nota se habla de Arlt novelista vigoroso, que tiene solamente veintiséis años, que es sus primera obra y se adjunta un curriculo en el cual figuran publicaciones mínimas como Jehová un cuento publicado a los 17 años en la *Revista Popular* de Juan José de Soizza Reilly, los adelantos de la novela en *Proa*, algunos cuentos en *Mundo Argentino, Ultima Hora* y la *Revista Don Goyo*. La crítica subraya que la editorial *Claridad* y el Señor Elías Castelnuovo y la Editorial Babel de Samuel Glusberg habían recomendado a Arlt «dedicarse a la venta de legumbres».

La editorial Proa tuvo la intención de editar la novela pero adujo problemas de tipo económicos, y no la editó, aunque ese mismo año (1926) publicó un total de diez autores exclusivos de la revista *Proa*.

Claridad fue fundada por Antonio Zamora, ex-empleado de *Crítica* que se inició en las tareas editoriales y de imprenta con un famoso folleto llamado *Los Pensadores* (1922)dónde Arlt publicó un cuento "La tía Pepa". Zamora transformó *Los Pensadores* en la revista *Claridad* y conservó la misma numeración.

Los Glusberg, inmigrantes judíos, crearon la revista y la editorial Babel, cuya dirección estuvo a cargo de Samuel Glusberg (que solía escribir con el seudónimo de Enrique Espinosa). Los Glusberg fueron constantes adversarios de Arlt y de su obra, sin embargo Santiago Glusberg, uno de los hermanos, funda la editorial Anaconda y en 1933 publica *El jorobadito*, una selección de cuentos . El volumen tiene una tapa de color naranja y negro, con un dibujo de un jorobado y en la primera hoja figura una dedicatoria muy afectuosa a su primera mujer, Carmen Antinucci (Véase: *Cronología*). La bibliografa del diario Crítica indica que la nueva generación todavía no tiene novelistas capaces de hacer olvidar a los lectores de los «cansados narradores actuales». *El juguete rabioso*, según la nota en *Crítica*, revela a un «recio escritor» con un profundo sentido de la novela. Allí mismo se expresa que Arlt está preparando dos nuevas novelas *Los Siete locos* y *La princesa de la luna*. Posteriormente el periodista cita pasajes de la novela al que llama «libro admirable» y concluye:

> «toda la literatura de Boedo no cabe en tres páginas de las ciento sesenta de *El Juguete Rabioso*».

Arlt queda enfrentado con los de *Claridad*, quienes en la revista publican un artículo titulado «Dios los cría y ellos se juntan»:

"El señor Rega Molina –prototipo del plumífero sietemesino- ha constituido con otros escritores como él: Olivari, Tuñón, Arlt, Fijman, un grupo de afinidad…Todos ellos usan el diario de Botana para destacar sus nombres y conseguir puestos rentados…El diario del pueblo se ha convertido, en poco tiempo, en el diario del hampa. Luego viene el señor Arlt, autor de una novela que se llama *La Vida Puerca*. Esta novela, según su propia declaración, la arrancó de su propia vida».[11]

El artículo sin firma es extenso, pero evidentemente es una respuesta a las agresiones que implementara el *Magazine de Crítica*. Asimismo no hacen referencia a *El Juguete*…sino a *la Vida Puerca*, tal como se menciona en los adelantos de *Proa*. Por otra parte, Antonio Zamora, ex empleado de *Crítica*, guardaba hacia el diario un profundo desacuerdo. Igualmente con los narradores y poetas mencionados, poco tiempo después publican todos en *Claridad*, tanto en la revista como en la editorial.

En 1969 Elías Castelnuovo responde a un reportaje de Lubrano Zas:

> "…lo conocía. El libro de cuentos que me trajo, pese a su fuerza temperamental, ofrecía innumerables fallas de diversa índole, empezando por la ortografía… siguiendo por la redacción y terminando por la unidad y coherencia del texto. Le señalé hasta doce palabras de una sinuosidad insultante…»[12]

Diez años después de estas declaraciones, Elías Castelnuovo, que echó a rodar el tema de las faltas de ortografía y la desprolijidad de Arlt, vuelve sobre el tema:

«La editorial *Claridad* creó una colección "Los nuevos" cuya dirección me confiaron, destinada exclusivamente a los escritores del grupo, donde en forma sucesiva debutaron allí los valores más sobresalientes. En efecto, publicaron en esa colección su primer libro, Alvaro Yunque, Leónidas Barletta, Amorin, Mariani, Pineta, e incluyo yo mismo. Por una diferencia en la mala presentación de los originales, no entró allí también, Roberto Arlt con su *primer libro de cuentos*, titulado *De la vida puerca* (sic) que después Güiraldes lo corrigió cambiándole el título primitivo por el de *El juguete rabioso*…»[13], Castelnuovo parece desconocer que se trata de una novela y no de cuentos.

Estas dos expresiones de Castelnuovo no han sido las únicas, muchas veces en sus largos años de vida el autor de *Tinieblas*, evocó este episodio en descargo de su actitud frente a la primera novela de Arlt, en particular porque siempre se lo ha citado como uno de los grandes amigos de Arlt.

Algunas de estas apostillas a Arlt por parte de Elías Castelnuovo persistieron durante mucho tiempo a manera de efecto retardatario y anecdótico, dificultando el acceso al estudio de la obra de Roberto Arlt. La lectura de un escritor debe ser apreciada directamente sobre el texto, los entornos críticos facilitan o dificultan el ingreso a la zona narrativa. Arlt tuvo para con los críticos, siempre, una actitud, severa y desdeñosa, particularmente para los formales o académicos, porque la otra crítica, de formación realista, leía su obra con más predisposición. Excepto, Castelnuovo, que le provocó a Arlt un gran desconcierto, ya que entre ellos existía una excelente amistad, Arlt lo frecuentaba y lo admiraba. Castelnuovo es el representante ideológico de un grupo literario, podríamos decir el de Boedo, y como tal asume esa representatividad a través de un riguroso naturalismo, de una moral del discurso que se traduce en la reiterada censura ortográfica, sintáctica y formal de los principios de la narrativa. Después de Castelnuovo, Mirta Arlt, su primera hija, hizo hincapié en las dificultades ortográficas de su padre. En relación a este tema, Raúl Larra, posee notas manuscritas de Arlt, le atribuye ese descuido de la ortografía a la máquina de escribir, en tanto que en los textos manuscritos presenta menos dificultades.

Pero hemos observado una especial estructura sintactica y he visto en cartas y notas manuscritas como suele confundir el sistema pronominal. Por ejemplo confunde el Yo con el Mi. Sin extendernos en esta problemática, las cartas de su madre padecen la misma confusión traduciendo al español su lengua italiana, esa es la lengua materna que recibe Arlt. Han de pasar muchos años para que los lectores recuperen una sintaxis desconcertante como en Borges el sustrato inglés.

La editorial *Claridad*, entonces, no publica *El juguete rabioso* por indicación expresa de Elías Castelnuovo.

Alberto Hidalgo[14] en 1929 habla de Arlt como un caso único en la literatura nacional:

«no conoce la gramática elemental». Pero resalta su imaginación creadora, la exhuberancia del léxico que hace aparecer a *Los siete locos* en un ámbito de sugestiones y misterios. Y agrega que la novela hubiera ganado en admiración y brillantez publicándola con todos los errores ortográficos y sintácticos. La propuesta de Hidalgo es igual a la de algunas corrientes literarias de los años setenta que proponía cierto realismo-naturalista para la escritura. Naomi Limstrom, traductora de Arlt al inglés, escribió un artículo titulado «La elaboración de un discurso contracultural en *Las aguafuertes* porteñas de Arlt». Este trabajo aparecido en Hispanic Journal, 1980, Volumen 12, I, interesa la reflexión sobre la irregularidad del discurso arltiano. Toma algunas referencias teóricas de críticos que se oponen a la tesis del escritor inculto y carente de fundamentos lingüísticos, estos críticos que cita Limstrom son Noé Jitrik, González Lanuza y Mario Goloboff. En la revista semanal *El Ho-*

gar (26/11/26, p. 8) entre las «Noticias literarias» figura una pequeña información explicando que por fin aparece la tan anunciada novela de Roberto Arlt, novela que obtuviera el premio de la editorial Latina, el texto va acompañado por una foto de Arlt. Unico comentario en *El Hogar*, que coincide también con la referencia a dos obras que se publican para la misma fecha, *Cuentos para una inglesa desesperada*, de Eduardo Mallea, y *Vidas Perdidas*, de Leónidas Barletta. *Mundo Argentino*, de la misma editorial Haynes, en la sección «Hojeando los últimos libros» (15/12/26, p. 24), Carlos Pirán escribe una extensa nota sobre *El juguete rabioso*, es la primera vez que se compara a Arlt con Juan Palazzo. Para Carlos Pirán, Arlt es una de las figuras «más beneficiosas para la literatura nacional», «en su obra hay pasiones y acaso haya tragedias, pero además son a flor de piel. Nótese en este escritor suficiente penetración y una visión bastante honda como para ir al fondo de las cosas y de los seres...» Pirán manifiesta la impresión que le causa la fuerza, la vivacidad y la atracción de esa novela. Le augura al autor un gran porvenir de escritor «pues considera que tiene mucho que decir», ya que esta es su primera obra, fácil de leer y comprender. Pirán espera para las próximas novelas de Arlt una mayor profundidad en la «psicología de los personajes» y termina escribiendo:

"Simples narraciones más o menos pintorescas, más o menos graves o jocosas, escritas en un idioma vernáculo que pueden caer (...) en la jugosa y áspera crónica policial, (...) Arlt tiene talento de sobra para que lo burdamente policial no se filtre en su obra y se salve la Buena Literatura."

Esta crítica de sentencias era sumamente frecuente en los diarios y revistas de la época, se recriminaba o se aconsejaba al autor las líneas que debía seguir. No era la crítica presidida por Giusti o Ricardo Rojas. La crítica más contundente a cargo de Ramón Doll en *Policía Intelectual* Editorial Tor 1933, otra la visión de Canssinos Assens, Ureña, Alonso o el comentario de Gomez de la Serna que para algunos significaban el espaldarazo hacia «la gran literatura».

El país se hundía paulatinamente en una crisis que reflejaba la «crisis internacional». El golpe de estado provocado por el general Uriburu quiebra la armonía de las instituciones nacionales, se fractura la economía; el desconcierto y la desesperación se acrecientan en el país como consecuencia de la política europea y estadounidense: el «crack» de la bolsa de comercio de Nueva York, en octubre de 1929, el llamado "jueves negro", se superpone curiosamente a la aparición de la segunda novela de Arlt: *Los siete locos*, que muchos críticos la han visto como la novela premonitoria de los acontecimientos políticos argentinos.

Hacia 1928, Roberto Arlt, escribe sobre la crítica y los críticos en sus notas de *El Mundo*:

"Con la crítica literaria acontece (…) lo mismo y aún peor: no hay crítica ni críticos. Se organiza un match de boxeo, que todo el mundo sabe que es un futuro y perfecto tongo, y los diarios le dan columnas y columnas al asunto, porque las columnas son avisos, aunque usted no lo sepa (…) Sale un libro de oro malo, sale un libro bueno, y fatalmente, el mal sujeto que hace crítica literaria en los periódicos de esta cafrería, escribe: «primorosamente editado por el señor M., apareció el libro de Fulano de Tal, que revela una emoción profunda y un dominio del léxico castellano poco común». El artículo tienen siete o doce centímetros de largo en los principales diarios de esta capital, y las frases del cronista, ¡Qué Dios confunda! son siempre las mismas.[15]"

El enjuiciamiento a la crítica bibliográfica es permanente . Como así también enjuicia a los hacedores académicos del lenguaje. Un lenguaje cuya espesura pudiera contener los objetos y las personas. El repudio por la crítica literaria, de seguro, obedece a la formación de grupos en los cuales oscilaba Arlt, por su predisposición independiente, pero además el hecho de escribir una nota diaria en *El Mundo*, le permitía ciertas libertades y cierto lugar de poder que manejaba a su antojo.

Es claro que las críticas en diarios y revistas sufrían variaciones importantes según el escritor que redactara la nota. Un simple recorrido por las publicaciones de los años treinta, puede clarificar este concepto, aunque las editoriales no tenían aún el poder publicitario y económico que tienen en nuestros días. *Mundo Argentino* registra las notas de Anibal Ponce y las de Tirso Lorenzo, dos escritores que compartían zonas comunes de la cultura pero cuyas ideologías y gustos estéticos diferían notablemente. Ponce estaba vinculado al pensamiento de la izquierda crítica y Lorenzo se relacionaba con las formas más tradicionales de la cultura y la literatura. Sobre el particular de estas posturas críticas Pablo Rojas Paz, desde las páginas de *El Hogar*, induce al lector a sospechar de todas las críticas bibliográficas, comentarios y reseñas, que son solamente escritos de «favor», por amistad o por compromiso. Y enjuicia a ese tipo de información literaria, en el mismo lugar donde abundan estas críticas.[16]

La crítica literaria de y sobre Arlt está instrumentada mediante las relaciones públicas, la amistad y los compromisos que el mismo Arlt había denunciado porque es parte de un juego o de un registro de intercambio insoslayable.

Cuando publica *El juguete rabioso*, según Arlt, la crítica le fue indiferente, tuvo repercusión en los medios literarios, porque la publicidad como la entendemos hoy no estaba perfectamente organizada, pero esa queja por la indiferencia le permitía a cada momento referirse a su novela en cuanto diario, revista, reportaje se le aparecía, por otra parte quienen lo conocieron recuerdan frases de Arlt tales como "a mi nadie me hizo una crítica", "mi libro pasó sin pena ni gloria", "aquí nadie lee a nadie" y etc… El artilugio, evidentemente ha dejado sus secuelas. Y muchas críticas posteriores manipularon una nueva "mentira" de Arlt.

En la primera mitad del siglo XX la publicidad de un libro era menos sensacionalista que en la segunda mitad, pero no menos abundante.

En la época de Arlt se recurría a otros subterfugios, como la revalorización romántica de la imagen del escritor, lejos de todo interés comercial o de divulgación. La preocupación de Arlt por una mayor difusión de su obra lo induce a la creación de una imagen «maldita», de una mitología adversa que si en algún momento pudo dañarlo, sirvió para mantener una expectativa infrecuente en la época. Uno de los recursos de Roberto Arlt se apoya en el desprejuicio ideológico. Eduardo Romano ha manifestado que:

> "cierto proceso político social argentino posterior, concretamente el peronismo, entre 1946-1955, habría desbaratado (en el creador) una tentativa mítica, imponiendo a los escritores la urgencia de definirse frente a la historia. Roberto Arlt no necesitó esperar tanto. Precisamente lo nuevo y avanzado de su literatura residió, a mi juicio, en su capacidad para darle consistencia estética a la crisis de la consciencia pequeño-burguesa, urbana y bonaerense, a fines de la década de los veinte (…)[17]"

Los escritores argentinos han sido permanentemente divididos de acuerdo al lugar en donde publicaban. En cambio, Arlt, se traslada de un medio a otro con un único propósito : publicar. De las aburridas veladas en la casa de Felix Visillac,[18] a la *Revista Popular* de Juan José de Soiza Reilly al semanario *Patria* -de la liga patriótica argentina- (agrupación surgida en 1919 vinculada con los principios del fascismo); escribe en *Ultra Izquierda, Izquierda*, pasa al diario de Botana[19] y luego a la empresa británica de los Haynes;[20] *Bandera Roja*[21] órgano del partido comunista dirigido por Rodolfo Ghioldi, publicó en cuanto diario o revista se le pusiera en el camino, como la *Reveu Argentine de Paris* (1935)[22] o *La Revista Azul* (de Azul), y el diario *La Nación*, donde publicó muchos de sus cuentos en páginas enteras del suplemento literario bajo la aprobación de Mendez Calzada y luego de Eduardo Mallea .

Las declaraciones de Arlt en contra de los críticos que lo ignoran, que no saben que él escribe en condiciones deplorables, que debe trabajar para subsistir y que sus ojos sufren con la escritura de tantas páginas. Respuestas descabelladas, exabruptos groseros y un sin número de anécdotas que refuerzan una imagen de escritor incomprendido.

En el prólogo a la segunda edición de *El juguete rabioso* (1931) dice que la aparición de su novela, en 1926, pasó sin pena ni gloria para los anales de la crítica pero que la juventud lo aclama con apasionados elogios. La crítica más extensa y específica proviene de la revista *Nosotros* y está firmada por Leónidas Barletta, que a través de sus escritos en *Caras y Caretas*, *Mundo Argentino*, *Los Pensadores* y *Claridad*, habían adquirido un prestigio literario importante. Barletta afronta la lectura de *El juguete rabioso* (1926) para mostrar al público la llegada de un escritor, de un novelista relevante en la literatura argentina. Llama a la novela de Arlt «espontánea y extraordinariamente interesante» aunque le achaca que no es muy sobrio en algunos aspectos expresivos. ¿Se referirá al lenguaje?

Carlos Piran tituló de «vernáculo» el lenguaje de Arlt, Barletta prefiere llamarlo «caló», al idioma ficticio que el novelista pone en boca de sus personajes con la mayor naturalidad. E indica que ni el mismo Galvez ha salido victorioso en la empresa. El enfoque crítico de Barletta rescata el realismo, ese pasaje verdadero de la crudeza social a la literatura con un profundo sentido de verosimilitud. No se advierte en la nota ningún rigor crítico, ya que se deja llevar por un evidente apasionamiento de lector. Pero Barletta intuye el folletín, el lenguaje directo y la realidad trasladada sin mayores contemplaciones, en esta primera novela *"El juguete rabioso*, de Roberto Arlt, es incuestionablemente una buena novela»[23]

Además de estas críticas es frecuente en Arlt la actitud de explicar sus propias obras, por ejemplo, le escribe a una lectora de sus notas en *El Mundo* quien le pregunta por el significado de su novela:

> "Silvio ama la vida, porque comprueba que encierra en él las posibilidades de realizar lo que se le antoja. No tiene ningún escrúpulo. Instintivamente el personaje sabe que la vida se pierde y malbarata, si falta en el carácter la audacia para realizar lo que desea. Y este conocimiento que le comunica la certidumbre de que él no retrocederá para ser feliz ni ante el crimen, lo embriaga. Es algo así como una Self-potencia. O si usted quiere mejor: «Voluntad de vivir»
>
> (Carta a la Sta. E. J. Arizaga del 2/3/34) (Véase: *Cartas*).

Roberto Arlt no es indiferente a la crítica literaria y lo demuestra a través de sus notas en *El Mundo* que comienza a escribir, al menos con su firma, el

15 de agosto de 1928. Estas *Aguafuertes porteñas* conforman un verdadero registro de la actividad del escritor, una especie de diario 'íntimo-público' en donde la reflexión es compartida desde su intimidad. Desde su lugar en el diario *El Mundo*, bombardea literariamente y recibe quejas e insultos:

> "Nos parece mal que Roberto Arlt, en sus aguafuertes de *El Mundo*, no pueda con el genio y se desayune con varios literatos cada mañana. La vez pasada nos hizo creer que las 'correspondencias' desde Roma, de Manuel Gálvez, eran malísimas. Ahora bien, Gálvez no ha escrito nunca desde Roma."

El suelto apareció en la revista *Criterio* (25/ 10/28, p. 110) como respuesta a la nota de Arlt del 18/10/28 titulada "Argentinos en Europa", estas disputas se reiteran, a medida que las publicaciones especializadas se hacen eco de las agresiones de Arlt. En la cronología que acompaña a este trabajo sobre la crítica hemos anotado algunas de estas desavenencias literarias que aquí omitimos. Roberto Arlt llega al diario *El Mundo* en 1928 por invitación de Alberto Gerchunoff. En 1927 trabaja en *Crítica* como redactor de notas policiales. El tema de lo policial ha tenido en Roberto Arlt un espacio permanente desde 1927.

A cincuenta años de su muerte, Arlt sigue siendo una figura construida sobre anécdotas. Un artificio que forma parte del espacio literario hasta para quienes no hayan abordado la lectura de su obra, aún evocan algún rasgo de su carácter impulsivo y de su apasionado hacer, de sus respuestas insólitas y de una vida vinculada a la miseria, al hambre, al fracaso y a la angustia. Sin embargo el artificio de ser en la literatura tiene escenarios tan espectaculares como el del diario *Crítica*, un poco más allá de las sagradas páginas escritas y un poco más acá del mito, una religiosidad ciudadana que se interesa por estos grandes frisos.

La continuidad temática y la actitud del periodista que no puede dejar de escribir, se tradujo en lo marginal, en el mundo al que no se puede acceder totalmente. Se entra de a pedazos, y nunca una pertenencia plena. Arlt se vanagloria de escribir sobre especialistas del delito, se jacta de sus charlas con ladrones y asesinos que -según él- le han dado las más precisas indicaciones para sus novelas. Por eso el robo se ha convertido en uno de los item de la crítica literaria arltiana.

La seducción por infringir la ley o el complejo mecanismo de la lengua ciudadana se unieron, también, con el robo de los afectos, mezclados a su vida personal y a la de sus personajes.

El otro juego, el del doble, a la manera de Borges, el que ha confundido a los lectores entre los personajes y el autor. El cine argentino adaptó algunas de sus obras y trató de confundir al espectador con esta demoníaca visión del doble, tal vez, porque Arlt con frecuencia ha mencionado a Dostoievsky. Nos referimos particularmente a la tendencia que las películas sobre obras de Arlt han disfrazado a sus personajes con la imagen del autor respondiendo a la lectura popular que se hecho de su vida.

Hacia 1934 sus novelas han dejado de tener vigencia, como sus libros de cuentos. Le preocupa el teatro y ya no publica libros. Solamente escribe cuentos para vender en *El Hogar* y en *Mundo Argentino*. Es una etapa de intereses nuevos, tiene 36 años, y comienza su preocupación por el cine norteamericano, ingresa a la sección "crítica de cine" del diario *El Mundo* dirigida por Calki. Inicia una serie de notas sobre Rodolfo Valentino y Greta Garbo. Estudia inglés porque el diario *El Mundo* promete enviarlo como corresponsal a EE.UU. (Véase: *Cronología*).

En abril de 1928 ingresa al diario de Alberto Haynes, junto con un grupo de periodistas y redactores que como él, colaboraban en *Crítica* y en *Don Goyo*. Alberto Gerchunoff inicia la actividad del nuevo diario el 3 de abril de 1928 (trabajaba con diarios de pruebas ya que la fundación real del diario es el 14 de mayo de 1928). Gerchunoff dirigió el diario *El Mundo* -tamaño tabloid- solamente durante unos meses, luego renunció. Desde *Mundo Argentino*, Carlos Muzio (que se convertirá en Muzio Saenz Peña) y desde *El Hogar*, Lascanótegui, que se convertirá en el vizconde de Lascano Tegui, iniciaron una campaña no favorable a la dirección del periódico. El señor Manuel Kantor en una entrevista que le realizáramos en enero de 1983, comentó: "Gerchunoff había renunciado al diario, también por presiones políticas (Irigoyen asumía por segunda vez la presidencia de la Nación) Carlos Muzio se pone al frente del periódico y muchos de los redactores se alejan."[24] El diario adquiere un giro en la dinámica informativa, se vuelve menos literario y se incluyen notas de todo tipo. Recordemos que las notas de Arlt aparecen en el diario desde los primeros días de abril, sin firma y sin el título de *Aguafuertes porteñas*. Muchas de las notas anónimas, escritas por Arlt, son recopiladas por él mismo en la edición de *Aguafuertes porteñas* (1933), el hecho es de destacar porque es una constante en Arlt. La sección cambia de nombre de acuerdo al tema o al lugar desde donde escribe: pueden ser "Notas de Viaje""Aguafuertes Brasileñas" "Aguafuertes Uruguayas" o "de Roberto Arlt", etc.[25]

Arlt trabaja como redactor en el diario *El Mundo* desde 1928 hasta julio de 1942, fecha de su muerte. Además de los viajes frecuentes que realiza como corresponsal, desde el 15 de septiembre de 1929 al 15 de noviembre del mismo año; interrumpe la tarea para terminar de escribir su segunda novela *Los siete locos*. Raúl Scalabrini Ortiz cubre la ausencia con cincuenta y nueve «Apuntes porteños»[26] que Arlt agradece en un aguafuerte titulado «De vuelta al pago» (15/11/29). Ya hemos señalado las condiciones de Arlt de ser su propio apologista. Escribe sobre sí mismo, sobre las cosas que conoce pero como si fuesen lejanas. Masotta ha reflexionado[27] sobre este aspecto de la literatura sostenida por la anécdota que transmite una imagen del escritor ligada a su obra. Por ejemplo, el registro anecdótico de Macedonio Fernández, a veces es suficiente para saber del escritor. En relación a Roberto Arlt, el registro anecdótico tiene todavía una fuerza especial. Roberto Mariani en 1942 lo llama «Arlt el mentiroso»,[28] esta afectuosa nominación del autor de *Cuentos de la oficina*, amigo y compañero de Arlt, adjudica a la mentira un efecto de estrategia. Cita las confusiones de las fechas de nacimiento, las veces que abandonó la casa paterna, los distintos oficios, la edad en que había comenzado a escribir...Lisardo Alonso,[29] después de considerar a *Los siete locos* la novela más lúcida de la época, no está dispuesto a creer en los artilugios que Arlt esgrime en su penosa tarea de escritor.

La nota bibliográfica de *Crítica*, informaba «toda literatura de Boedo no cabe en tres páginas de las ciento setenta de *El Juguete Rabioso*» y lo muestra como colaborador de la revista *Proa* -ya desaparecida en 1926-; no motiva -tampoco, el comentario en *Martín Fierro*, aún cuando muchos de sus integrantes eran amigos de Arlt: Marechal, Scalabrini Ortiz, Mallea, Roxlo y otros. En las páginas de *Martín Fierro* nunca se hace mención del nombre de Roberto Arlt, excepto en el número 44-45 del 31 de agosto al 15 de noviembre de 1927 donde se propone para el próximo número un «Homenaje a Ricardo Güiraldes», pero no se concreta porque la revista deja de publicarse. *Don Segundo Sombra* (1926) tiene en *Martín Fierro* las mejores y especiales críticas literarias, además de recuadros y publicidad editorial de la novela.

Ramón Doll se ocupa de *Don Segundo Sombra* desde las páginas de *Nosotros*, acentuando la manera en que el gaucho ve al hijo del patrón. "Estamos, dice Doll, ante una literatura, que quiere reivindicar al gaucho ya desaparecido." Ramón Doll, cuya mayor actuación la tuvo en *Claridad*, es el primero en reflejar en sus escritos la fractura burguesa de una literatura rural y urbana en los nombres de Güiraldes y Arlt. Dicotomía remosada en la década del cincuenta por los jóvenes escritores agrupados en la revista *Contorno*. Doll es uno de los críticos más coherentes frente a la trayectoria literaria de Arlt y con él coincide en la despreocupación de los críticos por *El juguete rabioso* (1931) había destacado el silencio de los críticos y la aceptación de los jóvenes. Andrés Avellaneda en 1976[30] dice «era verdad y pasarían treinta años más para que apenas a mediados de la década del cincuenta, los argentinos comenzaramos a leer a Arlt como texto cotidiano». Igualmente la segunda edición de *El juguete rabioso* (*Claridad*, 1931) no tuvo mayores comentarios bibliográficos y fue reeditada por tercera vez en 1952 por Editorial Futuro, dirigida por Raúl Larra (Larranccione), quien emprende la edición de la mayoría de las obras de Arlt sin obtener respuesta de público. Andrés Avellaneda en el mismo artículo traza nuevamente la dicotomía Arlt-Güiraldes, lo urbano y lo rural, dicotomía que el tiempo permutó en Arlt-Borges. Conrado Nalé Roxlo, director de la revista semanal humorística Don Goyo, le solicita a Roberto Arlt una autobiografía para publicar en la revista con motivo de la aparición de *El juguete rabioso*.[31] *La Vanguardia*, órgano del partido socialista, no da cuenta en 1926-1927, de la aparición de la primera novela de Arlt, tal vez porque el comentario bibliográfico no tenía un lugar específico todavía en el semanario. El diario *La Razón*, tenía una sección bibliográfica dirigida por Ricardo Monner Sans en donde tampoco menciona la novela. Monner Sans ha sido objeto de las ironías idiomáticas de Arlt desde las columnas de *El Mundo*[32] reiteradas veces. Jorge Luis Borges[33] en 1929 contesta a una pregunta que hace la revista *La Literatura Argentina*: "¿A quién leen los nuevos?" Borges dice: «...de los muchachos leo a los poetas Nicolás Olivari, Mastronardi, Bernardez, Norah Lange y Marechal. Y de prosa es notable Roberto Arlt...no leo otros».

La declaración de Borges está centrada en *El juguete rabioso*, que era lo único que se conocía de Arlt en junio de 1929. *Mundo Argentino* y *El Hogar* ya habían publicado cuentos de Arlt, como *La Nación* y los adelantos de novelas aparecidos en *Proa*. Muchos años después, Borges, recordó que Arlt era un escritor que «escribía mal». En un reportaje televisivo de los años 70 Borges dijo que había tenido varios encuentros con Arlt en la década del 30, en uno de esos encuentros, Roberto Arlt le preguntó si le gustaba el barrio de Villa Luro y Borges respondió que no sabía dónde estaba ese barrio y desde ese entonces Arlt no volvió a saludarlo. Borges reforzó, así, la conceptualización de la personalidad de Arlt "irreflexivo ".

El juguete rabioso despertó la admiración del poeta Horacio Rega Molina: «Arlt, un novelista impresionante»[34] «*El juguete rabioso* es el arma con que se inició en el áspero combate de la reputación literaria el audaz creador de *Los siete locos*, fantásticos personajes de novela que trafican en el seno de una sociedad que se derrumba».

1.1.2. Críticas a *Los 7 locos* (*sic en el original*)

Arlt desde 1927 trabaja en el diario *Crítica* en la sección policial de los viernes -no firma las notas- sale al encuentro de la noticia, el crimen, el robo, el estupro, una visión, como diría Arlt, «a lo alighiero». La premura periodística en el estilo del diario *Crítica* propone una lectura espectacular, la noticia como un hecho teatral. Cualquiera fuera la crónica, el lector tiene la impresión de estar leyendo una noticia policial. Las fotos en primer plano, los títulos catástrofe, el refuerzo realista de los gráficos, subrayado por dibujos que magnificaban el suceso. Una investigación policial a cargo del diario *Crítica*, podía ocupar la primer plana durante un mes. En 1927 el famoso caso de María Poel: da pie a una investigación sobre los móviles del crimen. El relato focaliza a un presunto asesino y la indagación se extiende a sus tíos, a su abuela, a las familias cercanas, la comida, la ropa, la vivienda. Reconstruyen salidas nocturnas del ya casi asesino, encuentros amorosos... Todo, gracias a la ayuda de excelentes dibujantes y fotógrafos. El punto central del diario *Crítica* era captar y difundir lo prohibido. Ese "algo" que los otros diarios pudorosamente, no podían mostrar. La obscenidad fotográfica del primer plano o los dibujos detallados, posibilitaban el acceso a una lectura minuciosa que contribuía a un gran ruido editorial. La búsqueda más allá de la noticia, la búsqueda de un conflicto, como por ejemplo: "A sus plantas rendido un león", la famosísima disputa del gobierno español con el gobierno argentino exigiendo que se cambiaran los versos del Himno Nacional Argentino y que no figurara más en las libretas de enrolamiento de los ciudadanos, porque constituía una afrenta para el pueblo español. Este periodismo es el punto de partida arltiano, como lo fue para Ernest Hemingway, el manual de estilo del diario *Star*. Así, Roberto Arlt, dice: "en la literatura leo sólo a Flaubert y a Dostoievsky y socialmente me interesa más el trato con los canallas y los charlatanes que el de las personas decentes".

La promiscuidad y la sordidez de un mundo infrecuente para un intelectual. Estos «pedazos de vida» componen poco a poco parte de sus novelas, sus cuentos y obras dramáticas. Roberto Arlt es eminentemente un hombre del siglo XX seguro de las necesidades históricas de su época. No participa de una cultura enlazada a la tradición literaria de los de la revolución de mayo o la generación del ochenta.

En el período que va del veinte al treinta, algunos historiadores lo han denominado período de optimismo histórico. Se publican muchísimas revistas literarias y surgen los primeros escritores «profesionales», como Leopoldo Lugones, Ricardo Rojas, Roberto J. Payró. El público, respetuoso de los críticos y de los intelectuales, espera el juicio categórico sobre las obras y sus creadores. Ese magisterio de la crítica es duramente rechazado por Ramón Doll:

> "Otro lugar común que corre fácil por los canales del pensamiento crítico es que a Groussac hay que considerarlo como un maestro providencial que nos ha llegado como regalo para que los argentinos aprendiéramos a escribir."[35]

Los estamentos de la crítica argentina divulgaron un solo plano de los estudios de las obras literarias, aquel que guardaba mayor coherencia con el pensamiento de la investigación europea. Aún cuando entre nosotros se destacó la admirable figura de Pedro Henríquez Ureña. En los primeros treinta años del siglo la investigación crítica estaba profundamente contaminada por el modernismo y la actuación de Rubén Darío en Buenos Aires -comentamos el caso de Alberto Haynes que fundara *El Consejero del Hogar* (1903) y en 1904 *El Hogar* y luego todas las publicaciones conocidas, entre las que se cuenta el diario *El Mundo* y *Radio El Mundo*. Esta editorial pasó a manos del Gobierno Argentino en 1947 con la adquisición de los ferrocarriles a los ingleses, por acción del presidente de la Nación General Juan Domingo Perón. Mucho se ha hablado del espionaje inglés en el Río de la Plata, incluive la editorial de Haynes crea una revista titulada *Riquezas Argentinas* en donde se pormenoriza los centros ganaderos, minerales etc... Alberto Haynes es un ingeniero en ferrocarriles que viene para atender las líneas de El Pacífico y termina instalando una editorial con los mismos fondos de los ferrocarriles y se abastece de papel y de tintas en Londres. Hay revistas de la editorial que llevan la dirección de Londres. Cuando el Gobierno argentino compra los ferrocarriles se da cuenta que también es dueño de la editorial Haynes. por esta razón aparecen, después de 1948, las revistas *Mundo Peronista* y *Mundo Infantil* y *Radio El Mundo* pasa a la radio nacional.

Estos movimientos inmigratorios que también son culturales, abarcan distintos propósitos en la impresión de diarios, revistas y libros. La editorial *Cla-*

ridad, por ejemplo, tenía como propuesta invadir la ciudad y el país con libros de bajo costo. La editorial de Sud América, presidida por Alberto Haynes, mantiene distintos matices de publicaciones, *El Hogar* y *Mundo Argentino* son publicaciones que duran apróximamente sesenta años, el diario *El Mundo* alrededor de treinta años.

La tarea periodística y de escritor de Arlt se desarrolla dentro del marco de la editorial de Haynes, cuyo liberalismo cultural permitía rescatar valores literarios como los de Roxlo, Bernardez, Scalabrini Ortiz, Rivas Rooney, Roberto Ledesma...

Pocos días después de producido el ingreso de Roberto Arlt al diario *El Mundo* (1928) se lee en un pequeño recuadro:

"Roberto Arlt, el autor de *El juguete rabioso*, está terminando una novela autobiográfica que se titulará *Los siete locos* (18/4/28)"

Los siete locos, es la novela que obtuvo mayor difusión, se hicieron tres ediciones en la editorial *Claridad*. Pero lo relevante es que ahora Arlt está instalado en un medio importante de comunicación social. El 11 de octubre de 1929 Leopoldo Marechal en un reportaje para *El Mundo* habla de los jóvenes escritores e indica que la mayoría ha participado directamente o no del movimiento revolucionario martinfierrista, iniciado por Proa y luego por el periódico *Martín Fierro*.

Marechal elogia entre los martinfierristas a Jorge Luis Borges, Francisco Luis Bernárdez, Ricardo Molinari, Eduardo Mallea, Amaro Villar, Raúl Scalabrini Ortiz y a Carlos Mastronardi. Pero concluye expresando que «algunos» formados lejos de este periódico «han trabajado con altura y genio», como por ejemplo Roberto Arlt.

Tanto Arlt como Marechal a lo largo de sus vidas literarias, siempre han tenido recuerdos y apreciaciones afectuosas y admirativas uno del otro. El criollismo que alentaba a los martinfierristas era proporcional al de los que estaban trabajando en la revista *Claridad*, apoyados en el realismo . Los dos grupos habían establecido un espacio epistemológico en relación a la tradición literaria argentina. Es allí donde puede insertarse Arlt, oscilante, despreocupado por tal o cual manifiesto. Son los movimientos ideológicos los que se trasladan a la Argentina en la década del treinta cuando Anatole France llega a Buenos Aires los elogios son por partes iguales en *Los Pensadores* fundada por Antonio Zamora, en *Proa* y en *Martín Fierro*.

Es preciso, entonces, trazar una historia de la crítica argentina un poco a la manera propuesta por Gerard Genette.[36] Establecer, fundamentalmente, una historia de la lectura, una historia crítica que pueda revelar los matices y los puntos más certeros del movimiento social, en donde las ideologías acerca de una obra de arte quedaran claramente expuestas. En el curso de estas investigaciones observamos que algunos autores produjeron obras que no eran proporcionalmente aceptadas por el sistema, debido a que las exigencias del país no eran sensibles a esas propuestas. El caso de Enrique Méndez Calzada cuya concepción del cuento pasó, poco menos que desapercibida en su momento.

Genette rescata una frase de Borges de *Otras inquisiciones* (1966): «Si me fuera otorgado leer cualquier página actual -ésta, por ejemplo- como la que leeré en el año dos mil, yo sabría cómo será la literatura del año dos mil»:[37]

En Arlt se pueden establecer tres ejes de lectura frente a sus cuatro novelas: 1) El de motorizar un sueño; 2) lo religioso y lo social, desorientación y fracaso de la vida del hombre; y 3) la búsqueda permanente de la felicidad.

Sin embargo, la crítica que se desarrolló durante la época de Arlt escasamente puede explicar cuál es el elemento que convierte a las novelas y a los cuentos de Arlt en una obra literaria. Aquí estaría dado el punto retardatario de la aceptación posterior de su obra. No basta la reflexión del propio Roberto Arlt sobre su literatura. El interés que despierta paulatinamente la obra del autor de *El juguete rabioso* se ubica en el modo de la lectura que enfrentó una nueva generación. La aceptación más clara está dada por las obras que ha motivado tanto en el nivel crítico como ficcional.

La mayoría de estas críticas, reseñas bibliográficas, son parciales y muy personales. La de Ramón Doll, por ejemplo en *Claridad*, «La Producción literaria de 1929» (11/1/30) es sumamente extensa, dentro de la producción del año reseña las últimas publicaciones: *Lucía Miranda*, de Hugo Wast, la denomina «novelón insufrible»; *Humaytá*, de Manuel Galvez, igualmente «novelón histórico, sin belleza ni emoción histórica» y por fin aborda la crítica a *Los siete locos*:

"*Los siete locos* de Roberto Arlt, constituye la mejor novela que se ha escrito en este país en los últimos años, incluso para los que tuvieron éxito de crítica y librería unánimes. Y es que hallado el talento dosificado y repulido que indudablemente existe en las escenas deslavazadas de *Segundo Sombra* (sic) y al lado de la grosera propaganda comercial que Larreta organizó con *Zogoibi*, esta novela de Arlt, fornida, intensa, sobrándose en pasión y en fantasía, anegada de cálidos torrentes de vida dolorosa, (...) este talento de Arlt que se prodiga y se desperdicia como rico, no necesita mistificaciones literarias." (frag.). (Véase: *Bibliografía*, se transcribe).

Doll había analizado rigurosa y duramente a *Don Segundo Sombra* de Güiraldes en la revista *Nosotros* y retoma aquí la comparación entre Roberto Arlt y Ricardo Güiraldes. La generación de «los parricidas» -como denominó Emir Rodríguez Monegal a los jóvenes de la revista *Contorno*- retomó esta dicotomía metodológica para mostrar la muerte de la novela rural y el advenimiento de la narrativa ciudadana con Roberto Arlt. La crítica de Ramón Doll, que inexplicablemente ha quedado relegada en nuestra historia literaria, vislumbra, sutilmente, la futuridad de *Los siete locos*:

«La pluma de Arlt, cuyo libro exige un análisis especial, una crítica detenida y minuciosa que no es posible insertar en estas notas».

Mucho más allá de una problemática de espacio, Doll está mirando la futuridad de la obra: «la crítica detenida y minuciosa que no es posible» y que ocurrirá poco después de la muerte del escritor, en particular sobre la década del cincuenta cuando el desaliento social y las crisis económicas comienzan a profundizarse.

Como acostumbraba a hacerlo Arlt, había adelantado varios capítulos de su novela en revistas y publicaciones periódicas. Estos adelantos aparecen en la novela con modificaciones importantes. En la *Antología...* de Miranda Klix, adelantó un fragmento de *Los siete locos*: «El Humillado», el que Barletta hizo teatralizar y representó el 3 de marzo de 1932 en el Teatro del Pueblo. Esta antología del cuento incluye una autosemblanza de Arlt, en la que declara «actualmente tengo casi terminada la novela *Los siete locos* y me sobran editores...». Días antes de la salida de la antología, la revista *Claridad* da un avance del libro, reproduce la autosemblanza de Arlt y Scalabrini Ortiz, y posteriormente un adelanto de *Los siete locos*.[38]

R. Arlt se transforma en un personaje molesto cuando a partir de 1928 concentra la atención a través de las *Aguafuertes porteñas*. Allí trata todos los temas que se le ocurren, recorre la ciudad, los bares, las peñas literarias, siempre deseoso de obtener material para sus notas, desde ese lugar en *El Mundo* se convierte en un verdadero iconoclasta; «Ricardo Rojas es solamente lectura de estudiantes universitarios», «Alfonsina Storni es una vampiresa de la literatura», «Baldomero Fernández Moreno cada día escribe peor». Samuel Glusberg en su revista *La vida literaria* (diciembre de 1928, p. 8) escribe:

"Gracias al ataque que le dirigen desde distintos diarios algunos «escritores» que escriben por cinco pesos un artículo firmado y por menos una carta abierta. Es el caso de los Arlts... Pero, ¿qué puede hacerle, estos niños terribles a una sociedad que ya cuenta en su seno a los cien escritores más representativos del país?."

Esta era una manera de instrumentar, de motivar la crítica, una manera de retomar las viejas y tradicionales disputas entre intelectuales, que alguna vez, en Buenos Aires, habían tenido su historia.

La teoría de la marginalidad de Arlt, también, es alimentada por el propio escritor, que naufraga entre distintos grupos de contención, pero que definitivamente se enrola dentro de una corriente personal, cuyo compromiso está ligado solamente con la literatura.

En el año 1929 la revista *La literatura Argentina* de Lorenzo J. Rosso, nace como un espacio necesario y novedoso dentro de la línea de revistas sobre literatura y crítica. Estaba dirigida por Honorio Barbieri, era una publicación de mucha importancia en el campo de la bibliografía. La apasionada propuesta de Rosso era la de registrar todas las publicaciones mensuales, anuales, quincenales y trazar un minucioso catálogo de obras: la empresa admirable, sólo se interrumpió con la muerte de Lorenzo Rosso. De manera que la bibliografía quedó trunca, pero hoy configura un documento básico para cualquier investigador que intente esclarecer algún aspecto de nuestras letras en la década del treinta.[39]

Roberto Arlt estuvo vinculado con Rosso durante muchos años, -recordamos la publicación en 1926 de *El juguete rabioso* por Adolfo Rosso-, y en esta publicación hay escritos, reportajes, sueltos, comentarios generales sobre su actividad de escritor y dramaturgo. No se trataba de una revista puramente bibliográfica, o un simple catálogo, incluye en sus páginas encuestas, colaboraciones internacionales, críticas literarias, reportajes, informaciones sobre concursos y premios literarios, todo lo concerniente a la literatura.

Entre los críticos literarios que contaba la revista, además de Rosso, y Honorio Barbieri, figuran los nombres de José María Monners Sans, Pablo Rojas Paz, Carlos Mastronardi, Arturo Cambours Ocampo, Enrique de Gandía, Horacio Rega Molina. En una carta a Honorio Barbieri, director de la revista, Roberto Arlt le expresa su agradecimiento por las palabras vertidas sobre su reciente obra *Los siete locos*. Le expresa que los únicos que se han ocupado de la novela fueron : Cayetano Córdoba Iturburu, César Tiempo, Elías Castelnuovo, Juan Sebastián Tallón, Emilio Soto, Last Reason, Alberto Hidalgo y Ramón Doll.[40] El resto, dice Arlt, ni me menciona... otra vez se queja de haber tenido solamente un poco más de diez críticas a *Los siete locos* en menos de dos o tres meses de publicada.

La nota de Barbieri que agradece a Arlt, fue publicada en *La Literatura Argentina* Nº 15 de noviembre de 1929 con un fotografía de Arlt. Es sumamente laudatoria: «leí y fui sorprendido por el tumulto del genio!» -palabras de

Romain Rolland a Panait Strati- Barbieri elogia la fuerza arrolladora de la creación y explica que la indisciplina lexicográfica y el desorden sintáctico se sostienen por un gran «instinto formidable» y continua diciendo: y después de comparar a Erdosain con Raskolnicoff recomienda ampliamente la lectura de esta obra.

Alberto Hidalgo en el mismo número de la revista anota: «Arlt es en nuestro ambiente un caso único: no conoce la gramática elemental, pero tiene una imaginación y un léxico exuberantes que hacen de *Los siete locos* una obra poderosamente sugestiva». Luego agrega que la novela hubiera ganado publicándola tal cual fue concebida, con todas las faltas ortográficas, con todos los dislates sintácticos. Hidalgo sabía que la mano de Cayetano Córdoba Iturburu había limpiando, corregido, pulido los originales de Arlt. De todos modos la novela se publica en noviembre de 1929, por editorial *Claridad*, con importantes resonancias críticas. El flamante autor de *Los siete locos* publica en *El Mundo* un aguafuerte titulada Los siete locos, en la cual cuenta la estructura de la novela, cómo la escribió, cantidad de personajes, etc. y cierra la nota con estas palabras:

"A mí, como autor, estos individuos no me son simpáticos. Pero los he tratado. Y todo autor es esclavo durante un momento de sus personajes, porque ellos llevan en sí verdades atroces que merecerían ser conocidas.
En definitiva: en esta obra no hay ningún casamiento, ni baile, ni declaración de amor. Al sexo femenino no le puede interesar (27/11/29)."

Cuando da a conocer *Los lanzallamas*, también escribe un aguafuerte en donde dice, sutilmente, «Al mismo tiempo es publicidad». En la enumeración de críticos que se han interesado por comentar *Los siete locos*, Arlt omite a Alberto Pineta[41] que en muchas oportunidades ha escrito sobre la obra de Arlt, con justeza y objetividad. Esta vez lo hace en la revista *Síntesis* de octubre de 1929, p. 207: «La promesa de la nueva generación», es decir, lo ubica claramente como un escritor que ha roto los moldes de la narrativa tradicional argentina. Bucich Escobar, sin grandes comentarios, sobrevuela la novela y la refiere en *Mundo Argentino* (18/12/29). Pero es Samuel Glusberg su empecinado enemigo literario, quien en *La Vida Literaria* (diciembre, 1929) señala que es la novela de un loco más, «el autor de un libro», ya que semeja una «confesión novelada» para terminar manifestando que Arlt no es más genial que Macedonio Fernández.

El 31 de octubre de 1928 se crea la Sociedad Argentina de Escritores y como primera medida se promueve la creación de un Premio Municipal de Literatura: "otorgado por primera vez a la poetiza Alfonsina Storni".

En enero de 1930, Samuel Eichelbaum declara acerca de la desorientación por la que estaban atravesando los escritores jóvenes y emite su juicio sobre el próximo Premio Municipal, el de mayo de 1930:

> "El nombre de Arlt -¡Cómo no habría de ser!- ha surgido de pronto, metiéndose silábico entre las palabras."

Eichelbaum pone algunos reparos críticos a la novela de Arlt, pero sostiene que Arlt debe ser uno de los premiados.

El jurado del premio municipal de 1930 estaba integrado por Juan Torrentel (dueño de la editorial Tor), Carlos Obligado, José Oría, Nicolás Coronado y Enrique Martínez Estrada.

Luis Emilio Soto escribe en *La Literatura Argentina* (febrero 1930): «creo sin rodeos que la novela *Los siete locos* de Roberto Arlt es acreedora a la mayor recompensa». Y expresa que tiene en preparación un libro en donde expondrá su crítica a la obra de Arlt. Emilio Soto considera que la obra narrativa de Arlt no tiene en la Argentina «precursores» ni nada aproximado, de allí, que se revaloriza la originalidad de sus textos. El libro de Luis Emilio Soto apareció en 1938 y llevaba por título: *Crítica y estimación*. La postura de Soto pareciera coincidir -muchos años después- con la de Borges cuando señaló que los grandes creadores producen a sus precursores. Soto dice que «No es posible juzgar a la crítica de un país, sin relacionarla con el grado de expansión de su literatura».

Los siete locos ha sido la novela que obtuvo mayor éxito de librería y de crítica. Todos los medios periodísticos y literarios en los que se movía Arlt, pedían para esta novela el premio municipal recientemente instaurado.

Barletta, incondicional defensor de Arlt, en la revista de Rosso *La literatura argentina*, enero de 1930 (p. 35).anota: «*Los siete locos* merece el premio municipal», Leónidas Barletta sostiene que la novela es «muy buena» y se congratula de haber elogiado, en 1926, la aparición de *El juguete rabioso*, descubriendo a un gran novelista que se ha superado en su segunda obra. *Los siete locos* es considerada por Barletta de «excepcional». «superior a Zogoibi y a Don Segundo Sombra, libros de éxito fácil».

Antonio Vallejo, esgrime, en las páginas de *La Literatura Argentina*, por primera vez una crítica adversa. Vallejo es un ultrista y confiesa que solamente ha podido leer una parte de la novela de Arlt pero lo condena implacablemente. Para ello alude a la falta de poesía, ausencia de convicciones espirituales vinculadas con el arte llamado «Fumet des relations parasitaires» (sic) Luego conmina al novelista a aprender el idioma español y estregarse a la creación de novelas de aventuras, que es para Vallejo, la vocación de Arlt.

El diario *La Prensa*, que no abunda en comentarios sobre las novelas de Arlt, (solamente a veinte años de su muerte aparecen notas y comentarios), el 11 de enero de 1930 entre las notas bibliográficas se cita al autor de *Los siete locos* como un escritor «precario». En esa misma página el 9 de febrero de 1930, Luis Emilio Soto vuelve a exponer su mayor reconocimiento al narrador de *Los siete locos*: «su vocación no tiene finalidad ética», casi una respuesta a la nota anterior de *La Prensa*, esta conceptualización de Soto muestra claramente la ausencia de objetivo estético en Arlt, premisa abordada muchos años más tarde, porque en su primera época se le reprocha constantemente ausencia de valores estéticos.

Roberto Arlt propuesto para el Premio Municipal, provoca algunas críticas enojosas e insultantes. Cada revista literaria de la época elogia a sus candidatos. Acusan a los jurados de los premios y también a los escritores, porque se hacen su propia campaña. Arlt era el candidato de *Claridad*. Frente a estos problemas previos al premio, Don Antonio Zamora, director y fundador de la revista y editorial *Claridad*, se pronuncia salomónicamente «en favor de los premios municipales» en abril de 1930, por supuesto en su revista:

"Una vez más los premios municipales a la producción literaria han sido adjudicados a autores de obras de poco valor y de escaso interés social, amén de ser en su mayoría ilustres desconocidos entre el pueblo que al fin y al cabo es el que contribuye con su dinero directamente para estimular la producción literaria del país."

"Ninguno de los libros premiados habrá logrado una circulación de trescientos ejemplares lo que pone de manifiesto que las obras en cuestión no han pasado el límite de la familia y amigos de sus autores. De seguro otorgándose los premios municipales en la forma que se viene haciendo en los últimos años, sería mejor que fueran suprimidos, porque por lo menos ellos no servirían para favorecer a los ahijados de influyentes padrinos. Lo menos que se puede exigir es que forme la composición del jurado, que año tras año está siendo formado por una mayoría de alcornoques que entenderán de cualquier cosa menos de literatura.[42]"

El 8 de mayo de 1930 el jurado del Premio Municipal le adjudica a *Los siete locos*, el tercer premio. Arlt,que estaba en Río de Janeiro, Brasil, como enviado especial de *El Mundo*, envía un «aguafuerte» en la que recuerda sus comienzos de escritor, el espaldarazo que le diera Juan José de Soiza Reilly a los diez y seis años al ver su nombre impreso: «Jehová», un cuento breve. Explica Arlt que para él el tercer premio es el mejor porque de los primeros nadie se acuerda.[43] En *La Literatura Argentina* de mayo de 1930 se cuestiona el otorgamiento de los premios a través de la voz de dos escritores: Enrique Gonzáles Tuñón y Arturo Cambours Ocampo. El primero sostiene que Arlt debió obtener el primer premio ya que su obra es sumamente valiosa. Cambours Ocampo opina que el tercer premio por *Los siete locos* está bien dado.

Los comentarios sobre el resultado de los concursos aparecieron en Caras y Caretas, con un foto de Arlt, en *La Vida Literaria*, en *Nosotros*, en *Claridad* donde se incluye la nómina no solamente de los ganadores sino de los participantes y Arlt dice "me sacaron la jeta en la revista".

Cayetano Córdoba Iturburu escribe una reseña del nuevo novelista: *Roberto Arlt* en *La Literatura Argentina*44 con los mejores augurios de rejuvenecimiento a la literatura nacional.

B. Abramson en la revista de Zamora denota algunos de los componentes que producen el deterioro de la literatura nacional:

"¿Quién causa mayor daño?, una ignorante adivina con sus chapucerías o uno de esos 'escribidores'[45]"

Lo dice por los que han recibido primeros y segundos premios, que considera vergonzoso dilapidar el dinero del pueblo trabajador en cosas deleznables como lo son les «escribidores», «cuyas notas en ciertos diarios son sencillamente veneno». Abramson no menciona a Arlt en su artículo, ni al tercer premio municipal, supuestamente apunta a diarios como *Crítica* o *La Nación*.

La sección de la actualidad bibliográfica de *La Literatura Argentina* (agosto 1931) cita la segunda edición de la novela *El juguete rabioso* por la editorial *Claridad*. Se comparan naturalmente *El juguete rabioso* y *Los siete locos*, prefiriendo ésta última. En el prólogo a la segunda edición de *El Juguete...*, Arlt ironiza sobre aquellos que mediante una crítica de semejanzas prefieren una u otra obra, él considera que nada tiene que ver una novela con otra.

Uno de los críticos que se detiene a leer las dos obras de Robero Arlt es Ulises Petit de Murat46 quien pareciera responder a las prerrogativas de Ramón Doll que bregaba por un mayor espacio crítico y una lectura cuidadosa de este nuevo narrador. Petit de Murat traza una breve reseña de los antecedentes de la novela argentina: Martel, Vedia, Wast, descalificados considerablemente, excepto M. Gálvez signado como un creador de la epopeya ciudadana. El juicio es sorprendente porque Petit de Murat -en 1930- intuye la reiterada fórmula entre la literatura rural y la urbana. Petit de Murat ve en Gal- vez el ingreso de la narrativa ciudadana; saluda el advenimiento de *Rosaura* de Güiraldes calificándola de excelente expresión de nuestra narrativa. Asimismo compara a *Don Segundo Sombra,* con una historieta gigantesca, de grandes láminas «cuyos cuadros parecen independientes» de toda expresión de los protagonistas y ubica el nombre de Ricardo Güiraldes junto al de José Hernández. En un fragmento del texto crítico de Petit de Murat se anticipan las corrientes críticas de los años cincuenta:

> "Su influencia (la de Güiraldes) no se percibe, ni puede preverse. Más bien hay la sensación de que un período de literatura se cierra con su obra y aunque no retirados en tiempo, podemos creer, en profundidad, definidas sus creaciones."

El costumbrismo lo centra en Benito Lynch y resalta el estado de discontinuidad del proceso argentino, en donde justamente «emerge Roberto Arlt». Lo significativo de las apreciaciones de Ulises Petit de Murat, comprenden la posibilidad crítica cuando los hechos literarios están surgiendo y analiza simultáneamente la profunda crisis de 1930, que en 1968 David Maldasky desarrollará en un libro titulado *Las crisis en la narrativa de Roberto Arlt.* Esta es una de las primeras claves en la lectura de Arlt. Petit de Murat necesita explicar la curiosa irrupción del autor de *Los siete locos.* «ese desinteresado frenesí por contar es lo que nos conmueve en Arlt»[47] Aquí Petit de Murat recupera al contador de historias y vislumbra sus facilidades de narrador. No hay en este artículo ninguna marcación relacionada con el uso de la gramática, o los errores ortográficos o los sintácticos. La pasión que se desprende de la nota de Petit de Murat por la lectura de Arlt le hace decir que estamos ante la presencia de un genio: «destinado a chocar, irremisiblemente, con los paladares de la preciosidad y el amaneramiento».

Destaca también lo autobiográfico, «está siempre en su obra, como una especie de fatalidad que motoriza y ayuda a vivir a sus personajes, porque de lo contrario morirían». Lo autobiográfico, también, fue tema de críticas posteriores. Ulises Petit de Murat traza algunas influencias de Arlt de origen ruso y germano y recuerda que Marcel Proust, en su momento, había sido considerado un aficionado a la literatura:

«Este es el primer intento de crítica que se ha hecho sobre Arlt. Justifican mi pretensión la chatura de estas líneas y su opacidad al lado de la viviente obra de Roberto Arlt».[48]

El final de la nota da muestra de la agudeza de un joven crítico ante la obra de un escritor contemporáneo. Ulises Petit de Murat fue poeta, conferencista, crítico y escribió innumerables guiones cinematográficos y supo, en 1930, que ésta era la primera de las notas críticas que se le hacían a un novelista con sólo dos obras: *El juguete rabioso* y *Los siete locos*.

Antonio Aíta, un crítico profesional, universitario, que escribía en diarios y revistas de Buenos Aires y del extranjero como *Planalto* de San Pablo (Brasil), juzga a Roberto Arlt como un hombre de «imaginación desordenada», «sin disciplina intelectual», sin profundidad espiritual para ahondar en ese mundo que tanto lo atrae. Aíta, desde un planteo moral elabora todo el paradigma de su crítica arltiana. No solamente plantea una moral del discurso formal, sino de los contenidos. «Ese mundo», que Aíta insiste que privilegia Arlt, se traduce en lo sórdido, en lo prostibulario, en lo humillante y en el crimen. Antonio Aíta, desde las páginas de *La Literatura Argentina*[49] lo invita a Roberto Arlt a no alucinarse con escritores rusos, a que intente una profunda y verdadera «depuración de sus novelas», cree que tiene dotes de narrador pero sólo puede apreciarse en «escasos pantallazos», «en algunas páginas». Por esta nota de Antonio Aíta, rector tradicional de un sector de la crítica en la Argentina, se deduce, también, la amplia concepción de criterios que albergaba la revista de Lorenzo J. Rosso. En ese mismo lugar. Elías Castelnuovo[50] se somete a un reportaje en el que expresa su preferencia por «escritores religiosos», pero religiosos de verdad como Yunque, Onrubia, Arlt. Ulises Petit de Murat en agosto de 1930 retoma el tema de la religiosidad en la obra de Arlt, tema abordado en varias oportunidades por Elías Castelnuovo.

No obstante la religiosidad en la narrativa de Roberto Arlt puede mostrarse a partir de la conferencia pronunciada por Cayetano Córdoba Iturburu en Los amigos del arte. Iturburu descubre el fervor «inusitado» del alma del creador y «su necesidad religiosa de darse en efusión riquísima al servicio de una orientación estrictamente espiritual». En síntesis, lo religioso es una exploración metafísica. De allí, Castelnuovo en el reportaje ya mencionado dice: «No estimo a los escritores religiosos, alquilados por la religión, o rotulados por conveniencia o por animadversión hacia el pueblo o por odio al socialismo o al anarquismo». Castelnuovo refuerza la imagen justa y verdadera de Cristo, equivalente al profeta de los hombres en medio de la adversidad.

Los comentarios y las críticas abundan, el Premio Municipal facilita la difusión y se agota la primera edición de *Los siete locos*, luego una segunda y tercera edición. Arlt siente a su alrededor la alegría del éxito, del triunfo, aunque los estigmas de la «creación lo perturben». La misma angustia que le costará la vida a Erdosain se refleja en su persona:

"Yo no puedo vivir así. Yo tengo que realizar una gran obra, tengo que vivir tranquilo, necesito a mi lado alguien que me quiera..."

"... No hay un sólo crítico de mi libro que no haya escrito: lo grande de ese libro es el dolor que hay en Erdosain. Pensá que yo puedo ser Erdosain, pensá que ese dolor no se inventa ni tampoco es literatura.[51]" (Véase: *Cartas* [completa]).

Nicolás Olivari en 1931 se dirige a Roberto Arlt desde la revista *Claridad*:

"Tu gran crimen es haber escrito eso aquí. Tu lugar no es América. No serás nunca juzgado como debes. No te darán ni siquiera el primer premio municipal. Y no recomendarán tu libro como el mejor del mes.[52]"

Otro vaticinio, esta vez, no menos curioso de parte del autor de los poemas de *La musa de la mala pata*. «Tu lugar no es América», es una frase densa que Olivari la pronuncia cargada de afecto. Olivari veía en la obra de su compañero de tareas un salto en la narrativa nacional, que por otra parte la formulación no era novedosa . Curiosamente cuando en la década del setenta se trató de imponer la obra de Arlt en Francia, editoriales como Seuil, se abstuvieron debido a que no les interesaba editar la obra de un escritor que apareciera como antecedente de la moderna literatura francesa. Veinte años después se agotaba la primera edición de *Los siete locos* y *Los lanzallamas* presentados por Julio Cortázar.

Nicolás Olivari, entre amiguismo y afecto, muestra lo difícil que puede resultar Arlt para el sistema: «no serás nunca juzgado como debes», porque oficialmente su obra no interesa. Esta crítica, que ya hemos comentado, mantiene el apasionamiento que despertaba la obra de Arlt y agrega:«tiene un talento bestial».

En marzo de 1931 ya circula la segunda edición de *Los siete locos*.Proclamada y valorizada por la revista *Claridad*:

«La novela argentina que más se ha discutido en los últimos años. Los juicios ya publicados y la popularidad de su autor nos eximen de todo comentario sobre la importancia de esta edición».

En el mismo número de la revista, Armando Stiro intenta un acercamiento a la novela lo más objetivamente posible, no quiere decir que es una obra de arte perfecta ni que carece de defectos. Solamente menciona que «Arlt es un novelista verdadero».

La trayectoria del autor de *El Juguete rabioso* es durante este período deslumbrante, hasta tal punto que todos los críticos y los lectores en general esperan la próxima obra. El joven novelista escribe infatigablemente notas costumbristas en el diario *El Mundo*, cuentos en *El Hogar*, *Mundo Argentino*, y en *La Nación* donde tuvo dos amigos que dirigían el suplemento literario: Enrique Méndez Calzada y Eduardo Mallea. Mallea reconoció, admiró y alentó la obra de Arlt desde las páginas del suplemento de *La Nación*.

Last Reason, uno de los grandes amigos incondicionales de Arlt opina sobre el escritor y su obra «*Los siete locos*» , cree ver en la obra de Arlt una marcada influencia de H. Huysman, autor que Roberto Arlt cita ,lee y admira a través de muchas de sus notas periodísticas. Last Reason compara a los dos escritores porque ambos tienen iguales fuerzas descriptivas y brillantes para mostrar la realidad.[53]

Pero es el propio Arlt quien ofrece una ajustada definición de su novela:[54]

> «*Los siete locos*, un índice psicológico de caracteres fuertes, crueles y torcidos por el desequilibrio del siglo».

En 1942, a trece años de la primera edición de la novela, las rupturas con la narrativa tradicional ya eran más conocidas en todo el mundo. Octavio Rivas Rooney plantea en la revista Conducta: «*Los siete locos* es una manera de romper con las arquitecturas ya cumplidas de la novela y buscar una nueva forma de dar su mundo interior».[53] Cayetano Córdoba Iturburu dice acertadamente en el "prólogo-ensayo" a *300 millones* (1932):

> "La publicación de los primeros libros de Arlt tuvo, en cierto modo, un significado inaugural. Importó la aparición, en nuestra literatura, de un novelista, es decir, de un escritor con la sensibilidad y la comprensión de los problemas fundamentales del hombre y en cuya capacidad creadora esos problemas se corporizan en personajes o anulan situaciones de palpitante realidad vital."

1.1.3. Críticas a *Los lanzallamas*

"Nuestro compañero de redacción Roberto Arlt, cuyo libro *Los lanzalla-mas*, continuación de su novela *Los siete locos*, acaba de ser entregado a la cir-culación.[53]"

El 3 de noviembre en el mismo diario, una fotografía y un recuadro:

"Roberto Arlt acaba de publicar su última novela *Los lanzallamas*, 260 pá-ginas, 60 centavos, Editorial *Claridad*. Se vende en todos los kioscos y pues-tos de periódicos. Pida esta obra donde compra *El Mundo*.[54]"

Al día siguiente en *Mundo Argentino* se lee:

"*Los lanzallamas* es el título de la novela del escritor argentino Roberto Arlt que acaba de publicarse y que ha de confirmar sin duda el éxito que lo-gró con *Los Siete locos*.[55]

Estas son algunas expresiones mediante las cuales se difunde la aparición de la novela *Los lanzallamas*. Se publican avisos en los que se hace mención a la novela como cualquier otro producto. La editorial *Claridad* insistió sobre la publicidad de *Los lanzallamas* con mucha más energía que con las otras obras de Arlt. Pero el libro no tuvo el reconocimiento que había tenido *Los siete locos*. La realidad es que el libro no se vendió, muy pocos compraron y leyeron la segunda parte de *Los siete locos*. Arlt, durante este período, ya esta-ba trabajando en una cuarta novela *El amor brujo* y el teatro había comenza-do a reclamar su atención. La edición de *Los lanzallamas* quedó empaqueta-da en los depósitos de *Claridad* durante muchos años .

El año 1932 es para Arlt, autor, una peripecia: concluye *El amor brujo* - última novela- y se entrega a la creación teatral hasta el último día de su vi-da. Aunque la creación cuentística forma parte de una práctica permanente en su producción y oficio.

Conrado Nalé Roxlo recuerda que no ha visto a nadie escribir con una letra tan pequeña y a una velocidad increíble, llenando infinidad de hojas y tirando otro tanto para volver a reconstruir todo en muy poco tiempo.[56] Los cuentos, un total de setenta y cinco, superponen temas, cambia, modifica algunos nombres, transforma y vuelve a publicar. Arlt en el prólogo a *Los lanzallamas* reafirma que el futuro será de aquellos que se impongan la voluntad de trabajo. La frase de Arlt, textual: «el futuro será nuestro por prepotencia de trabajo» ha circulado muchas veces como bandera entre los jóvenes intelectuales que encontraban en Roberto Arlt a un verdadero iconoclasta.

Lisardo Alonso se pregunta ¿Por qué han acusado a Arlt de realista en *Los siete locos?*. No da respuesta al interrogante en tanto cuestiona a la crítica del momento:

"Aburren ya las disquisiciones de alta estética sobre el realismo -año 1931- máxime ahora que las «kodaks» están tan baratas. Es sabido que el verdadero arte no se limita a copiar la realidad circundante, como la verdadera ciencia... no se contenta con anotar observaciones sino que se toma luego la molestia de releerlas... Se habla todos los días de 'surrealismo'; podría inventarse otro término: infrarrealismo y aplicarlo a ese arte -el realismo-, tan viejo para su edad, de que son hoy ejemplares entre nosotros *Los siete locos* y *Los lanzallamas.*"[57]

Y continúa Alonso con una apoyatura teórica muy precisa hasta concluir que realismo es igual a sexo, ejemplificando con los nombres de Pitigrilli, Mariani, Belda y otros. Asegura que Arlt, en vez de pintar el árbol, se va por las ramas. Alonso recae sobre la constante recurrencia de la crítica de esos años al considerar a Erdosain un individuo que pudo haber sido un «hombre» pero le faltó estatura moral: «Arlt no sabe exactamente adonde va». Unos párrafos más adelante Lisardo Alonso se encarga del prólogo a *Los lanzallamas* escrito, naturalmente, por Arlt:

"Todo esto no se cura con un prólogo ni una llamada final destinados a tocar nuestra fibra sensible demostrándonos la premura y las circunstancias adversas en que el autor ha debido componer las dos novelas... El hecho de que tenga que vivir entre gritos y rotativas, tampoco puede importar mayormente a ningún crítico ni a ningún lector, máxime cuando hay muchos de ellos que saben como él, lo que es mantener veleidades literarias, no sólo en las redacciones, sino también en las oficinas de comercio, en las bibliotecas de las facultades. No creemos que el señor Arlt logre convencer a nadie con tales argumentos... Vaya para él nuestra profunda simpatía.[58]"

Luego de este afectuoso cierre de párrafo retoma, hábilmente, el aspecto de la facilidad que tiene Arlt para mantener la atención del lector aún siendo un «hombre de gran desorientación intelectual». Mucho tiempo después de la muerte de Arlt, alguno críticos retomaron esta muletilla del «desorden intelectual», especialmente la crítica que abusó de lo anecdótico. Lisardo Alonso luego de cuatro páginas de anotaciones, ingresa en la materia del relato estableciendo elementos claves en el plano social y político de la obra. A medida que avanza en el comentario olvida el objeto de su crítica y empieza a perfilar nuevamente la personalidad del escritor, recurriendo a declaraciones de Arlt, frases tomadas al azar que denomina «leit motiv», cantilenas difundidas por Arlt para dar a conocer sus novelas. Dice Alonso:

> "Si el señor Arlt admitiera consejos le pediríamos que se entrenara más para estropear así tremendos crosses a la mandíbula.[59]"

El artículo termina desestimando las viejas consignas de la ortografía y la gramática porque considera que en 1931 el estilo ha dejado de adorarse como a un falso dios: «Nosotros nos limitamos a llorar en Roberto Arlt a un novelista que puede ser mucho y está resuelto a no ser nada».[60]

Esta crítica que desea desarticular los mitos que construye el propio autor sabe que las recriminaciones a la gramática y al estilo no tienen mayor vigencia, pero en su lugar, Alonso, instaura una crítica de estrategias, y trata de descubrir las trampas que tiene Arlt para con sus lectores. Sobre *Los lanzallamas* aparecieron varias notas en *El Mundo* (25/1/32) por Last Reason y también en revistas literarias como *La vida literaria*, *Carátula*, referencias aisladas sin mayor relevancia crítica.

Concluida su cuarta y última novela *El amor brujo*, su fama de narrador se opaca en el ambiente de los escritores. Continúa publicando diariamente sus notas en *El Mundo*. *El amor brujo*, que tuvo dos ediciones, no dejó un registro crítico de la importancia que tuvo *Los siete locos*. No obstante Arlt ya está buscando nuevos modos de expresión. En marzo de 1932 la compañía del Teatro El Pueblo, dirigida por Leónidas Barletta, teatraliza «El humillado» el 3 de marzo de 1932 y en *Tribuna libre*, unos días después aparece el registro crítico:

> «... es uno de los capítulos más humanos de la novela de Arlt, que constituye por sí un drama teatral. Remo Erdosain es el hombre aturdido por una angustia cuyo origen sólo conoce en lo que tiene de profundo misterio; se deja llevar la mujer en sus propias barbas reconociendo a su compañera el legítimo derecho de que mejore su vida, que él atormentaba con sus continuos antojos de hombre que no sabe lo que quiere ni donde va.»

El 17 de junio de 1932 el Teatro del pueblo estrena la obra dramática de Roberto Arlt *300 Millones*. Este drama, el argumento, acompañó a Arlt durante cinco años, a partir de un hecho policial que escribió en *Crítica* en 1927, luego lo retomó en un aguafuerte «Usura transatlántica» en *El Mundo* (6/7/29)...

En marzo de 1932 Roberto Arlt le escribe a su hermana Lila y a su madre «la Vecha» -que vivían en Córdoba-, ninguna de las cartas de Arlt tiene fecha, pero por lo que se cuenta se aproxima a esta fecha:

«*Dentro de un mes y medio a más tardar sale otra novela mía: el primer tomo, y dentro de tres meses más o menos el segundo tomo. El primer tomo se llama El amor brujo y el segundo, no sé si «El pájaro de fuego» o «La muralla de arena*». Además creo que se va a hacer una edición de un libro de cuentos míos de manera que este año, lo menos salen dos libros míos...

... En el Teatro del Pueblo se ha escenificado una parte de *Los siete locos*. Los que la representaban lloraban en escena. Es un éxito. Pronto, también, se estrenará en el mismo teatrucho una obra mía llamada *300 millones* en cinco cuadros cuyo protagonista es una sirvienta. Creo que va a emocionar...[61].»

Después del estreno de *300 millones* la editorial Rañó publica el texto junto con una pieza corta *Prueba de amor*, 62, el libro está precedido por un ensayo crítico de Cayetano Córdoba Iturburu y un proemio «A modo de prólogo» por Roberto Arlt.

Iturburu hace un extenso análisis, el primero, en torno al teatro arltiano develando un nuevo enfoque expresivo del autor de *Los siete locos* En principio, traza un panorama general del teatro en la Argentina y en algunos lugares de Europa y aclara que nuestro teatro está bajo el signo de Francia, del arrabal, pero que indefectiblemente siempre prima la boletería como factor de contrapeso estético. Iturburu insiste en la aparición de un gran dramaturgo en la figura de Arlt, así como se habló del «gran novelista» aquí se puede augurar el nacimiento de un excelente dramaturgo. Roberto Arlt «es escritor por fatalidad» dice Iturburu, «sus libros son una obediencia pasiva a la necesidad de echar a andar a sus fantasmas...» «300 Millones es una obra que quedará».

Raúl Scalabrini Ortiz reseña el estreno de *300 Millones* e indica que el autor del drama, todavía, es un escritor, un narrador, y no un dramaturgo. Y para corroborar su tesis elabora un curioso paralelo entre la sirvienta de *Una vida sencilla* de Gustavo Flaubert y la sirvienta de Robert Arlt. Scalabrini Ortiz pone su deseo en la concreción de los futuros sueños dramáticos que escribirá Arlt: "la próxima obra que ha prometido."

El Mundo anuncia el estreno, comenta la obra y trata de encauzar al público hacia el Teatro del Pueblo. En una nota aparecida el 19 de junio de 1932, página 8, se habla de la pieza dramática de Arlt como de una representación llena de reminiscencias infantiles que han tomado cuerpo en la imaginación de Roberto Arlt.

Raúl Héctor Castagnino expuso en 1964 su visión del teatro de Arlt en un trabajo titulado *El teatro de Roberto Arlt.* Se trata de un primer trabajo sobre el tema que nos ocuparemos un poco más adelante.

La crítica teatral, desconcertó a Roberto Arlt, desacostumbrado a no ser el eje absoluto de las apreciaciones. Se enfrentó a una crítica pluridimensional, el texto dramático, una aparte de todos los elementos de una puesta. Esto lo llevó a dar su opinión sobre sus planteos dramático en notas o seudos reportajes que incluía en *El Mundo.* A veces se vuelve una crítica insegura: una obra dramática puede ser socorrida o abandonada por sus actores o su director. «Teatro de la Pulgas» denominó Raúl Scalabrini Ortiz al Teatro del Pueblo[63] creado por Barletta. Tanto los actores como su director estaban dispuestos a propagar los ideales del arte teatral y revolucionario, no solo hacían representaciones dramáticas clásicas y nacionales sino que disponían de una editorial. El Teatro del Pueblo no contó con actores profesionales. Con la muerte de Leónidas Barletta en 1971, el grupo se desintegró. Naturalmente que muchos años antes el teatro había pasado a un segundo plano, ante el desarrollo del teatro profesional, municipal y nacional.Los actores profesionales y las puestas teatrales comerciales dejaron de lado los distintos movimientos independientes. Indudablemente que la tarea desarrollada por Leónidas Barletta y su compañía perdurará como uno de los basamentos del teatro argentino independiente. Barletta ha sido un factor favorable en la carrera de Arlt tanto del narrador como del dramaturgo. El es el que ve en el texto de *Los siete locos,* la estructura dramática casi resuelta y la lleva a la escena. Aunque Arlt en 1926 escribe en la revista Don Goyo "Epístolas", notas de distintos órdenes, algunas son pequeñas piezas teatrales, las veintiuna notas o espístolas son casi una especie de muestrario de la labor futura de Roberto Arlt antecedente de *Las aguafuertes* de *El Mundo,* de los cuentos satíricos, de los diálogos teatrales e incluye de las autobiografías. (Véase: *Lista de todos los artículos publicados en Don Goyo).*

"Para los que se llaman a sí mismos escritores, existe el prejuicio del tema y el corsé de una estética. A mí, ni la estética ni el tema me interesan absolutamente nada. Hablo con la misma simpatía de un verdulero que de una princesa. Y es que yo creo que si se aprende a mirar y luego se aprende a ver, el verdulero es tan interesante como la princesa... De allí que yo crea que, para realizar algo que interese a la gente, sean necesarias estas dos únicas virtudes: sinceridad y simpatía. La forma es secundaria.[64]"

Arlt se defiende muchas veces de una crítica que lo acusa de falta de valores estéticos, reafirma no tener ninguna preocupación estética.

1.1.4. Críticas a *El amor brujo*

Nuevamente la justeza de su propia estética que no es coincidente con el verosimil crítico de la estética que la crítica le impone.La conciencia de escritor que se patentiza en esta nota y muchísimas otras, como en la que dice "Porque dejé de hablar por radio" (3/4/32) o el aguafuerte del 30 de noviembre de 1931 en *El Mundo*: «Lo que vi en el Colón» en la que manifiesta su admiración por Manuel de Falla, las piezas musicales: *El amor brujo* y *El pájaro de fuego*, nombres que pondrá a sus novelas, la segunda no la llegó a escribir pero sí a bocetar. *El amor brujo*, editada por Rañó en su Editorial Victoria de la colección Actualidad, se conoció el 15 de septiembre de 1932, fecha del colofón de la segunda edición, no hemos podido ubicar la primera, que seguramente hubo, ya que la nota al libro por Juan Pedro Vignale en *El Mundo* es del 8 de agosto de 1932. Aquí Arlt, ya se ha desvinculado de la empresa editora de Antonio Zamora a quien algunos años después[65] le dedicó en *Bandera Roja* un artículo muy desfavorable si se piensa en los que le brindó en sus aguafuertes (26/6/31) «Hacen falta libros baratos»: 'Hoy he entrevistado -escribe Arlt- a un editor, el señor Zamora, que al frente de la editorial *Claridad* en pocos años ha lanzado al mercado la suma fabulosa de un millón de ejemplares, cuyo precio oscila entre veinte y cincuenta centavos...»

El amor brujo «se comenzó a escribir el 27 de octubre de 1931», en poco menos de diez meses la novela estaba en la calle con la promesa de la otra, *El pájaro de fuego* que resume en unas pocas líneas en carta a la Sta. E. J. de Arizaga (2/3/34):

> «Un personaje, Balder, sale a la calle pensando en suicidarse. De pronto se lleva la mano al bolsillo y encuentra un rollo de dinero en el mismo momento en que sus ojos están mirando en una vidriera un aparato llamado 'Linguafon' para enseñar idiomas. Y súbitamente Balder resuelve estudiar inglés. No se matará. La fuerza de voluntad que emplearía en suicidarse la utilizará para estudiar un idioma. Y compra el Linguafon y se lanza de cabeza en un sueño... Cuando sepa inglés irá a Estados Unidos, etctecetecetec (sic)." (Véase: *Cartas* [íntegra]).

El 5 de octubre de 1932, *Mundo Argentino,* p. 55, en la sección «Hojeando los últimos libros» hay una nota bibliográfica de Lucas Godoy (Aníbal Ponce) que dice:

"¿Cómo dar una idea de esta novela descompasada y basta (sic) en que el autor adopta vuelta a vuelta las posturas más distintas: inventariador minucioso, psicólogo prolijo, agitador social, moralista a su modo, pintor de grandes frescos?"

Suponiendo que Ponce pensara en una respuesta, no la escribe y sin mencionar la obra afirma que Arlt tiene «mucho más de muchacho aturdido que simula la hombría que del escritor naturalista auténtico y artístico».

Después de este comentario, Aníbal Ponce, no volvió a tratar ninguna de las obras de Arlt. Asimismo Pedro Juan Vignale en *El Mundo* (8/8/32) y Leónidas Barletta en *El Hogar* (16/9/32) escriben sobre *El amor brujo*. La nota de Vignale es sumamente elogiosa y la de Barletta atiende al aspecto social, colocando en primer plano la genialidad del autor. Las tres notas comentadas: Ponce, Vignale y Barletta, aparecen en medios dependientes de la editorial Haynes en donde Arlt cumplía con un trabajo diario de redactor. Fuera de estas reseñas teñidas de afecto y amiguismo, *El amor brujo* no produce el mismo efecto que las otras novelas de Arlt. Algunos críticos del momento persistieron en señalarla como la peor de sus novelas, congelando, de esta forma, una obra narrativa que solamente el tiempo le otorgará su lugar. Desde el punto de vista técnico se advierte un mayor manejo de los códigos lingüísticos, de la estructura de la novela en la que ocurren planos, cortes, diálogos. Es posible que la temática incomodara a algunos críticos de su época. El propio Arlt cuando cede un adelanto modifica sustancialmente la edad de los personajes, algunas escenas un poco eróticas.[66]

Queda una crítica por comentar, la de Lázaro Liacho (Seudónimo de Jacobo Simón Liachovitzky -1897/1969) que escribe un libro de crítica literaria con el título de *Palabra de hombre* en 1934. En la página 55 el capítulo se denomina «Arlt dentro y fuera de *El amor brujo*»:

"Analizo aquí, la posición del escritor, con respecto a los valores de su trabajo... Analizo la vida de Balder, de Irene... como así la de Roberto Arlt."

Inicia el trabajo valiéndose de declaraciones de Arlt en algunas autobiografías como «me interesan entre las mujeres...» «me atrae ardientemente la belleza...», «El futuro es nuestro...».

Liacho comienza trazando un análisis muy extenso acerca de los personajes de *El amor brujo* para desacreditar los elementos de las declaraciones, prólogos y autobiografías de Arlt. Es decir, quiere mostrar una contradicción dialéctica entre las palabras de los personajes de la ficción y las declaraciones personales de su autor. En 1952 Roberto Salama desde las páginas de *Cuadernos de Cultura Nº 6* analiza cierto nivel de conciencia ideológica que falla en Arlt, para hablar de Arlt recurre a los personajes de sus novelas:

> "Roberto Arlt va hacia el gran público. Sus gustos iniciales tendían a las minorías selectas, pues los primeros capítulos de *El juguete rabioso* los dio a la publicidad en la revista *Proa* y *Babel*[7] embanderadas en dicha tendencia. La dedicatoria lleva el nombre de Güiraldes, con tales palabras de acatamiento, que mal se podría prever en Arlt un cambio de frente... No debe un escritor desviarse de la misión que su clase le impone.

Estas sentencias de Liacho tienden hacia la instauración mística del arte por el arte, explica, «¿quién es ese público que puede gustar de la obra de Arlt?». Indica la vulgaridad en que cae el autor de *El amor brujo* durante los «buceos interiores» como recurso innoble para atrapar al público. La censura y la palabra vulgaridad, a manera de insulto, se reitera en las abultadas páginas del capítulo dedicado a Arlt. El crítico dice que a Arlt lo único que le repugna es la belleza, porque sólo tiene interés por los ladrones, los deshonestos, los canallas, los hipócritas que se funden en un sólo individuo que es él. Un hombre deshonesto para las dos clases sociales, la directiva y la proletaria. Por supuesto, dice Liacho, que la novela es «mala»:

> «La novela es mala. Está mal escrita. Es innoble. Pues, además de las crudezas repulsivas, no asoma un destello de buen gusto, de verdad, de talento. El hecho de asistir al derrumbe del edificio social, no impide que se puedan crear novelas que se componga» de «panorámicos lienzos»... La obra de Arlt no es una creación, ni es ni podrá catalogarse como literatura nuestra. Ni lo publicado por él hasta hoy puede considerarse el puntual de la literatura que se propone crear (p.120)»

Termina expresando que el futuro no será de Arlt aunque éste pretenda conquistarlo «por prepotencia de trabajo» y espera que tal vez con la próxima novela que anuncia para dentro de nueve meses *El pájaro de fuego*, pueda salvarse.

La condena que le impone Lázaro Liacho a la obra de Arlt se ajusta a una lectura ideológica entre personajes y personas.Se trata de una crítica personalista y tendenciosa. Los ítem fundamentados por Liacho son y fueron rebatidos por las posibilidades que la obra de Arlt fue manifestando con el paso del tiempo. Aunque Arlt supiera de sus valores y de sus fuerzas, no podría adivinar la proyección de su trabajo, ni el mismo Barletta o Vignale que apostaron a su talento, no hubieran dejado de ver con asombro la redimensión de las novelas de Roberto Arlt en los últimos diez años. Una obra traducida a más de seis idiomas y tiene espacio crítico en todos los continentes. Las novelas de Barletta -de gran éxito en su momento- o Los *cuentos de la oficina* de Roberto Mariani, *El hombre que está solo y espera* de Scalabrini Ortiz y muchos otros han dejado de ser lectura de las nuevas generaciones.

En 1932 Roberto Arlt finaliza el período del «sí mismo», para ingresar al espacio exterior: el teatro. Solamente los cuentos tienen en Arlt una constante de vida, los escribe desde 1926 hasta 1942, el primero «El gato cocido» apareció en *Mundo Argentino* el 27 de octubre de 126 (p.29) y el último «Los esbirros de Venecia» en *Mundo Argentino* el 1 de julio de 1942 (veinte días antes de su muerte). En el transcurso de diecisiete años de escritor publicó un total de setenta y cinco cuentos, de los cuales recopiló solamente unos veintisiete.[68] Son escasas las críticas a sus dos colecciones de cuentos: *El jorobadito* (1933) y *El criador de gorilas*.Chile. (1941).

El 15 de septiembre de 1933 bajo el sello de Librería Anaconda, Santiago Glusberg (hermano de Samuel) edita *El jorobadito* de Roberto Arlt: una colección de nueve cuentos, dedicados a su primera esposa Carmen Antinucci. Muchos de los cuentos que integran *El jorobadito* fueron publicados con anterioridad en el el diario *La Nación*. La primera edición ordenada por Roberto Arlt pone como primer cuento del libro "El escritor fracasado" (Hombre frasado), título con que se conoció el cuento en *La Nación* en ediciones posteriores, desatendiendo las preferencias del autor fue alterado de los cuentos.

También publica en la editorial Victoria de Lorenzo Rosso una selección de *Aguafuertes porteñas*:

> "Selección de sus mejores aguafuertes entre las mil quinientas notas que el autor publicó en el diario *El Mundo*, en esta edición Arlt incluye *Las aguafuertes* de la primera época que no estaban firmadas."

Y en la contratapa a la primera edición figura esta nota:

> "Es, sin disputa, por el momento, quien más produce y el que más trabaja. De paso, es uno de los escritores que más interesan en la actualidad."

Esto significa que Arlt en 1933 ha publicado cuatro novelas, dos obras teatrales, un libro de cuentos, uno de notas periodísticas y dos prólogos a los poemas de Alfonso Ferrari Amores, amigo y compañero de trabajo de R. Arlt.

Sobre *El jorobadito* no recayeron las miradas de los críticos, tal vez, porque se trataba de una recopilación de cuentos que habían sido publicados entre 1928-1932, casi todos modificados, cambiados los títulos y reformulados. . Horacio Rega Molina escribió un amplio trabajo que recogió en 1943 en *La flecha pintada* (p. 269):

> "Cada nuevo libro de Arlt suscita en torno de su obra arremolinadas opiniones... Si algún célebre escritor occidental lo hubiese escrito... sobrarían lenguas de alabanza, pero, por ahora, y hasta tanto subsista la indígena penuria de nuestra admiración colectiva, sólo es un cuento de Arlt."

Horacio Rega Molina destaca de la colección " (una) Noche terrible", cuento que en 1967 Rodolfo Kuhn lo trasladó al cine con la colaboración en el guión de Carlos del Peral y Francisco Urondo y la actuación de Susana Rinaldi y Rivera Lopez. Posteriormente se hicieron adaptaciones televisivas por Luis Ordaz. Señalamos estos acontecimientos debido a la inquietud de muchos directores de cine y teatro motivados a trasladar cuentos y novelas de Arlt y no aquellas obras que fueron escritas para esos medios. Simón Feldman filmó de manera experimental *300 millones*. Leopoldo Torre Nilson filmó *Los siete locos* y *Los lanzallamas* (1972) bajo el título de *Los siete locos*. Wulicher, *Saverio el cruel*. Ultimamente se adaptó *Pequeños propietarios* para televisión y se filmó *El juguete rabioso,* dirigida por Luis María Paolantonio. (Véase: *Filmografía y televisión*).

1.1.5. Sobre *Las aguafuertes*

E n el año 1936, Roberto Arlt selecciona aguafuertes españolas y las publica en la editorial Lorenzo Rosso. Recopiló algunas de las notas que enviara desde España y Africa, modifica algunas o las une según la coherencia del texto. Quedan sin recopilar muchísimas aguafuertes españolas y muchas «cartas desde España» (1936 en *El Mundo*) en las que narra acontecimientos puramente políticos y atentados que dieron pie a la guerra española. Unicamente Tirso Lorenzo, un riguroso crítico de *Mundo Argentino* (2/2/37) le dedica un brevísimo comentario en el que valoriza estas notas de viaje como excelentes y considera que Arlt es un muy buen psicólogo, un buen visionario de hombres y mujeres hundidos en el paisaje español.

Ha escrito más de cien cuentos y ha publicado más de dos mil artículos periodísticos en el diario *El Mundo*, del cual es redactor actualmente."

Un reducido curriculo encabeza el cuento "Las fieras" en la antología de *Cuentistas rioplatenses de hoy*[59] en el año 1939, recopilación preparada por Julia Prilutsky Farny de Zinny:

"Hemos creído más interesante presentar una colección de los mejores cuentistas rioplatenses de hoy, antes que una recopilación de los mejores cuentos..."

Sobre *Las aguafuertes españolas* no hay comentarios, excepto el de Tirso Lorenzo que comentamos y una cita en *La Literatura argentina* de octubre de 1936, p. 270: «Roberto Arlt publicará dos tomos de aguafuertes españolas», el segundo tomo nunca se publicó. El 8 de abril de 1935 se lee en *El Mundo*:

"Comenzamos la publicación de las notas de Roberto Arlt, nuestro envia-do especial, que nos envía del otro lado del mar. Espíritu curioso, compren-sivo, dueño de una prosa ágil, con vibraciones propias, ha de suscitar sin du-da en los lectores el interés que ha ganado desde esta misma columna con sus aguafuertes porteñas... con su Kodak Globb-trotter cuyo lente fijará escenas y momentos con la misma simpatía que su retina humorística..."

Y así comienza a escribir sus notas desde España y Africa. La nota de presentación del diario es muy elocuente y expresa la ubicación intelectual y el reconocimiento que tenía Arlt.

Recordemos que en ese viaje por Europa, Arlt tomaba las fotografías de los hechos sobre los que escribía, estas aguafuertes se publican con tres fotografías de Roberto Arlt.

En el año 1934 y 1935 no hay producción arltiana, excepto algunos cuentos en *El Hogar* y *Mundo Argentino* y las notas en *El Mundo*. No publica ningún libro, ni presenta ninguna obra teatral. Juan Carlos Onetti (quien le había llevado su primera novela para que se la leyera) dice que Arlt confiesa no haber publicado nada durante ese año de 1934 y poco después el diario lo envía como corresponsal a Europa. Arlt escribe a su hermana Lila:

"Que tal ustedes. Yo... no te vas a caer de espaldas salgo el 14 o sea el día jueves salgo para España. Me manda el diario por tres o cuatro meses... embarco el 14 en el barco Santo Tomé... En Cádiz estaré unos días, luego empezaré a recorrer los pueblos, también Marruecos, Africa y a Portugal... Trataré de meter mis obras en España." A partir de 1980 la editorial Bruguera inicia la publicación de las novelas y cuentos de Arlt. (Véase: *Cartas* [íntegra]).

En aquel viaje no pasó por Portugal, sí por Madrid, donde presuntamente escribiera para una revista literaria en la que participaba Mario Olivesky. Además de *Las aguafuertes españolas,* a su regreso en 1936 comenzó a escribir cuentos de tipo oriental y cuando el diario *El Mundo* lo envía a Chile (fines de 1940 hasta abril de 1941), consigue publicar en la colección aventuras de la editorial Zig-Zag de Santiago de Chile.

En el periódico socialista *Argentina Libre,* dirigido por Octavio González Roura, aparece un suelto informativo en la página 6, la sección «De los cuatro vientos» (S/firma):

"Una editorial chilena incluirá una obra de Roberto Arlt en una colección de novelistas donde figuran desde Walter Scott hasta Edgar Wallace. Arlt tendrá el honor de ser el único escritor sudamericano de la serie. Pero no se le abonarán derechos de autor, sino de traductor..."

La nota es sumamente ambigua y pareciera expresar la influencia que recibiera Arlt de alguno de estos grandes escritores como R. Kipling o E. A. Poe. De todos modos, *Argentina Libre,* es también un lugar de trabajo para Arlt: escribe críticas teatrales y literarias. La editorial chilena Zig Zag publica en 1941 el libro *El criador de gorilas,* un total de quince cuentos escritos entre 1935 y 1941, en *Mundo Argentino* y *El Hogar.* Sobre estos cuentos no hay crítica, alguno que otro comentario aislado en *El Mundo.* En general la crítica los ha menospreciado y hay escasos trabajos sobre estos relatos moriscos. Noé Jitrik en el prólogo a la *Antología de Roberto Arlt,*[70] establece un paralelo con *Historia Universal de la infamia* de Borges, no porque fueran textos paralelos sino porque las fuentes, la época de los dos libros, y las ambientaciones tienen mucho en común. Nicasio Perera San Martín en «Distancia y distanciación en El Criador de Gorilas,[71] hace un mismo recorrido entre Borges y Arlt.»En Chile, Arlt viajó hacia el norte y hacia el sur, escribiendo violentas notas acerca de la política económica y la miseria reinante. El tono de estas notas obligó al diario *El Mundo* a aconsejarle que regresara a Buenos Aires. En una carta a su madre (fines de 1940) dice:

> Querida mamá:
> Espero que al recibo de ésta se encuentre bien de salud. Yo bien, trabajando mucho y estudiando más, pues nada conocía y me imaginaba de un país como éste. Está a un pasos de la Argentina y por su abandono, miseria y decadencia es peor que Africa. La capital, un barrio de Buenos Aires, la Boca o Mataderos... La gente no come prácticamente. Las estadísticas demuestran que la gente consume aproximadamente 8 gramos de carne por día. Las 2 terceras partes de la capital están formadas por conventillos coloniales de una cuadra de largo con tejas de la época de San Martín. Hay 4, 5, 7 y hasta 10 personas viviendo en una sola pieza. Los casos de 2 y 3 matrimonios viviendo en un mismo cuarto son frecuentes. Y ya ve qué país.[72]" (Véase: *Cartas* [íntegra]).

La carta parece una nota, un aguafuerte para publicar en *El Mundo,* el lenguaje, que no ha sido todavía estudiado, la forma en que se deslumbra permanentemente con las cosas que ve, especialmente lo sórdido, lo humillante. H. Faudmiri, había escrito en *Claridad,* «Apuntes sobre la personalidad en la literatura» (Agosto 1033), entiende que Arlt no tiene naturalidad, «le falta cierta solidez psíquica» y que solamente *Los siete locos* resume su obra, es decir lo único respetable.

Alberto Gerchunoff, unos años antes de llegar a Chile, en 1938, cita por primera y última vez a Roberto Arlt en una serie de veinte conferencias en la

Universidad de Santiago: «De Darío a las letras de tango». Manuel Kantor, yerno y albacea de la obra de Gerchunoff, facilitó unas citas que aquel hizo de Arlt en Chile. Son apenas simples referencias:

"Austríaco de origen, ha leído poco, pero sí especialmente a los novelistas rusos. «Siete locos» (sic) se titula un libro de cuentos (sic) suyo, tosco, pero que interesa vivamente. En Arlt trabaja el instinto de escritor, por eso podemos decir de él que escribe admirablemente y que su gramática incongruente no le impide darnos una visión admirable de la vida.[73]"

Este ambiguo comentario del autor de *Los gauchos judíos,* confuso y particularmente errado: habla de «cuentos», como si Gerchunoff no hubiera leído *Los siete locos.* Tampoco recordó a Arlt en sus famosas necrológicas de *La Nación* que escribió durante cuarenta años.[74]

1.2. EL TEATRO

1.2.1. Los comienzos teatrales

El Teatro del Pueblo,[75] dirigido por Leónidas Barletta, estrena el 26 de agosto de 1936 *Saverio el cruel*, segundo drama de Roberto Arlt. Horacio Rega Molina escribe «Una obra de Roberto Arlt en el Teatro del Pueblo».[76] El crítico valoriza el instinto teatral de Arlt, el tono propio que ha tomado su teatro y recrimina a Barletta y a su teatro «cuya labor es digna de los mayores elogios», que el esfuerzo y el sacrificio no es todo para conseguir un buen teatro. Le recuerda que ya hace seis años que funciona el Teatro del Pueblo y no deja de ser un conjunto de improvisados y necesita cambiar por un teatro más adulto, más profesional. Critica la escenografía, el trabajo actoral y la dirección. Los actores del Teatro del Pueblo nunca pasaron a la profesionalización de sus actividades.

El fabricante de fantasmas, fue estrenado por una compañía de actores profesionales: Carlos Perelli y su esposa Milagros de la Vega. La obra estuvo pocos días en cartel y Roberto Arlt se replegó nuevamente al Teatro de Barletta, que le prometiera reestrenar *El fabricante de fantasmas*, con el propósito de demostrar la pésima puesta en escena, o la actuación, o tal vez el excesivo interés de boletería que demostraba un teatro profesional. En entrevistas con Edmundo Guibourg, quien vió la primera representación de *El fabricante de fantasmas*, nos relató que la obra era sumamente confusa y que Milagros de la Vega no aprobaba unas escenas en las que Perelli sostenía «escabrosas escenas con Esther Podestá y luego era cercado por un grupo de jovencitas envueltas en tules». No sabemos el verdadero motivo del fracaso de esta obra, pero Arlt no volvió a tener ofrecimientos del teatro comercial. Leónidas Barletta, el «párroco napolitano», como lo llamaba Arlt, estrenó todas sus obras dramáticas, en el Teatro del Pueblo.

1.2.2. El Teatro del Pueblo

El Teatro de Barletta era un teatro independiente con características de teatro marginal, donde se representaba desde Shakespeare hasta los más jóvenes dramaturgos argentinos. Muchas de las representaciones estuvieron hechas con vestuario de papel y su escenografía pintada por el famososo dibujante Facio Hebecquer, a quien Arlt le dedica una de sus aguafuertes: «Los atorrantes de Facio Hebecquer» 1/7/31, *El Mundo*.

En 1941 Arlt volverá sobre el tema de su fracaso teatral con *El fabricante de fantasmas*, para ponerse sin vueltas en contra del teatro comercial, un teatro al que habría que inventarle temas comerciales.

El 7 de octubre de 1936 en *El Mundo*, Roberto Arlt cuenta su relación con el teatro comercial y se explaya sobre el drama, los personajes y las influencias recibidas, que no son precisamente de Luigi Pirandello como muchos creen, termina diciendo Arlt. En el mismo diario, al día siguiente, aparece una nota titulada «Sobre el fabricante de fantasmas» escrita por Manuel Lago Fontán donde felicita a Arlt por su pasta de comediógrafo pero todavía lo ve inmaduro en ciertos aspectos, aunque sus posibilidades son muchas. Edmundo Guibourg en la sección "La Calle Corrientes" en el diario *Crítica*, el 9 de octubre de 1936: considera a la obra muy buena y adjudica el fracaso a la dirección.

Raúl H. Castagnino en *El Teatro de Roberto Arlt* (1964) (p. 58) señala:

"Los críticos asistentes al estreno de *El fabricante de fantasmas* insistieron en las fuentes dostoyevskianas: *Crimen y Castigo*, para *La Prensa* proporcionó el motivo central; *Crítica*, por la pluma de Guibourg, recordó *Hombre acosado* de Francis Carco; *Humillados y ofendidos* y *El eterno marido* de Dostoyevski, y descartó a Pirandello por Unamuno; *La Nación* también mencionó a Unamuno y recordó *Almas brujas* de Linares Rivas, por el juego de títeres liberados de quien maneja desde el tabladillo. No faltó quien trajera a colación *Cuando el diablo mete la cola*".

El diario *La Nación* del 3 de octubre de 1936 informa que el Teatro Argentino se presentará ese día con la compañía de comedias. Al día siguiente en la página 14 aparece la crítica teatral en donde recuerda que es una obra de mucho valor literario. Horacio Rega Molina en su sección de *Mundo Argentino* del 25 de marzo no menciona la obra ni la puesta.

El Teatro del Pueblo presenta el 30 de diciembre de 1937 *La isla desierta*, burlería en un acto cuyo tema puede rastrearse en un aguafuerte (30/10/28, *El Mundo*) «Divagaciones de un empleado». Castagnino anticipa esta obra «como la más desasida de contaminaciones librescas, como la hermana de las *Aguafuertes porteñas* (Sic). La obra por su brevedad de representaciones no obtuvo críticas importantes, hay una mención en *Ultima Hora* y en *El Mundo*. Pero es el 17 de marzo de 1938 cuando Arlt ve aparecer sobre el rústico tablado del Teatro del Pueblo su drama: *Africa*, -le escribe a su madre-

> "no sólo gusta como obra teatral en sí, sino también como una sucesión de cuadros de color, pues el primer cuadro, como dije, es un mercado árabe, el segundo cuadro el interior de un harem, el tercero la joyería de un árabe y el cuarto el interior de una casa morisca.[77]" (Véase: *Cartas* [íntegra]).

La carta a su madre -aproximadamente en 1938- señala también el aspecto crítico, es decir, cómo, de qué manera, se ocupó la crítica de su drama, transcribimos un fragmento de la carta en la que se trasluce su preocupación por este recibimiento:

> "La obra gusta mucho. No le gusta a mis amigos los que escriben, pues todos le encuentran algo. Unos le encuentran esto, otros aquello y los de más allá, tuercen la nariz indignados como si yo hubiera cometido un crimen por estrenar. *La Nación* se ha ocupado muy bien de la obra, *La Prensa* en media docena de líneas dijo poco menos que yo era una bestia.[78]"

Noticias Gráficas incluye un comentario sobre *Africa* el viernes 18 de marzo de 1938 en la página 15. Dedica la mayor parte de la nota a destacar la personalidad de Roberto Arlt y criticar duramente a la obra como de escasos valores *La Prensa* (18/3/38, p. 14):

> «Más que una auténtica pieza de teatro es ésta un folletín más o menos policial que el autor ubica en el norte de Africa, motivo único que justifica el título... El autor no es un dramaturgo, ni a la manera antigua, ni tampoco en lo que se ha dado en llamar "Teatro de Vangaurdia"».

La nota prosigue marcando con brusquedad su desagrado, el artículo no lleva firma y le reprocha a Barletta el haber iniciado la temporada con «semejante obra». *La Razón*23/3/38) en un pequeño recuadro indica el inicio de la temporada con la obra de Arlt pero no la comenta.

A pesar de las críticas adversas que recibiera *Africa* en el acápite al cuento «Las fieras» en *Cuentistas rioplatenses de hoy* (1939) se indica que *Africa* de Roberto Arlt ha sido traducida al holandés, este dato, sorprendente, no ha podido ser verificado, tal vez constituya una ironía del propio Arlt.

Pedro González a través de un extenso artículo en *Conducta* de julio de 1938 en la página 29, comenta: «Africa de Arlt», saluda el advenimiento de un nuevo teatro, lleno de originalidad y libertad, de inocencia y frescura."

Naturalmente que la revista *Conducta* era una publicación de Leónidas Barletta y el Teatro del Pueblo, de allí que la crítica en ciertos aspectos será más favorable, pero igualmente sale al paso a algunas agresiones inmerecidas:

> "Roberto Arlt está probando que es el dramaturgo de hoy ...Su imaginación es prodigiosa, sus criaturas sorprenden y conmueven, sus bárbaras disonancias despiertan al espectador adormilado desde hace años en su butaca... arranca alaridos de envidia a los 'prestigiosos dramaturgos' que todavía escriben admonitorios discursos dialogados, a lo Ibsen."

Escribe Arlt a «La Vecha», su madre, que vivía en la provincia de Córdoba:

> "Usted me dice que se aflige por no ver este estreno. No se preocupe, el Teatro del Pueblo estrenará otra obra mía, que ya les tengo entregada y además quieren estrenar *El fabricante de fantasmas,* que se estrenó el año pasado. De lo que no queda duda es que hay en mí un verdadero autor teatral. Y que mis amigos, broncan secretamente y a la vista, pues el que más y el que menos es un buen envidioso.
> ...Actualmente tengo en estudio el argumento de otra obra terrible...[79]"

Continúa relatando sobre la multitud que diariamente ve su drama, lo que ocurre en las veladas polémicas, cuando su obra es expuesta en fragmentos para discutirlo, una mecánica frecuente en el Teatro del Pueblo. *El Mundo* elogia la pieza (23/5/38. Firmado por A. V.) y en especial al dramaturgo. Esa «Obra terrible» que anota Arlt en la carta a su madre, seguramente es *La fiesta del hierro*, estrenada por el teatro de Barletta el 18 de julio de 1940.

«Habla Arlt sobre la obra que estrena el jueves», el copete de la crónica teatral en *El Mundo* (16/7/40, p. 16) dice que son cinco las obras que ha estrenado Roberto Arlt y cuatro las que estrenó en el teatro de Leónidas Barletta.[80] Nos dice Arlt para los lectores de *El Mundo*:

> "El mérito de mi nueva farsa dramática *La fiesta del hierro* consiste en que aunque estuviera mejor o peor escrita, no por ello dejaría de cumplir con la estricta obligación de la obra teatral, consiste:...

Y enumera tres puntos fundamentales, ubicar al espectador rápidamente en la situación inmediata, alentar su curiosidad y fomentar la emoción que provoca el destino que les espera a los personajes, es decir, la justicia poética. «Son tres actos de dialogación liviana con los «impromtus» característicos de mi forma»... «El espectador guardará durante largo tiempo memoria de esta obra».

El estreno de *La fiesta del hierro* es muy difundido desde los primeros días del mes de julio. Por otra parte El Teatro del Pueblo ya tenía, en 1940, diez años de prestigio. El diario *El Mundo* inserta gacetillas: *«Estrena Roberto Arlt en el Teatro del Pueblo»*, *«Estrenan una farsa de Arlt: se adelantan inmejorables referencias por su interés argumental y teatralidad»*...

Luego los anuncios en las mismas páginas del teatro polémico que indicaba que se repetía el segundo acto de *La fiesta*... Las notas de mayor importancia por extensión y contenido fueron las de Manuel Lagos Fontán en *El Mundo* del 18 de julio de 1940; Marcelo Menasché en *Argentina Libre* el 5 de septiembre de 1940, p. 13, y Horacio Rega Molina en *El Mundo* el 18 de agosto de 1940. En la segunda quincena de agosto del mismo año, *Mundo Argentino* se explaya en varias páginas sobre los preparativos de la obra. El artículo está armado con muchas fotografías de Roberto Arlt,[81] los actores, los escenógrafos preparando el tótem que servirá de centro de atención durante el desarrollo de la obra, y muchos elementos de interpretación que pueden ser de utilidad para aquellos que vuelvan a poner en escena esta tragedia arltiana. Todas las notas que enumeramos más arriba son favorables al dramaturgo y al Teatro del Pueblo. Apartamos una crítica de mayor relevancia escrita por Marcelo Menasché, quien se esfuerza en dar un panorama cuidadoso y completo de la obra, inclusive de algunas reflexiones sobre la actitud dramática de Arlt. Menasché -director y fundador de la revista *Trompo* (una revista mensual con forma de un pequeño diario)- lamenta la resolución dramática que le cupo al tercer acto de *La fiesta del hierro*, encaminando su crítica alrededor de la liturgia y las adoraciones insistentes en el drama. Es decir, que resurge la premisa enunciada por Elías Castelnuovo y Ulises Petit de Murat sobre la visión de lo religioso y la religiosidad en los textos de Roberto Arlt. Menasché destaca el trabajo de los hombres del Teatro del Pueblo -poco después estrena allí mismo un drama-, elogia el tesón y la paciencia de montar obras de tanta complejidad que las compañías comerciales no hacían.[82] César Fernández -poeta-[83] escribe en el número de noviembre/diciembre de 1940 de *Conducta*:

"Hay en su teatro un aspecto singularísimo que yo denominaría «toma de tierra». Cuando la intensidad dramática adquiere tono de patetismo lírico o bien en el instante que el enrarecimiento del aire trágico es más agudo, sucede bruscamente un descendimiento vertical; escalofriante. El efecto es instantáneo, fulmíneo. El espectador, generalmente desprevenido, se desconcierta, sufre con el juego de cambio de presión. La ilusión artística ha sido lograda plenamente. Puede el autor dormir plácidamente esa noche. No así el espectador."

«El teatro de Roberto Arlt» es un artículo crítico aparecido en *El Mundo* el 19 de julio de 1940 en la página 16, firmado con las iniciales M.L.F. (seguramente: Manuel Lago Fontán). Los artículos de Fontán relacionados con Arlt son siempre favorables, es un compañero de tareas y un admirador de la obra de Arlt.

José Jaime Plaza al tratar el tema del teatro en Buenos Aires encamina su disgusto hacia la pésima actitud de la crítica que no advierte el movimiento teatral independiente. Supone Plaza, que esta es una de las razones por las cuales el teatro vive momentos y condiciones nefastas, ya que en Buenos Aires existen solamente tres grupos teatrales que marcan la diferencia entre teatro popular y filodramático: el Teatro del Pueblo, el Teatro Popular Juan B. Justo y La Máscara. (Recordemos que la revista *Leoplan* se ocupaba especialmente de difundir la tarea de estos grupos, en sus páginas encontramos mucho material sobre el Teatro del Pueblo, y otros vocacionales.) José Jaime Plaza[84] conviene que el Teatro del Pueblo no es un teatro popular y no hay en Buenos Aires un teatro independiente. Su nominación de teatro popular y su lema «al servicio del arte» tienen para Plaza, la significación de un arte teatral para el pueblo con sentido cultural, porque en Buenos Aires no pueden existir teatros independientes, los teatros independientes surgen como reacción a los teatros estables. Por lo tanto Plaza indica que no hay teatros estables. Después de este singular silogismo crítico, Leónidas Barletta, también en *Argen-*

tina Libre, el 28 de marzo de 1940 le replica a Samuel Eichelbaum su silencio despectivo por los teatros no profesionales en general y por El Teatro del Pueblo en particular:

> "Cuando Eichelbaum en uno de los artículos iniciales de *Argentina Libre*[85] no cita entre las compañías que van a presentarse, al Teatro del Pueblo, lo veo débil, toma ventajas, rehuye una lucha franca. Sería capaz de devolver la espada al que perdiese."

Barletta le recrimina la falta de apoyo a la obra cultural que ellos realizan, porque sospecha que si el público se enterara de la actividad del Teatro del Pueblo u otros espectáculos similares, se volcarían abiertamente a ellos, y «ese ha de ser el temor de Eichelbaum».

> "Que me explique Eichelbaum por qué siente contrariedad y repelencia en darle al Teatro del Pueblo el lugar que le corresponde en este intento de dignificación del teatro criollo y por qué no siente contento de registrar la presencia de una compañía juvenil, alegre, heroica, culta e irreductible en sus fines.[86]"

Son escasos los medio -revistas, diarios, publicaciones- interesados en los movimientos teatrales independientes. En la Argentina esta actitud ha sido una constante en contra de lo no profesional, el tiempo revirtió esta conceptualización. Cuando en la década del sesenta surge una nueva corriente de teatros independientes -en Buenos Aires y Montevideo- la obra de Arlt retoma un lugar de privilegio.

A mediados de 1940 José María Monners Sans publica «Panorama del nuevo teatro», Román Gómez Masía hace la crítica al libro el 6 de junio de 1940 en *Argentina Libre:*

> "El teatro de hoy levanta la bandera de la rebelión contra el siglo pasado, aunque el crítico reafirma que Monners Sans plantea la cuestión del nuevo teatro a partir de la crisis que sufre la humanidad, de población, de valores culturales, y una postura revolucionaria que niega niveles de la estética... Este comentario se valoriza porque es útil para ver de qué manera la obra de Arlt se inserta dentro de la dramaturgia nacional y universal. El propio Roberto Arlt había rechazado un paralelo con L. Pirandello pero no se opuso a quienes lo relacionaban con H. Huysman. De todos modos, Arlt, había trasladado las temáticas y los conflictos ya desarrollados en sus novelas, cuentos, notas, al espacio teatral. Lo verdaderamente cierto es que aún habiendo

adquirido una tópica reiterada surgen en su obra los modos de un creador cuya constante obsesiva motorizan su creación."

Desde Chile a principios de 1941, el autor de *El juguete rabioso*, le envía una carta a su madre:

"De trabajo voy bien. Actualmente estoy preparando una obra de teatro cuyo plan traje de Buenos Aires y cuando termine ésta prepararé otra sobre «Elena de Troya», cuyo plan también tengo hecho." (Véase: *Cartas*).

Estaba terminando de escribir *El desierto entra a la ciudad*, que no vio representada, *Elena de Troya* nunca la escribió, a pesar de haber buscado material sobre los aspectos socio-políticos y económicos del desencadenamiento de la guerra de troyana. Muchos bocetos, esquemas de trabajos y notas fueron incinerados por su segunda esposa, Elizabeth Schine, según su propia declaración en un reportaje del mes de octubre de 1968 en la revista Artiempo Nº1, realizado por Francisco Urondo.

En un prólogo a *Saverio el cruel*, Mirta Arlt evoca los últimos días del escritor:

"Su última visita a Cosquín la realizó en julio de 1942, quince días antes de su muerte. Llegó durante las vacaciones de julio con *El desierto entra a la ciudad*, su última obra teatral, en la maleta. La pieza quedó en manos de la autora de esta síntesis, quien supuestamente corregiría sus graciosos errores de ortografía. Pocos días después, el 26 de julio, Roberto Arlt moría a consecuencia de un paro cardíaco. Diez años después la autora de este estudio preliminar vinculada con un grupo de teatro independiente, estrenará la obra. Aquella puesta sirvió para advertir hasta qué punto Roberto Arlt había crecido en su capacidad de manejarse en la orquestación de los códigos y sistemas de códigos que intervienen en una pieza teatral."

1.3. NUEVAS CRÍTICAS

1.3.1. Críticas después de 1942

Después de la muerte de Arlt en 1942 se produjo un vacío critico muy significativo, asimismo no habían obra de Arlt en el mercado, las novelas no habían vuelto a aparecer y pocos eran los que recordaban su presencia novelística o cuentística. En julio de 1942 la noticia de su muerte estuvo opacada por la importancia que habían adquirido los desagravios a Jorge Luis Borges rechazado en el premio Nacional de literatura.

Hacia 1949 Raúl Larra (seudónimo de Raúl Larranccione), comienza a revertir este silencio. Larra había comenzado a preparar un libro sobre la vida y la obra de Roberto Arlt. Este libro se publicó en 1950 con el título de *Roberto Arlt, el torturado*, título con que Conrado Nalé Roxlo despidió al amigo desde las páginas de *Conducta* (julio/agosto, 1942): «Arlt, el torturado». Larra había conocido ligeramente a Arlt en las redacciones de los diarios y a través de la editorial *Claridad*. Comenzó en la recopilación de material, viajó a Córdoba donde se entrevistó con la hija y la madre del escritor y conversó con muchos personajes de la época que mantenían, todavía, muy clara la visión de Arlt. El libro de Raúl Larra fue el primero que se escribe sobre el autor de *Los siete locos*, en el momento en que Arlt no es un autor conocido por las nuevas generaciones.

Roberto Arlt, el torturado aparece a los 10 años de su muerte e inicia el gran descubrimiento del novelista.

Raúl Larra contribuyó con su trabajo a fomentar aún más la imagen mitológica del escritor atormentado por la pobreza y los «endemoniados» estratos de la angustia. Y contribuyó, asimismo, a despertar la curiosidad por un autor poco menos que desconocido. Desde 1932 nadie sabía de sus novelas. Raúl Larra fue el editor y difusor de este "nuevo escritor". Larra fundó y dirigió la editorial Futuro en donde se avocó a la tarea de reeditar toda la obra de Roberto Arlt. Las críticas que recibió Larra fueron muchas, en general adversas, no es el caso enumerarlas, pero es necesario destacar, también, que es Raúl Larra el que pone en funcionamiento la lectura de la obra de Arlt . La editorial y la empresa no llegaron a buen puerto porque los ajustes económicos malograron una de las tantas e incansables tareas de Larra.

Roberto Arlt el torturado, uno de los más apasionados libros que escribiera Larra. Es una biografía en donde no caben las citas bibliográficas ni las bibliografías pertinentes, donde el tiempo le devuelve el nivel 'afectivo' del discurso y no el informativo. El libro consta de diez partes a través de las cuales el personaje «Arlt» evoluciona hasta su muerte, mediante una gran dosis de anécdotas y citas fragmentadas o reproducidas de memoria. Durante mucho tiempo fue el libro obligado para acercarse a la lectura de Arlt. Su «personaje», para Larra lo es, tiene la virtud de ser leído claramente, sin tropiezos y alimentando a cada paso una imagen de la que Arlt se escapa día a día. Oscar Masotta[87] increpa a Larra justamente por involucrarlo a Arlt en la ideología partidaria del comunismo.

De todos modos a lo largo de los tiempos, los cambios políticos y sociales vividos en la Argentina han conseguido que los grupos intelectuales atrajeran para sí, de acuerdo con sus convicciones, a los escritores, ubicándolos en ciertos estancos ideológicos. El caso de Roberto Arlt ha sido uno de los más codiciados. Surge en los años treinta en medio de la crisis mundial, ante la quebradura de las formas democráticas del país en donde el intelectual no encuentra su ubicación política y se halla sumergido en un caos general. La ideología, o las ideologías, imperan en Arlt de la misma manera que su vapuleado estilo literario. En esas zonas no hay huecos, aún no siendo nada por definición se es algo. En líneas generales Roberto Arlt es un escritor enmarcado en la izquierda independiente, con toda la amplitud que estos términos encierran.

Raúl Larra lo ha ubicado muy cerca del partido comunista, sostuvo que antes de morir el escritor había votado por la lista del 'partido', o que en Chile (1940/41) mantuvo contactos con los dirigentes del 'partido'. Sin embargo en el campo de la crítica las más punzantes tuvieron un claro matiz político relacionado al partido comunista como fue la de Elías Castelnuovo, la de Lázaro Liacho y la de Roberto Salama, entre otras. Nos ocuparemos de la polémica que sostuvo Salama con Larra a través de *Cuadernos de cultura* con motivo de la publicación del libro de Larra y la redición de Arlt.

Sobre "La polémica del 52: Larra- Salama"

"En 1950 publiqué mi libro *Arlt, el torturado*. A muchos amigos y camaradas les pareció extraño, si no errado, me ocupase del autor de *Los siete locos*. Los más sectarios empezaron a hacerme la guerra y en Cuadernos de Cultura un principiante que se quedaría en aprontes para distanciarse luego en aproximaciones sionistas y cultivos exotéricos, salió a denigrar mi libro y también a Arlt, a quien calificó de "degenerado y fascista". " (Raúl Lárra, *Etcétera*, p. 52, Anfora, 1982).

Larra escribe un libro sobre Roberto Arlt en el año 1949. En sus investigaciones, se traslada a Córdoba y entrevista a la hija del escritor, luego a la madre y en Buenos Aires intenta encontrarse con la segunda esposa de Roberto Arlt Elizabeth Shine.- Concluido el libro, Larra se propone ser editor y decide publicar la obra completa de Arlt. Se inicia así, una nueva etapa de difusión de los textos arltianos.

Roberto Salama, miembro del partido comunista, escribe un extenso artículo en *Cuadernos de Cultura*, órgano del partido comunista (Nº 5, febrero de 1952) apenas aparece el libro de Larra:

"Un año largo hace que la editorial Futuro viene publicando las obras de Roberto Arlt, creyendo prestar con ello un gran favor a la cultura argentina... La misma editorial ha publicado el libro del camarada Larra, *Roberto Arlt el torturado*, que es una biografía elogiosa del autor en cuestión. Ambos hechos y la proximidad del décimo aniversario de la muerte de Arlt, actualizan el interés por conocer su obra".

Salama señala el interés general sobre la obra de Arlt, la cantidad de elogios que se expresan sobre el escritor: revolucionario-prerevolucionario- popular- artista auténtico que debe ser conocido por obreros, estudiantes, amas de casa... Y considera que si eso fuera necesario y cierto, el libro de Larra también sería necesario y útil, como las reediciones de la Editorial Futuro. Y luego Roberto Salama, comienza con un minucioso análisis del legado de Roberto Arlt. Indica que las ilusiones del hombre son rotas por la vida, los sueños no pueden enfrentarse a la realidad (Cuestiones de Arlt que Roberto Salama admite).

Análisis:

Comienza por los personajes y expresa que hay que ser cuidadoso en la lectura porque estos "individuos" se evaden de la realidad por el ocio y la vida fácil. No son "individuos" que creen en el esfuerzo de la realización. Siempre tienen una actitud negativa hacia el trabajo. Por ejemplo, en *La isla desierta*, la propuesta de fuga de los empleados: "Arlt no juzga vanas las ilusiones de sus personajes, y es lógico; son las suyas propias..." Arlt a través de Erdosain cree que es necesario descubrir la verdad, por eso toma a la angustia como tabla de salvación.

Como segundo paso Roberto Salama preconiza la "traición de Arlt como una forma de romper la estúpida monotonía de la vida Arlt o Astier -escribe Salama, confundiendo autor con personaje - se someten a la ley inalterable de la naturaleza. Se envilece el trabajo y no se denuncia cómo se convierte en un infierno bajo el régimen capitalista y de qué manera puede ser una gloria en otros regímenes. Arlt plantea el ocio y la vida parasitaria. Deja como "mensaje" que hay que escupir la personalidad humana y se sale de este atolladero de lo cotidiano a través del crímen.

En líneas generales, Roberto Salama escribe en contra de Roberto Arlt —persona, no autor, no novelista (recordemos la crítica de Lázaro Liacho en 1934, a *El amor brujo*, presenta un registro muy parecido a Salama)— Salama desacredita a Larra, acusándolo de hacer "biografías a escritores burgueses, decadentes y poco constructivos". Los análisis de las obras son absolutamente de carácter personal, Salama se pelea con los personajes, sospechando que son "individuos" reales, permanentemente confunde a Roberto Arlt con Erdosain, con Balder, con Astier...

En el número siguiente de *Cuadernos de Cultura* (Nº 6, febrero, 1952) Larra escribe un artículo a manera de respuesta titulado "Arlt es nuestro" (El título de la revista introduce un error de imprenta en el que se lee "Arlt es Nusetro")Este largo artículo significó a "ojos vista", la filiación de Arlt al partido comunista, aun cuando Raúl Larra ha indicado que lo que él quería expresar era que Arlt nos pertenecía a todos los argentinos, era nuestro. La polémica estaba en pie. Poco tiempo después Larra concluye con la reedición de las obras completas de Arlt, donde edita por primera vez, *El desierto entra a la ciudad* con el prólogo de Mirta Arlt. Algunos han explicado que la disputa fue salomónicamente clausurada por Rodolfo Ghioldi mediante una nota editada por *Cuadernos de Cultura*. De todos modos la polémica reflejó un movimiento entre los intelectuales que se pusieron a favor de Larra y los que vieron en la visión de Salama una coherencia crítica. Entre los seguidores de Roberto Salama se hallaba Luis Gudiño Kramer, quien escribió en el periódico *Propósitos* (2/5/52) "A propósito de una crítica".

Mirta Arlt escribió el 11 de marzo de 1952 una nota titulada "Sobre Roberto Arlt" en el periódico de Leónidas Barletta: *Propósitos*. Inmediatamente, en el mismo periódico Barletta agrega un nuevo artículo en defensa de Larra, "Sobre la crítica a Arlt" (29/3/52). Juan José Sebreli en *Sur* escribe "Inocencia y Culpabilidad de Arlt" un año después de los sucesos. En esta nota Sebreli, desentendiéndose del artículo de Salama y la respuesta de Larra, intenta, claramente, colocar a Arlt en un campo de mayor definición literaria. Asimismo en 1948 José Marial había escrito "Roberto Arlt es nuestro" y Alfonso Ferrari Amores desde *La Prensa* señaló a Roberto entre los "Escritores descamisados" (24/5/53).

Pedro G. Orgambide en "Estudio Preliminar" a *Nuevas aguafuertes porteñas*, editado por Hachette en 1960, anota:

> "Es interesante observar el temperamento anárquico de Roberto Arlt que no le impedía ser lúcido; que lo era en múltiples aspectos. La discusión ideológica promovida en la izquierda después de la publicación del libro de Raúl Larra sobre la obra de Roberto Arlt, es sintomática; prueba el carácter revulsivo de esa obra. Otros le defendieron con vehemencia, soslayando en parte el análisis para rebatir una forma de acusación. Creo que vale la pena precisar los términos de la controversia. Precisar los términos y saber de una vez qué significa la palabra **negativo** al estudiar una obra literaria".

Orgambide muestra a grandes rasgos la polémica Salama- Larra. Pero en 1954, dos años después de la controversia, la revista *Contorno* le dedica un número a Roberto Arlt, incluyendo en la página ocho "Arlt y los comunistas" firmado por Juan José Gorini (es decir, David Viñas):

> "El señor Larra -dice la nota- afirma enfáticamente ¡Arlt es nuestro! y se equivoca y su equivocción puede traer aparejada lo que los abogados llaman posesión treintañal. Es decir, que de aquí a un tiempo, todo el mundo -incluso los comunistas- van a creer real y efectivamente que Roberto Arlt pensaba -y lo que es más grave- escribía como un comunista".

En el estudio de Pedro Orgambide de 1960, el crítico señala los puntos que desencadenaron la disputa por parte de Salama:

> "a. Se dijo que los ambientes y personajes pintados por Arlt eran negativos.
> b. De donde se deduce -según sus detractores- que su obra es negativa.
> c. Tal afirmación no deja de ser un silogismo.
> Por otro lado, habría que saber qué se entiende por personajes negativos. Sospecho, al menos en el caso de Arlt, que se trata de aquellos seres inmersos en sus conflictos y frustraciones".

La joven generación de *Contorno* a través de la voz de David Viñas en 1954 replica que tal vez Larra haya tenido buena fe al decir que "Arlt es nuestro", seguramente, cuenta Viñas, que Arlt ha firmado manifiestos pro-Partido Comunista, o ha asistido a reuniones, etc. pero el espíritu individualista y rebelde que lo ha caracterizado no tolerarían el estado de crisis interna por la cual atraviesa el partido comunista, y agrega:

> "Y así como no puede ser de los comunistas Arlt tampoco puede ser de los snobs, de los bien pensantes o de los pulcros. De aquellos que ahora lo utilizan (y hasta lo leen) porque está de moda, porque ha surgido pese a los Roberto Giusti y los Ragucci y a los antologistas. No tiene nada que hacer Arlt, por ejemplo, en una revista que se llama *Letra y Línea* donde se habla eruditamente de Mondrian y del último novelón francés y donde se desestima a escritores pasatistas o formalistas como Molinari o Bernárdez, o se los injuria gratuitamente, en función de otros que ejercitan un pasatiempo diverso, como Oliverio Girondo".

También en la obra de Oscar Masotta, *Sexo y traición en Roberto Arlt*, se desautoriza la crítica de Raúl Larra. El artículo de Viñas es interesante porque muestra un aspecto no totalmente cierto, Arlt no era suficientemente conocido en 1954, lo que sí, seguramente, debió inquietar a los jóvenes universitarios. Lo curioso del caso es que Arlt reaparece en el panorama de la literatura nacional de la mano de los estudiantes de Filosofía y Letras, algunos provenientes de clases medias y otros desprendidos "valerosamente" de sus familias históricas.

El 29 de abril de 1932, en *El Hogar* (p. 50) Arlt responde a un reportaje: "¿Vuelve usted a releer sus propias obras?" y contesta: "... se despierta en uno cierta curiosidad de viajero que no reconoce íntegramente la ciudad que abandonó".

Singularmente, Roberto Arlt, ha establecido una semejanza entre su obra y la ciudad, tal vez, este sea el origen de algunas críticas adversas a su obra, críticas que no han vuelto a leerse porque el tiempo las ha puesto fuera de contexto. Roberto Salama ha desaparecido del panorama crítico de Arlt, de la misma manera que Lázaro Liacho, trabajos apoyados en recursos externos que no han dado mayor posibilidad a la lectura de la obra. El texto de Larra todavía conserva el atractivo afectuoso, deslumbrante del crítico por su objeto de estudio: "La obra de Arlt es nuestra -dice Córdoba Iturburu- profundamente nuestra". (1946).

Otra polémica: *La cabeza separada del tronco.* Un manuscrito de Arlt que también generó duras polémicas, en mayo de 1964 el Teatro del Pueblo puso en escena *La cabeza separada del tronco*, pieza dramática de Roberto Arlt inédita, cuyo tema central se desarrolla y pule en *Saverio el cruel*. La obra transcurre en un manicomio y el personaje principal se llama Saverio. La obra fue escrita un poco antes que *Saberio el cruel* y fue transformada en Saverio... a pedido de Leónidas Barletta que exigía una obra con mayor sentido del compromiso social y la lucha de clases. Barletta guardó el manuscrito y estrenó *Saverio el cruel*. En mayo de 1964, el Teatro del Pueblo, un tanto alicaído, ya tenía treinta y cuatro años de actividad, en busca de un nuevo golpe de atención recupera el manuscrito para la escena. Los diarios no fueron benévolos con la representación, y tampoco con la obra, en particular los críticos de *La Nación*. A raíz de estos sucesos Mirta Arlt declara públicamente que la obra no es absolutamente de Roberto Arlt, sino que es fruto de cortes, cambios, transformaciones, agregados, etc. ... La polémica se extendió durante un par de meses y el periódico *Propósitos*, dirigido por Barletta, emprendió una campaña en contra del diario *La Nación*. Mirta Arlt recupera de esta manera los originales y determina los cambios y las transformaciones sufridas por la pieza en manos de Leónidas Barletta. Hemos visto estos manuscritos y se adivina con facilidad cuáles son los agregados y cuáles los textos exclusivamente de Arlt. Estos manuscritos de *La cabeza separada del tronco*, deben ser leídos atentamente, para rescatar el texto de Arlt, puesto que interesa un aspecto -si se quiere antropológico- por el cual debe ser conocida esta obra, un aspecto sumamente valioso para la bibliografía de Roberto Arlt.

La Nación del 1 de junio de 1964, p. 11 anota "Tragicomedia atribuída a Roberto Arlt". y *Propósitos*, el 4 de junio del mismo año: "Una crítica de *La Nación*" y el 2 de julio, "*La Nación* y su crítica teatral". El 21 de mayo de 1964, Beatriz Hilda Grand Ruiz elogia intensamente a *La cabeza separada del tronco*, en el mismo periódico de Barletta, escenario de muchas e intensas batallas literarias y culturales, como también lo fueron *Metrópolis* y *Conducta*, que dirigió Barletta.

Oscar Masotta

Retornando a Raúl Larra es claro que la preocupación por el aspecto crítico no aparece en su libro, salvo escasas menciones que se formalizan en el trabajo de Masotta *Sexo y traición en Roberto Arlt*, en cuyo apéndice expresa:

> "Los críticos de izquierda quienes aceptan la empalagosa pendiente del afecto, y se pönen afectuosos cuando deberían intentar... comprender que es ese mismo lado el que se hace viviente. En la mayor parte del libro de Larra se percibía la voluntad de disculpar a Arlt. ¿Pero de qué? (p. 118)"

En 1965 Masotta lee una comunicación en el salón de «Artes y ciencias» como presentación de su libro acerca de Arlt (88) «Roberto Arlt, yo mismo». En esta presentación Masotta se excusa del título de su libro, *Sexo y traición en Roberto Arlt*, por considerarlo comercialmente atractivo:

> "Yo diría que se trata de un libro relativamente bueno. Relativamente: es decir con respecto a los otros libros escritos sobre Arlt."

Por supuesto que Masotta se refiere al libro de Larra y también al de Nira Etchenique (1962), a ésta última la acusa de establecer una cuestión moral en torno al sexo, en tanto que sexo para Etchenique implica la homosexualidad, la perversión, que en alguno pasajes de *El juguete rabioso* y *Los siete locos, Los lanzallamas* y *El amor brujo*, aparecen sin convencionalismos metafóricos. Masotta insiste en que en Etchenique hay una condena de tipo social que proviene de su filiación política.

Tal vez sea éste el pasaje en que Masotta ha constatado la ingenuidad crítica de Nira Etchenique:

> "Roberto Arlt sufre en carne y sangre propia la gris y dolorosa rutina del hombre de su época; se irrita ante la injusticia que lo condena a seguir atado a ese ritmo de vida, comprende aunque no de manera conceptual ni ideológica, que algo tiene que venir a cambiar las cosas, algo ha de transformar al mundo y sacudirá la imperturbabilidad de los resignados... Y por eso pone esos recursos en manos de sus personajes, quienes obran en virtud de una libertad que a él le está negada en el plano de la realidad. A través de ellos podrá construir, podrá revolucionar, podrá ejercitar el dominio de la maldad como expresión de su rebeldía.[89]"

El trabajo de Oscar Masotta es el tercero después de la muerte de Arlt. El libro de Raúl Larra, criticado duramente por algunos e ignorado por otros es indudablemente el precursor de este tipo de trabajos que si bien no es un aporte crítico pertenece a la bibliografía de Arlt, y ha motivado la creación de otros trabajos. El libro de Nira Etchenique *Roberto Arlt*, es muy breve, con algunas confusiones conceptuales desde lo crítico.

Sexo y traición en Roberto Arlt de Oscar Masotta aparece como una lectura muy particular sobre el novelista. . Y luego, Gregorich, enumera los antecedentes críticos de Masotta: asimilación confesada de Saint Genet de Sartre, profundo influjo de la crítica marxista a través de un «heterodoxo como Barthes» y un crítico no marxista como Maurice Blanchot, además de un antimarxista como George Bataille. De este estado bullicioso y heterogéneo de la crítica proveniente de Francia emerge Oscar Masotta, que a través de Pichón Riviere toma contacto con las teorías psicoanalíticas de Sigmund Freud y luego de Jacques Lacan. Gregorich marca en el libro de Masotta alguno juicios confusos y una composición general caótica, en donde lamenta que por momentos Arlt se vuelva solamente una excusa referencial pretextando la fenomenología, el psicoanálisis o la teoría de clases marxista. Hoy, a casi veinte años de la publicación del texto de Masotta, la crítica encuentra la posibilidad inédita en su momento de enfrentar los textos de un autor como Arlt mediante esquemas críticos más sólidos, atrevidos, que los que habían intentado sus antecesores. Algunos críticos vieron en la obra de Masotta un escaso espíritu científico, o poca sujeción al proceso histórico. Oscar Masotta escribe, también, deslumbrado por la personalidad mítica de Arlt, una de sus conclusiones más interesantes, compara a Arlt con Genet, desestimando todas las vinculaciones con Dostoyevski, que se sumaban hasta ese momento. Reafirma el «mal», el tema de la religiosidad y encuentra bastante material de apoyatura en la famosa obra de George Bataille: *La literatura y el mal*, en donde el crítico francés rescata lo demoniaco de la literatura en canje con el goce secreto de la escritura. Es decir, muestra a un Kafka feliz de haber hecho su obra a pesar de todo.

Nos ha dejado Masotta una serie de constantes críticas que permiten nuevos accesos a la obra de Arlt: la ecuación del silencio y el ruido mundano. Lo profundo que se hunde en el creador y el mundo de la alienación, del ruido de lo perverso. mediante estos parámetros dialécticos, Masotta se pregunta si no habrá que separar la novela del teatro en Arlt ya que sus personajes tienen caracteres muy perfilados que interpretan escenas en las cuales el paisaje pertenece a ellos mismos. En el libro de Oscar Masotta, se concluye:

1. El contenido social de los libros de Arlt es valedero pero no el contenido político.
2. Los hombres de Arlt no tienen conciencia de clase pero pertenecen a la masa.
3. La moral inhibe el pertenecer a una clase.
4. Sin el hombre de Arlt no hay novelas de Arlt.
5. En líneas generales Arlt coincide con la izquierda en el accionar y en la miseria.
6. No tiene lenguaje marxista.
7. En la época de Arlt la política era una ocupación.
8. Arlt no tiene propósitos sociales.
9. Se le reprocha que sus personajes no tienen optimismo por la lucha de clases.
10. Siempre cuenta la caída de una época.
11. Creía en la fuerza de la palabra.
12. La sinceridad de Arlt no es convincente. Mala fe, anarquismo y esteticismo.

Los jóvenes universitarios de la década del cincuenta, agrupados en la revista *Centro* y luego *Contorno* se pusieron en contacto con la obra de Arlt, gracias a la redición que hizo Raúl Larra en la editorial Futuro. Emir Rodríguez Monegal escribe sobre los hombres que integran *Contorno*, «los parricidas» que encuentran en la figura de Arlt la línea de la transformación práctica y teórica:

> "*Contorno*, en cambio, está más cerca de ser una revista de cultura general, como *Les temps modernes;* una revista en que lo literario es estudiado más como fenómeno revelador de la realidad que como realidad autónoma.
> Detrás de los ensayos, tan penetrantes, escritos con tanto vigor polémico, de sus colaboradores, se advierte la visión sociológica o filosófica predominante. Y también y sobre todo la visión política. Porque los jóvenes que hacen Contorno hacen también política, una política antiperonista, pero no en el sentido convencional con que se concibe el antiperonismo. Si algo los caracteriza en su actitud política, es la aceptación total y sin remilgos de las lacras de una realidad que hizo posible a Perón.[91]"

Posiblemente Oscar Masotta fuera el más entronado de los parricidas, el más iconoclasta de todos; por ejemplo se ofusca en contra de Larra porque dice que no sabe leer a Arlt, porque, como Nira Etchenique padecen un prurito ideológico irreversible. Toda la crítica de Masotta parece escrita por sobre el género humano, como si él estuviera en un escalón superior... En su afán de reubicar a Arlt, quizá un poco prematuramente, Masotta ve dos críticas que enfocan la obra de Arlt: una crítica liberal, de derecha, en la que incluye a Juan Carlos Ghiano, Juan Carlos Solero y Héctor Murena. Esta es una crítica obstinada en leer a Arlt «sin herramientas expresivas». La obra crítica es la marxista, considerada por Masotta más o menos dogmática y con vocación progresista.

Para la misma época en que Masotta escribía estos conceptos acerca de su visión de la crítica, Noé Jitrik.[92] en una serie de artículos para el diario *El Mundo* y enfrentado a un sentido más criollista de la crítica y menos rotunda que los exabruptos de Masotta, apunta a reubicar a Arlt. Se trata de un planteo de revisionismo histórico, considerando la urgencia de colocar a Arlt dentro de los márgenes de la literatura nacional. Señala, Noé Jitrik, la aparición de *El juguete rabioso* opuesta a *Don Segundo Sombra*. El año 1926, el fin de la novela rural, paso a la novela urbana, planteo primogénito de Enriquez Ureña que había observado que el año 1926 en la Argentina era el inicio de una nueva etapa de la cultura.

Noé Jitrik, como muchos del grupo de *Contorno*, comparte la crítica con la creación y ha buscado constantemente, motivaciones y raíces en la obra de Roberto Arlt. En el prólogo a la *Antología de Roberto Arlt* (1982) dice:

"Creo que no se puede entender la obra de Roberto Arlt si al mismo tiempo, no se hacen otras lecturas: la primera es la del contexto político social argentino (lo que va del proyecto liberal burgués del 80 a la crisis del radicalismo y la aparición del elemento militar en la escena política, pasando por el fenómeno de la inmigración y todas sus consecuencias, los conflictos ideológicos y de clase, la relación con la cultura europea, la crisis del «sistema» capitalista a fines de la década del veinte, etc.); la segunda invita a una diversificación textual: el sainete y el teatro culto, el lunfardo y los intentos de una literatura popular, la poesía de vanguardia, el tango, la arquitectura, el cine, la radio, la industria, la comicidad, el fútbol y el box, la delincuencia y otros.[93]"

Además, Jitrik, rescata la obra de Larra como «la primera llamada de atención contra el silencio» de Arlt, silencio que van a romper en 1954 los jóvenes agrupados en la revista *Contorno* quienes dedican el segundo número de la revista integramente a analizar la obra de Arlt. *Contorno* había sido fundada y dirigida por Ismael Viñas y por David Viñas, el primer número es de noviembre de 1953 y el último Nº 9/10 en abril de 1959. Para este grupo Roberto Arlt era el centro de interés, el primer escritor de corte existencialista.

Escribían en *Contorno*: Adelaida Gigli, los hermanos Viñas, Fernando Kernan, Juan José Sebreli, Oscar Masotta, Noé Jitrik, Francisco Solero,[94] muchos otros nombres que firman artículos remiten directamente a los seudónimos utilizados por los «directores» de la publicación. El número dedicado a Roberto Arlt consta de nueve artículos, es la segunda vez que una revista le dedica el número integramente a Arlt, la primera había sido *Conducta* con motivo de la muerte del escritor, pero esta vez es inédita la postura de un trabajo crítico sobre el autor de *Los siete locos*, otro intento por ubicar la obra de este escritor. Esto tiene mucho que ver con el proceso general de la literatura argentina. Los integrantes de *Contorno*, en este número 2, consideran que no se puede trazar la historia de la crítica y de la cultura argentina sin la lectura de un actor de la magnitud de Roberto Arlt. E indagan en él motivados por el auge de la crítica sociológica:

> "...Arlt es una permanencia. Por eso se desplaza cada vez más entre nosotros. Por eso lo admiramos. Con él ya no estamos solos en nuestra pelea contra el monstruo de la conformidad. Podemos vencer. Sí, ahora y para siempre, sí.[95]"

Evidentemente los flamantes críticos de *Contorno*, emergían de la mano de Arlt, un escritor que les proponía la ruptura del discurso tradicional, lo que se podía decir, a pesar de todas las contradicciones incurridas. Los animadores de *Contorno*, eran universitarios y podían mirar en la obra de Arlt algunos elementos del proceso creativo con mayor cuidado.

Juan José Sebreli hacia 1949 ingresa como colaborador en la revista Sur (fundada en 1931 por Victoria Ocampo) en el período en que la revista ya había cumplido sus propuestas. Dice Sebreli:

> "...lo que va a cristalizar en *Contorno* se da en Sur y de ahí lo paradójico. La 'izquierda' de Sur será la derecha de *Contorno*."

Juan José Sebreli un año antes de la aparición del número 2 de la revista *Contorno*, escribe en Sur: «Inocencia y Culpabilidad»[96] Es la primera vez que la revista *Sur* se ocupa de Arlt luego de once años de su muerte, aún cuando los diarios de derecha habían publicado sus cuentos y artículos.[97]

La extensa nota de Sebreli parece contener el germen del trabajo posterior de Oscar Masotta, ya sea en los adelantos que hizo en la revista *Centro* en 1958 o bien en *Sexo y traición*...

Sebreli señala que «los temas de Arlt surgen en el desamparo y la injustificabilidad del hombre en el absurdo del mundo. El arte de Arlt aparece por lo tanto en la desocupación del pequeño burgués y su origen es burgués; resulta de una clase que se va proletarizando. Escribe»novelas porque no puede hacer otra cosa. Un novelista aspira a conocer a los demás, nos habla de los otros. Arlt no puede hablar de otra cosa que no sea de él mismo, pero como si fuera otro. Por eso sus personajes y sus situaciones son ambiguas: nunca son del todo real y nunca del todo imaginarias, son y no son».

El crítico observa en la obra de Arlt una literatura del 'surrealismo', aun cuando Scalabrini Ortiz había marcado la similitud entre el autor de *El amor brujo* y Dostoyevski. Sebreli expresa que Arlt adquiere vigencia en tanto refleja el drama de todo un pueblo, esos monstruos absurdos que pueblan sus libros, los podemos encontrar en cada esquina, en cualquier café de Buenos Aires o detrás de la puerta de cualquier casa, «son nuestros compatriotas, somos nosotros».

Luego Sebreli ubica a Arlt, también, como el precursor del derrumbe social, pero un precursor novelístico, en donde la estructura del fracaso, se exagera en su obra como una mala fe. Arlt, comenta Sebreli, nos descubre la imposibilidad de la solidaridad, el hombre está solo consigo mismo y no puede escapar sino a través del crimen o el suicidio, a través de una fantasía o un deseo que nos motorice dentro de este terrible engranaje social. La lectura de Arlt permite recrear la experiencia de la nada, la confusión entre el sueño y la realidad:

"Arlt escribe para inventar, para inventarse a sí mismo. Está obligado a inventar para poder vivir. Los personajes de sus novelas realizan las posibilidades que él no puede realizar, sus sueños frustrados, sus tentativas abortadas."

Oscar Masotta escribía en 1962:

"Tengo a Jorge Luis Borges y a Roberto Arlt por los dos grandes escritores que haya producido el país hasta la fecha. La mala fe política del primero, sus nefastas, estúpidas (...) opiniones públicas: la ingenuidad pública del otro, su buena voluntad para educarse ideológicamente. Uno y otro expresarán, cada uno a su nivel y cada uno a su modo, las peripecias culturales de un país subdesarrollado. Tesis atractiva pero que es preciso dejar de lado.[98]"

Los dos críticos que hemos enfrentado parten de un mismo medio que es *Contorno*, aunque la admiración de Masotta por Sebreli, curiosamente, se extendió en varios artículos.

Juan José Sebreli en "Inocencia y Culpabilidad" responde a la angustia de la obra de Arlt como el elemento sustancial alimentado por la bancarrota económica, la lucha de clases en la década del treinta, individuos de Arlt que son «clase media», que viven en Buenos Aires:

"Es necesario leer a Arlt, aunque su lectura no sea más que una experiencia de humillación y de profunda desesperanza para los argentinos."

Y Masotta escribe: «Arlt encuentra en la práctica de la maldad un hálito de soberanía», luego muestra que la mayor humillación ocurrida en los personajes de Arlt es pertenecer a la clase media.[99]

También Luis Gregorich escribe que el proceso de expansión intelectual de Borges había oscurecido la figura de Arlt, para ello expone el catálogo de la bibliografía de Borges que en los últimos años (1977) ha crecido de una manera asombrosa. En cambio la crítica arltiana solamente cuenta con un par de autores con nuevos aportes: Oscar Masotta, Angel Núñez, David Maldasky, Diana Guerrero y Ricardo Piglia: «Mejor que Borges o Arlt: Borges y Arlt. Pero es lícito echar de menos una mayor dosis del ingrediente Arlt en las letras argentinas... Arlt tendrá su desquite algún día».[100]

Evidentemente que Gregorich no da explicaciones concretas sobre la ausencia de críticas sobre Arlt. Es decir que queda el interrogante planteado. Los procesos político-militares vividos en el país no fueron propicios para la obra de Arlt ya sea por las posibilidades de sus múltiples lecturas ideológicas o por la inseguridad que despertaba a los gobiernos militares la denuncia del caos, de la sin razón, de los factores de poder y la categoría de «humillados» en que Arlt concientizó a sus lectores. En la década del sesenta la cátedra universitaria leyó y analizó las novelas de Roberto Arlt bajo la dirección de Antonio Pagés Larraya, luego Guillermo Ara, en 1972 Noé Jitrik dedicó junto a Josefina Ludmer muchas clases de su cátedra de literatura iberoamericana a *El juguete rabioso*, mostrando categorías del relato por medio de diversos procesos de producción de un texto, vinculando teorías ligadas a una visión marxista y postestructuralista, el material ha perdurado como apuntes de clases grabadas, solamente, Jitrik, recopiló y transformó su nuevo enfoque teórico en *Producción literaria y producción social*.[101] En su mayor parte la crítica que analiza la obra de Roberto Arlt después de su muerte en 1942, es universitaria y se origina después del período 1945-55, período en que muchos jóvenes de distintos niveles sociales acceden a la universidad. Ese período entre 1945 y 1955, tampoco recibe o lee a Arlt, las circunstancias dificultaban la tarea de ubicar a Arlt en el contexto social y político. Alberto Zum Felde[102] observó uno de los posibles motivos del alejamiento de la crítica, naturalmente que reedita viejos y frecuentes ítem:

"La indisciplina literaria, el apresuramiento con que producía, las grandes flaquezas de su cultura intelectual, determinan, como es inevitable, grandes desigualdades de calidad en su obra. Como es sólo un instintivo, un intuitivo, incurre en caídas frecuentes. Sus libros mezclan lo bueno -a veces muy bueno- con lo malo, a veces muy malo."

Para David Viñas su admiración por Arlt significa su desprecio, directamente proporcional, a Murena, la conceptualización crítica de Viñas, recurrente en las dicotomías no han sido del todo suficientes para clarificar el lugar de la obra de Arlt dentro de la crítica argentina. El aspecto de la producción narrativa de David Viñas guarda un nivel de elementos adquiridos en la lectura sistemática de Arlt. En la contratapa del ensayo, escrito para Diana Guerrero,[103] anota:

"Con Arlt empieza la narrativa moderna... Si con el trabajo de Raúl Larra se esbozó un camino para interpretar al autor de *Los siete locos* y con el ensayo de Masotta se exhibió un método, con este producto de Diana Guerrero, se llega a la culminación crítica."

Esta presentación de David Viñas pertenece al año 1972 y los textos de *Contorno* a 1954. A casi veinte años desde un enfrentamiento con un escritor del que se habían dicho pocas cosas en relación a su obra, aquí (1972) Viñas comprueba que ya hay un espectro bastante definido de abordajes a las novelas del autor de *Los lanzallamas*. Decimos, novelas, porque es lo que más se ha estudiado. Impactaron sus personajes enlazados férreamente a la ciudad y a la desesperación del ser. Es Viñas quien en *Contorno* se acerca a la obra de Arlt con el propósito de reaccionar en contra de las críticas clásicas que sólo veían en el autor de *Prueba de amor*, un autodidacta inculto y lleno de defectos sintácticos. En la página ocho de *Contorno* de lee: «Arlt y los comunistas» escrito de David Viñas bajo el seudónimo de Juan José Gorini. Viñas lo acusa a Larra de imponerle a Roberto Arlt su adhesión al partido comunista. El artículo de Viñas se origina a partir de la respuesta de Raúl Larra (en *Cuadernos de Cultura* Nº 6 (1952) «Arlt es nuestro») a Roberto Salama. Larra ha expresado que lo que él quiso decir es que Arlt es argentino, no trató de ubicar a Roberto como un escritor del partido comunista sino que deseaba aclarar las barbaridades de un camarada ideológico que acusó a Arlt de burgués y reaccionario. (Véase: Sobre *"La polémica del 52; Larra-Salama").*

Cuando David Viñas da a conocer *Literatura argentina y realidad política de Sarmiento a Cortázar*[104] la figura de Arlt aparece reducida, ambiguamente, a un escritor frustrado por el lenguaje oficial y sus valores correlativos, tentado por el populismo y temeroso de sus consecuencias. «El escritor vacilante: Arlt, Boedo y Discépolo», un capítulo del libro de Viñas, el humillar y el seducir conforman dos ejes en los personajes de Arlt. Aunque Viñas[105] en 1966 había escrito este capítulo para el diario *Marcha* de Montevideo, Oscar Masotta dio cuenta de estos conceptos en su libro *Sexo y traición...* (1965). Para Masotta la mayor humillación que define Arlt es la de pertenecer a la clase media y la «seducción» ejercida por las mujeres, envolventes, una especie de alegoría de la «mujer araña», que echa sus redes sobre el macho y lo ataca.

Nicolás Rosa en *La crítica literaria contemporánea*[106] pasa revista al proceso crítico en las letras argentinas:

"La crítica dice hablar de literatura, pero en realidad habla del mundo, de la sociedad, de hecho, el fenómeno político parece ser el privilegiado... el discurso crítico posee, desde sus comienzos, una organización autónoma e independiente en relación al objeto literario, al que supuestamente debería aplicarse. El impresionismo de cierta crítica de *Sur* se verá empalidecido por el ensayo sociológico y literario de la década del treinta...

A partir de 1955, el discurso crítico sufrirá una ruptura fundamental: el documentalismo historiográfico e incluso el puramente filológico y las incipientes formulaciones estilísticas..."

Nicolás Rosa concluye con una reubicación de categorías sociológicas marxistas y sartreanas.

Salta a la vista el descuido hacia el objeto literario en sí que los críticos le imponen a Arlt: muchos propuestos a olvidar una sintaxis defectuosa u otras historias parecidas. Lo cierto es que el aspecto sociológico marcó un modo de abordaje a los textos arltianos. La lucha de clases signada por Masotta, la humillación que indica Viñas o los enfoques sociológicos y psicoanalíticos en Guerrero y Maldasky. Así como Sigmud Freud en las literaturas pero no en la «literatura», Arlt ha necesitado un tiempo bastante importante para que la crítica lo abandone como personaje y enfrente, por último, a las grandes cuestiones de la estructura del discurso narrativo.

En 1964, *El teatro de Roberto Arlt* por Raúl Castagnino, incorpora un aspecto inédito en torno a la obra de Arlt, el teatro. En su tesis Castagnino revisa todos los estrenos teatrales y todas las piezas dramáticas, aun las obras más breves. Esquematiza los argumentos, incorpora críticas y declaraciones del propio Arlt. Establece una panorámica atenta a todo el desarrollo, cronológico, del teatro arltiano, para cerrar el trabajo con una síntesis de conclusiones en las que Arlt aparece en relación directa con la escena dramática, el recurso de los «improntus» (especie de peripecia aristotélica), el grotesco y sus modalidades. Castagnino refiere la crítica social en el teatro, la asimilación del teatro griego clásico, el choque entre el sueño y la realidad y el teatro como «catarsis». Algunos de los capítulos que pertenecen al libro de Castagnino fueron publicados con anterioridad, «Un boceto literario olvidado de Roberto Arlt» en *Talía*.[107] *El teatro de Roberto Arlt* es un minucioso informe sobre lo literario y su representación.

En 1959, el Instituto de Literatura Argentina de la Facultad de Filosofía y Letras editó una *Guía bibliográfica de Roberto Arlt* por Horacio Becco y Oscar Masotta.[108] Las diez páginas que componen esta guía constituyen el primer intento por sistematizar los datos bibliográficos acerca de la obra de Roberto Arlt, una obra dispersa, mal anotada, con escasos informes bibliográficos y críticos. El trabajo de Becco y Masotta, recopila la bibliografía conocida y arrastra errores en los datos de ediciones de las obras de Arlt, o errores cometidos sobre los datos de editoriales y autores. Son mínimos, estos señalamientos, en tanto que la obra de Becco y Masotta es el primero en su género y de seguro será la fuente ineludible y primera de todo aquél que se inicie en los estudio de este escritor. Horacio Becco realizó otras cronologías breves y microbibliografías sobre Arlt. Nuestro trabajo de recopilación bibliográfica parte de este ordenamiento hecho por Masotta y Becco. En 1971 Horacio Jorge Becco trazó una «microbibliografía de Arlt» para *La Nación* que incluyó luego en el número once de la revista *Macedonio*. Cuando Masotta y Becco inician su trabajo bibliográfico sobre la obra de Arlt el único libro sobre este autor que había en plaza era el de Larra: *Roberto Arlt el torturado* (1950), el resto son artículos y las revistas *Contorno*, *Conducta*, *Columna* y *Metrópolis* que habían dedicado sus números a la trayectoria literaria y teatral de Roberto Arlt.

La editorial Nova publicó en junio de 1968 un trabajo de Angel Núñez *La obra narrativa de Roberto Arlt*.que obtuvo el premio del Fondo Nacional de Las Artes a la publicación. Núñez analiza en esta obra de carácter universitario (dice en el prólogo que es una tesis de licenciatura), algunos cuentos de *El jorobadito*, en especial el que lleva el mismo nombre del título y (Una) "Noche Terrible", enlazados con la temática de la novela *El amor brujo*. Angel Núñez denuncia la lectura de Masotta, de Larra, de Castagnino, Ghiano y alguno de los prólogos de Mirta Arlt. El aporte de Núñez se asienta sobre la teoría teatral del distanciamiento de Bertolt Brecht. El análisis de Núñez sobre *El jorobadito* es minucioso. Establece un abordaje estilístico al texto, y sostiene un ligero estudio sobre el discurso de Arlt que se diluye en la falta de información teórica. El trabajo de Angel Núñez, a pesar de las dificultades de orden metodológico que presenta, incorpora algunos elementos que la crítica, con posterioridad comenzará a trabajar.

La línea crítica sobre la obra de Arlt no está trazada aún, no tiene la claridad que otros escritores presentan en su armazón bibliográfica. En un libro último, José Amícola expresa:

> "Mi afinidad con Arlt significa una lucha contra la figura de Borges, estandarte ideológico de la gran burguesía.[109]"

Curiosamente nos reencontramos con la apreciación de Luis Gregorich (1967): Arlt o Borges, mejor Arlt y Borges.

Juan Carlos Ghiano anticipa en 1949 tres reparos a la crítica:

1. Condena a Arlt por un «realismo de pésimo gusto»
2. Es escabroso en las expresiones entre los sexos.
3. Dicen que escribe mal.[110]

La condena por el realismo ya es histórica y se patentiza durante la vida del escritor. Los exabruptos de las expresiones entre los dos sexos están subrayados por una moral del discurso que ha llegado hasta nuestros días y que significó el alejamiento de Arlt de los claustros universitarios, prohibido en la Universidad de Córdoba, y sospechosamente incluido en el «índex» de libros no aconsejados por el gobierno militar. Asimismo en 1971 el ente de calificación cinematográfico dirigido por Néstor Tato, compañero de Roberto Arlt en el diario *El Mundo*, trabó la filmación de *Los siete locos*, hasta tanto no fueran suprimidos de la película personajes vestidos con trajes militares y eclesiásticos y se expurgara toda escena de desnudos, eróticas y donde se vieran pezones. Estos elementos, también, forman parte de la lectura histórica de Arlt. De la misma manera Stasis Gostautas denuncia en la primera hoja de su libro[111] que la ocupación militar en la Editorial Universitaria de Buenos Aires, destruyó los originales y ubicó a su autor en una lista de indeseables. El libro se editó en España.

Juan Carlos Ghiano en *Testimonios de la novela argentina*,[112] propone a

Roberto Arlt como testigo, «comentador», cronista, el que revela los hechos y situaciones del entorno. En relación al realismo, Ghiano, se opone a esa nominación[113] porque ve en ese rótulo un encasillamiento con los escritores de la revolución rusa.

Podríamos esgrimir las dos vertientes literarias que han tenido más arraigo a partir de los años cincuenta: "La línea que proviene de Borges y la línea que nos llega a través de Arlt. No hay, por ahora, una influencia teatral dejada por Arlt, el teatro en la Argentina, volvió a la búsqueda del sainete mezclado con el absurdo europeo."

«Relectura de Arlt» es un artículo de Juan Carlos Ghiano del 6 de septiembre de 1981 en *La Prensa* (p. 6), motivado por la edición de las obras completas de Roberto Arlt:

"Convendría que se realizara con ecuanimidad una historia de la crítica argentina sobre Arlt... En cuanto aspiración crítica, ojalá apareciera un estudioso que leyera 'Obra Completa' con la misma actitud ecuménica con que el alemán Romano Guardini leyó al autor de Crimen y Castigo.[114]"

En el transcurso de las investigaciones sobre la crítica arltiana se decidió no convertir este trabajo en un catálogo de títulos y menciones sobrevaloradas. Entonces, se dejaron de lado muchas anotaciones críticas valederas y no valederas que abultaban desmedidamente el estudio y no aportaban información conceptual. Muchas de esas críticas se ordenan en la bibliografía para su rápida ubicación.

Mientras que Juan Carlos Ghiano interpretaba la ausencia de estudios críticos y de lecturas científicas a la obra de Arlt, Eduardo Romano[115] escribía que no debía pensarse en la falta de huellas de la obra del autor de *El juguete rabioso,* sino que había que observar que con la muerte de Arlt aparece la figura de Juan Carlos Onetti en el panorama literario del Plata.

Diana Guerrero -graduada en Filosofía en la Universidad de Buenos Aires- da a conocer en 1972 *Roberto Arlt, el habitante solitario.* El ensayo despertó la curiosidad de los críticos, dijimos que en la contratapa del libro David Viña escribe: «Con este libro... empieza realmente la crítica moderna sobre Arlt, el universo de los trabajos humillantes, las miserias crispadas y sordas de la pequeña burguesía o la fascinante distancia de los ricos...»

Diana Guerrero es una filósofa que analiza en esta obra al lumpen proletario y al místico del café de los años treinta. «A las esposas de lenguaje adiposo, su lenguaje, hasta llegar a los jorobados, inventores y rufianes».

La autora aclara que no es un libro de «crítica literaria, aunque lo parece; pero no se analizan estilos ni estructuras narrativas, ni temas, ni tópicos. Los corpus de trabajo no están formados por toda la obra de Arlt, sino mediante una selección de acuerdo a las prioridades del ensayo. El trabajo toma como objeto central la novela *El juguete rabioso*, estableciendo algunos criterios sociales en torno a la novela que Ricardo Piglia transformará, un poco después, en tema de sus trabajos.

Dice Diana Guerrero:

> "La obra de Arlt aparece como una crítica desesperada y pesimista al modo de vida de la pequeña burguesía de los años veinte y treinta. El, escribe desde una perspectiva espiritualista igualmente pequeño burguesa: es lo que podríamos llamar un pequeño burgués lúcido."[116]

La autora acierta en develar claves de la obra arltiana de frente a los valores impuestos por la oligarquía: que pueden ser el concepto de «belleza» o de «vida espiritual». La pequeña burguesía lucha por alcanzar valores convirtiéndose en avaros «empedernidos». Por eso, explica la autora, que el creador de *Los lanzallamas*, ha buscado siempre la convivencia con los marginados sociales.

El estudio de Diana Guerrero (desaparecida junto a su esposo en 1976) es un acercamiento a la obra de un escritor en donde pueden ser subrayadas las expresiones de la conciencia pequeño burguesa. La analista rastrea menudamente por las relaciones interpersonales de personajes novelísticos: así emerge la figura del padre, de la mujer, del amigo, el sentido de lo deforme, todo, perfilado sistemáticamente. Los capítulos se cierran con una conclusión. La humillación se recupera como un eje permanente en toda la obra, así también como «la mala fe del hombre» que se regodea -sin saber- en su propia mezquindad, cuando la sociedad lo aplasta y lo mata. El enfoque metodológico que instrumenta Diana Guerrero está eslabonado hacia una lectura marxista-sartreana, en donde algunos planteos ideológico -ut supra- fueron planteados en 1965 por Oscar Masotta. Este ensayo privilegia los estamentos burguesía-proletariado:

> El conflicto que se expresa en el universo arltiano es el del individuo que aspira a una vida creadora sin poder realizarla en la sociedad.[117]

Oscar Masotta en *Sexo y Traición...* ha marcado profundamente la crítica posterior sobre Arlt. David Viñas había estimado el texto de Masotta como un buen ingreso metodológico a la narrativa de R. Arlt. El enfoque es, evidentemente, el más novedoso en donde integra nuevas posturas de la crítica europea y del psicoanálisis. Pio del Corro en 1971, escribe un breve ensayo acerca de las zonas novelísticas de Arlt,[118] toma como punto referencial la obra de Masotta. Del Corro se instala en un eje de la novelística (cuatro novelas) que cruza los acontecimientos históricos e ideológicos desde la aparición de *El juguete rabioso* hasta la muerte de Arlt: esquema de clases marxista, continuando la trayectoria de Masotta y puntualizando los recursos de la «denuncia social» en las novelas arltianas. Así se indica el sojuzgamiento de la cultura y la economía estadounidense y destaca los comparativismos que se reiteran en las novelas: hombres abandonados y engañados por mujeres, la trampa del amor - la angustia existencial... El estudio de cuarenta y cuatro páginas tiene una bibliografía de siete asientos en donde no figura el libro de David Maldasky *La crisis narrativa de Roberto Arlt* (1968). Hacemos esta mención debido a las coincidencias de los dos libros que se encuentran en el mismo planteo de «la crisis en la novela de Arlt». Maldasky inserta en su trabajo una importante apoyatura teórico-psicoanalítica. La obra de Pío del Corro es concisa y presenta elementos de importancia como los tres momentos de *Los siete locos*: el recuerdo, lo inevitable y lo sacrílego:

> El complejo formado por la sucesión de *Los siete locos* y *Los lanzallamas* erige un fin, una gran parodia de lo místico...En la obra de Arlt nos encontramos con una sátira de la paradoja de un neo-idealismo-materialista: la energía, el superhombre, son el resultado de la restauración de la mentira metafísica y su manifestación contemporánea bajo la imagen de las 'ilusiones de carácter económico'».[119]

Es decir, un planteo arltiano en el que el dinero puede instaurar nuevos dioses, la religiosidad en Arlt vuelve a surgir en este libro de Del Corro con mayores complejidades. La religiosidad ante la máquina moderna que ha de funcionar como un nuevo «totem», como aquellos dioses que la civilización acepta día a día. El Moloch de La fiesta del hierro, o los seiscientos pesos con siete centavos que Erdosain debe pagar. Para Pío del Corro los ámbitos, las «zonas» -no se expresan en términos del espacio literario- pertenecen a lo religioso, al dinero, a las clases sociales sometidas en tanto que la única salida aceptable es a través de un sueño, de las puertas de la fantasía, o del absurdo, hasta restituir el 'crimen' como una actitud definitoria.

1.3.2. Otras críticas, otros enfoques

Las lecturas de la obra de Arlt hasta el presente fueron incrementadas por los estudios apasionados de su personalidad de escritor, la indagación sociológica, el rastreo de los caracteres psicológicos de sus personajes, el diagrama de la ideología de la estructura profunda del texto, los valores costumbristas vinculados a su quehacer periodístico y el teatro como una especie de sintetizador de su obra. El cuento, menos estudiado o menos conocido, debe ser reconsiderado a la luz de los nuevos textos que se van recuperando. Los cuentos abarcan toda su vida de escritor desde 1925 a 1924, en su mayoría responden a la condición de literatura de canje, como lo declara Roland Barthes, de la misma manera que sus aguafuertes, una literatura regida por el mercado, son textos que debe vender semanalmente.

Por cierto que el interés no está en este punto, sino en ver las posibilidades que le ofrecía el 'género', para fragmentar, desarticular y cambiar un texto por otro. Seguramente que muchos críticos en el futuro hallarán en los cuentos de Arlt otro esquema de la traición que instrumenta el escritor, con sus textos. *Estoy cargada de muerte* y otros borradores,[120] conforma la última recopilación de cuentos de Arlt dispersos en *Mundo Argentino* y *El Hogar* entre los años 1926-1938). Son un total de catorce cuentos, quedan sin recopilar treinta y seis más. El encuentro con estos relatos sorprende al lector de Arlt cuando encuentra que la mayoría son cuentos hechos sobre cuentos ya publicados. Hay cuentos que tienen hasta cuatro versiones, hay cuentos fragmentados (por ejemplo *El traje del fantasma)* que el corte lo convierte en una obra incoherente. Interesa en estos nuevos textos la aparición de otros temas no previstos en Arlt: la ciencia ficción, lo policial, lo mágico y algunos con acento terrorífico o endemoniado.

Muchas de las teorías elaboradas sobre la base de las obras conocidas de Roberto Arlt van a sufrir modificaciones: por ejemplo el trabajo de Adolfo Prieto «La fantasía y lo fantástico en Roberto Arlt»[121] y algunos otros, debido a la precisión sobre datos y fechas imprecisos. Noé Jitrik, por ejemplo, muestra en uno de sus prólogos la influencia que ejercieron algunas aguafuertes porteñas como «Filosofía del hombre que busca Ladrillos» en el cuento Pequeños propietarios, esta misma relación la establece Mirta Arlt (Prólogo a la obra de mi padre, Torres Agüero Editor, 1985), en el prólogo a *El jorobadito*. El aguafuerte pertenece al año 1930 y el cuento a mayo de 1928... De todos modos estos detalles no hacen a un trabajo crítico que de seguro nuestra bibliografía, cotejada sobre las primeras ediciones y sobre los diarios y revistas donde aparecieron por primera vez, puedan aclarar algunas confusiones:

> El núcleo temático de Roberto Arlt: el dinero, la motivación fundamental del desgarramiento como recurrencia y obsesión.[122]

David Viñas hace constar, además, que la superación de este deseo terrible se traduce en la magia, que podrá patentizarse en los cuentos recopilados que nos hemos referido. Igualmente Ricardo Piglia descifra el tema del dinero y la propiedad en el discurso literario de Arlt cuya economía implica el descrédito y el rechazo de las oligarquías literarias. Piglia introduce una cita de José Bianco:[123]

> «Arlt no era un escritor sino un periodista, en la acepción más restringida del término. Hablaba el lunfardo con acento extranjero, ignoraba la ortografía, qué decir de la sintaxis.»

La orientación de José Bianco apunta a privilegiar la retórica, porque no está persuadido de que esos códigos que transforman la naturaleza gramatical del relato en los textos de Arlt, «hablan» lo que él espera. Roland Barthes caracteriza la «retórica» como el ejercicio proveniente de un proceso a la propiedad privada, 2500 años antes de Cristo, es decir, que si bien este argumento de Bianco constituye un «cliché» en el espectro crítico a la obra de Arlt, deriva una segunda característica que remite a la retórica y a la estilística que la narrativa del creador de *Los lanzallamas*, no ha motivado aún estos impromptus en la crítica o en estudios específicos.

En 1973 Ricardo Piglia ya había publicado *La invasión* (cuentos), había recibido el Premio de Casa de Las Américas y funda junto a Carlos Altamirano y Beatriz Sarlo Sabajanes la revista *Los Libros* (1969) y durante un largo período tuvo el beneplácito de universitarios y escritores que encontraron en sus páginas verdaderos "nuevos puntos de vista en la lectura de la literatura argentina y de su realidad. *Los Libros* ha sido una revista de la importancia de

Centro, Contorno y otras de menor defusión como *Literal* o más comerciales como *Crisis*.

El número 29 de *Los Libros* (Marzo/abril 1973, p. 22-27) incluye un ya legendario artículo de Ricardo Piglia que modificó profundamente la idea de lectura de los textos de Arlt. El largo artículo se llama: "Roberto Arlt: una crítica de la economía literaria". Se lo presenta como un capítulo de un próximo libro titulado *Traducción, sistema literario y dependencia*. Pocos días antes de la aparición de esta revista el diario *La Opinión* (1º de abril de 1973) p. 10/11. Publica otro adelanto del libro futuro de Piglia. "Esta semana la revista *Los Libros* publicará otro trabajo sobre el autor de *Los siete locos:* En él el crítico R. Piglia indaga la génesis de los textos arltianos, en el interior de la obra, entre los valores de la propiedad, los usos de la literatura y los apoyos folletinescos que Arlt elige por todo respaldo. Este ensayo, formulado desde la perspectiva del marxismo, ahonda un plano de análisis y –en él– brinda considerables aportes para una nueva perspectiva de la crítica:

Escritura que se sabe desacreditada, los textos de Arlt han debido pagar el precio de la devaluación que provocan. Para una economía literaria que hace del misterio de sus razones el fundamento de su poder simbólico, el reconocimiento explícito de los lazos materiales que la hacen posible se convierta en una transgresión a ese contrato social que obliga a acatar "en silencio" las imposiciones del sistema. Basta releer el artículo que José Bianco le dedicara en 1961 para ver de qué modo Arlt transgrede un espacio de lectura. En este caso, el código del Sur: lectura de clase que refiere –justamente al revés de Arlt– el acceso fluido a una cultura "familiar". En realidad lo que se lee por debajo del texto de Bianco es la definición de esa propiedad que es necesario exhibir para poder escribir: "Arlt no era un escritor sino un periodista, en la acepción más restringida del término. Hablaba el lunfardo con acento extranjero, ignoraba la ortografía, qué decir de la sintaxis".La insistencia sobre las faltas de Arlt no son otra cosa que las marcas de un descrédito: manejar mal la ortografía, la sintaxis, es de hecho una señal de clase. Se usan mal los códigos de posesión de una lengua: los errores son –otra vez– el lapsus donde se pierden los títulos de propiedad y se deja ver una condición social. 'Hemos visto –insiste Blanco– que le faltaba no sólo cultura, sino sentido poético, gusto literario". Sentido poético, gusto literario: el discurso liberal sublima, espiritualizando. Habría una carencia "natural", irremediable: una fatalidad. Arlt se encarga de recordar que esta carencia es económica, de clase: en esta sociedad, la cultura es una economía, por de pronto se trata de tener una cultura, es decir, poder pagar. Por su lado, Blanco funda su lectura en la desigualdad y al universalizar las posesión de una clase hace de sus "bienes" las cualidades espirituales en que se apoya un sistema de valor. "Y hacia esa misma época –escribe– aunque Roberto Arlt conservara todavía lectores no creo que infundiera respeto a ningun intelectual de verdad" (sic). El respeto es un reconocimiento: en este caso hay ciertos títulos que Arlt admite haber recibido en préstamo: no son de él y es esta deuda la que debe pagar".

En un reportaje del 26 de julio de 1984 en el diario Clarín, Ricardo Piglia formula el riesgo de la canonización de la obra de Roberto Arlt. «Hasta hoy, contesta Piglia, los permanentes estados de alteración de la lengua literaria impidieron el ingreso del escritor a los museos, a las momificaciones, puesto que su estilo estaba armado con restos, con estilos prestados.» En 1979 Piglia afirma que tanto Arlt como Borges son grandes escritores y abren dos caminos posibles para la literatura nacional: «de Arlt me interesa su estilo», luego declara que es consciente de la influencia que ha ejercitado sobre su propia obra de narrador. En la entrevista de 1984, Ricardo Piglia, hace recaer nuevamente su interés en el tema del dinero como afecto cercano a la falsificación (implícito en la narrativa arltiana). Desde el punto de vista de la estafa los personajes de Arlt, comenta Piglia, no acceden a lugares sociales posibles para la obtención de dinero, mantienen un nivel de marginalidad más cercano al delirio, a la magia, al acontecimiento extraordinario que a una pura realidad.

Carlos Montemayor escribe en la revista de la Universidad de México:[124]

Todos los escritores sudamericanos contemporáneos cuyo lenguaje es desenvuelto, coloquial, cotidiano, aprendieron a hablar en Roberto Arlt.

Ernesto Sábato enuncia los componentes válidos en Arlt:

¿Qué podríamos decir del lenguaje? Formidable herencia cultural que no sólo no podemos sino que no debemos negar, pero que como toda herencia cultural es enriquecida por los herederos del genio.[125]

Estos últimos trabajos dan pruebas de un acrecentamiento notable de la importancia acordada al espacio que va tomando la obra de Arlt en la literatura argentina. ya no hay necesidad de insistir sobre el interés y complejidad que induce la narrativa arltiana, los intelectuales que lo aceptan encuentran en sus textos la libertad en los estratos del discurso a través de los contenidos. El libro de Raúl Larra *Arlt el torturado*, de 1950 y luego las reediciones de Arlt (1951) encaradas por Larra en la editorial Futuro no confirmaron la tesis de la popularidad de Arlt, pero alimentaron a una generación universitaria que se impuso el acto de descodificar la obra de Arlt y considerarlo un indicio fundamental para el desarrollo de sus futuras expresiones literarias. Nos referimos a *Contorno*.

Antonio Pagés Larraya dice en un diario de Buenos Aires:[126]

«Perfecta, honda e inquietante como pocas».

Carlos Mastronardi[127] lo evoca al autor de *El jorobadito* como un admirable y arriesgado innovador que hace tres décadas no pudo ser apreciado.

«Cabe admitir que su gravitación local, de día en día es más notoria y firme».

Mastronardi, el poeta de *Tierra amanecida* (1926), se sorprendería ante el «localismo» desbordado por la demanda de la obra de Arlt desde muchos países de América y Europa. Se sorprendería por la cantidad de traducciones que en los últimos años se realizaron: al alemán, al francés, al portugués, al italiano, al sueco y además las ediciones españolas, venezolanas, mejicanas y canadienses, algunos de los comentarios bibliográficos de todas estas ediciones hemos incluido en la bibliografía.

No obstante la demanda es del público lector y la obra permanece en un nivel de inconclusión crítica y analítica, tal vez porque aún pesa la visión impresionista que enfocó su obra. Una obra en crisis, en 1982, fecha de aparición de las *Obras Completas* por la editorial Carlos Lolhé y prologada por Julio Cortázar. Esta edición presenta varios inconvenientes, primero la ausencia de un índice que oriente y no que desaliente, segundo no hay notas, ni bibliografía, ni estudio preliminar, pues el proemio de Cortázar dice más de Cortázar que de Arlt. Por otra parte se han suprimido muchas aguafuertes por una cuestión de espacio. Siempre la reedición de un escritor origina movimientos en la crítica, el hecho de poder manejar la totalidad de la obra de un escritor facilita el trabajo del crítico. Las piezas teatrales estaban agotadas desde hace aproximadamente quince años. Los que plantearon las marcas políticas o virtuales definiciones ideológicas en Roberto Arlt, naufragaron en un sinnúmero de disquisiciones probables: Eso era Arlt, un caos, apunta Edmundo Guibourg. El caos del cual resurgirán bíblicamente personajes, situaciones, infiernos a la manera de los nuevos narradores norteamericanos, el caso de Norman Mailer quien deseaba hacer un personaje como si fuera una escultura de piedra y poder trasladarlo de un lugar a otro. Pero Arlt, rápidamente, abandona la novela, como si dejara la zona íntima, familiar, para ingresar en 1932 al espacio teatral, tal vez el más primitivo y directo vínculo con el hombre. Durante la década del cincuenta Arlt no encuentra su público, sus críticos, a partir de 1960 la preocupación por su obra y las constantes ediciones despiertan el interés de la crítica. Desde 1952 las reediciones de Futuro por Raúl Larra no tuvieron una importante repercusión, quedó esa vez sin reeditar *Los lanzallamas*, que Antonio Zamora comenzó a distribuir a muy bajo precio en las librerías de «lance» porque no lo vendía desde 1931... (O quizás las rivalidades que hubo entre editor y escritor, encausaron al primero a no difundir su obra). Pocos años después del intento valioso de la editorial Futuro (1952), el editor Gonzalo Losada adquirió los derechos e inició la publicación, luego Fabril Editora. Schapire imprimió el teatro completo y así comenzó a publicarse sistemáticamente.

En líneas generales, desde la década del cincuenta la crítica argentina se había enquistado en la obra de Borges y en los problemas de la estilística y en la obra de Arlt y los ítem de la sociología y Macedonio Fernández y la visión psicoanalítica. Estos tres ejes críticos conforman un paradigma en donde puede leerse la historia de la literatura argentina.

A partir de la década del sesenta con mayor frecuencia los críticos, también son escritores, es decir comparten un plano en la creación que los críticos profesionales no hacían referencia. Esto prueba que algunos esbozos críticos de Viñas, por ejemplo, traducen sus preocupaciones de creador. Asimismo Ricardo Piglia hizo una relectura de Arlt que lo llevó a escribir cuentos vinculados con el novelista y también una novela Respiración Artificial en la cual Arlt es parte del discurso narrativo. Germán García en 1952[128] resaltaba la imaginación arltiana pero lo conminaba al absurdo, al despropósito y enjuiciaba a aquellos que relacionaban a Arlt con Dostoyevski. Porque así como Dostoyevski trataba a desequilibrados, Arlt hace «un engranaje mal armado». Es justamente esta crítica la que aísla a la nueva generación, señala el hecho del narrador intruso, los cambios imprevistos del punto de vista, el caos de la historia, de la estructura lógica de la lengua y sus implicaciones lexicográficas.

> Ahora que estos últimos años del «Twenty» adquirieron epidérmica novedad, la relectura de Arlt parece oportuna para desentrañar lo que significaron para nosotros».[129]

Dice Angel Rama que los años treinta tienen en la Argentina un atractivo especial por lo histórico, por los golpes de estado, por la miseria... Y ahora cuando están en los años sesenta, los años treinta devuelven la figura del escritor de *El criador de gorilas,* «el más singular del Plata» y concluye Rama:

> Esta nueva edición de su obra parece que es posible gracias al empuje de una nueva generación.

Cada vez que se reedita la obra de Arlt ocurren comentarios que involucran una reflexión sobre lo ocurrido con el escritor hasta ese momento, como muestra Rama, Ghiano, Onetti, Rivera, Pagés Larraya, Viñas, Jitrik,   Piglia y otros.

En julio de 1971 Eduardo González Lanuza escribió una biografía y acercamientos a la obra de Arlt:[130] Roberto Arlt. González Lanuza no hace un trabajo crítico sino que más bien su objetivo es llevar a mayor cantidad de lectores una aproximación a la obra de Arlt, a su vida, a su entorno. Para ello pasa revista a la vida del escritor, sus novelas, los amigos, algunos recuerdos personales, media docena de fotografías y una bibliografía considerable.

La obra más profusa sobre Roberto Arlt es la de Stasys Gostautas: Buenos Aires y Arlt..., de 1977.[131] Gostautas es lituano pero desarrolla su actividad de profesor de literatura en Estados Unidos. La obra tiene trescientas veintiséis páginas y los capítulos se ordenan desde el contexto histórico político, hasta las influencias y las apreciaciones de las novelas arltianas. Este trabajo lo concluyó en Argentina. Consultó bibliotecas públicas y además entrevistó a todos los que pudieran aportarle datos y libros. Marca un panorama de la crisis de los años treinta, evoca la actividad de los del ochenta y hace hincapié en la polémica Boedo-Florida. En segundo lugar traza la biografía de Arlt y establece un escrupuloso paralelo entre el escritor y Dostoyevski, mediante un comparativismo a veces inexplicable. Muchos capítulos del libro fueron publicados en distintas revistas latinoamericanas. En este trabajo, el autor, retoma el tema de la ciudad que siempre ha despertado interés, no registra los trabajos de Ricardo Piglia aún cuando menciona el dinero, la propiedad y la economía en la obra de Arlt. Como su título lo manifiesta Stasys Gostautas se interesa por la relación de los escritores con la ciudad, de allí Arlt y Scalabrini Ortiz. Antonio Pagés Larraya escribió:

> «Desde *El juguete rabioso,* su primera novela, se reveló como novelista de Buenos Aires. Conocía los secretos e intuía el alma de los barrios porteños.
> »Casi todos los personajes se mueven en Buenos Aires y reflejan las múltiples estructuras de la vida humilde de la ciudad. Los barrios, las calles, la realidad de paredes adentro...»[132]

Gostautas ordena el material relacionado con el contenido narrativo, el lenguaje y el estilo pocas veces abordado por la crítica argentina. La ciudad se particulariza a través de la observación de la novela, una narrativa que ocurre en la ciudad, si el texto de Pagés Larraya es uno de los primeros en señalar el ámbito de la ciudad en Arlt, asimismo el trabajo de Jaime Rest «Roberto Arlt y el descubrimiento de la ciudad»[133] se inicia presentando los antecedentes de Roberto Arlt en Fray Mocho y también en el cuentista norteamericano O. Henry:[134]

> Arlt inicia una de las tareas que habrían de ser más significativas y que más lo apasionaron: descubrir Buenos Aires... Arlt en esta sentido es uno de los fundadores de la visión mítica de Buenos Aires: de ese Buenos Aires que ya no está en sus calles, en sus casas, que a veces sólo subsiste en un rincón oscuro y olvidado...

En «Scalabrini Ortiz: el hombre que está en Buenos Aires»[135] señalamos una problemática semejante donde establecimos la fundación mitológica que hace Borges de la ciudad ubicada en Palermo, luego el lugar mitológico que impone Scalabrini Ortiz para el origen del «porteño» y la zona entre estos dos puntos lo cubre Arlt con una serie de personajes endemoniados. Gostautas refleja el adentro y el afuera de la ciudad como un elemento demoníaco en las novelas que se abren a la ciudad y que niegan a la ciudad, hombres que transitan por ella o que mueren en ella, que la aman o la odian. Este es el aspecto más sobresaliente en el ensayo de Gostautas.

La temática de la ciudad es frecuente en la creación literaria de la Argentina, al pasar, recordemos un texto de Carlos Fuentes de 1974:

> «Quien conoce Buenos Aires también sabe que acaso ninguna ciudad del mundo grita con más fuerza: ¡Verbalízame!. Una vieja boutade dice que los mejicanos descienden de los aztecas, los peruanos de los incas y los rioplatenses de los barcos. Ciudad sin historia, factoría, urbe transitiva, Buenos Aires necesita nombrarse a sí misma para imaginarse un porvenir: no le basta, como a la ciudad de México o de Lima una simple referencia visual a los signos del prestigio histórico.»[136]

La descarnada descripción de Fuentes determina acertadamente una escritura que puede tener emergentes como Arlt, Borges o Scalabrini Ortiz. Esto es lo peculiar de la literatura argentina, una obra como la de Arlt, una obra como la de Borges, una literatura que no se desprende de los escritores de mayo o de la generación del 80, o el criollismo o el indigenismo. Atrapados en la ciudad, hombres y personajes del treinta, deciden la huída a través de una literatura de liberación que en Europa tiene sus resonancias. Los escritores de los años treinta, en este caso Arlt, hablan de sus crisis internas como si hablaran de lo externo, de lo desconocido.

En 1968 David Maldasky escribió *Las crisis en la narrativa de Roberto Arlt:*

> Arlt pertenece al grupo de descendientes directos de inmigrantes, llegados al país no mucho antes. La ideología de este grupo contrastaba... con la de los viejos habitantes del país y contribuyó a su modificación. Esta doble característica de su inserción social: estratos medios de técnicos del intelecto, hijos de inmigrantes, determinó una mayor tensión sentida como fracaso en las aspiraciones y como peligro de caer en los estratos populares. La visión que Arlt tenía de la realidad estuvo determinada por esta matriz social.[137]

La cita del libro de Maldasky aporta una síntesis de introducción al estudio del escritor. Pero lo que más interesa en este ensayo es la marcación de los temas comunes en la narrativa de Arlt. Dice Maldasky que hay dos temas básicos: conflicto edípico y la muerte. Los personajes tienen sensación de carencias básicas, el fracaso está dado por la idealización de la mujer. El ensayista expresa que en los textos en donde la mujer está presente hay siempre «rencillas» y cotidianeidades, como en el cuento «Pequeños Propietarios». El primer nivel argumental remarca la visión del recuerdo, el autor de *Los siete locos* quiere hacer o hace creer acerca de sí mismo y su pasado.

Otro nivel argumental está dado por la imagen opuesta a la idealizada: madre/suegra o sustitutos. Más adelante el crítico expresa un tema específico del psicoanálisis: «el coito irrealizado» se traduce en desventuras de la vida y la lucha en contra del aburrimiento, dolor, muerte, soledad...Hay en el trabajo de Maldasky una clara visión psicoanalítica, no social, en donde se muestra «el coito» transformado en un vínculo denigrante y tortuoso, por lo que impotencia se confunde con omnipotencia. El ejemplo idealizado del Astrólogo en *Los siete locos* y *Los lanzallamas*, un personaje que narra su castración no sólo espiritual sino física, por lo tanto la hipocresía y la infelicidad obnubilan la interpretación en «*El jorobadito*», «Una Noche Terrible», «Pequeños propietarios».

Se establece en este estudio el origen de la inversión de los valores que surge como relato básico. Por una parte hay un nivel superficial: se establece siempre un vínculo con un objeto idealizado, ocurre luego la perdida y el hallazgo de ese objeto en el presente de la narración. El coito funciona como un elemento que destruye toda idealización, en los textos de Arlt los personajes lo rechazan, he aquí una perturbación de los valores sociales. El vínculo con la mujer en la narración es fuente de dolor para los personajes masculinos. Mientras el hombre personaje no establece el coito mantiene su falo, cuando se enamora se vuelve esclavo de la mujer y pierde el significante falo, es decir la castración. Hipólita, escribe David Maldasky, se convierte en esclava del Astrólogo porque no tiene deseos. La no necesidad del «otro» constituye la vida sin angustia. El deseo genera la angustia del otro. En la pareja cada uno muestra una imagen falsa del otro. La traición intelectual aparece cuando todo está perdido, recurso del fin.

En Las crisis en la narrativa..., los personajes de las obras de Arlt son mostrados en forma semejante: tienen necesidades y sufrimientos y también traicionan la necesidad y el sufrimiento. Cuando los personajes recapacitan sobre el odio y el amor hacia sí mismos la autodestrucción se patentiza en ellos y nace la traición como un mecanismo de defensa. La traición se expresa en términos de degradación: cuando el narrador cuenta escenas alegóricas de la escena primaria, el padre, el capitán que le roba la esposa a Erdosain, el Capitán y Elsa huyendo juntos y la imagen edípica de Erdosain, abandonado para encarar posteriormente la destrucción de la mujer idealizada a través del crimen, el pecado, la humillación... El trabajo de Maldasky tiene una sobredosis del tratamiento psicoanalítico en torno de la obra de Arlt, pero después del libro de Masotta, es el primer aporte con esta línea que quiebra la tradicional visión del lector del realismo social o el costumbrismo. El espectro del trabajo de David Maldasky es bastante amplio ya que registra varias crisis dentro de su narrativa, algunas ya las hemos visto a través de otros autores, interesa, a nuestro propósito, la preocupación del estudioso en sistematizar las lecturas que se han hecho a la obra de Arlt «¿Cuáles fueron los lectores que pudieron hablar a través de la obra de Arlt?:» Existen tres actitudes con respecto a su narrativa:

1. Una crítica de aparente acuerdo con su autor.
2. La que se opone frontalmente al escritor.
3. La crítica que se propone comprender la obra.

Maldasky plantea como temas comunes en la narrativa arltiana la impotencia confundida con la omnipotencia, la inversión de los valores, la anulación de las idealizaciones a través del acto sexual irrealizable. «Si el hombre no tiene deseos sexuales la mujer se convierte en su esclava». La reflexión de los personajes sobre el odio y el amor refuerzan la autodestrucción y elaboran la traición como mecanismo de defensa. Asimismo la traición es un recurso de la degradación del hombre quien reproduce escenas primarias.

Hace pocos años la editorial Weimar[138] puso a la venta un libro de José

Amícola, *Astrología y fascismo en la obra de Arlt*. Amícola indica en el prólogo que su trabajo se produce ante la dicotomía Arlt-Borges en la cual él privilegia la obra de Arlt y descarta la de Borges por su posición ideológica. Amícola (1984) entiende que la lectura de Borges, descarta a la de Arlt y viceversa. Luego vincula las novelas *Los siete locos* y *Los lanzallamas* con la crisis del veintinueve, el derrumbe del aparato de Estado y el golpe de 1930. Para el ensayista *Los siete locos* profetizan la caída de la sociedad. La influencia de Dostoyevski en Arlt la explica originada por la corriente anarquista en el   Plata que llega a través de los campesinos y artesanos proletarios-pequeños burgueses: españoles e italianos. Señala que el anarquismos europeo particulariza la figura de Kropotkin y *La conquista del pan*. José Amícola divide la obra de Arlt en cuatro períodos:

1. 1926-1952: realismo urbano: 1950 texto de Larra.
2. 1954-1964: angustia existencial: textos de *Contorno* y de Nira Etchenique.
3. 1965-1971: Sexualidad -clases sociales- estructuras narrativas.
4. 1972...: oficios de vivir: Diana Guerrero.

José Amícola descalifica a Larra como biógrafo y rescata (esto ocurre por primera vez) la labor crítica de Nira Etchenique. Considera admirable la obra de Diana Guerrero y señala que está basada en *El oficio de vivir*, de César Pavese. Igual que Larra, González Lanuza se encuentra «descalificado» en el libro de Amícola por «falsas identificaciones». Luego trata el tema del fascismo que surge como problema del autoritarismo paterno, en Roberto Arlt, el primer escritor que expone tempranamente el fascismo en sus novelas, el astrólogo de *Los siete locos*, el elegido, denota la raza superior, la voluntad de poder. En líneas generales, sin el propósito de sistematizar el estudio de Amícola, decimos que en este libro se exponen: estructuras de poder, el enfoque sociológico, ideológico y se dan ejemplos dentro de las novelas de Arlt.

En 1988 la editorial Hachette publicó El discurso narrativo arltiano, de Ana María Zubieta. En este libro su autora se enfrenta a la obra de Roberto Arlt con el propósito de establecer un nuevo recorrido de lectura. (Recordemos que Arlt es un escritor que -más que ninguno- ha sufrido los altibajos de los cambios políticos que pospuso su ubicación definitiva en el marco de la literatura nacional.)

El enfoque de Zubieta sobre los textos de Arlt, *Los siete locos* y *Los lanzallamas*, está centrado en destacar el diálogo Arlt-Dostoyevski, en recuperar la palabra del grupo de Boedo a través de lo grotesco y de instaurar las utopías a partir de los monólogos de Levin, el astrólogo.

Zubieta, desiste permanentemente de la «maldición Arlt» categoría cristalizada por la crítica impresionista y sicologista sale en busca del discurso propiamente dicho. Un discurso en el que se formula la ecuación: Arlt/Dostoyevski (relación dada desde Castelnuovo a Masotta), la autora reformula el concepto de intertextualidad exponiendo el modo en la construcción del relato novelístico. Este sería el eje principal del intertexto, una dialéctica mediatizada por un lector/Arlt cuya formación literaria se nutre únicamente de libros traducidos. Se trata de un lector paródico. El libro desarrolla con más fuerza aspectos de teoría literaria que a cada momento debe justificar la lectura de Arlt.

La indagación en este discurso arltiano da cuenta de la fragmentación sintagmática en el orden ético. Este recurso había sido instrumentado por la crítica tradicional para impedir la asimilación de Arlt/escritor al ámbito de la producción literaria argentina. El texto de Zubieta, posibilita otra lectura mediante una minuciosa investigación en la que abarca, también, aspectos de la problemática: lingüística textual, como por ejemplo las apreciaciones que marcan, en las novelas de Arlt, la coherencia constructiva. Este punto aporta un nuevo enfoque en el tratamiento de este autor.

Los relatos confesionales en *Los siete locos* y *Los lanzallamas* y la forma de aparición del «comentador», son elementos muy valiosos que Zubieta señala como expansores del relato. Así el comentador emerge obstinadamente con una serie de marcas para darse a conocer, para detener o hacer avanzar el relato. El tema de las utopías es encarado en la palabra «mágica», en el discurso posible del astrólogo. Se propone un universo nuevo lleno de ideales sociales admirables. Aquí, la utopía se construye en torno a los discursos del poder, los que pueden generar el caos para señalar, después, el otro lugar: la utopía.

La autora de este trabajo explicita claramente cuatro referencias teóricas: Mukarovsky, Brecht, Macheray y Barthes. El discurso narrativo arltiano es un texto crítico «nuevo», y lo nuevo se constituye a partir de lo textual y de lo lingüístico. Muy pocas veces el trabajo crítico en relación al autor de *El amor brujo* ha pasado el límite de lo semántico.

Sorprenden algunas ausencias bibliográficas como la de Stasys Gostautas y el ensayo de Jorge B. Rivera *Los siete locos* (1985).

La organización del trabajo de Ana María Zubieta permite al lector distintos recorridos de lectura: indicios, marcas de páginas referenciales, avances y retrocesos a través de fragmentos narrativos.

1.3.3. Palabras finales

Este trabajo se abre a todas las formas nuevas que la crítica sobre Arlt irá incorporando. Por eso he pensado que en estas palabras finales debía incluir, al menos, los títulos más recientes que no han podido ser incorporados. Así como también cursos y materias universitarias que tienen como tema central la obra de Roberto Arlt. Por ejemplo en la Facultad de Filosofía y Letras, la cátedra de «Literatura Argentina I» cuyo titular es el profesor David Viñas han trabajado la obra de Arlt, asimismo Literatura II, Beatriz Sarlo y María Teresa Gramuglio y las cátedras de teoría de Enrique Pezzoni.

He observado que muchas revistas literarias estudiantiles llevan acápites de Arlt o el nombre de alguna novela, el cine también estuvo muy cerca de Arlt con la filmación de *Los 7 locos*, Torre Nilson, *Saverio el cruel*, Bullicher y *El juguete rabioso* por Paoloantonio. El cine de Eliseo Subiela *Los últimos días del naufragio*, evoca los textos arltianos.

Ultimamente Mario Goloboff publicó en la editorial Eudeba *Genio y figura de R. Arlt*, una introduccíon a Arlt que incluye fotos y bibliografía.

El recorrido por los catálogos de tesis universitarias no solamente argentinas sino europeas y norteamericanas denuncian multitud de enfoques y abordajes a la obra de Roberto Arlt.

Notas al pie de página

1 «Autobiografía humorística» (1926); «Jehová» (1917); *Diario de un morfinómano* (1920, inhallable) y *Las ciencias ocultas en la ciudad de Buenos Aires* (1920).

2 Hermano de Lorenzo J. Rosso, fundador de *La Literatura Argentina*.

3 Oscar Massota. *Sexo y traición en Roberto Arlt.* Jorge Alvarez, 1965.

4 Roberto Arlt «El traje del fantasma» (En *El jorobadito*): marineros fantásticos hablan una lengua extraña que «parece alemán».

5 Omar Borré. *Estoy cargada de muerte y otros borradores* (Primera recopilación de 14 cuentos inéditos de Roberto Arlt, estudio y cronología) Buenos Aires, Torres Agüero Editor, 1985.

6 J. L. Borges. Prólogo a *Prosas y poesías de Quevedo*, Buenos Aires. Emecé, 1948.

7 Alberto Pineta. *Verde Memoria. Claridad,* 1962, pág. 91.

8 Roberto Arlt. "Autobiografía". *Crítica.* 28/2/27.

9 *El costumbrismo* -1910- CEAL, 1982. Col. Capítulo N° 68. J. B. Rivera y Eduardo Romano.

10 E. Méndez Calzada entre 1928 y 1931 dirigió el suplemento de *La Nación* y después en París, *La Revue Argentine*.

11 Rev. *Claridad* N° 130. Febrero de 1927, pág. 2

12 *Palabras con E. Castelnuovo.* Jorge Alvarez. Reportaje y Antología por Lubrano Zas. Buenos Aires. 1969

13 Rev. *Fronteras* -Marzo-Abril, 1979, pp. 22/23 (S/F).

14 Alberto Hidalgo. «Sobre *Los siete locos*» (En *La Lit. Argentina*). XV Nov. 1929, p. 73.

15 Roberto Arlt. *Aguafuertes porteñas* (*El Mundo*, 4/12/28, p. 6).

16 Pablo Rojas Paz. Los males del libro argentino (*El Hogar*, 5/6/30, p. 15).

17 Eduardo Romano. Arlt y la vanguardia argentina (*Cuadernos Hispanoamericanos.* Madrid. Julio de 1981, N° 373).

18 En «El poeta parroquial». *Proa* N° 10, mayo de 1925, Arlt se burla de Visillac en el Poeta Villac.

19 *Crítica*, diario de la mañana fundado en 1913 por N. Botana, había fomentado el golpe de estado a Irigoyen en 1930 y el gobierno militar de Uriburu lo clausuró por dos años.

20 Alberto Haynes, inglés, trabajó en los ferrocarriles del pacífico y fundó en 1903 «El consejero del hogar», luego *El Hogar -Mundo Argentino-Don Goyo-Riqueza Argentina,* etc.

21 Continuación de *La Hora.*

22 Fundada y dirigida por Octavio González Roura, quien fundó en 1940 *Argentina libre.*

23 Leónidas Barletta. Roberto Arlt (*Nosotros* N° 211, 1926).

24 Carlos Muzio, director de *Mundo Argentino* y traductor, agregó a su apellido

«Sáenz Peña» y Lascanótegui lo convirtió en Lascano Tegui, Vizconde. Gerchunoff alejado de *El Mundo* muy pocas veces ha mencionado a Arlt, excepto en una de sus veinte conferencias ofrecidas en Chile (1938) lo agrega a una profusa lista de escritores.

25 Omar Borré. Roberto Arlt en Río de Janeiro (1984) (Recopilación de artículos).

26 Apuntes porteños por Raúl Scalabrini Ortiz. Recopilación y estudio de Omar Borré. Adelanto en *Argentina,* Universidad de Bremen, Alemania, 1982, y en *Hispamérica,* 1991, USA.

27 Masotta. Op. cit.

28 *Conducta.* Julio-Agosto, 1942, Homenaje a Arlt.

29 Lisardo Alonso. *Los lanzallamas* de Roberto Arlt *(Megáfono,* II, 10 Junio de 1932, p. 129).

30 Andrés Avellaneda. Así vieron a Güiraldes y a Arlt sus contemporáneos. . . (*La Opinión Cultural*, 13/6/76, pp. 8-9).

31 Roberto Arlt escribió entre 1926-1927 veintiuna notas en la revista *Don Goyo.*

32 Roberto Arlt. El idioma de los argentinos. *Aguafuerte Porteña* (*El Mundo*, 17/1/30, p. 6).

33 ¿A quién leen los nuevos? (Encuesta de *La Literatura Argentina,* junio 1929).

34 Horacio Rega Molina. «Arlt, novelista impresionante» (*La Literatura Argentina*, N° 11, julio 1929. pp. 18-22).

35 Ramón Doll. *Lugones, el apolítico y otros ensayos.* Peña Lillo, 1966.

36 Gérard Genette. *Figuras.* Nageslkop. Córdoba, 1970 (Tr. Rosenfeld y M. C. Mata).

37 Gerard Genette, Op. cit. p. 290.

38 Roberto Arlt. Autosemblanza (*Claridad,* N° 162 -40- 14/7/28).

39 Biblioteca Nacional tiene algunos ejemplares, al igual que el Instituto de Literatura Argentina de F. F. y L. La Biblioteca del Colegio Nacional de Buenos Aires. posee la colección completa.

40 Carta de Roberto Arlt al señor Honorio Barbieri de fines de 1929. Carta y sobre original, Colección Honorio Barbieri.

41 Alberto Pineta. La promesa de la nueva generación (*Síntesis,* octubre 1929, p. 207 y ss.).

42 Antonio Zamora. En favor de los premios municipales (*Claridad* N° 205, abril 1930).

43 Roberto Arlt. Este es Soiza Reilly (*El Mundo,* 31/5/30).

44 Cayetano Córdoba Iturburu. Resumen de un nuevo novelista argentino: Roberto Arlt (*La Literatura Argentina*, agosto 1930).

45 B. Abramson. ¿Antisemitismo o ignorancia? (*Claridad,* agosto de 1930).

46 Ulises Petit de Murat. Roberto Arlt, novelista (*Síntesis,* N° 41, octubre de 1930).

47 Ulises Petit de Murat, op. cit.

48 Ulises Petit de Murat, op. cit.

49 Antonio Aíta. *La literatura argentina contemporánea.* 1900-1930. L. J. Rosso. 1931 (Sobre Arlt, p. 59).

50 Elías Castelnuovo (Reportaje en *La Literatura Argentina.* Nº 20, abril 1930, p. 225).

51 Carta de Roberto Arlt a su hermana Lila. Circa 1930. Col. Mirta Arlt.

52 Nicolás Olivari. *Los lanzallamas* (*Claridad* Nº 239, noviembre 1931, s. p.).

53 Las Reason. *Los siete locos* (*El Mundo*, 16/12/29).

54 Roberto Arlt. Autobiografía (*Crítica*, 28/2/27).

53 *El Mundo.* 31 de octubre de 1931, p. 32. Fotografía de Arlt.

54 Idem. 3 de noviembre. Fotografía de Arlt.

55 *Mundo Argentino.* 4 de noviembre de 1931, p. 24.

56 Conrado Nalé Roxlo. *Borrador de memoria.* Plus Ultra, 1978 (Nalé Roxlo también escribió «A la manera de Arlt»).

57 Lisardo Alonso. *Los lanzallamas* de Roberto Arlt (*Megáfono* Nº 10, junio 1932, p. 129).

58 Ibídem.

59 Ibídem.

60 Ibídem.

61 Colección M. A.

62 Roberto Arlt. *300 Millones y Prueba de amor.* Rañó, septiembre 1932.

63 Raúl Scalabrini Ortiz: desde el 5 de julio de 1929, tenía una sección fija en *El Hogar* titulada «Desde la platea».

64 Roberto Arlt. ¡Con esta van 365! (*El Mundo*, 14/5/29).

65 Raúl Larra. Etcétera. *Anfora.* Enero 1982, p. 41.

66 Omar Borré: "Cuentos de Roberto Arlt: una poética de la reescritura". Gaithersburg. *Hispamérica.* Nº 68. 1994. pp 79 ss.

67 Arlt no publicó en la revista *Babel* de Samuel Glusberg, enemigo de su obra.

68 *Estoy cargada de muerte y otros borradores,* por Roberto Arlt. Recopilación y prólogo de O. Borré. Torres Agüero, 1984 .

69 *Cuentistas rioplatenses de hoy.* Ed. Vértice. 1939. Recop. J. P. Frany (Las fieras por R. Arlt, publicado en la revista *Vértice*).

70 *Roberto Arlt. Antología.* Siglo XXI editores, México, 1980. Selección y prólogo de Noé Jitrik. "Presencia de Arlt".

71 Véase: *Seminario sobre Roberto Arlt.* Dentro de Recherches latino-americanos de la Universidad de Poiturs. Sep. 1981.

72 Col. M. A.

73 Miryam Esther Gover de Nasatsky. Bibliografía de Alberto Gerchunoff, Fondo Nacional de las Artes y Sociedad Hebraica, 1976.

74 Manuel Kantor. Sobre la obra y el anecdotario de A. Gerchunoff, Hachette, 1960.

75 José Marial. *El Teatro independiente.* Alpe. 1955. Col. Nuestra expresión (p. 58 y

ss. «Teatro del Pueblo. Primer teatro independiente de Buenos Aires.»).

76 Horacio Rega Molina. «Una obra de Arlt en el Teatro del Pueblo» (*Mundo Argentino*, 2 de septiembre de 1936, p. 28).

77 Col. M. A.

78 Col. M. A.

79 Col. M. A.

80 El articulista de *El Mundo* confunde *El Fabricante de Fantasmas* con *Saverio el cruel.*

81 Entre las fotografías tomadas de Roberto Arlt se encuentra una muy difundida: sentado con las piernas cruzadas, entre bambalinas, viendo el ensayo de *La fiesta del Hierro* (1940).

82 Marcelo Menasché. *La fiesta del hierro* (Argentina Libre, 5/9/40, p. 13). Un mes después R. Arlt ocupaba las mismas columnas para hacerle una crítica absolutamente agresiva al estreno de «Fosco» de Menasché.

83 César Fernández, nada tiene que ver -como muchos lo han confundido- con Fernández Moreno.

84 José Jaime Plaza. Función y destino del teatro independiente en Buenos Aires (*Argentina Libre*, 30/1/41, p. 11).

85 *Argentina Libre*. Semanario socialista de los jueves fundado y dirigido por Octavio González Roura en marzo de 1940.

86 Leónidas Barletta. Idem (Larra ha escrito sobre el Teatro del Pueblo en un libro dedicado a la figura de Barletta).

87 Véase: *Para leer a Roberto Arlt.* Omar Borré/Mirta Arlt, Torres Agüero Editor, Buenos Aires, 1985.

88 Oscar Masotta. "Roberto Arlt, yo mismo" (Oscar Masotta. *Conciencia y estructura*. Jorge Alvarez, p. 177). 1968.

89 Nira Etchenique. *Roberto Arlt.* La Mandrágora, (p. 37-38), 1962.

90 Luis Gregorich. Oscar Masotta, Sexo y. . . (*Cuadernos de Crítica* Nº 2, diciembre, p. 53, 1965).

91 Emir Rodríguez Monegal. El juicio de los parricidas. *Deucalión*, p. 118, 1956.

92 Noé Jitrik. Arlt *El juguete rabioso* (*El Mundo*, 11/7/65, p. 43) (Recopilado en *Escritores argentinos: dependencia y libertad*, Candil, 1967).

93 Noé Jitrik. *Roberto Arlt, Antología.* Siglo Veintiuno Editores. México, 1980, p. 9.

94 Carlos Mangone y Jorge Warley. La revista Contorno. C. E. A. E. (Col. Capítulo Nº 122) 1981. (Y un volumen con selección de trabajos de la revista.)

95 Francisco Solero. Roberto Arlt y el pecado de todos *(Contorno* Nº 2, mayo de 1954, p. 7).

96 Juan José Sebreli. Inocencia y Culpabilidad (*Sur* Nº 223, julio-agosto 1953, pp. 109 y ss.).

97 Los primeros cuentos de Roberto Arlt fueron publicados en el diario *La Nación*, 1928.

98 Oscar Masotta. "Seis intentos frustrados de escribir sobre Arlt". *Hoy en la Cultura* Nº 5, septiembre 1962.

99 Idem "La plancha de Metal", Revista *Centro XIII*, p. 10, 1959).

100 Luis Gregorich. "Borges y Arlt..." (*La Opinión*, 27/7/77).

101 Noé Jitrik. *Producción Literaria y Producción Social*, Sudamericana, 1975.

102 Alberto Zum Felde. *Indice crítico de la literatura hispanoamericana.* . México, Guaranía, pp. 432-33, 1959.

103 Diana Guerrero, op. cit.

104 David Viñas. *Literatura argentina y realidad política de Sarmiento a Cortázar.* Siglo Veinte, 1971, pp. 67-73.

105 David Viñas, Arlt: humillar y seducir (*Marcha*, Nº 1298, Montevideo, 1966).

106 Nicolás Rosa. A. Barrenechea. Jitrik, Rest y otros. *La crítica literaria contemporánea* (antología), V. 1.

107 Raúl Castagnino. Un boceto olvidado de Roberto Arlt *(Talia*, Nº 23, pp. 2-3, 1962). Incluido en *El Teatro de Roberto Arlt*. Universidad Nacional de La Plata, p. 39, 1964.

108 *Las guías bibliográficas del Instituto de Literatura Argentina*, F. F. L. estuvieron dirigidas por el Dr. Antonio Pagés Larraya.

109 José Amícola. *Astrología y fascismo en la obra de Arlt*. Weimar, febrero, p. 3, 1984 (c. 1981).

110 Juan Carlos Ghiano. *Temas y aptitudes*. Ollantay, 1949.

111 Stasys Gostautas. *Buenos Aires y Arlt*. . . Insula, Madrid, 1977.

112 Juan Carlos Ghiano. *Testimonios de la novela argentina,* Leviatán 1953.

113 Juan Carlos Ghiano. Mito y realidad de Roberto Arlt (*Ficción*, Nº 17, p. 96 y ss. , enero-febrero, 1959).

114 Idem. Relectura de Arlt (*La Prensa*, 6/9/81, p. 6).

115 Eduardo Romano. Arlt y la vanguardia argentina (*Cuadernos Hispanoamericanos*. Madrid, julio 1981).

116 Diana Guerrero. *Roberto Arlt, el habitante solitario*. Granica, 1972.

117 Diana Guerrero. Ob. cit.

118 Gaspar Pío del Corro. *La zona novelística de Roberto Arlt*. Universidad Nacional de Córdoba. Octubre 1971.

119 Gaspar Pío del Corro. Ob. cit.

120 Roberto Arlt. *Estoy cargada de muerte y otros borradores*. Torres Agüero Editor, 1984. Estudio y recopilación de Omar Borré. En 1994 se realizó otra recopilación: *Un crimen casi perfecto*, Buenos Aires, Clarín/Aguilar, y en 1996 la editorial Seix Barral tiene en prensa *Cuentos completos,* edición O.B. y R.P.

121 Adolfo Prieto. La fantasía y lo fantástico en Roberto Arlt (*Boletín de Literaturas Hispánicas*. I. Letras. U. N. . del Litoral, Rosario, 1963).

122 David Viñas. *Antología de Roberto Arlt*. La Habana, Casa de las Américas, 1967. Prólogo.

123 Ricardo Piglia. Literatura y propiedad en la obra de Arlt (*La Opinión*, 1/4/71, p. 10-11): José Bianco. En torno a Arlt (*Casa de las Américas,* La Habana, Cuba, Vol. 1, N° 5, pp. 45-57, marzo-abril, 1961).

124 Carlos Montemayor. Una presentación de Roberto Arlt (*Revista de la Universidad de México,* XXVII, junio 1973, p. 4).

125 Ernesto Sábato. *El escritor y sus fantasmas.* Sudamericana. 1963.

126 Antonio Pagés Larraya. «Viva actualidad de Arlt» (*La Prensa,* 23/11/58. Sobre la reedición de Arlt por Fabril).

127 Carlos Mastronardi. *Formas de la realidad nacional.* Ediciones Culturales Argentinas. 1961, pp. 111-119.

128 Germán García. *La Novela Argentina.* Sudamericana. 1952.

129 Angel Rama. Vuelven los Twenties. Roberto Arlt o de la imaginación (*Marcha.* Montevideo. 24/10/58, p. 22). (Comentario por la reedición en Losada.)

130 Eduardo González Lanuza. *Roberto Arlt.* C. E. A. L. (Col. La Historia popular N° 35, 5/7/71).

131 Stasys Gostautas. Buenos Aires y Arlt (Dostoyevski, Martínez Estrada y Scalabrini Ortiz [sic]). Insula. Madrid. 1977.

132 Antonio Pagés Larraya, «Buenos Aires en la novela» (Revista U. B. A. , III, N° 2, abril-junio, 1946).

133 Jaime Rest. *El cuarto en el recoveco.* C. E. A. L. (Col. Capítulo 158, p. 59 y ss.).

134 O. Henry unos años antes que Arlt escribía notas diarias en un diario de Nueva York.

135 Omar Borré. Scalabrini Ortiz: el hombre... (Rev. *Hispanoarama,* número dedicado a la Argentina, sep. 1983, p. 175, Alemania. Universidad de Bremen). Apuntes porteños. Rev. *Hispamérica* U. Marylan, 1991.

136 Carlos Fuentes. *La nueva novela hispanoamericana.* México. Mortiz 1974.

137 David Maldasky. *La narrativa en la obra de Roberto Arlt.* Escuela, 1968.

138 José Amícola. *Astrología y fascismo en la obra de Arlt.* Weimar, febrero de 1984 (c. 1981).

2. DE LA CRONOLOGÍA

2.1. CRONOLOGÍA de la vida y de la obra de Robert Arlt (1926-1900) (se incluyen textos completos que nunca fueron publicados en libros)

▼ **1900**

"Me llamo Roberto Godofredo Cristopersen (sic) Arlt y he nacido en la noche del 26 de abril de 1900, bajo la conjunción de los planetas Mercurio y Saturno". Autobiografía en Don Goyo, 1926. [1]

El acta de nacimiento indica: Roberto Godofredo Cristophersen Arlt, nació el 26 de abril (en algunas autobiografías dice haber nacido el 7 de abril) de 1900 a las 23 horas en la calle La Piedad 677 de esta capital; hijo de Karl Arlt, nacido en Posen, Alemania, desertor del ejército germano, tenedor de libros, y de Ekatherine Iosbserbitser -Austríaca-italiana. Ekatherine hablaba alemán, español e italiano.

Roberto es el menor de los tres hijos. La primera hija se llama Luisa, Lila, la segunda hija muere al año y medio de vida y finalmente nace Roberto.

▼ **1907**

"He cursado las escuelas primarias hasta el tercer grado. Luego me echaron por inútil". Autosemblanza. Antología de Guillermo Miranda Klix y Alvaro Yunque. 1928. [2]

▼ **1908**

"Yo soy el primer escritor argentino que a los ocho años de edad he vendido los cuentos que escribió. " Autobiografía. Don Goyo. 1926.

▼ **1909**

"A los nueve años me habían expulsado de tres escuelas, y ya tenía en mi haber estupendas aventuras que no ocultaré. Estas (cuatro) aventuras pintan mi personalidad política, criminal, donjuanesca y poética. "Autobiografía Don Goyo. 1926.

▼ **1914**

"Cuando tenía catorce años me inició en los deleites de la literatura bandoleresca un viejo zapatero andaluz que tenía un comercio de remendón junto a una ferretería de fachada verde y blanca, en el zaguán de una casa antigua de la calle Rivadavia entre Sud América y Bolivia". *El juguete rabioso.*[1]

▼ 1915

"Como el dueño de la casa nos aumentara el alquiler, nos mudamos de barrio, cambiándonos a un siniestro caserón de la calle Cuenca, al fondo de Floresta. "*El Juguete rabioso.*

Poco después la familia Arlt se instala en la casa de la calle Mendez de Andés 2138 (actualmente la casa está en pie y conserva las mismas características de la época) Karl Arlt trabaja en "Molinos Harineros y Elevadores de Granos Río de La Plata" y por eso viaja a yerbatales en la provincia de Misiones

"De los 15 a los 20 años practiqué todos los oficios . Me echaron por inútil de todas partes. "Autobiografía. Cuentistas Argentinos de Hoy. M. Klix. 1929.

"En la librería Pellerano, aquí nomás, en la calle Rivadavia, conocí a un señor Joaquín Costa, que si no fue diputado le anduvo raspando, a quien le leí uno de mis engendros. Don Joaquín, de puro bueno, no sé si para alentarme o para qué otra cosa, me regaló cinco pesos y me dijo que iba a hacer publicar el cuento en una revista de Flores. Recopilado por Cesar Tiempo en Manos de obra. Corregidor. 1980.

"Yo ya había leído los cuarenta y tantos tomos que el Vizconde de Ponson du Terrail escribiera acerca del hijo adoptivo de mamá Fipart, el admirable Rocambole, y aspiraba a ser un bandido de alta escuela. "*El juguete rabioso.*

▼ 1916

El 31 de mayo de 1930 desde Río de Janeiro recuerda que a los 16 años ve publicado un cuento suyo por primera vez :"Che... ¿No viste el cuento tuyo que salió en la *Revista Popular?* Y mirá, con un título arriba que dice:"prosas modernas y ultramodernas";Es posible? Su propio nombre y apellido. Y en letra de imprenta, y, como título de honor... Yo no me he olvidado nunca de Soiza Reilly. Fue la primera mano generosa que me regaló la más extraordinaria alegría de mi adolescencia. " Juan José de Soiza Relly prologó en 1920 una novela muy pequeña que Arlt publicó en Córdoba bajo el título de *Diario de un morfinómano,* esta obra no fue hallada. (La segunda "mano generosa" que recuerda Arlt es la de Ricardo Güiraldes)

Juan José de Soiza Reilly publicó en su Revista Popular un primer cuento de Arlt titulado "Jehová" (el texto fue recopilado y publicado parcialmente en 1968).[2]

La fecha de publicación de "Jehová" figura en la contratapa de la primera edición de *El Juguete rabioso*, 1926.

▼ 1917

"Conocí a Roberto Arlt a fines de 1917 o a principios de 1918 y durante mucho tiempo nos vimos casi a diario... ""Roberto por aquel tiempo también escribía versos... ". Borrador de Memorias. Conrado Nalé Roxlo.

La amistad con Conrado Nalé Roxlo ha sido eterna.

Arlt y Roxlo compartieron las veladas literarias en lo de Felix Visillac quien editaba una revista llamada *La idea de Flores*. La revista no ha podido ser ubicada, según Nalé Roxlo Arlt había escrito algunos textos . En "El poeta parroquial" (publicado en *Proa* como adelanto de El J. R.) Arlt parodia la figura de Visillac llamándolo Villac.

De este período de su vida dice: "Entre los múltiples momentos críticos que he pasado, el más amargo fue encontrarme a los 16 años sin hogar. Había motivado tal aventura, la influencia literaria de Baudelaire y Verlaine, Carrer y Murger. Principalmente Baudelaire, las poesías y bibliografía (sic) de aquel gran doloroso poeta me habían alucinado al punto, que puedo decir, era mi padre espiritual, mi socrático demonio, que recitaba continuamente a mis oídos, las dolorosas estrofas de sus Flores del mal. "Las ciencias ocultas. . en la ciudad de Buenos Aires "1920. Cesar Tiempo rescata de una conversación con Roberto Arlt el relato de los enfrentamientos con el padre a tal punto que lo obliga a dejar su casa y recuerda las páginas de *Los siete locos* cuando Erdosain evoca a su padre .

▼ 1919

Tiene concluida buena parte de su novela *La vida puerca*, en el prólogo a la segunda edición de *El juguete...* ed, *Claridad*, dice tener terminado el primer capítulo.

Edmundo Guibourg ha señalado que Arlt, en la redacción de *Crítica* que funcionaba en la calle Sarmiento 1400, "siempre amenazaba con leer su novela y siempre terminaba leyéndola"

▼ 1920

Publica *Las ciencias ocultas en la ciudad de Buenos Aires*, en Tribuna Libre. Cuadernillos semanales cuyo primer número apareció el 10 de julio de 1918, después se hizo semanal. El n° 63 del 28 de enero de 1920 bajo la dirección de Ernesto León Odena se publica el texto de Arlt. Uno de los números publicados había sido escrito por Felix Visillac. El folleto lleva en la portada una foto de Arlt y está dedicado a dos de sus mejores amigos Juan Constantini (Kostia) (a quién Arlt recuerda en una Aguafuerte del 17 de noviembre de 1930 "Tum Thumb Golf", porque Kostia había instalado, en Flores, un mini golf. La otra dedicatoria es a Juan Carlos Guido Spano.

El 10 de marzo viaja a Córdoba para cumplir con el servicio militar.

Arlt da esta fecha cuando escribe "Au Revoir" (10-3-30) (Aguafuerte).

▼ 1921

Servicio militar en el Regimiento 13° de Infanterías de Alta Córdoba. En sus primeras notas de la Revista Don Goyo narra varios episodios de su vida en el ejército:

2/3/26 *Don Goyo* N° 22

El traje y el teniente coronel
por Roberto Arlt

"Días después de entrar yo al 13° de Infantería, en Alta Córdoba, en reemplazo del teniente coronel Casanova, que pasaba al estado mayor, se hizo cargo del regimiento un eximio cascarrabias llamado Jonás del Agüero.

Era éste un señor pequeño y enjuto. Lo primero que se veía de él era la gorra, y bajo la visera de la gorra dos ojillos renegridos y severos que hurgaban en todo. Podía catalogársele en el número de esos bien nacidos, que enloquecen a sus semejantes con lo de "cada cosa en su lugar, y en su lugar cada cosa".

Para mejor, en aquella época, la oficialidad del 13° estaba mal acostumbrada. Había subtenientes melenudos como poetas y como otra gente traviesa que no escribe versos; había otros que usaban la gorra a lo kromprinz, es decir, inclinada 30 grados sobre la oreja izquierda. Casi todos dejaban sus automóviles en el patio del cuartel.

El nuevo teniente coronel enveredó aquello. Con su modito, que no admitía réplica, dijo que el patio del cuartel no era garage; que los que quisiera traer automóvil lo dejaran en la calle, y en menos tiempo de lo que se tarda en decirlo, desaparecieron melenas y gorras ladeadas a lo kromprinz.

Donde menos se le esperaba aparecía huroneando, y al cocinero, cierto mulato alquimista, le dio una espantosa reprimenda por engordar la "menestra" con estopa impregnada de vaselina.

Yo, en esa época, era ayudante armero, por virtud y gracia de algunas recomendaciones. Mientras los reclutas se pasaban el día al sol deslomándose en diabólicos ejercicios, tomaba mate con el sargento armero, un truhán picado de viruela e hijo de esta muy hermosa ciudad de Buenos Aires. Y la vida me era soportable y grata. A las 9 de la mañana salía a comprar tortas fritas a una buñolera que proveía a los hambrientos del regimiento, o si no comíamos un churrasco sabiamente preparado por el mulato alquimista. Solía venirnos a acompañar el "Hombre Mula"… Pero esta es otra historia.

Cierta mañana un cabo hizo acto de presencia en la armería y me anunció que el teniente coronel quería verme inmediatamente.

Y yo me dije.

"Bendito sea Dios, que hace que ninguna virtud pueda permanecer escondida. Sin duda, el teniente coronel querrá felicitar a este, su humilde servidor, por la patriótica obra que realiza en la cuadra a la hora del rancho."

En efecto; había dado en la filantrópica ocurrencia de civilizar a los reclutas de mi compañía, compuesta de hombres de la sierra. Estos trogloditas cuando tomaban la sopa, a coro hundían la nariz en la gaveta. De pronto uno levantaba la cabeza, miraba, y luego volvía a sumergir la nariz en el plato, haciendo "fua-fua". Y era tal el ruido, que no parecían hombres, sino bestias cornudas bebiendo en una pileta. Y yo, para infundirles mejores costumbres cogía un pan, lo reblandecía suficientemente en mis sopa, y luego al que llevaba la batuta en hacer "fua-fua" con la nariz, a ése le estrellaba el proyectil en el cráneo.

Una lluvia de caldo y miga hacía respingar a los trogloditas, que se limpiaban el cogote con gesto taciturno.

Otras veces, para variar, era un trozo de grasa el que se plantaba en un testuz, y la frecuencia de estos bombardeos mantenía inquieto a los hombres de las cavernas, que devoraban desconfiadamente con la cabeza levantada.

Estas cosas evocaba dirigiéndome a la oficina del jefe del regimiento, mas cuando entré, me detuve lívido de espanto.

Allí estaba el otro, el nefasto, el terrible, un melancólico sastre, con barbas naturales y tres pagarés firmados, más la solemne intención de cobrármelos.

-Ordene, mi teniente coronel.

-¿Usted lo conoce al señor?

-Sí, mi teniente coronel.

-¿Usted le ha firmado estos pagarés?

-Sí, mi teniente coronel.

Súbita alegría reanimó al semblante del melancólico barbudo.

Ni un padre para encontrar a su hijo perdido había hecho más diligencias que mi sastre, y ahora su alma se regocijaba santamente en mi mansedumbre.

-¿Cuándo le va a pagar usted este pagaré vencido?

El asombro abrió a mi boca como la de un ballenato. ¡Pagar! Pero entonces aun existían hombres de candor terrestre que creían que las deudas se contraen para pagarlas. Y mi estupor crecía desmesuradamente al considerar el tesoro virginal que encerraba el alma del barbudo y el espíritu de mi teniente coronel.

Y decía entre mí: ¡Oh! Señor, qué grande es tu clemencia y qué poderosa tu bondad, al dar a esta ciudad de Córdoba dos justos como éstos que creen que las deudas deben pagarse. Y sentía tentación de salir a la calle y proclamar que estaban próximos los tiempos del reinado de Cristo... pero el teniente coronel interrumpió mis meditaciones.

-¿Qué contesta usted, conscripto?

-Que soy pobre como un huérfano, mi teniente coronel.

La piel del sastre se tornó verdosa, y los pómulos del jefe sonrosaron, pero éste, sin apabullarse me ordenó:

-Pues, usted le entrega inmediatamente el traje al señor.

El sastre tuvo entre sus barbas una sonrisa inefable. Estoy seguro que en ese momento deseaba fervorosamente, para progreso de la patria, una dictadura militar.

-Mi teniente coronel, el traje está en La Rioja.

El barbudo lividecío, el jefe:

-¿En La Rioja?

-Sí, mi teniente coronel; se lo he prestado a un amigo que tenía que ir a ver a la novia.

¡Y qué cara puso el cascarrabia! Primero sonrojóse, después, congestionado, vociferó:

-Usted es un insolente; preséntese arrestado.

Todo pasa, dijo el Salmista, todo... y el alma del hombre honesto se sumerge en cavilaciones.

Porque yo no había prestado el traje, no... Lo había empeñado a un hebreo muy timorato de Dios, un judío que trataba de favorecer a sus semejantes facilitándoles dinero sobre prendas al interés del 20% Todo pasa... Y me faltaban dos días para ser dado de baja y no tenía traje con que salir a la calle ni dinero con que desempeñarlo... Y una angustia terrible conturbaba mis noches. No, yo no podía salir a la calle desnudo como los profetas. Y era inútil que lo viera al judío obeso y le hablara del Talmud y de la Kábala y del doctor Herzel...

Entonces... resolví hablarlo a mi jefe.

Lo encontré en un círculo de oficiales, los cuales conocían ya la historia del traje y se regocijaban en mis palabras llenas de cautela y malicia.

-¿Qué quiere usted?

-Mi teniente coronel, tengo que entregar el uniforme, y el traje me lo ha empeñado el amigo riojano.

Los tenientes me observaban de reojo. El teniente coronel se mordió los labios.

-¿Y qué quiere usted?

-Que no puedo salir desnudo a la calle.

-Pues tiene permiso para ir a retirar el traje.

-Es que no tengo el dinero para desempeñarlo, mi teniente coronel.

Y aquí sí que abrió los ojos el jefe y cerraron la boca los oficiales. Los ojos del teniente coronel expresaban asombro, un asombro loco, formidable, desmesurado. Pero entonces yo era el substratum, la quinta esencia de la desfachatez y cinismo.

Y por más cascarrabias y teniente coronel que fuera no podía contener su asombro y admiración crecientes, y tampoco podía decir nada, porque todo lo que hubiera dicho sólo serviría para revelar la inmaculada inocencia de su coronelato.

Comprendiendo eso, me preguntó un capitán:

-Pero, ¿de qué trabaja usted?

-Soy periodista, mi capitán.

El rostro del teniente coronel se dulcificó, adquirió la expresión de un sabio que descubre la teoría de un fenómeno. Comprendía, comprendía con claridad meridiana los orígenes, las bases, las raíces de mi lujoso cinismo, de mi florida desvergüenza. Y, magnánimo, dijo:

-Retírese.

Tres horas después, el sargento 1º me llamaba.

-Oiga, Arlt; venga que vamos a retirar su traje.

-¿A retirar mi traje? Pero si yo no tengo plata, mi sargento 1º.

-No se aflija que el teniente coronel, por no verlo ni un día más en el cuartel, me ha dicho que le retire el traje o si no que le compre uno nuevo."

Ejerce el periodismo en *Patria* (órgano de la Liga Patriótica Argentina). Un suelto en la revista *Mundo Argentino* dice:

"La liga Patriótica es hoy una amenaza al patriotismo argentino y lo será siempre, está presidida por el espíritu de las altas clases, en cuyo seno ha nacido... "4 de febrero de 1921.

Diario de un morfinómano. Con prólogo de Juan José de Soiza Relly

La novela, muy breve, no ha podido ser ubicada. "José Marial afirma que el juguete no fue su primer libro ya que antes había publicado en "La Novela de Córdoba", 1920 *Diario de un morfinómano.* "Hallándome en Córdoba, hace muchísimos años, en compañía de Luis Reinaudi, en una librería de lance de la calle Rivadavia, descubrí un ejemplar. No le di mayor importancia. Vi en la mesa algo que me interesó más, también inhallable:el "Segundo Libro de Loco Amor" del fabuloso Bernabé de la Orga, y lo preferí al cuaderno que contenía la novelilla de Arlt. Tuve ocasión de contárselo poco después, ya en Buenos Aires.

"No sabés la alegría que me dás. Te perdiste la gran ocasión de vivir chantageándome toda la vida con la amenaza de reeditarla..." Cesar Tiempo en Manos de Obra. (1980).

▼ 1922

Se casa con Carmen Antinucci tres años mayor que él, a quién conoce en una tertulia de un cine de Córdoba. Los Antinucci era una familia acomodada de Córdoba, tanto Carmen como su hermana Aída habían estudiado en Italia. En el cuento "La Tía Pepa" (en *Los Pensadores* o en la segunda versión "El gato cocido" Arlt introduce episodios y nombres y profesiones de la familia de su esposa. Carmen, es tuberculosa. de allí que facilitan el casamiento con Arlt sin que éste supiera nada de la enfermedad. La vida turbulenta de la pareja se ve permanentemente afectada por esta enfermedad . Carmen debe trasladarse a Córdoba varias veces en procura de alguna mejoría.

Cuando Roberto se casa recibe una dote de 25. 000 pesos. Arlt inventa una fábrica de ladrillos y varios trabajos, el dinero de la dote se va consumiendo y unos años después escribe:

"...Esto de haber nacido bajo dicha conjunción es una tremenda suerte, según me dice mi astrólogo, porque ganaré mucho dinero. Más yo creo que mí astrólogo es un solemne badulaque, dado que hasta la fecha no tan sólo no he ganado nada, sino que me he perdido la bonita suma de diez mil pesos. "en Autobiografías Humorísticas, Don Goyo.

Nace en Cosquín su hija Electra Mirta . Hay registro fotográfico

Aparece la revista *Los Pensadores,* Arlt publica un cuento "La tía Pepa" que volverá a publicar en 1925 con el título de "El gato cocido". (Recopilado en *Estoy cargada de Muerte...* 1984)

▼ 1923

Arlt regresa a Buenos Aires afectado por una fuerte bronconeumonía

▼ 1924

En Buenos Aires con su mujer e hija y con parte del dinero de la dote compra un terreno en la zona de Devoto sobre la calle Lascano donde intenta construir una casa ayudado por su padre, alguno de estos episodios los cuenta en la notas de *Don Goyo*. (Véase: *Para leer a Roberto Arlt*. May O.B. 1985).

Colabora en *Extrema Izquierda* (sólo aparecen tres números), *Izquierda* y *Ultima Hora*.

▼ 1925

Ricardo Güiraldes hace algunos intentos por publicar la novela *El juguete rabioso* en la editorial Proa, pero solamente le hace adelantar dos capítulos, la editorial aduce problemas económicos. No obstante, el año 26, publica unos ocho libros de autores del grupo *Proa*. Güiraldes le sugiere a Arlt que se presente a un concurso abierto de novela cuya selección estaba a cargo de su amigo Mendez Calzada.

AVISO:
Primer Concurso Literario de la "Editorial Latina"
La Editorial Latina, persiguiendo su propósito de mejor y más fácil difusión de las buenas obras sudamericanas, organizó en Octubre de 1925 su Primer Concurso Literario de prosa y verso para todos los escritores inéditos sudamericanos, teniendo como premio en cada género: la edición de la obra y liquidación de derechos de autor en una cantidad proporcional al monto bruto de las ventas. Fueron recibidas las siguientes:

Prosa:
Sombras (estudios críticos) de A. Zambonini Leguizamón (argentino); Las Abejas de Aristeo (poemas) de Cárlos Vega López (Chileno); El sueño de Abel (cuentos) de Vicente Raúl Votta (argentino); Alma vagabunda (novela, 2 tomos) de Benavides Santos (chileno); Piernas de damas (novela) de Julio Fernández Pelaez (argentino); *El juguete rabioso* (novela) de Roberto Arlt (argentino); Tierra de confín (novela) de Leopoldo Pujol (argentino); La celada de cartón (novela) de Juan M. Camani Altube (argentino); Orgullo de raza (novela) de Alceste Masi (argentina); Ciudad (novela) de Aquiles F. Ortale (argentino).

Verso:

Excelsitud de Agustín Casteblanco (argentino); Mis sonetos a ella de Julio Tray Anglada (uruguayo); Sinfonía azul de Argentino A. Díaz González (argentino); Poesías de Sara Loviseto (argentina); Lira múltiple de José Picone (argentino); Canciones de ayer de Adriano J. Dri (argentino); Cantos sencillos de Germinal Argenti (argentino); Idolos de Barro de Julio Moher (argentino); Motivos de Emoción de Moisés Díaz (argentino); Meditaciones románticas (de José Gallardo Falcón (argentino); Canciones en la senda de Juan de Mata Ibañez (argentino); Versos líricos y heróicos de G. Vázquez (argentino).

Arlt envía la novela *El juguete rabioso*. (Véase: *Obras de Roberto Arlt*).

En la revista *Proa* publica adelantos de *La vida puerca*: fragmentos del capítulo IV "El rengo" y "El poeta parroquial" que no integró a la novela porque no tiene nada que ver con ella, se trata de una burla a Félix Visillac director de *La Estrella de Flores*.

El 6 de octubre aparece la revista *Don Goyo,* de la editorial Haynes, dirigida por Conrado Nalé Roxlo.

▼ 1926

Publica *El Juguete rabioso* en la Editorial Latina. (novela en cuatro capítulos)170 páginas, 1º de noviembre de 1926.

Segunda edición en editorial *Claridad*, agosto de 1931. 174 páginas. Prólogo de Arlt.

Dedicado a Ricardo Güiraldes:
"Todo aquél que pueda estar junto a usted sentirá la imperiosa necesidad de quererlo. Y le agasajarán a usted y a falta de algo más hermoso le ofrecerán palabras. Por eso yo le dedico este libro". Arlt

Edmundo Guibourg señaló que Arlt nunca fue secretario ni nada parecido de Güiraldes, el escritor ofreció a algunos jóvenes de la época alguna ayuda económica y contactos de trabajo en editoriales y revistas. Arlt le lee *El juguete rabioso*. Ricardo Güiraldes le sugiere cambiar el título de *La vida puerca* por el de *El juguete rabioso*.

El juguete rabioso
"Primer millar de la primera edición editorial latina. Octubre 1926."
La editorial Latina estaba dirigida por Aldo Rosso, hermano de Lorenzo Ros-
so.
Crítica a *El juguete rabioso*
Diario *Critico* -sin firma- Magazine N° 2 (22/11/26)
Leónidas Bar¹etta. Rev. *Nosostros,* n° 21, dic. 1926
La Nación 7/11/26. Suplemento dominical. "Libros Argentinos"
Carlos Pirán "Hojeando los últimos libros" en *Mundo Argentino,* 15 dic. p.
24
El Hogar "Noticias literarias", 26 de nov. p. 8
Claridad. Nov/dic . N°174. Sobre Arlt.

"Roberto Arlt ha dado a publicidad su anunciada novela *El juguete rabioso*, obra que ha sido premiada este año por la Editorial Latina en su concurso de obras abiertas." (La nota incluye una foto de Arlt). en EL Hogar, 26 de
noviembre/n°893, p. 8 (También se anuncia "Cuentos para una inglesa desesperada " de Eduardo Mallea y "Vidas perdidas" de Leónidas Barletta.

En el mes de noviembre comienza a publicar notas en la revista *Don Goyo,* veintiuna notas., entre ellas figura una autobiografía, la primera es del 26
de enero, la autobiografía es del 14 de diciembre y la última nota es del 1° de
febrero. de 1927.
Publica por primera vez un cuento en *Mundo Argentino,* "El gato Cocido", 27 de octubre, p. 29 versión de la que ya había publicado en 1922 en
Los Pensadores "La Tía Pepa"

Escribe para *Ultima Hora,* notas sin firma (27/1/26, p. 16. "Un delincuente nos habla del asalto al banco de la provincia".
Escribe para *Claridad, Mundo Argentino* y *El Hogar.*

▼ 1927
Ultima nota en Don Goyo "El regimiento 8° de cazadores de queso" (1°
de febrero) (En: *Para leer a Roberto Arlt.* OB/M.A. 1985. Torres Agüero.)
Cronista policial en *Crítica,* hace una crónica de un hecho policial todos
los viernes en p. 6, no firma las notas. Allí se hace amigo de Cayetano Cór-
doba Iturburu, de Edmundo Guibourg y particularmente de la Esposa de
Botana. En el Magazine de los lunes escribe su autobiografía (28 de febrero).
La *Revista Martin Fierro prepara un número de homenaje* a Ricardo Güi-

raldes Arlt aparece entre los que escribirán. Lamentablemente *Martín Fierro* no volvió a *a publicarse* porque sus integrantes se pelearon por motivos políticos y la revista dejó de aparecer.

En *Mundo Argentino* publica "Un error judicial" (cuento)2/11-27.

▼ 1928

Posiblemente el largo artículo sobre Güiraldes lo publica en *Crítica*, en relación a la llegada de los restos mortales de Ricardo Güiraldes a Buenos Aires desde Paris.

"Ricardo Guiraldes en la intimidad". . "La muerte de R. G. ha causado una impresión extraordinaria entre todos los que lo hemos conocido. Y se explica. Su vida íntima era tan perfecta como su obra y la permanencia de ese eco puesto de manifiesto en todos sus actos llegó aconstotuirlo en atmósfera de señorío adorable, un verdadero empaque simbólico, cuya seducción era irresistible. Esta era la impresión que este hombre causaba al enfrentársenos Físicamente era de pequeña estatura, pero recio, bien plantado, de color cetrino. Bajo la frente como retobada en encontrazos de espacio, surgía la nariz de gavilán y este perfil bravío pulido por el viento y por el sol, daba la apariencia de "mocito matrero" de gauchito trasplantado a la ciudad por cuyas calles caminaba con un ligero balanceo de hombre acostumbrado al caballo… …"Roberto Arlt, en *Crítica*, p. 2. (frag) 10 de octubre de 1928. En homenaje a la llegada de los restos mortales de Don Ricardo Guiraldes.

Ingresa como redactor en *El Mundo* fundado el 14 de mayo de 1928, Diario tamaño tablio que empieza a salir, como prueba, el 3 de abril. El diario pertenece a la editorial de Alberto Haynes y lo dirige por primera vez Alberto Gerchunoff. Arlt inicia su actuación periodística con comentrarios policiales y el 9 de mayo publica el cuento "El insolente jorobadito". Y el 14 de mayo lo vuelve a publicar. El día 10 publica Pequeños propietarios y lo reedita el día 23. El insolenmte jorobadito del día 23 incluye un dibujo de Julio Payró. La primera aguafuerte firmada por Arlt es del 14 de agosto lleva la firma R. A "Affaire de la casa de gobierno. El 15 de agosto en p. 4 "El hombre que ocupa la vidriera del café" lleva su firma completa: Roberto Arlt. .

La dirección del diario pasa a manos de Carlos Muzio quien se inventa y se adosa "Saenz Peña".

Ingresa a *El Mundo*. Notas sin firma. Publica "El insolente jorobadito" y "Pequeños propietarios."

31 de dicciembre de 1928 escribe el aguafuete"La crónica número 231"

Desde abril de 1928 a abril de 1933 publica 1125 aguafuertes.

Primera Agua Fuerte con firma "El hombre que ocupa la vidriera del café". 14 de agosto

9 de septiembre *La Nación* publica "Ester primavera" y la revista Pulso adelanta un fragmento de Los 7 Locos (sic)

31 de diciembre lleva escritas 231 aguafuertes. .

En la revista *Pulso* dirigida por Alberto Hidalgo publica "La sociedad secreta", un adelanto de su novela *Los siete locos*

▼ 1929

Aguafuerte del 14 de Mayo "Con Esta Van 365"

Aguafuerte del 6 de julio "Usura transatlántica" (antecedente de 300 Millones)

---

3 de setiembre de 1929

¿Cómo quieren que les escriba?

"Estoy intrigado. ¿De qué manera debo escribir para mis lectores? Porque unos opinan blanco y otros negro. Así, la nota sobre las filósofas ha provocado una serie de cartas, en las que algunos me ponían de oro y azul, y otros, en cambio, me elogiaban hasta el cansancio. Aquí a mano tengo dos cartas de lectoras. Las dos perfectamente escritas. Una firma Elba y se lamenta de que sea antifeminista. Otra firma Asidua lectora y con amables palabras encarece mis virtudes antifeministas. ¡Muchas gracias! Lo curioso es que toda la semana han estado llegando cartas con opiniones encontradas, y nuevamente me pregunto: ¿de qué modo debo dirigirme a mis lectores? Seriamente, no creía que le dieran tanta importancia a estas notas. Yo las escribo así no más, es decir, converso así con ustedes que es la forma más cómoda de dirigirse a la gente. Y tan cómoda que hasta algunos me reprochan, aunque gentilmente, el empleo de ciertas palabras. Uno me escribe: "¿Por qué usa la palabra *cuete* que estaría bien colocada si la hubiera puesto un carnicero?" Pero yo tomo el volumen 16 de la Enciclopedia Universal Ilustrada y encuentro en la página 1042: "Cuete, m. Americanismo Cohete".

Este mismo lector continúa:

"Por favor, señor Arlt, no rebaje más sus artículos hasta el cieno de la calle…"

Comencemos por establecer que la frase "al cuete" puede usarla usted, estimado lector, delante de cualquier dama, sin que se ruborice, ya que ella -la frase, no la dama- deriva de cohete, es decir, un mixto pirotécnico, hablando en puro castellano. Y usted sabe que la pirotecnia es colores bonitos y nada más. Después de la pirotecnia vienen los explosivos, es decir, lo efectivo, aquello que tira abajo cualquier obstáculo. Y yo tengo esta debilidad: la de creer que el idioma de nuestras calles, el idioma en que conversamos usted y y en el café, en la oficina, en nuestro trato íntimo, es el verdadero. ¿Que yo hablando de cosas elevadas no debía emplear estos términos? ¿Y por qué no, compañero? Si yo no soy ningún académico. Yo soy un hombre de la calle, de barrio, como usted y como tantos que andan por ahí. Usted me escribe: "No rebaje sus artículos hasta el cieno de la calle". ¡Por favor! Yo he andado un poco por la calle, por estas calles de Buenos Aires, y las quiero mucho, y le juro que no creo que nadie pueda rebajarse ni rebajar al idioma usando el lenguaje de la calle, sino que me dirijo a los que andan por esas mismas calles, y lo hago con agrado, con satisfacción. Así me escribe gente que, posiblemente, sólo escribe una carta cada cinco años, y eso me enorgullece profundamente. Yo no me podría hacer entender por ellos empleando un lenguaje que a mí no me interesa para nada, y que tiene el horrible defecto de no ser natural. François Villon, gran poeta francés, que tuvo el honor de fallecer ahorcado por dedicarse a arrebatarle la capa y las bolsas de escudos a sus prójimos, dejó maravillosos poemas escritos en lenguaje popular. Quevedo, así como Cervantes en *Las novelas ejemplares* usan la "germanía", el gitano o el caló hasta cansarse, y no hablemos de los escritores actuales, que allí están, por ejemplo, Richepin y Charles Lois Philiphe en *Bubu de Montparnase*, empleando lo más interesante del caló francés, y mi director, que entiende inglés, me dice que en Estados Unidos hay periódicos respetablemente serios, cuyas historietas están redactadas en caló o "slang" de la ciudad; que en el idioma popular de Nueva York es distinto de California o de Detroit.

Vez pasada, en *El Sol* de Madrid apareció un artículo de Castro hablando de nuestro idioma para condenarlo. Citaba a Last Reason, lo mejor de nuestros escritores populares, y se planteaba el problema de a dónde iríamos a parar con este castellano alterado por frases que derivan de todos los dialectos. ¿A dónde iremos a parar? Pues a la formación de un idioma sonoro, flexible, flamante, comprensible para todos, vivo, nervioso, coloreado por matices extraños y que sustituirá a un rígido idioma que no corresponde a nuestra psicología.

Porque yo creo que el lenguaje es como un traje. Hay razas a las que les queda bien un determinado idioma, otras, en cambio, tienen que modificarlo, raerlo, aumentarlo, pulirlo, desglosar giros, inventar sustantivos. Por ejemplo, en nuestro caló tenemos la frase: "La merza". ¿Qué palabra hay en castellano para designar a un grupo de sujetos de oscuros "modus vivendi"? Ninguna. Pero usted, en nuestro idioma, dice "la merza" y ya sabemos a qué clase de gente se refiere. ¿Con qué se sustituiría en español la palabra "patota"? Y así, cientos de ellas.

Créame. Ningún escritor sincero puede deshonrarse ni se rebaja por tratar temas populares y con el léxico del pueblo. Lo que es hoy caló, mañana se convierte en idioma oficializado. Además, hay algo más importante que el idioma, y son las cosas que se dicen.

Valle Inclán nos refiere cómo San Bernardo predicaba la cruzada a pueblos que no entendían absolutamente una palabra de lo que él decía; pero era tal su fervor, y tan intenso su entusiasmo, que lograba arrastrar millares de hombres tras él. Si usted tiene "cosas" que decir, opiniones que expresar, ideas que dar, es indiferente que las exprese en un idioma rebuscado o sencillo. ¿Me equivoco? Si usted tiene algo que decir, trate de hacerlo de modo que todos lo entiendan: desde el carrero hasta el estudioso… Que ya dice el viejo adagio: "El hábito no hace al monje". Y el idioma no es nada más que un vestido. Si abajo no hay cuerpo, por más lindo que sea el trajecito, usted, mi estimado lector ¡va muerto!"

1. La primera edición está en el Instituto de Literatura Argentina - F. de F. Letras. UBA.

2. En 1968 Ediciones Edicóm con la anuencia de la hija del escritor publicó una serie de aguafuertes bajo nuevos títulos: "Entre crotos y Sabiondos" incluye como novedad, primera vez, un fragmento del cuento "Jehová". El cuento nunca se publicó completo.

ENTREVISTA A ROBERTO ARLT

"Roberto Arlt sostiene que es de los escritores que van a quedar y hace una inexorable crítica sobre la poca consistencia de la obra de los otros"Extenso reportaje en *La Literatura Argentina*, agosto 1929, añoI, Nº12, p. 25 ss. (Incluye una fotografía) (Afectado por una conjuntivitis lleva anteojos ahumados):

ENTREVISTA
Roberto Arlt sostiene que es de los escritores que van a quedar y hace una inexorable crítica sobre la poca consistencia de la obra de los otros.

"Roberto Arlt es la figura más inquietante del momento literario", nos había dicho Mariani y allá fuimos.

Casa de altos, habitación de escritor, modesto el hombre. Lo es tanto que quisiera esconderse íntegro detrás de sus anteojos ahumados.

No tenemos cultura propia

Impuesto de nuestro objeto de que nos hable de los intelectuales del país, nos responde:

-¡Pero eso es hacerlo hablar mal a uno de todo el mundo, señor!

Luego agrega sonriente:

-Si por cultura se entiende una psicología nacional y uniforme creada por la asimilación de conocimientos extranjeros y acompañada de una característica propia, esta cultura no existe en la Argentina. Aquí lo único que tenemos es un conocimiento superficial de libros extranjeros. Y en los autores una fuerza vaga, que no sabe en qué dirección expansionarse.

Nos invita con un cigarrillo que no aceptamos.

-De consiguiente -prosigue- no hay una cultura nacional. Y las obras que llamamos nacionales como el *Martín Fierro*, sólo le pueden interesar a un analfabeto. Ningún sujeto sensato podrá deleitarse con esa versada, parodia de coplas de ciego que ha enternecido según parece a los corifeos de la nueva sensibilidad.

Países que nos educan

Se embute las manos en los bolsillos del sobretodo, después se sienta y se para, alternativamente.

-En cambio, -continúa- los países que más activamente intervienen en nuestra formación intelectual son, sin disputa alguna, España, Francia y Rusia.

La literatura inglesa y alemana no han encontrado traductores ni intereses en los editores. De allí que desconozcamos casi uno de los filones más importantes de cultura, que ha elevado la civilización de esos pueblos.

Nuestros escritores por categoría

Podríamos entonces dividir a los escritores argentinos en tres categorías: españolizantes, afrancesados y rusófilos. Entre los primeros encontramos a Banchs, Capdevila, Bernardez, Borges; entre los afrancesados a Lugones, Obligado, Güiraldes, Córdoba Iturburu, Nalé Roxlo, Lazcano Tegui, Mallea, Mariani, en sus actuales tendencias; y entre los rusófilos, Castelnuovo, Eichelbaum, yo, Barletta, Eandi, Enrique González Tuñón y en general casi todos los individuos del grupo llamado de Boedo.

Vapuleo de autores

-Alguna otra cosa de nuestros autores...

-Me gustan ciertos poemas de Lugones, Obligado, Córdoba, Rega Molina, Olivari, aunque no me extrañaría por ejemplo de que Lugones saliera un día escribiendo una novela sobre el conventillo, tan íntimamente está desorientado este hombre que dispone de un instrumento verbal muy bueno y de unos motivos tan ñoños.

Rojas creo que únicamente puede interesar a las ratas de biblioteca y a los estudiantes de filosofía y letras; Lynch y Quiroga me gustan mucho. Este último tiene antecedentes de literatura inglesa y se lo podría filiar entre Kipling y Jack London por sus motivos. Pero eso no impide que sea con su barba una figura respetable...

¿Gálvez? ¡Yo no sé hacia donde camina! Me da la sensación de ser un escritor que no tiene sobre qué escribir. Comenzó queriendo ser un Tolstoi y creo que terminará como un vulgar marqués de la Capránica haciendo novelones históricos. Francamente, creo que Gálvez no tiene nada que decir ya.

¡Larreta! Un señor de buena sociedad, con plata, que tarda en escribir una novela mediocre, *Zogoibi*, lo que otro tardaría en escribir una novela buena. Su único libro, *La Gloria de don Ramiro*, no creo que lo autorice a este señor a hacerse festejar en todas partes como si fuera un genio. En realidad, Larreta es inferior a Manzoni y quizá literariamente uno de los escritores más hondos que tenemos.

Hugo Wast se explica, porque tenemos catorce provincias y estas catorce provincias están habitadas por una colonia católica lacrimosa e insulsa. Su público es de maestras sentimentaloides.

Todos estos prosistas serían en España, Francia e Italia, escritores de quinto orden. Les falta "metier", inquietudes, problemas, sensibilidad y todos los factores nerviosos necesarios para interesar a la gente.

Dichos caballeros, salvo Quiroga y Lynch, lo que podían hacer era dejar la pluma. Y la cultura nacional no perdería nada.

Esconde las uñas...

Apenas si nos animamos a preguntar por quién sería, a su juicio, la personalidad más completa.

-¡En nuestro país no existe ese espíritu! -contesta Arlt-. Candidatos a serlo aquí, en la Argentina, seríamos varios. Pero hay que trabajar y el que se va a poner las botas de potro aún no ha mostrado la uña... ¡Esperanzas!

-¿Y los que más se aproximan?

-Vean: como cuentista Quiroga; novelista, Larreta; poeta, Lugones; en ... Rojas. Todo esto aquí en la Argentina, entendamonos! Y por el actual momento.

Del pasado y lo que quedará del presente

-¿Hemos recibido algo ... de estima del pasado?

-El tiempo no nos ha legado nada. Sólo material para interesarle a un erudito alemán.

-Del presente, ¿quedará algo?

-Güiraldes con su *Don Segundo Sombra*; Larreta con *La gloria de Don Ramiro*; Castelnuovo con *Tinieblas*; yo con el *Juguete Rabioso*; Mallea con *Cuentos para una inglesa desesperada*. De estos libros algo va a quedar. El resto se hunde.

Siguen los azotes en la casa de Caifás

-"Escritores que tienen más fama de lo que merecen?" -parafrasea la interrogación nuestro entrevistado. Pues Larreta, Ortiz Echagüe, que no es escritor ni nada; Cancela que se ha hecho el tren con el suplemento literario de "*La Nación*"; Borges, que no tiene obra todavía.

129

Hay otros escritores que merecían ser odiados por nuestra juventud y uno de estos es Lugones.

Los hay sobre los que pienso gratuitamente mal, a saber: Fernández Moreno, que no es poeta, además; Samuel Glusberg, que es el más empedernido "lacayo" de Lugones y Capdevila que es un tío gordo.

Florida y Boedo

Discutimos un poco sobre los *muchachos*.

-De las nuevas tendencias que están agrupados bajo el nombre de Florida, -dice Arlt-, me interesan estos escritores: Amado Villar, que creo encierra un poeta exquisito, Bernardez, Mallea, Mastronardi, Olivari y Alberto Pinetta. Esta gente, por todo lo que hasta ahora ha hecho, con excepción de Mallea y Villar, no se sabe a dónde va ni lo que quiere.

Los libros más interesantes de este grupo son *Cuentos para una inglesa desesperada, Tierra amanecida, La musa de la mala pata* y *Miseria de 5ta edición.* De Bernardez podría citar algunos poemas y de Borges unos ensayos.

En el grupo llamado de Boedo encontramos a Castelnuovo, Mariani, Eandi, yo y Barletta. La característica de este grupo sería su interés por el sufrimiento humano, su desprecio por el arte de quincalla, la honradez con que ha realizado lo que estaba al alcance de su mano y la inquietud que en algunas páginas de estos autores se encuentra y que los salvará del olvido.

Cuando las nuevas generaciones vengan y puedan leer algo de todo lo que se ha escrito en estos años, se dirá: "¿Cómo hicieron esos tipos para no dejarse contagiar por esa ola de modernismo que dominaba en todas partes?"

Escritores desorientados

-Entendería como escritores desorientados, -añade- a aquellos que tienen una herramienta para trabajar, pero a quienes les falta material sobre el qué desarrollar sus habilidades. Estos son Bernardez, Borges, Mariani, Córdoba Iturburu, Raúl González Tuñón, Pondal Ríos.

Esta desorientación yo la atribuiría a la falta de dos elementos importantes. La falta de un problema religioso y social coordinado en estos hombres ¿Pruebas? Mariani es un escritor en *Los cuentos de la oficina* y otro tipo de escritor en *El Amor Agresivo* y finalmente muy diverso en los cuentos que ha publicado últimamente en *La Nación.*

De Córdoba Iturburu podemos decir lo mismo. *El pájaro, el árbol y la fuente* completamente distinto a *Las danzas de la luna.*

Igual de Raúl González Tuñón, *El violín del diablo* parece ser obra de un escritor distinto al autor de *Miércoles de Ceniza.*

Bernardez se halla frente a una serie de problemas estéticos, que no sé cómo resolverá. Pero desde ya me creo con derecho a afirmar que Bernardez no cree en la nueva sensibilidad.

Borges ha perdido tanto el tino que ahora está escribiendo... un sainete.

¡Imagínense de cómo saldrá eso!

Si se me preguntara por qué ocurre esto, yo contestaría que lo atribuyo a que estos hombres tienen inquietudes intelectuales y estéticas y no espirituales e instintivas.

Esta gente, a excepción de Mariani, no cree que el arte tenga nada que ver con el problema social, ni tampoco con el problema religioso. Y entonces trabaja con pocos elementos, fríos y derivados de otras literaturas de decadencia.

Los suplementos dominicales

Hacemos referencia a las ediciones literarias de los diarios, a lo que Arlt manifiesta:

-El suplemento literario de *La Prensa* está acaparado por tres escritores argentinos que pueden agradar al público que lee los avisos de ese rotativo: Bufano, Fernández Moreno y Fausto Burgos, tan calamitoso éste que muchas veces yo me he preguntado "qué es lo que piensa con el cerebro" el director del mencionado suplemento cuando se ha atrevido a aceptarlo.

Fernández Moreno también escribe versos, pero este es más claro y se dirige a las horteras que lo pueden entender. ¡Bufano, es el acabóse!

Por el contrario, el suplemento de *La Nación* es un disloque. Ha publicado ya tanta inocentada y su aparente eclecticismo es tan indigesto, que nadie tiene ya interés en publicar en *La Nación*. Creo que más difícil es colocar una colaboración en *Mundo Argentino*. Si sigue así el suplemento, dentro de poco tiempo tendrá que solicitar colaboración a Félix Visillac o al señor José Braña.

Estos dos suplementos no realizan ningún plan cultural. El público mira las fotografías y hace a un lado el resto del suplemento. Si no, recórranse las estaciones del subterráneo el domingo a la mañana. Ahí se podrá verificar esta verdad.

"Nosotros", "Criterio", "Síntesis", "Claridad"

Sacamos conversación de las revistas.

-"Nosotros", "Criterio" y "Síntesis" son revistas que no he leído nunca, -nos confiesa ufanamente nuestro interlocutor. Creo que sus lectores se componen exclusivamente de los que han mandado una colaboración y ya es raro.

Por lo que respecta a "*Claridad*", aunque está mal escrita, peor compuesta y sin un método inteligente tiene un público obrero y desempeña una útil misión social.

Sociedad de escritores, la Peña, Camuatí

Tocamos otros puntos.

-Las sociedades de escritores no les interesan aquí ni a los propios escritores -declara Arlt- como no ser a Rojas Paz que figura en cuanta sociedad se organiza.

De la entidad fundada por Lugones, opino que es una de las tantas *macanas* que este hombre ha hecho en su vida.

De la Peña y el Camuatí puedo decir que son unos excelentes rincones para las personas que no tienen veinte centavos para tomar café. Culturalmente no preocupan a nadie, pues tienen una selecta concurrencia de burgueses o aburguesados con ribetes de artistas. Son asociaciones de mutuo bombo y muletas de auxilio para poetas cojos y personas que buscan su granjería.

Lo que opina de sí mismo

Arlt describe una graciosa reverencia.

-¿Qué opino de mí mismo? Que soy un individuo inquieto y angustiado por este permanente problema: de qué modo debe vivir el hombre para ser feliz, o mejor dicho, de qué modo debía vivir yo para ser completamente dichoso.

Como uno no puede hacer de su vida un laboratorio de ensayos por la falta de tiempo, dinero y cultura, desdoblo de mis deseos personajes imaginarios que trato de novelar.

Al novelar a estos personajes comprendo si yo, Roberto Arlt, viviendo del modo A, B o C, sería o no feliz. Para realizar esto no sigo ninguna técnica, ni ella me interesa.

Mariani, mi buen amigo, me ha aconsejado siempre el uso de un plan, pero cuando he intentado hacerlo he comprobado que, a la media hora, me aparto por completo de lo que proyecté. Lo único que sé es que el personaje se forma en lo sub-consciente de uno, como el niño en el vientre de la mujer. Que este personaje tiene a veces intereses contrarios a los planes de la novela, que realiza actos tan estrafalarios que uno como hombre se asombra de contener tales fantasmas. En síntesis, este trabajo de componer novelas, soñar y andar a las cavilaciones con monigotes interiores, es muy divertido y seductor.

-¿A qué público de hombres y mujeres se dirige?

-Al que tenga mis problemas. Es decir: de qué modo se puede vivir feliz, dento o fuera de la ley.

-¿Le interesa un número amplio o reducido y selecto?

-Eso es secundario. Ni muchos ni pocos lectores me harán mejor ni peor de lo que soy.

Al batirnos en retirada, nos obsequia Arlt con este discurso:

-Tengo una fe inquebrantable en mi porvenir de escritor. Me he comparado con casi todos los del ambiente y he visto que toda esta buena gente tenía preocupación estética o humana, pero no en sí mismos, sino respecto a los otros. Esta especie de generosidad es tan fatal para el escritor, del mismo modo que le sería fatal a un hombre que quisiera hacer fortuna ser tan honrado con los bienes de otro como con los suyos. Creo que en esto les llevo ventaja a todos. Soy un perfecto egoísta. La felicidad del hombre y de la humanidad no me interesa un pepino. Pero en cambio el problema de mi felicidad me interesa tan enormemente, que siempre que lance una novela, los otros, aunque no quieran, tendrán que interesarse en la forma como resuelven sus problemas mis personajes, que son pedazos de mí mismo.

Aquí los escritores viven más o menos felices. Nadie tiene problemas, a no ser las pavadas de si se ha de rimar o no. En definitiva, todos viven una existencia tan tibia que un sujeto que tiene problemas, acaba por decirse: "La Argentina es una Jauja. El primero que haga un poco de psicología y de cosas extrañas, se meterá en el bolsillo a esta gente".

Nos sacude fraternalmente una mano.

-¡Creo que me expreso sinceramente y con claridad!-concluye riéndose.

"¿A quién lee de los nuevos?: "Y de los muchachos leo a los poetas Nicolás Olivari, Carlos Mastronardi, Francisco Luis Bernardez, Nora Lange y Leopoldo Marechal. Y de prosa es notable Roberto Arlt. También Eduardo Mallea. No leo otros." Respuesta de Jorge Luis Borges en *La Literatura Argentina.* Junio 1929. p14/15.

Guillermo Miranda Klix y Alvaro Yunque publican *Cuentistas argentinos de hoy* (1921-1928)

Incluye una Autobiografía de Arlt y un fragmento de *Los siete locos*, "El Humillado"

"Naufragio". "Un cuento de locos, aparentemente fuerte pero real" del libro en prensa *Los siete locos*". En revista *Claridad.* 23 de marzo de 1929. (57) Nº 179. (sin página)

Vive en la calle Pueyrredón 486, una casa de pensión.

Publica en Editorial *Claridad Los siete locos.* la novela está dedicada a :Maruja Romero.

Al final de la novela hay un pie de página que dice:"La acción de los personajes de esta novela continuará en otro volumen titulado *Los lanzallamas*". 15 de septiembre de l929-Buenos Aires.

COMO SE ESCRIBE UNA NOVELA
Aguafuertes porteñas, en *El Mundo,* 14/10/1931
"El jefe de redacción del diario ha pasado un día a las nueve de la .mañana por la redacción; otra tarde a las tres, una noche a las nueve; un amanecer a las dos, y me ha encontrado siempre rodeado de papeles, hecho un foragi-

do, con barba de siete días, tijera descomunal al costado y un frasco de goma agotándose.

Entonces el jefe de redacción se ha detenido frente a mí, diciendo:

-¿Se puede saber qué diablos hacés? Escribís todo el día y no entregás una nota sino cada muerte de obispo.

He tenido que contestarle:

-Querido jefe: estoy terminando mi novela *Los lanzallamas* que sale el treinta de este mes a la calle.

-Bueno. Escribite una nota sobre cómo se hace una novela.

-Encantado (al mismo tiempo es publicidad).

Modos de escribir una novela

Mucha gente tiene curiosidad de saber cómo se escribe una novela. Qué trabajos pasa el autor. Entremos en materia.

Hacer una novela, requiere más o menos el espacio de un año y medio. Cuando el autor se pone a trabajar los personajes que intervendrán en la acción están casi modelados. Es decir, se han ido formando en un plazo más o menos largo, en su imaginación. Hay autores que se trazan un plan estricto y no se apartan de él ni por broma.

Ejemplo: Flaubert. Otros nunca pueden establecer si su novela terminará en una carnicería o en un casamiento. Ejemplo: Pirandello. Unos son tan ordenados que fijan en su plan datos de esta categoría:

"El personaje estornudará en la página 92, renglón 7; y otros ignoran todo lo que harán. Es lo que le pasó a Dostoievsky, cuya novela "El crimen y el castigo" fue en principio un cuento para una revista. Insensiblemente el cuento se transformó en una novela nutrida y espantosa.

El novelista "pur sang" aborrece cordialmente el método (aunque lo acepte), los planes y todo aquello que signifique sujeción a una determinada conducta.

Escribe de cualquier manera lo que lleva adentro, bajo la forma de uno o diez personajes.

Para no extraviarse totalmente, hace apuntes de las líneas importantes de la acción. El material se acumula a medida que pasan los meses.

Problemas de autor

En el novelista instintivo, los personajes proporcionan sorpresas de seres vivientes. Así por ejemplo: X en un momento dado insultó a N, contra todas las previsiones del escritor.

El autor se dice:

-Es absurdo que X lo insulte a N. No tiene que insultarlo... Luego se olvida de este suceso y un día, en el momento en que está más distraído, una voz misteriosa dice en su interior, aclarándole la incógnita:

-X insultó a N. recordando que N le había hecho una trastada en otra época.

A mí me pasó un caso curioso en *Los lanzallamas*. Un personaje mata a otro. La escena estaba trazada satisfactoriamente, el crimen descripto como era debido; pero yo no estaba satisfecho. Allí había algo que no era claro para mí. Y de pronto, esa voz a que me refería antes, me dijo:

-¡Claro! Fulano fue un bárbaro al matarlo a Mengano. Mengano en el instante que entró a su cuarto, se encontraba en estado sonambúlico.

Inmediatamente se aclararon para mí un montón de enigmas. La mirada fija con que Mengano se introducía descalzo en la habitación del que lo iba a matar.

Problemas así se presentan a montones en el autor instintivo. En vez de autor, debía ser denominado secretario de personajes invisibles. Hace lo que ellos le mandan.

Goma y tijera
Terminado el "grueso" de la novela, es decir lo esencial, el autor que trabaja desordenadamente, como lo hago yo, tiene que abocarse, con paciencia de benedictino, a un caos mayúsculo de papeles, recortes, apuntes, llamadas en lápiz rojo y azul.

Comienza la tarea de tijera. Estos 20 renglones de la parte 3 están de más; el capítulo número 5 es pobre en acción; el 2 carece de paisaje y es largo; el 6 está recargado.

El paisaje, que no tiene relación con el estado subjetivo del personaje, se confecciona al último. A veces falta el final de una parte: el autor lo dejó para después, porque no le dio importancia a ese final. Ahora, en el momento de apuro, se da cuenta que ha hecho una burrada; que el final era importantísimo y tiene que estudiarlo al galope y redactarlo vertiginosamente.

Sin embargo, a pesar de todos los inconvenientes que el sistema enumerado ofrece, nunca un autor trabaja mejor que entonces. Después de una semana de corregir durante diez y ocho horas diarias, yo he perdido cinco kilos de peso, los nervios vuelan. Parece en realidad que no está trabajando sobre la tierra, sino en la cresta de una nube. Se mira a las mujeres con la misma indiferencia con que un sonámbulo observa las fachadas de las casas."

Pide una licencia en el diario *El Mundo* porque está afectado de una fuerte conjuntivitis y tiene que terminar *los Lanzallamas*. La sección la cubre durante dos meses Scalabrini Ortiz con "Apuntes porteños". Luego Arlt le agradece. (Recopiladas y comentadas en "Apuntes porteños de R.S.O.". Omar Borré. Hispamérica. Nº 56/57. p. 57 ss. 1990).

Carta de Roberto Arlt a Elías Castelnuovo, nov. *Ultima Hora*

"La producción literaria de 1929" en *Claridad,* 11 de enero de 1930, lleva la firma de Ramón Doll y la crítica, favorable, es a *Los siete locos.* (Véase: *Críticas a Los siete locos* - completo).

Reportaje en La Razón
"Francisco Luis Bernardez, Tomás Allende Iragorri, Roberto Arlt y Roberto Ledesma nos anticipan algunas referencias de sus próximos libros" (Gran Foto de los cuatro). Diario *La Razón,* 28-6-1930. Hay un subtítulo que dice: "Un volumen de cuentos de Roberto Arlt": se trata de una colección de cuentos que anuncia con el título de "El bandido en el bosque de ladrillo", el libro, dice Arlt, tendrá los siguientes cuentos:El silencio-Ester Primavera-Beso de muerte, "que sirven al autor para presentar distintos aspectos de la vida de las gentes del hampa en tres aspectos de su vida: el ladrón en el café. el ladrón en el hospital y, finalmente, el ladrón en la agonía". (De todos modos el libro no se publicó y alguno de estos textos aparecieron en *EL Jorobadito* en 1932, y en *Estoy cargada de muerte* -recopilación de 1985). Véase: notas.

Arlt vive en Viamonte y Rodríguez Peña.

"Hay que ser fuerte. Cuando se es fuerte, se tiene derecho a despreciarlo todo, incluso la felicidad". La clase de gimnasia (cuento). *El Hogar,* 18 de julio de 1930.

5/12 *En la orilla* (cuento) *El Hogar.* p. 5 (se trata de un fragmento del cuento El traje del fantasma)
18/7 *La clase de gimnasia* (cuento) *El Hogar,* p. 5. En relación a sus molestias cardíacas inicia en la YMCA una actividad gimnastica, inteta hacer box, pero se vuelca ala gimnasia sueca, hay una serie de aguafuertes que desarrollan el tema y posteriormente surge este cuento, en la actividad lo acompañan Cayetano Códoba Iturvuro y el poeta Delgado Fito.
2/5, *Ruptura de compromiso* (cuento). *El Hogar.* p5
21/3. *El Silencio* (Cuento). *El Hogar.* p. 5. Es un fragmento de *Las fieras,* ha cortado el cuento vuelve a publicar solamente un tema *El silencio,* observación hecha por Oscar Massotta que no supo nunca de esta versión. Véase: *Estoy cargada de muerte* y... Prólogo O.M. y lista de cuentos.

Aguafuertes dedicadas a los acontecimientos del 6 de septiembre de 1930:

"Donde queman las papas"
"Balconeando la revolución"
"Orejeando la revolución"
"Prolegómenos revolucionarios"
"Los que yugaron durnate la revolución"
"los técnicos de balística"

El 10 de marzo viaja al Uruguay y Brasil como corresponsal del diario *El Mundo* y escribe: "Irse. Yo, todavía no sé que es irse. Dicen que los viajes cambian a las personas, que un viaje es bueno para la inteligencia. Puede ser. Pero ya he perdido la confianza a los lugares comunes"... *(Aguafuertes Uruguayas.* U.B. Ediciones de la Banda Oriental, 1996).

Adelanta "S.O.S" fragmento de *Los lanzallamas".* (Véase: Adelantos de obras).

El 10 de marzo se despide de sus lectores y emprende viaje hacia Uruguay y Brasil desde donde escribe sesenta notas de impresiones de viaje. Dice que a su llegada a Río de Janeiro el diario *A Noite* le hace un reportaje, aproximadamente el 2 de marzo, he recorrido las páginas de *A Noite* y no he podido ubicarlo.

Tercer premio Municipal de Literatura por *Los 7 Locos,* 8 de mayo.

(8/5/30) Regresa a Buenos Aires a fines de mayo en hidroavión.

Publica en *Argentina* (y no en *Actualidad Argentina*) revista dirigida por Cayetano Córdoba Iturburu "S.O.S." adelanto de *Los lanzallamas,* cuando la novela se publica este capítulo cambia de nombre.

"El señor Roberto Arlt ... ya sea por desdén hacia la forma consagrada o porque sus personajes desbordaron el límite o plan originario, únicamente ha desarrollado una acción episódica y bastante precaria, restringida a la conciencia de los individuos o a los hechos inmediatos, vinculados con las circunstancias de las curiosas vidas que pinta y las reacciones y movimientos exteriores arbitrariamente, de sus sujetos." *La Prensa.* Comentarios Bibliográficos. 11/1/30. Tercera edición.

"En Roberto Arlt. la ciudad y el hombre alcanzan, por primera vez entre nosostros, rigurosa identificación con la realidad. En *El juguete rabioso,* su primera novela, el panorama de ciertos barrios porteños puede compararse, por fin, libre de pintoresco convencionalismo; pero las figuras son, en realidad, secundarias. En *Los siete locos*, su segunda novela. el hombre destaca en primer término los rasgos de su psicología. Ya no es la ciudad sino el hombre lo que le interesa. "Cayetano Córdoba Iturburu. "Resumen de un nuevo novelista argentino: Roberto Arlt" en *La Literatura Argentina*. Número Extraordinario. Julio/Agosto. p. 329.

▼ 1931

Reedición de *El juguete rabioso*. Editorial *Claridad*. Desaparece la dedicatoria a Ricardo Güiraldes, hay varias conjeturas una de ellas es porque *Claridad* consideraba a Güiraldes un representante de la oligarquía y en segundo lugar porque ya había muerto y la dedicatoria no tenía sentido. El libro incluye una "Nota editorial", sumamente interesante:

Sobre El libro hay una crítica en *La Literatura Argentina*, "Noticias bibliográficas" Nº36, año III, p. 377. Agosto.

En la *Revista Azul* de la ciudad de Azul, publica "Un alma al desnudo" adelanto de *Los lanzallamas*, nº11

Una noche terrible (cuento) en *Mundo Argentino*. 26 de agosto. p14 ss
En la tapa de la revista figura un anuncio importante y dice "Novela" y luego trae una reseña del texto, ilustración y al pie del cuento una autobiografía de Arlt y una caricatura del autor. En la ediciones del *El jorobadito* se ha suprimido el artículo: "Noche terrible".

Colabora en la rev. *Claridad*, de Antonio Zamora en el Nº 174
Colabora en la rev. *Metrópolis* de Leónidas Barletta

Publica *La hostilidad* (cuento) en *El Hogar*, p. 9. 1/5/31

El 30 de noviembre escribe el Aguafuerte "lo que vi en el Colón" y señala *El amor brujo y El pájaro de fuego*, explica su admiración por estas dos obras. En 1932 publicará una novela llamada *El amor brujo* y promete su continuidad en *El pájaro de fuego*.
Escribe para *Bandera Roja*.

"Arlt en *El juguete rabioso* o en *Los siete locos* -hasta es visible en el título la sugestión del autor de Los siete ahorcados- revela una imaginación desordenada, sin disciplina intelectual ni profundidad espiritual para ahondar en ese mundo que tanto le atrae. Arlt carece de dones analíticos para hacernos sentir la tragedia de la angustia que tanto nos conmueve y alucina con los rusos. Escritor de estilo pintoresco, algunas páginas narrativas revelan sus excelentes dotes de novelista, pero éstas necesitan una intensa depuración." Antonio Aita. *La literatura argentina contemporánea.* Talleres Gráficos Argentinos. p. 59. 1931.

"Es interesante leer este libro (*El juguete rabioso*) después de *Los siete locos*, que ha sido el gran éxito de Arlt, hay quienes consideran superior al primero o al segundo, pero su autor no comparte la opinión. Ciertamente en el Juguete... se delinea ya la estructura de *Los siete locos*. Hay semejanza en ciertos personajes, en el ambiente, en las búsquedas sicológicas. Pero la segunda obra de Arlt está mucho más trabajada, sobre todo en lo subjetivo, en la indagación de las conciencias atormentadas por una avidez indefinible de emancipación." Actualidad Literaria. en *La Literatura Argentina* XXXVI/ agosto 1931. p. 373.

El 14 de octubre escribe un Aguafuerte titulado "Cómo se escribe una novela", el tema está centrado en *Los lanzallamas.*

El 30 de octubre la editorial *Claridad* edita *Los lanzallamas* en la colección *Cuentistas Argentinos de Hoy,*, 245 pp, la novela trae en la primera página "Palabras del autor" y una nota explicativa en donde habitualmente figura el colofón:

"Dada la prisa con que fue terminada esta novela, pues cuatro mil líneas fueron escritas entre fines de septiembre y el 22 de octubre (y la novela consta de 10. 300 líneas), el autor se olvidó de consignar en el prólogo que el título de esta segunda parte de *Los siete locos*, que primitivamente era *Los monstruos,* fue sustituido por el de *Los lanzallamas* por sugerencia del novelista Carlos Alberto Leuman, quien una noche, conversando con el autor, le insinuó como más sugestivo el título que el autor aceptó. Con tanta prisa se terminó esta obra que la editorial imprimía los primeros pliegos mientras el autor estaba redactando los últimos capítulos".

La primera edición tiene un subtítulo debajo de *Los lanzallamas* que dice: "Segunda parte *Los siete locos*". Y después de la palabra "fin" hay una nota: "Esta novela se empezó a escribir el año 1930. Fué terminada el 22 de octubre de l931"

En la contratapa de la primera edición se anuncia:

"Las tres grandes obras de Roberto Arlt autor de *Las aguafuertes porteñas.*

El juguete rabioso, extraordinario relato de la infancia delincuente; *Los siete locos*, novela fantástica -premio municipal de 1930, tercera edición; El suceso literario del año: *Los lanzallamas*, novela audaz, continuación de *Los siete locos*. Estas tres grandes obras del popular escritor, han sido publicadas en edición económica por *Claridad*'.

Reseña de la novela *Los lanzallamas* por R. L. 25-l/31. en *El Mundo*. (Véase: Críticas…).

Aguafuerte del 8/7/31 "Soliloquio del solterón", aguafuerte publicada en *Conducta* en julio del 42 y denominada Primera Autobiografía, y luego reproducida varias veces como autobiografía.

"El Bloque de oro" de la novela en preparación *Los lanzallamas*. En revista *Claridad*, Nº 222 (100), 10 de enero de 1931. Incluye una foto de Arlt.

▼ 1932

Prefacio a *Poemas* de Alfonso Ferrari Amores.

Leonidas Barleta estrena *El humillado*, fragmento y adaptación de *Los siete locos*. 3 de marzo de 1932

El Humillado. Crítica a la puesta en escena. En *Tribuna libre*, 3 de marzo de 1932:"…Es uno de los capítulos más humanos de la novela de Arlt, que constituye de por sí un drama teatral. Remo Erdosain es el hombre aturdido por una angustia cuyo origen sólo conoce en lo que tiene de profundo misterio se deja llevar la mujer en sus propias barbas reconociendo a su compañera el legítimo derecho de que mejore su vida, que él atormentaba con sus continuos antojos de hombre que no sabe lo que quiere ni donde va".

17 de junio estreno del Teatro del Pueblo de "300 millones"
EL amor brujo (novela) editorial Victoria. Dos ediciones.
Viaje a Tucuman y Santiago del Estero como corresponsanl.
La luna roja. (cuento en *El Hogar*)

3 de abril "Por qué dejé de hablar por Radio", Arlt narra su frustrado intento de tener una audición de crítica teatral por *Radio El Mundo*, la experiencia duró solamente tres jueves, el tono insultantes y agresivo de Arlt determinó que la audición fuera levantada. En un aguafuerte de esta fecha, explica porqué se dejó de hablar por radio.

Nota Bibliográfica en *El Mundo* por Pedro J. Vignale, el 8 de agosto.

Publica *300 millones*, y una obrita corta *Prueba de anor*. Lorenzo Rañó era un imprentero que estaba en la calle Boedo 837, imprimía los libros de *Claridad* y a veces editaba alibros por su cuenta bajo el sello de la Colección Actualidad. "Ensayo Crítico" por Cayetano Córdoba Iturburu y prólogo por Roberto Arlt. En la primera hoja del libro figura el reparto de los actores que representaron la obra, son 16 actores, el principal Rocambole estaba interpretado por Hugo DeEvieri y el Galán por Pascual Nacaratti, la escenografía era de manuel Aguiar y las luces de Luis Zornisky.

En *El Mundo* la reseña la hace Raúl Scalabrini Ortiz el día 27 de junio.
El Teatro del pueblo estrena *300 millones*
Colabora en *Bandera Roja*, diario del partido comunista que dirigía Rodolfo Ghioldi con quien sostiene una fuerte polémica y en esas mismas páginas escribe una nota contra Antonio Zamora.

▼ 1933

30 de septiembre. *Poemas de la bruja y el gorila* de Alfonso Ferrari Amores: "Ensayo crítico". Ed. Rañó. Alfonso Ferrari Amores me explicó que Arlt le sacó de las manos los poemas y los leyó en alta voz en un bar cerca de *El Mundo* y luego dijo "yo te lo voy a prologar", el poeta temió por este arrebato sobre todo cuando sus amigos le decían "no sabés a lo que te exponés".
Publica *Aguafuertes porteñas* (60 en total)

El jorobadito (Cuentos)
Colección de cuentos, el 15 de septiembre, editorial Librerías Anaconda, de Manuel Santiago Glusberg. 209 pp. Buenos Aires. Imprenta López. La colección incluye cuentos publicados en el diario *El Mundo*, la revista *Mundo Argentino* y *El Hogar* entre 1928 y 1933.
Dedicatoria a Carmen Antinucci su primera esposa:
"Te ruego que lo recibas como una prueba del grande amor que te tengo. No repares en sus palabras duras. Los seres humanos son más parecidos a monstruos chapoteando en las tinieblas que a los luminosos ángeles de las historias antiguas" Roberto Arlt

(La Segunda edición de *El jorobadito*. Editorial Futuro de Raúl Larra, 1951).

El 7 de julio, p. 19ss *La jugada* cuento en *El Hogar*.

Carta a amiga:
"Querida, queridísima, que agradecido le estoy de que haya venido a mi encuentro. Qué agradecido le estoy de que me haya tomado de su mano y me haya hecho entrar a su mundo y desear su mundo..." (Véase: Cartas...).

Escribe una serie de notas sobre los hospitales porteños que tuvo gran repercusión entre autoridades y profesionales.
En febrero inicia crítica a espectáculos teatrales.

Aguafuertes porteñas (Impresiones). Selección de las mejores Aguafuertes entre las mil quinientas notas que el autor publicó en el diario *El Mundo*. Editorial Victoria. Buenos Aires. 50 ctvs en la capital.

"El autor ha reunido en este volumen sus mejores aguafuertes porteñas que han llamado justamente la atención del público de la capital. Roberto Arlt, aparte de ser un novelista consumado, es, también, un articulista de primera fuerza, ágil, ameno, impetuoso, tipo siglo XX, que produce y cocibe al vuelo de la máquina de escribir. En este año lleva publicados ya tres volúmenes. *El amor brujo, 300. 000 millones (sic)* y las *Aguafuertes porteñas*.
Es, sin disputa, por el momento, quien más produce y el que más trabaja. De paso, es uno de los escritores que más interesan en la actualidad". (En la contratapa de *Poemas de la Bruja y el Gorila* de A. F. Amores).

▼ 1934

Carta a una lectora (Véase: Cartas..., se reproduce completa).
Estimada amiga E. J. Arizaga

"Aguafuertes fragmentarias de la vida en el Sur" en Revista *Actualidad,* Año III, N°1, 1° de mayo-continuará.
Un hombre sensible en *La Nación* (burlería)
Escenas de un grotesco en la Gaceta de Buenos Aires, n°2 (esbozo de Saverio el cruel
La juerga de los polichinelas, La Nación.
La Muerte del sol (cuento) en *Mundo Argentino* (5-12-34) p-54ss. Cuento fantástico.

▼ 1935

"La mort du soleil". traducción en Revue Argentine en París. Une voix argentine en Europe. N° 6 del mes de febrero, p. 19ss. Director de la revista Edmond de Nerval (Seudónimo de Octavio Gonzalez Roura quien luego fundara en Buenos Aires "Argentina Libre " y "Antinazi", lo sucedió en el cargo Enrique Mendez Calzada.)La revista deja de publicarse en octubre de 1945 y ese último número incluye un índice de autores y materias de todas las revistas.

Enviado especial a España y Africa durante un año.

Le escribe a su hermana Lila en febrero de 1935:

Querida Lila… (Véase: Cartas…, se reproduce completa).

El 3 de abril le vuelve a escribir a Lila desde España (Esta carta está en poder de Raúl Larra)

El 8 de abril en *El Mundo* escribe: "Las Islas canarias Puertas de España". La nota incluye un retrato de Arlt.

"Comenzamos la publicación de las notas de Roberto Arlt, nuestro envido especial, nos envía desde el otro lado del mar. Espíritu curioso, comprensivo, dueño de una prosa ágil, con vibraciones propias, ha de sucitar, sin duda, en los lectores el interés que se ganado desde esta misma columna con sus aguafuertes porteñas…" A las doce de la noche el Santo Tomé atraca en el puerto de La Luz de la Gran canaria…". "Después de nueve días de viaje, el cuerpo tiene hambre de tierra…"

Las aguafuertes españolas se prolongan durante un año, todas se publican con fotos tomadas por el propio Arlt en el lugar del relato. Llevaba una Voilander y en algunos casos hay fotos del autor. El 24 de julio dice:"Con Blas Infante, el lider del andalucismo-El sentido de la amistad en España- Visita de despedida-me voy al Africa (Ultima nota desde Granada). Marruecos, Sevilla, Santiago de Compostela, Toledo y finalmente Madrid.

▼ 1936

Escribe una carta a Pedro Mario Olieski el 4 de abril. (Véase: Cartas…)

Colabora en una Revista de Madrid en la que intervenía Olieski (este material no le he visto)

En marzo inicia una serie de notas sobre Santiago de Compostela. Y a partir del 15 de abril hace notas de Toledo y Madrid.

Simultáneamente escribe "Cartas de Madrid", se trata de un registro de los últimos acontecimientos que ocurren en la capital española. Describe el atentado a Azaña, los preparativos de la guerra civil.

Sale de Madrid el 28 de abril de 1936 y en mayo ya está en Buenos Aires. España se estaba volviendo peligrosa. Apenas se reitengra al diario comienza a publicar en *El Hogar* Y especialmente en *Mundo Argentino* una serie de cuentos de temas africanos, en algunos casos son aguafuertes que se han coinvertido rápidamente en cuentos. Toma en estos cuentos muchísimos temas que ha bocetado en sus notas.

El Teatro del Pueblo estrena *Saverio el cruel*. Esta obra había sido escrita de otra manera con el título de *La cabeza separada del tronco* para lo cual Arlt consultó varias veces al Doctor Lerner debido a la inclusión de personajes dementes. L. Barletta retomó este original en 1964 y estrenó la pieza. Mirta, una de las hijas del escritor, denunció públicamente los agregados y luego de grandes discursiones registradas en el diario Propósitos, la hija del escritor se apropió de los originales y la obra bajó de cartel.

El escritor está en su mejor momento, por primera vez una compañía de teatro profesional decide estrenar una obra suya: *El fabricante de fantasmas*. La compañía de Perelli y Milagros de La vega presentan la obra en el Teatro Argentino. La temporada duró muy pocos días, la actriz principal Ester Podestá seducía y envolvía con tules el cuerpo de Perelli, esposo de Milagros de la Vega quién dio por finalizada la temporada.

Publica Aguafuertes españolas 1ra Parte-En la tapa hay un dibujo de la cara de Arlt/Buenos Aires. Talleres Gráficos Argentinos L. J. Rosso, Doblas 951 al 961. 1936. 212 pp. "Este libro se terminó de imprimir el día 4 de diciembre de 1936 en los Talleres Gráficos Argentinos de L. J. Rosso…"

> Dedicatoria:
>
> A don Antonio Manzanera:
> Cuando yo iba a emprender viaje hacia la tierra de Sancho y el Quijote, sin mediar ninguna amistad entre ambos, tuvo usted la gentileza de regalarme una guía gorda, "La península y sus colonias", más un bulto de cartas de presentación, que jamás utilicé en España, porque allí todos se parecen a usted, mi querido amigo: sin conocerle le reciben a uno con los brazos abiertos.
> Roberto Arlt

Las aguafuertes españolas no tuvieron éxito editorial, Arlt había modificado la estructura de algunas de estas notas y separó el libro en tres partes: Cádiz, Marruecos y Granada. Nunca publicó una segunda parte.

Entre Agosto y septiembre intenta la crítica cinematográfica junto a Calki.
Publica en *Mundo Argentino*: Debajo del agua.

Pascual Nacaratti posee un importante material epistolar no solamente con Arlt desde España sino con la madre del escritor que en ese momento vivía en Córdoba. Nacaratti me ha mostrado esas cartas pero consideró que no favorecían a Roberto Arlt, su amigo. De manera que aún no se han dado a conocer.

▼ 1937

"En el mundo de las letras: Roberto Arlt el vigoroso' novelista cuyo libro *Aguafuertes españolas,* que acaba de aparecer, es un nuevo exponente de su habilidad de narrador". Epígrafe a una fotografía de Arlt en la revista *EL Hogar,* 5 de febrero de 1937. p. 37

La isla desierta, estreno. , 30 de septiembre, compañía de El Teatro del Pueblo, el 30 de octubre de 1928 escribe un aguafuerte titulada "Divagaciones acerca del empleado" en donde se puede ver el antecedente de esta "burlería teatral". Agregar el cuento *El hombre del tatuaje.*

Muere su hermana Lila en Cosquín, Códoba.

Viaja a Santiago del Estero a raíz de las fuerte sequía.

"El Infierno Santiagueño" en *El Mundo,* 7 de dic.

Escribe en la revista *Ahora* (13-12-37) sobre el mismo tema de la sequía. Hay una foto con Homero Manzione (Manzi) junto a Roberto Arlt y un acápite anecdótico.

▼ 1938

Carta Querida Vecha (Véase: Cartas...)

Estrena *Africa.*

"Roberto Arlt está probando que es el dramaturgo del teatro de hoy. Ha devuelto al teatro su originaria libertad y toda la frescura y la inocencia -espontaneidad y verdad- que sólo alienta en las grandes obras. Su imaginación es prodigiosa, sus criaturas sorprenden y conmueven, sus bárbaras disonancias despiertan al espectador adormilado desde hace años en su butaca; convulsionan al hombre plácido a quién suelen hacer cosquillas los bufones de la escena común: enfurece a los críticos espesos, que tienen un andar mental de osos colmeneros; escandalizan a las poetizas y a las institutrices; amargan a esa "gente de teatro" que todavía vive en el medio lacustre de "un poco de arte y otro poco de emoción" y arranca alaridos de envidia a los "prestigiosos dramaturgos" que todavía escriben admonitorios discursos dialogados, a lo Ibsen." Pedro Gonzalez "Africa de Arlt", Conducta, I, julio 1938, p. 29.

Separación feroz (teatro) publica en *El Litoral* de Santa Fe.

▼ 1939

Conoce a Elizabeth Mary Shine, secretaria de redacción de *El Hogar* y secretaria del director de *El Hogar* León Bouché.

Consulta con el Doctor Eladio Di Tata debido algunos malestares estomacales y cardíacos. De allí que Junto con Cayetano Córdoba Iturvuru, El poeta Delgado Fito inician prácticas gimnásticas que luego Arlt describirá en cuentos y aguafuertes. se reunía en YMCA.

Las fieras (cuento) vuelve a publicar en *Antología de Cuentistas Rioplatenses de Hoy* realizada por Julia Priluzki Farnny.

En *El Hogar* y *Mundo Argentino* publica varios cuentos de temas árabes.

Antología de Cuentistas Rioplatenses, Edición Vértice, Buenos Aires, 1939. "La antología de cuentistas rioplatenses que venía publicando la revista Vértice, culminó con un volumen de 430 páginas en que figuran reeditados en conjunto todos los cuentos publicados anteriormente. Son treinta y cuatro firmas conocidas de las que, si no está todo lo mejor, ni son todos de lo mejor, puede, sí, afirmarse que está representado mucho de lo bueno que en la especialidad literaria del cuento honra a las letras rioplatenses.

Cada cuento está acompañado de una breve nota bibliográfica del autor e ilustrado por los mejores artistas del lápiz.

Un expresivo y conceptuoso comentario de la culta Julia Prilutzky Farny de Zinny, directora de *Vértice*, preside y justifica la colección.

Es de advertir que la sección de los cuentos que componen esta interesante colección antológica está hecha por los mismos autores."

En *Mundo Argentino* "La actualidad literaria" por Tirso Lorenzo, 27 de septiembre de 1939. p. 25.

Carta a Leopoldo Marechal fechada el 30 de octubre de1939.

"Querido Leopoldo:
te escribe Roberto Arlt.
He leído en la Nación tu poema "El Centauro". Véase: *Cartas;* se reproduce en su totalidad.

▼ 1940

Carta a su hija Mirta. Véase: Cartas...

Mirta Arlt publicó esta carta en la revista *Ficción Nº15/sep-oct/1958* p21. "Recuerdos de mi padre: a propósito de algunas cartas".

Mirta Arlt ha donado al museo del escritor de la SADE el material de tela gomificada. A partir de 1952 Mirta Arlt se traslada a Buenos Aires desde Córdoba con un propósito: reactivar la obra de su padre. Al principio colaboró con Raul Larra para reeditar la obra de Arlt y luego emprendió un gran número de ediciones y despertó el interés de cineastas para adaptar algunas novelas al cine. Ha realizado muchísimos prólogos a los textos de Arlt que fueron reunidos en *Prólogos a la obra de mi padre* (1985)editados por Torres Aguero editor.

Inicia trámites de divorcio pero al año siguiente Carmen muere.
La fiesta del hierro. (estreno)
Colaboraciones en el semanario *Argentina Libre.*
Viaja a Chile como enviado especial para escribir sobre la situación política y social. Muere Carmen Antinucci de tuberculosis en Cosquín.

▼ 1941

Corresponsal en Chile. Viaja a Chile su segunda esposa Mary Shine
Colabora en *La Hora.*
Se casa por segunda vez con Elizabeth Mary Shine en el Uruguay. el 25 de mayo, un día de fiesta permanente.
Un viaje terrible (cuento) en *Nuestra Novela,* publicación de los viernes dirigida por Alberto Insúa. 11 de julio. 64p-Incluye un breve curriculo del autor. (El cuento ya había sido publicado bajo otros nombres en 1938 y 39).
Bio-Bibliografía de Roberto Arlt.

> "Nació este notable prosista, de pluma fácil y fecunda, el 26 de abril de 1900 en la ciudad de Buenos Aires.
>
> Su obra, varia y rica, ha alcanzado amplia resonancia y círculo de lectores cada vez más dilatados, a medida que su firma iba adquiriendo justa nombradía desde las tribunas periodísticas en que ha colaborado y aún continúa colaborando. Se inició en el diario *Crítica* en 1926, año en que dio también a la estampa su primera obra de aliento, la novela, *El juguete rabioso.* En 1928 el jurado municipal premia su novela: *Los siete locos,* a la que siguen *Los lan-*

zallamas y *El amor brujo*. En ésta última época ingresa en el matutino *El Mundo*, donde acrecientan su fama unas notas cotidianas, entretenidas, jugosas, repletas de observaciones agudas y aciertos psicológicos que él titula *Aguafuertes porteñas*. A través de ellas se va viendo al escritor avanzar por el áspero camino del dominio del instrumento expresivo hasta alcanzar la plena posesión de sus medios literarios. Todavía vive en el recuerdo de muchos la emoción perdurable de su despedida de sus "aguafuertes", cuando tuvo que marchar a Río de Janeiro como enviado especial del diario.

Después de una rápida visita a España publica un volumen de notas de viaje por la Península. E incansable estrena en el *Teatro del Pueblo* las siguientes producciones: *300 millones, Saverio el cruel, La isla desierta, Africa* y *La fiesta del hierro;* y en el teatro San Martín, *El fabricante de fantasmas*.

En el diario *El Mundo* lleva publicados alrededor de dos mil artículos, y en las revistas *El Hogar* y *Mundo Argentino* unos cincuenta cuentos y novelas cortas." (Primera página de *Un viaje terrible).*

Vive en Larrea y Córdoba

"Una editorial chilena incluirá una obra de Roberto Arlt en una colección de novelistas donde figuran desde Walter Scott hasta Edgar Wallace. Arlt tendrá el honor de ser el único escritor sudamericano de la serie. Pero no se le abonarán derechos de autor, sino de traductor..." Recuadro en *Argentina Libre,* sección "de los cuatro vientos", 10 de abril de 1941, p. 6. (La ironía del texto se refiere a los cuentos "El criador de Gorilas").

La editorial Zig Zag de Chile incluye en su colección *Aventuras* Nº21. *El criador de Gorilas* (quince cuentos de temas africanos).

Carta a su madre desde Chile, aproximadamente en marzo. (Colección Raúl Larra).

Instala en sociedad con Pascual Nacaratti un laboratorio químico en Lanús con el propósito de gomificar medias para mujeres.

Escribe en *El Mundo*. "Escritores jóvenes de la América hispana", 22 de mayo, p. 6

"Luis Franco, poéta cósmico" en *Argentina Libre*, Nº 7, p. 8. 28 de agosto.

▼ 1942

Colabora en *Santa Fe de Hoy* en la primera página.

Carlos Muzio Saenz Peña le dice que tiene que irse como corresponsal a EEUU. Inicia estudios de idioma inglés.

Aprende a tocar el piano.

Publica cuentos en *El Hogar* y *Mundo Argentino*. El juicio del codi pruden-te-Los esbirros de Venecia (Ultimo cuento 1º de julio).

Espera ansiosamente el nacimiento de su segundo hijo a quién él llama "Tito".

Patenta el sistema de gomificación de medias, en sociedad con el actor Pascual Nacaratti, la sociedad se llama ARNA.
El desierto entra a la ciudad (teatro) termina de escribirla unos días antes de morir.

Viaja a Córdoba en las vacaciones de invierno para ver a su hija y a su madre.
De regreso a Buenos Aires muere el 26 de julio a la madrugada de un infarto múltiple.
Como estaba asociado a la *Asociación Crematoria* lo incineran y sus restos son esparcidos en las aguas del tigre. Esta tarea fue a cargo de Leónidas Barletta y Elizabeth Shine.
En octubre nace su segundo hijo Roberto Patricio
En la edición del 27 de julio *El Mundo* publica su última nota "El Paisaje en las nubes".

Conducta 1942/ *Roberto Arlt*
"¿Qué entiende la gente por buena persona?
Buena persona es aquel de quien los demás -y los diarios- dicen inteligente, honrado, diputado, virtuoso, distinguido, campeón de billar, presidente de ciertas instituciones; también son buenas prsonas aquellos que otros califican de hipócritas. Pero, principalmente, son buenas personas aquellos que dicen con palabras de su boca -o de su pluma- diversas moralidades más o menos tiernas, que incitan a los demás -aquí estoy hablando con bastante exactitud- a ser buenos, generosos, altruistas.
Todos estos seres humanos más o menos canallitas, son las buenas personas según la gente. ¿Y qué va a hacer la gente, si no tiene tiempo para meditar todos los lugares comunes? Está la gente, demasiado ocupada en hacer dinero para perder tiempo en revisar ciertos principios activos aunque informulados.
Acepta, pues, que sean buenas personas esos que dije. Y, por contra, son

---

malas personas aquellos hijos de Dios más o menos insignificantes, aquellos que no hablan sistemáticamente de la bondad, aquellos que tienen deudas, y, finalmente, aquellos que se acusan a sí mismos de algún pecado o delito.

A Roberto Arlt le gustaba jugar con estas absurdas leyes de la convivencia social.

Se divertía asombrando a la gente cuando invertía, por así decirlo, los signos correspondientes a las buenas y a las malas personas. Contaba de su amistad con rufianes, con falsificadores, con pistoleros; tenía una cita en Puente Alsina con un reconocido pequero; en fin, tipos de hampa y hez; y esto fuera nada, sino que lo escribía; y esto fuera poco, que lo divulgaba en papel impreso; y todavía más: lo publicaba, no ya en escritura de ficción, sino en aquel género que todos consentimos en estimar puro, sincero, auténtico: la autobiografía. Se nos pidió varias veces unas páginas autobiográficas; en ellas, Roberto Arlt, con textuales vocablos de su propia pluma, se desterraba a sí mismo de la esfera de las buenas personas (¿usted me entiende, verdad?) y extremando el juego, penetraba decididamente en la otra esfera, la esfera de las malas personas.

Se mostraba mentiroso. "He nacido el 7 de abril..." dice en la muestra de narradores jóvenes que compiló Félix Miranda Klix. En *Don Goyo* dice: "He nacido la noche del 26 de abril"... Confrontando esas dos páginas, uno no sabe cuántas veces lo echaron de las escuelas: si es que alguna vez lo echaron... Afirma que practicó todos los oficios, lo cual ha de ser cosa que reclamara un oficio por día...

Siempre con palabras suyas -documentos impresos, que tanto gustan a los historiadores papeleros y a los psicólogos con cátedra- dice que es egoísta, que se le importa un bledo la humanidad. "Curiosidades cínicas: me interesan entre las mujeres deshonestas, las vírgenes; y entre el gremio de los canallas, los charlatanes, los hipócritas, y los hombres honrados".

Se me ocurre ahora imaginar qué desastroso retrato personal de Roberto Arlt haría el futuro historiador de la literatura argentina, cuando, componiendo su librote, y precediendo al juicio estrictamente crítico, utilizase esos "documentos humanos" de primera mano, esas confesiones directas del mismo Roberto Arlt, dándole plena fe...

Ah, qué valdría entonces mi sencilla opinión -mi sentimiento profundo- y las opiniones y sentimientos de sus otros amigos, que conocimos al autor de *Los siete locos,* hombre más bien tímido, imaginativo, ingenuo diría y esto lo fundamentaría, pero no tengo tiempo; generoso y capaz de realizar sacrificios a la amistad?

No era egoísta. No menospreciaba a la humanidad. No es cierto que pensase demasiado en sí mismo. No sé que haya cometido ningún delito. En cambio, lo he visto vivir sueños generosos, y lo he visto -atención, lectores- lo he visto realizar conductas generosas.

¿Cómo, entonces, creer en sus despropósitos verbales, en sus fanfarronadas cínicas, en su inmoralismo?

Personalmente, afirmo con energía la lealtad de su amistad. Afirmo su cordialidad, y niego sus propias palabras de egoísmo, de cinismo y parecidas.

Sólo, había que descascararlo para encontrarle su ser auténtico: descartar las insólitas frases, distinguir la imaginación -y cómo era rico y exótico de esto...- de la realidad; graduar sus distintas actitudes, percibir su rechazo de todo sentimentalismo verbal; y darle valor a sus simpatías y amistades.

Y así, resultaba un gran amigo; interesante, conversador, hablaba y escuchaba; decía de sí mismo, cierto, pero también preguntaba por uno y repreguntaba, interesándose por otro que no él.

Ahora está muerto, él, Roberto Arlt. La muerte, la muerte de él, de Roberto Arlt, como la muerte de un amigo, de un hijo, de un ser estrechado a uno, crea una percepción "indirecta" de la muerte. "Sentimos" la muerte, la sentimos andar por ahí, de modo indirecto, como, usando una imagen física, como vemos, por ejemplo, entrar a una habitación a alguien, pero lo vemos por el espejo... Así pudimos sentir la muerte, nosotros, los amigos de Roberto Arlt, cuando murió Roberto Arlt. Bueno, dejemos esto..."

Roberto Mariani/28 de julio de 1942

3. DE LAS CARTAS

3.1. CARTAS ESCRITAS POR ROBERTO ARLT

Hay muchas cartas de Arlt dispersas, algunas difícilmente podamos leerlas. Pascual Nacaratti me ha mostrado cartas de Arlt escritas desde España y una serie de cartas de la madre de Arlt. El actor ha preferido resguardarlas por considerar un material sumamente dramático.

Raúl Larra me mostró algunas notas en unas libretas pequeñas con fórmulas químicas. También posee un par de cartas de Arlt, algunas reprodujo, incompletamente, en su libro sobre Arlt.

"Arlt fue un hombre que vivió casi permanentemente enamorado. Y esa exaltación le dio impulsos, entusiasmos, inspiración para trabajar duramente en su obra. Entre nuestros papeles conservamos copia de unas crats de amor que Arlt dirigiera a una amiga suya en uno de los períodos más intensos y fecundos de su vida, cuando había terminado de escribir *La isla desierta* y estaba componiendo *África*. A lo largo de esas cartas es visible la claidad de su ternura, que no aparece en su obra porque de intento se propuso rechazar toda caída sentimental" (Raúl Larra)

▲ *Carta a su madre*

-Querida Vecha.

Recibí su carta. Usted se queja de que no escribo. Es lógico. Usted tiene todo el día para mirar las estrellas, yo desde que me levanto a las nueve de la mañana a las una *(sic)* de la noche que me acuesto estoy archiocupado. Estudio 3 horas diarias de piano, dos horas de inglés, vengo al diario, trabajo en traducciones de inglés que comenzarán a publicarse en el diario, escribo cuentos para jirárselos a usted, y todavía tengo que recibir sus reproches por no escribirle. Como quiere que tenga ganas de escribir después de tanto trajín. Pero usted no entenderá jamás eso.

Novedades:

1º Parece que me van a dar un premio por la obra de teatro que en cuanto llegue a Mina Clavero me puse a corregir. Si me dan el premio liquedaremos las deudas de allí.

2ª La Mirta tiene una extraordinaria mano para el dibujo, de manera que no va a ir al Liceo ni normal como pensábamos sino que entrará en la escuela de Bellas Artes. El Director ha visto los dibujos de Myrta y me dijo que como ésta siga así dentro de 2 años puede trabajar en *El Mundo* como dibujanta. Hay una gran artista en ella.

3ª La Carmen se peleó ferozmente con la Aída, o mejor dicho Aída le escribió una carta insultante a la Carmen, Carmen le contestó otra, luego la Aída otra y ya no se escriben y el día que se encuentren se arrancaran los pelos, cosa que me divierte la mar.

4ª. Las chicas esas que estuvieron en Cosquín, en su casa me hablaron por teléfono, yo les hablé una vez pero no he tenido más tiempo de ocuparme de ellas, porque las mujeres hacen perder mucho tiempo y yo no puedo perder una hora. Trabajo a todo vapor, el piano, en el que voy muy bien, exige mucho tiempo, como no tengo piano voy todos los días a tocar al piano del Club del diario, mañana y tarde, luego estudio de teoría, solfeo, deberes escritos, inglés, literatura… se dará cuenta que la única hora libre que tengo por la noche y esa voy al cine parta descansar la cabeza.

Deseo que se mejore, saludos y abrazos. Le diré a Mirta que le escriba. La Mirta pasó a 1er año superior de danza y a segundo de inglés, está bien y trabaja también como una bestia. La Carmen parece una gallina entre dos águilas comparada con nosostros. Abrazos y besos de Roberto.

Querida Vecha. (Circa: marzo de 1938)

Recibí su carta.

Vamos por partes.

Llegaron Carmen y Myrta y ambas me han dicho que usted está bien, pero muy bien de salud y vivacidad. De lo que me alegro, pues lo mismo me dijo Tuñón, por lo que veo que es cierto.

La obra gusta mucho. No le gusta a mis amigos los que escriben, pues todos le encuentran algo. Unos le encuentran esto, otros aquello y los de mas allá, tuercen la nariz indignados como si yo hubiera cometido un crimen por estrenar. *La Nación* se ha ocupado muy bien de la obra, *La Prensa*, en media docena de líneas dijo poco menos que yo era un bestia.

El público gusta una enormidad de la obra. Término medio, el teatro está lleno hasta el techo, de manera que la sala repleta de público es de por sí un espectáculo interesante. Cuando se levanta el telón, aparece un poblado árabe de un color que tira de espaldas de tan bonito, y un ciego que empieza a contar unas historias, y de pronto se hace la oscuridad y luego aparece otra vez la luz, y la gente comprende que todo lo se representa en el escenario es lo que cuenta el ciego.

La obra dura 2 horas y 15 minutos. Esta dividida en 5 cuadros y un prólogo y el público, de pie, sentado, en las alturas más incómodas se aguantan sin chistar las dos horas.

Usted me dice que se aflige por no ver este estreno. No se preocupe, que este invierno, el teatro del Pueblo estrenará otra obra mía, que ya les tengo entregada y además quieren también estrenar el Fabricante de Fantasmas que se estrenó el año pasado. De lo que no queda duda es que hay en mí un verdadero autor teatral, y que mis amigos, broncan secretamente y a la vista, pues el que más y el que menos es un buen envidioso.

Africa no sólo gusta como obra teatral en sí, sino también como una sucesión de cuadros de color, pues el primer cuadro como dije es un mercado árabe, el segundo cuadro el interior de un harem, el tercero la joyería de un árabe y el cuarto el interior de una casa morisca.

Además hay momentos en que se siente una música árabe lejana, lo cual crea una atmósfera poética seductora.

Actualmente tengo en estudio el argumento de otra obra terrible.

Los aplausos no producen mayor emoción como usted cree. Lo que emociona es ver la gente aguantarse 2 horas de plantón en el paraíso. Eso sí que da claramente una idea de lo que interesa y atrae a la obra a este público.

El público del sábado a la noche, lo forman verdaderas multitudes incultas y groseras, pero esta gente inculta y grosera reacciona con toda justeza en los puntos de la obra en que el autor pensó que debían reaccionar mientras que la gente culta permanece impasible, lo que demuestra que el verdadero autor teatral debe trabajar su teatro teniendo en cuenta las reacciones de estas masas incultas no las minorías cultas, envidiosas, prevenidas y despojadas de ingenuidad y sensibilidad.

En fin, estoy contento.

Para fines de Abril ponemos departamento, mejor dicho casa, así que usted ya sabe si quiere venir por aquí, La casa estará bien amueblada, pues nos gastaremos más o menos 500 pesos en arreglarla, he iremos a comer todos a un restaurant italiano, muy bueno, cerca de la casa que alquilaremos, para evitarnos toda clase de líos. Además allí se come muy bien y otras veces nos han enviado vianda.

Mi *(sic)* sigo con el piano, 4 horas diarias.

Querida Vecha, le he dado noticias de todo. Carmen y Myrta bien. Reciba un abrazo de Roberto.

▲ Carta a su madre

Querida mama: (Circa Dic 1940/Desde Chile).

Espero que al recibo de ésta se encuentre bien de salud. Yo bien, trabajo mucho y estudiando más, pués nada conocía y me imaginaba de un país como este. Está a un paso de la Argentina y por su abadono o miseria, y decadencia es peor que Africa. La capital un barrio de Buenos Aires, la Boca o Mataderos.

Para nosotros los argentinos que traemos dinero la vida es barata, pero para los nativos la vida es sumamente cara. La ropa cuesta como en B. A. y los sueldos máximos son 200pesos. Una sirvienta gana en la capital 10 por mes.

La gente no come prácticamente. Las estadísticas demuestran que la gente consume apróxiimadamente 8 gramos de carne por día. Las dos terceras partes de la capital están formadas de conventillos coloniales, conventillos de una cuadra de largo, con tejas de la época de San Martín. Hay 4, 5, 7 y hasta 10 personas viviendo en una sola pieza. Los casos de 2 y 3 matrimonios viviendo en un mismo cuarto son frecuentes. Y vea que país.

Yo también,
Todos los transtornos que padecía del corazón se han pasado, lo que me hace creer que esos trastornos no eran del corazón sino de origen gástrico, provocados por los mejoradores químicos que en la Argentina, los panaderos le hechan al pan. De otra manera no se explica como es posible que aquí pueda tomar vino, comer comidas con salsas, y no sufrir absolutamente nada ni del estómago ni del corazón.

De trabajo voy bien. Actualmente estoy preparando una obra de teatro cuyo plan traje de Bs. As y cuando termine ésta prepararé otra sobre "Elena de Troya", cuyo plan también tengo hecho.
Estos días pienso irme al sur, dicen que es una de las partes más lindas del mundo en cuanto a paisaje de lagos. El gobierno me regala pasaje de tren.
Cuando termine mi vuelta por el sur, pasaré al norte para visitar a la zona salitrera y desértica y luego pasaré si el diario no dipone otra cosa a visitar el sur.

Aquí en Santiago vive Raúl Gonzalez Tuñón con quien me veo frecuentemente y que es un muy gran amigo y muy buen muchacho.

Bueno Querida vecha, le he dado noticias de todo. Reciba un fuerte abrazo de su hijo y si quiere escribirme diríjame la carta al "Consulado Argentino Consulado de Chile, Roberto Arlt".
Deseando tenga un feliz año nuevo, otro vez, reciba un abrazo de si hijo.
Roberto.

▲ Carta a su madre

Querida mama. (Circa 1941).

Ayer después que te escribí me llamó el químico por teléfono para que fuera a verlo a la casa. El asunto esta ya en su base terminado. Ahora falta perfeccionar detalles de presentación.. Si queda más bonito de este modo que de aquel. El lunes me van a entregar muestras más perfectas. Estoy contento. Vamos a ver que es lo que pide el hombre ahora. Creo que el asunto pronto estará en marcha, aunque no sé de que modo, pues por una parte tengo ofertas de capital y por la otra tengo que ver a un importante fabricantes de medias interesado en el asunto.

Si tuviera que escribirte los trabajos que he pasado tendría que hacer una novela. En la casa de pensión donde vivo están asombrados de mi paciencia y constancia.

Me he portado como un tigre.

Bueno, reciban abrazos de Roberto.

▲ Carta a su hermana Lila

(Circa 1929-1930: Acaba de publicar *Los siete locos,* que está dedicado a Maruja Romero, con quién Arlt mantiene una excelente amistad).

Querida Lila.

Recibí tu carta. Lo que pasa entre Carmen y yo es sencillamente esto: Nosotros no tenemos nada que hacer juntos. Me entendés. Ella es una mujer de otra raza, como yo lo soy de otra. Ella tiene intereses completamente distintos a los míos en la vida. No nos queremos y lo más grave es que nunca nos hemos querido. Ella debió haberse casado con otro individuo, eso es todo. Lo que ha ocurrido es el estallido de cosas amontonadas adentro hace tiempo. Siento que tu te mezcles en estos asuntos tan serios, serios porque el único remedio que tienen es la separación completa.

No se si tú la conoces o no a Carmen. Yo ya la conozco suficientemente. Si no la conociera te la pintará este detalle. Fue a Ausonia con el reloj que yo le había regalado a Maruja Romero. Y que ella me había devuelto. Este solo razgo de tan poca delicadez te pintará entera a la mujer. Hay otros más serios, yo no tengo tiempo ni ganas de enumerarlos.

Haceme el favor no me escribas más nada al respecto, porque me molestan que me recuerden a ese mujer. Si por razones de comodidad preferís creer que estoy loco, me harás un gran favor. Esa opinión soluciona muchos problemas que no tienen solución en los otros si no en uno mismo. Algún día en un libro, será el más espantoso que escriba, y lo empezaré pronto, contaré mis relaciones con Carmen. Mi vida de sufrimiento con esta mujer desde que me casé... tengo tantas y tantas cosas que escribir y que contar, a favor y en contra mio que ahora sé que todo lo que se ha escrito y vale, vale porque ha sido escrito con sangre.

No se bajo que aspecto la conoces a Carmen, ni me interesa. Lo único que yo sé, es que no es buena, al menos para mí. Al lado de ella no he estado nunca cómodo, nunca alegre, ella como mamá y como papá, lo único que han sabido hablar es de dinero, siempre de dinero. Si tuviera las cartas de Carmen, podría demostrate que no ha escrito una sola carta en la que no me hablara de dinero. De cariño no sabe esa mujer de cariño. Tiene un corazón de piedra. Es dura, parece tan fría que en los momentos más álgidos no pierde nunca la calma y combina algo para dañar o herir.

Su cariño no me ha servido nunca para nada. Si he hecho barbaridades a granel, se debe a que me encontraba mal a su lado, y cuando un hombre no encuentra cariño en la mujer que tiene al lado se embarcan en cualquier aventura aún con una atorranta.

Parte de lo que he sufrido al lado de esta mujer esta en *Los siete locos* en el capítulo de la Casa Obscura.

Esta mujer no ha tenido lástima de como yo no he tenido lástima de ella. En el fondo éramos enemigos, cuando yo descubrí que hacía barbaridades porque buscaba una mujer que me quisiera de verdad, la detesté porque ella sólo había sabido hacer lo que hacía en su casa. Lavar planchar, pero no tener un sólo gesto amoroso para el hombre que tenía al lado..

No se quién te ha metido en la cabeza eso de casarse con un hombre que tenga dinero aunque no quieras. No hagas nunca ese disparate. Volviendo a lo mío, tengo que decirte que entre el verdadero amor que una mujer le tiene a un hombre y lo que Carmen entiende por amor media una distancia de leguas. Más aún, si te parece poca la diferencia que hay entre nosotros te diré lo siguiente:

Ella permanece impasible leyendo un libro que a mi me hace llorar a gritos Qué querés... Somos dos sensibilidades distintas. Dos vidas distintas. El único punto de contacto el instinto, satisfecho éste (sería más cómodo ir a un prostíbulo) no queda entre nosotros sino frialdad y desgano. Qué querés que hagamos juntos, decime. Estoy en un momento de mi vida en que tendré dinero y tengo experiencia para ensayar otra vida. Si ese ensayo fracasa, tengo energías, talento y fuerza para separarme de lo que no me conviene. Pero ahora sé que lo que no me conviene es esa mujer. Mira, tengo tantas cosas que decirte, que no terminaría nunca. He caminado mientras tú estabas estancada. Y lo único que sé que la casa Antinucci y la casa Arlt, han sido las peóres que me han sido dadas conocer en mi vida. Nuestra madre una egoista, nuestro padre un egoista, que querés. Qué decirte de la casa Antinucci. Eso es peor. No quisiera hablar todas estas cosas con tu, porque a tu bien te quiero, más de lo que tu puedas creete, lo único que puedo decirte es esto: No hay un sólo crítico de mi libro que no haya escrito. Lo grande de ese libro es el dolor que hay en Erdosain. Pensá que yo puedo ser Erdosain, pensá que ese dolor no se inventa ni tampoco es literatura, ese dolor es el que he llevado al lado de esa mujer en ocho años de condenación. Ocho años de angustia... ... ..., ocho años que son mi... ... ... sabes, tantas cosas hay que pretende esta mujer de mi. Que la quiera. Cómo quererla si ella no tuvo lástima de mí. Quiso que fuera hasta aprendiz de almacenero, para salvar su plata maldita. ¿Por qué no se casó con un tendero en vez de casarse con un escritor?

Podría pasarme días y días escribiéndote angustias, humillaciones, sufrimientos, deseos, deseos frustrados, malos gestos, rabias, peleas, desprecios, insultos, pensá que he ido a los prostíbulos, que he tenido relaciones hasta con sirvientas, porque con esta mujer faltaba la delicadeza amorosa de acercarse a un hombre y hacerse respetar por su bondad. Qué sabes tú Lila de lo que es la vida. Cuando yo le he dicho estas cosas a esa mujer me contestó: tú sabes hablar bien, tu ves lo tuyo, tu sabes escribir, por eso impresionas. Como si lo que escribiera o dijera no se refirieran a hechos reales, tremendos.

Mirá Lila, te escribo esto porque necesito desahogarme. Necesito escribir mucho para deshogarme. He llorado hasta por las callles al pensar en el desastre que era mi vida cuando todos los acontecimientos exteriores solo debían proporcionarme felicidad, orgullo, alegría. Soy el mejor escritor de mi generación y el más desgraciado. Quizá por eso seré el mejor escritor.

Esto no podía continuar. Cuando esta mujer se separó de mi la primera vez, al volverse a reunir a mí, me dijo: Si vos me dejabas no iba a hacer vida honesta: para qué. Razono mucho en torno del problema de la honestidad, lo que me dí cuenta fue de esto. O mentía, o interiormente era una cínica que me explotaba. Otra vez me dijo: Yo no me explico que seas tan idiota en mantener a una mujer que no te quiere. Tú dirás que son frases. Es Posible. Pero las frases reflejan siempre un estado subconsciente.

Desconfianza, amargura, malos pensamientos, eso es todo lo que me surgirió esta mujer. Al lado de ellaa no tengo un sólo buen pensamiento. Al lado de ella como al lado de un enigma, tiene la virtud de hacerme pensar monstruosidades. Y yo no puedo vivir así. Yo tengo que realizar una gran obra, tengo que vivir tranquilo, necesito a mi lado alguien que me quiera, tú no sabes lo que es el cariño de la mirada, del gesto de la sonrisa, frente a la indiferencia del gesto, la mirada y la sonrisa.

Yo tengo derecho, me he ganado la felicidad si la felicidad existe. No soy un chico.

Y sé que todo esto que necesito, al lado de esa mujer no lo encuentro. Eso es lo esencial.

De allí que tengamos que separarnos. Es decir divorciarnos. Que ella siga su camino yo el mío. Si ella me quiere, no ha sabido exteriorizar su cariño como no saben los tartamudos exteriorizar la palabra. Eso es todo.

Querida Lila, no sé si me has comprendido. Creo que te he demostrado que no estaba loco. Ni ella lo está y si lo está es porque se encuentra frente a un problema grave, frente a un problema que en Cosquín, cuando vivía, se lo anticipó con estas palabras:

-Mirá, algún día te vas a arrepentir de como procedés conmigo. El día ha llegado. Para Carmen, que procede mal con mucha gente tienen que llegar muchos días como éste.

Ella no ha tenido consideración de nadie porque en la casa se ha criado así. Y que diablo, recoge los frutos que ha sembrado.

Hermana, besos a Mirta y a mama y un abrazo de tu hermano Roberto.

▲ *Carta a su hermana Lila*

Querida Lila:

Aquí te mando la fe de bautismo.

Que tal ustedes. Yo... no te vas a caer de espaldas... salgo el 14 o sea el día jueves para España. Me manda el diario por 3 o cuatro meses. Espero poder girarles 100$ mensuales por esta razón.

El diario me ha aumentado el sueldo para mientras esté allá, 150$. Como la vida es barata, al menos tan barata como aquí, espero poder mandarte mensualmente esa cantidad y me quedarán para vivir, todavía 200 mensuales. Haré notas. Voy directamente a Cádiz. Al mismo tiermpo, allá, tramitaré la negociación de mi patente. El asunto de las medias marcha bien. Tuve que largarlo a un químico haragán que tenía y hacerlo trabajar a otro inglés, con quién iré a medias, pero que en diez días, he hecho lo que el otro no hizo en 3 meses. LLevo para España, muestras importantísimas.

El caucho se puede teñir de los colores que se quiere.

No puedo darte mi dirección en España porque no sé cual será. Si a tu te pasara algo te dirigís al director del Mundo, Río de Janeiro 300, señor Carlos Muzzio Saenz Peña. Además Carmen irá a Córdoba, y como nos hemos amigado otra vez, ahora antes de irme, creo que se verán. Mirta muy bien, y mi no te digo nada de lo contento que estoy.

Como sigue la vecha?

Yo me embarco 14, en el barco Santo Tomé. Llegaré a 1º de Marzo a Cádiz... ... ... que si se te ocurre escribirme, podés hacerlo al Consulado Argentino en Cádiz. En Cádiz estaré unos días, luego empezaré a recorrer los pueblos, tambiéniré a marruecos, Africa y a Portugal.

También tratré de meter mis obras de teatro en España.

Bueno querida hermana, recibí un abrazo para tú y la vecha, y quedate tranquila.

Chau, hasta la vuelta. Roberto.

▲ *Carta a su hija:*

Elisabet y yo, como siempre, lágrimas y sonrisas, besos y patadas. Como de costumbre somos la piedra del escándalo de las honradas pensiones. Es el amor. Creo poder asegurarte que a Elizabet las patadas la embellecen. Si nos… … que no conviene hablarle a la vieja del asunto que te tengo pedido, qué opinás de Capilla del Monte o Yacanto para ir a pasar las vacaciones.

Bueno querida Mirtita, someramente te he dado noticia de todo lo que puede interesarte. Escribime pronto y recibí un fuerte abrazo de tu papá que te quiere. Roberto.

Querida Mirtita:

Recibí tu carta. No es para tanto un aplazao. Partí del principio que nosotros los Arlt nunca hemos sido fuertes en gramática y ortografía. Yo todavía no sé a ciencia cierta que diferencia existe entre un verbo y un adverbio.

En cuanto a ortografía no necesito darte referencias. En cuanto al viejo de mierda ese, paciencia. Volvé a dar el examen y toma ese asunto con la tranquilidad que hay que tomar todos los asuntos debajo del sol. Si vos situás en otro planeta a una muchacha que aplazan por ortografía y gramática te darás cuenta que eso no tiene importancia. Estudia otra vez y listo.

No te he escrito con la frecuencia que quisiera y tampoco he ido por allá, porque constantemente estoy ocupado con este asunto de las medias, ya que queremos salir comercialmente con los primeros fríos. Y vamos a salir.

Fijate vos que estaba invitado para pasar semana santa en el Tigre, no he podido por los trabajos. Te mando aquí un pedazo arrancado de una media tratada con mi procedimiento. Te darás cuenta que sacándole el brillo a la goma (me van a entregar ahora una goma sin brillo ni tacto como el que tiene esta) el asunto es perfecto. Tendrán que usar mis medias en invierno. No hay disyuntiva.

Describirte las pruebas y trabajos que he efectuado hasta la fecha es escribir una novela. Con decirte que mediante pruebas y trabajos sucesivos he conseguido reemplazar una pierna de aluminio que costaba 100$ por una pierna de madera revestida de plomo cromado que cuesta 15$. Es fantástico. He tenido que invertirlo todo, y sin trabajo y hacer pruebas no era posible.

Escribime diciéndome que impresión te produce este pedazo que te he enviado. Se puede lavar con agua caliente. No calentará la pierna en invierno porque su temperatura interna se contrabalanceará con la temperatura externa. Bueno, como ves, no pierdo tiempo. Esta media durará por lo menos un año. Su transparecia, es notable. Ponele un papel impreso atrás y podés leerlo.

Querida Mirtita, tené la seguridad que esto pronto estará en marcha comercial. Yo no pierdo un sólo día. Todos los días trabajo en esto, para ponerlo a punto industrialmente ya faltan muy pocos, detalles, pero detalles que hay que ultimar. Dale saludos a mamá y recibí un abrazo de tú papá que te quiere y recuerda siempre. Trabajá en el inglés con el mismo ánimo que yo trabajo en las medias. Chau linda. Roberto.

▲ Carta a Leopoldo Marechal

"Querido Leopoldo: (30 de octubre de 1939)
Te escribe Roberto Arlt.

He leído en la Nación tu poema "El Centauro". Me produjo una impresión extraordinaria, la misma que recibí en Europa al entrar por primera vez en una catedral de piedra. Poéticamente, sos lo más grande que tenemos en habla castellana.

Desde los tiempos de Rubén Darío, no se escribió nada semejante en dolida serenidad. He recortado tu poema y lo he guardado en un cajón de mi mesa de noche. Lo leeré cada vez que mi deseo de producir en prosa algo tan bello como lo tuyo se me debilite. Te envidio tu alegría y tu emoción. Que te vaya bién."

Roberto Arlt

▲ Carta a Mario Olivescki

Querido Olivescki:

Te escribe el estómago agradecido de Roberto Arlt, no Roberto Arlt, que jamás se dignaría perder tiempo en dirigirse a un truán de tu magnitud. Pero como el estómago predomina y es eje de esta humanidad, desciendo de mi pedestal, y digo. Yo te saludo hombre de la barba de diamante y de la espalda de oro. Te saludo con todo el respeto que me merece tu bien provista despensa. Y te saludo después del descubrimiento que he hecho anoche en la asquerosísima cocina de la pensión donde habilidosamente un canalla fascista, nazista mejor dicho, porque es alemán, me prepara un sarcoma a plazo fijo en la base del duodeno. Escúchame, honorable descendiente de la tribu de Leví: Resulta que eran las tres de la mañana, y hambriento daba vueltas en mi cama cuando di en la cruel ilusión de ir a proveerme de algo que merendar en la cocina de este que te digo, mi asesino a plazo dijo. Fui a paso de gato (el gato que tú eres) hasta la cueva donde el bandido guarda su preciosos tesoros, y he aquí abro lo que era un cajón con rejillas a un patio, un cajón constantes, y en los estantes había platos con sobras, con pescado frito, con recolección de los platos que eran sobras de entremeces, y también había un pan de mantequilla, y un trozo de jamón, y yo me horripilé al ver esa disforme mescolanza de alimentos en diferentísimo estado de conservación, unos hediondos como el trasero de una simia y otros frescos relativamente, y también había requechos de verdura, como esos requechos que ornamentan la superficie de los cajones de basura, y había langostinos, pero langostinos en sus restos que dos días antes habíamos merendado, y fue tal el asco que me produjo toda esa incongruente mescolanza, que sólo le di un asalto épico al jamón y a la mantequilla, a una jarrita de leche y a un trozo de chocolate. Y una vez que me hube alimentado, razonablemente, me fui para la cama y me dije: ¡Oh, si Olivescki estuviera aquí! Dónde estará a estas horas ese descomunal rufián. Cómo gozaría de mis padecimientos. Cómo su larga y gorda lengua de vaca, se relamería la descomunal nariz pensando en la bazofia con que me envenenan. Pero tú no estás, Olivescki. No está tu diligente Maruja, ni la hermosísima y basta Encarna, ni la nerviosa y fina y egipcia Nara, ni el moluscoso Enrique, pesado como una bolsa de patatas. No, no estáis ninguno de vosotros, para compadecer mi existencia, digo, mi estómago, que malandrines bajo la figura de prudentísimos hoteleros, acechan con todas las crueles herramientas de la enfermedad.

Y por eso te escribo. No yo, sino mi estómago. Mi estómago que ha hechado dos manos para teclear en la máquina.

Recuerdo tu mesa, Olivescki. Recuerdo tu gesto doloro cuando presentías un amago al pan negro o a la mantequilla. Recuerdo tu mirada ligeramente húmeda como de una ternera cuando me veías alargar el brazo hacia un garrafón de vino. Recuerdo ese gesto de alivio cuando yo decía que un plato no me gustaba. Recuerdo esa contracción nerviosa de todo su corpachón de hombreador de fardos, cuando elogiaba una fuente bien cargada. Cómo padecías, canalla, al ver que mi estómago tenía capacidad para tus enormes viandas. Con qué odio me mirabas cuando yo, bien alimentado, aflojaba el cinto y te miraba irónicamente y te palmeaba las carnudas espaldas de cuadrúpedo satisfactorio. Has padecido y por eso escribo, porque como dice el Juez de Racolnikoff, siempre se vuelve por el paraje del crimen. Y yo sé que de continuar merodeando por tu casa, tu gordura se hubiera derretido, tu fácil sonrisa de comerciante de baratijas deviniera una lánguida mueca, y que esa vitalidad que alardeas, se te hubiera convertido en un sistema nervioso de hilos de plomo que te mantuviera inmóvil en una silla. Pero me he ido y respiras. Sí, ya lo sé. Respiras. Respiras alegremente como novia, cantas alegremente y adornas tu testuz de buey con coronas de rosas y violetas. Eres feliz, canalla; eres feliz frente a tus libras de manteca, frente a tus odres de vino; te regodeas como un pavo real ante los bultos de tallarines, ante las cajas de conservas, frente a la fruta finamente protegida por volubles cortezas de papel de seda.

—Qué has hecho, miserable: mientras que tu hermano, el grande, el digno, el hermoso Roberto Arlt, padecía penurias e iniquidades a mano de menestrales taciturnos, tú eructabas la abundancia que Dios ha enviado sobre sus desmantelados hijuelos. ¿Y qué responderás tú, taimado Olivescki? Dime, ¿qué responderás? Porque el Angel de la Piedad es justo y recto, penetra todas las intenciones, ¿y cómo justificarás ante él esos derroches de viandas, al tiempo que tu hermano sufría hambres, privaciones, miserias?

Grave punto es éste. Pero aun, si se tiene en cuenta que me has escrito una carta burlesca, jactándose de la abundancia que reinaba en tu mesa, mientras que la mía estaba desolada como la de la viuda, se descubre que a la iniquidad has sumado la consumacia. Lo menos que puede pasarte, empedernido Olivescki, es que se te produzca como a Herodes el grande, una úlcera en el ano. Y que como a Herodes el Grande, gordos gusanos blancos te devoren el estómago. Y aunque te cubran con fango no te aliviarán los dolores y aunque te den leche de perre a beber, no se te calmará el fuego que te devore las entrañas. Ten cuidado, no te jastes de la abundancia de tu mesa, porque se te pueden descalcificar los huesos, y quedarás tendido en un rincón, elástico como un aborto de goma. No es que yo desee ardientemente que te ocurra todo esto, pero hay muchas probabilidades de que te pase. Y me sería sumamente doloroso tener que ir a visitarte al muladar de Job, para alcanzarte una teja con que rascarás la picazón de tu carroña. Aparte de todo esto hermoso, supongo que mi carta te te habrá alegrado. Que la parvulita a la cual han puesto el aprobioso nombre de Tibidabo (que Dios le seque los testículos al que tal inventó) esté bien de salud, que tu mujer ídem, y que el matrimonio continúe queriéndose con la misma ternura de siempre. Yo feliz, me marcharé de aquí el 28. En cuanto a la máquina fotográfica y a las alcahueterías malintencionadas que me transmites, no me interesan. Sé de sobra la catadura de esos artefactos con que se engaña la inveterada tontería de aficionados a mecanismos raros. Para cada idiota un aparato, ha dicho no sé quién. Si sales a la calle, encontrarás otros varios aparatos que te interesarán. No quiero insinuar con ello que tú contengas varios idiotas, pero ten cuidado. Saludos a todos. Si tienes un rato de tiempo, escríbeme, te lo agradeceré. Cuéntame cómo marcha la Sepulturera y el barrio Chino. Los recuerdos a todos ustedes con cariño. Un abrazo de R. A.

POSDATA: Con auténtica simpatía saludos a Maruja, Nara y Enrique. Queda exceptuado el señor Olivescki, cuya índole perversa es semejante a la del camello, cuya rispidez salvaje es tan cruenta que confunde los palos con caricias.

▲ *Carta a una desconocida*

"Querida, querdísima, que agradecido le estoy de que haya venido a mi encuentro. Qué agradecido le estoy de que me haya tomado de su mano y me haya hecho entrar a su mundo y desear su mundo. Qué fuerte y maravillosa es usted. Qué segura y qué forma. Hay momentos en que concretamente desearía recibir un apasionado beso suyo (este es uno de esos momentos); en otros no pienso sino en la dichosa estructura de nuestras vidas, que permite a uno, encogiéndose de hombros frente a todo lo demás diga: Por Fin... !"

..."Ay querida, ¿ y no la habré aburrido? Pero estoy encantado con usted. Enamorado tímidamente de usted. No me atrevería darle un beso. Y me deja encantado el no atreverme. De verdad me gustaría echarme a sus pies y dejar la cabeza sobre sus rodillas. Impregnarme de su fuerza. Posiblemente usted ya duerme, Pero yo pienso que es lo mismo. No la veo a usted dormida, sino despierta. Tengo curiosidad de saber qué me va a dar usted. Qué nuevo Roberto Arlt va a modelar con su fuerza. No se olvide que siempre somos hijos de mujeres. Que cada una talla un pedazo de nuestra posibilidad".

Roberto Arlt

Cosquin 30. 6. 1939

▲ Carta a una lectora

B. A. -2-3-34.

Estimada amiga E. J. Arizaga

Recibí su carta, la leí, quedé un rato con el sobre en la mano al tiempo que pensaba en ese libro hace tanto tiempo escrito, y heme aquí ahora contestándole, al tiempo que anteriormente tengo curiosidad de saber de usted, como es, y que vida realiza.

La vida.. es decir ... contestaré a sus preguntas.

Silvio ama la vida, porque comprueba que encierra en él las posibilidades de realizar lo que se le antoja. No lo detiene ningún escrúpulo.

Instintivamente el personaje sabe que la vida se pierde y la barata, si falta en el carácter la audacia para realizar lo que se dese. Y este conocimiento que le comunica la certidumbre de que él no regresará para ser feliz ni ante el crimen, lo embriaga. Es algo así como una self-potencia. O si usted quiere mejor "voluntad de vivir".

Posiblemente yo esté muy convencido de la verdad que encierra este principio, pues aparece repetidas veces en una novela que estoy preparando ahora:

Un personaje, Balder, sale a la calle pensando en suicidarse. De pronto lleva la mano al bolsillo y encuentra un rollo de dinero en el mismo momento en que sus ojos están mirando en una vidriera un aparato llamado "Linguafon" para enseñar idiomas. Y súbitamente Balder resuelve estudiar inglés. No se matará. La fuerza de voluntad que emplearía para suicidarse la utilizará para estudiar un idioma. Y compra el Linguafon y se lanza de cabeza en un sueño… Cuando sepa inglés irá a Estados Unidos, etcetcetecetc Es decir, para poder vivir es necesario ser lo suficiente inteligente para saber abrirse la puerta de un sueño… nuevamente… amar la existencia con dientes y uñas.

Está conforme o no?

Y a todo esto… cuantos borradores ha escrito de la carta que me ha enviado… pero no… acabo de fijarme… al doblar el papel para escribir a máquina, en la otra carilla han quedado marcadas las letras en relieve..

Me gustaría comunicarme con usted… que me contara cosas y sucesos. Yo estoy todos los días en el diario de dos a tres. Porque no no me habla por telef.

Reciba un apretón de manos de Roberto Arlt.

▲ *Carta de su madre*

Mi querido Roberto:

No me siento nada bien y quiero decirte una cosa antes de morir. Te ruego para el bien de tu alma para tu salvación, buscate un fraile o un cura y confesate y comulgá y decile que también te de el sacramento de la confirmación que tu no lo recibiste, contale toda tu vida y él te aconsejará pués querido hijo quiero decirte que lo que enseá la religión católica es la pura verda (d) y sepas que en la Santa Eucaristía hai Jesucristo vivo Dios omnipotente, a mí, miserable pecadora me dio la gra (z)ia de verlo con estos ojos corporales, é visto también la gloria y la feli (z)idad de las almas justas en la otra vida. Roberto creame lo que te digo es la pura verdad, en tres años de gran dolor Dios purificó mi espíritu y me concedió la gra (z)ia (s) de la revelación. Roberto convertite y ama a Dios y a Jesucristo nel Santo Sacramento Del Altar y veras cuanta felicitá provocara tu espirito también a la Mirta decile que crea en Dios y que se confese y comulge pues recibio el Sacramento Del Matrimonio sin hacerlo y fue un sacrilegio, te digo todo esto porque deseo el vuestro bien pues esta vida es brevemás te digo querido Roberto que tu morte es mui probable que sea istantánea y se no estás preparado que será de tú en el otro mundo, que Dios me mande todas las penas a mi pero que te salve a tu, asi todos los dias lo ruego. A la Carmen de (s)ile también que sea buena y que yo le perdono sus cartas ofensivas. Roberto no tires esta carta y piensa que en lo que te digo esta la salvacion, acuerdate lo que te dico Lila antes de morir - Roberto ten (e)mos que volvernos a ver- pues Lila esta en el Cielo con los Santos, Roberto si tu supieras que grande es la feli (z)idad en el otro mundo para los inocentes o para los penitentes los dos unicos caminos que nos llevan ha (s)ia Dios lila fue un angel de bonda (d) y de inocen (z)ia y antes de morir le aparecio Cristo y escuchó una voz que le de (s)ía -Pronto veendras conmigo- y asi fue, no se si a ti te lo conto Lila.

Termino esta pidiendote perdon por la poca instrucion religiosa que te di en tu infancia y te ruego no desprecies lo que te pido que es la voz de Dios que por mi medio llega hasta tu.

Con toda mi alma te abrazo y te (v)endigo y siempre rezaré por tu

Su mama *Catherina Iobstraibizer de Arlt*

174

4. DE LA DOCUMENTACIÓN

4.1. BIBLIOGRAFÍA

Guía para leer la bibliografía

Registros bibliográficos: en línea general, sigo *The MLN Style Manual* (1986):
AUTOR. *TITULO DEL LIBRO* o "ARTICULO". LUGAR. EDITORIAL. FECHA.
A veces agrego la edición, el número de páginas, los volúmenes, la página del artículo y todo dato relevante.
Subrayo los títulos de los libros.
Coloco entre comillas los artículos y subrayo la publicación: revista o diario. Siempre que una obra tenga más de un autor hay una entrada por cada autor.
En lo posible reproduzco el índice de libros.
Si reproduzco texto de un artículo o libro lo pongo entre comillas.
Al final he agregado **datos,** donde especifico los lugares donde se puede encontrar el material en Buenos Aires; por ejemplo Biblioteca Nacional, Archivo Nacional, Instituto..., etc
También he agregado al final una lista de publicaciones en donde Arlt participó.

Se incluye la lista de las primeras ediciones de Arlt, las segundas ediciones y las primeras reediciones a fin de brindar un espectro del interés editorial por la obra de este escritor que en realidad es un interés del público quién no ha dejado de adquirir obras de Arlt a partir de 1950. Es sorprendente y único en el país y luego en el extranjero que un autor sea constantemente reeditado. Lo demuestra mucho más ostentosamente las mútiples ediciones que han aparecido después de haberse cumplido los 50 maños de su muerte cuando los derechos de autoría han sido liberados, esto ha permitido nuevas y sorprendentes recopilaciones de material en diarios y revistas.
Falta una edición completa de aguafuertes, aunque ya están recopiladas, muchos artículos periodísticos de distinta índole, y algunas notas dispersas.
La recopilación de material ha llegado hasya 1989/90, pero a último momento he incluido todo el material que he recibido.

4.1.1. Bibliografía de Roberto Arlt

-La bibliografía sobre Roberto Arlt la he dividido en *Bibliografía de Arlt* y *Bibliografía sobre Arlt*.

-Hay varios libros dedicados exclusivamente a la obra o a la vida del autor.

-En el item "Críticas y comentarios" he ubicado alfabéticamente todos los registros posibles. En muchos casos comento el texto crítico o reproduzco parte del artículo. Asimismo he tratado de incluir el lugar donde se puede encontrar el material: biblioteca, Facultad e inclusive particulares.

1. Esta es una guía ordenada que posibilitará abarcar de una sola vez el panorama de la crítica especializada.
2. He agrupado el material según los temas. En algunos asientos bibliográficos he colocado VEASE indica que hay otro asiento bibliográfico con otro orden o que se amplía la información.
3. Las publicaciones de las obras de Roberto Arlt estuvieron sujetas a la designación de la sucesión ARLT. A partir de 1992 fueron liberados los derechos al cumplirse 50 años de la muerte del escritor.

4.1.1.1. Obras de Roberto Arlt

▲ *LAS CIENCIAS OCULTAS EN LA CIUDAD DE BUENOS AIRES*. por el señor Roberto Godofredo Arlt. Precio 0, 10. Buenos Aires. Tribuna Libre. Publicación bimensual de temas sociológicos y literarios. Dirección y Administración Talcahuano 481. cuadernillos semanales cuyo primer número apareció el 10 de julio de 1918, luego se convirtió en una edición quincenal. El n° 63 del 28 de enero de 1920 aparece publicado el texto de Arlt. La Colección estaba a cargo de Ernesto León Odena. Uno de los números había sido escrito por Felix Visillac que en esa epoca dirigía una revista barrial llamada *La idea de Flores*, en la que muchos sostienen que Arlt había publicado poemas. El ensayo, un pequeño opúsculo, lleva una foto de Arlt en la tapa y una dedicatoria:

> "A mis amigos Juan Costantini y Juan Carlos Guido Spano, afectuosamente".

Juan Constantini, apodado Kostia, a quién recordará en un aguafuerte titulado Tum Thumb Golf (17-11-1930). Kostia había instalado un mini golf en el barrio de Flores.

▲ *EL JUGUETE RABIOSO*. Editorial Latina, 1926, 170 p. Colección Autores Noveles. Primera edición. La Editorial latina fue fundada por uno de los hermanos Rosso: Aldo Rosso, Las otras ediciones de Rosso estuvieron a cargo de Lorenzo. Los Rosso eran imprenteros y en sus talleres se imprimía el diario de Natalio Botana *Crítica*. La editorial se disolvió el 31 de octubre de 1929 por eso no realizó la segunda edición de *Los siete locos*.
"Primer millar de la 1ª edición editorial Latina. Octubre 1926."
Mil ejemplares. Dedicatoria: A Ricardo Güiraldes

> " Todo aquel que pueda estar junto a usted sentirá la imperiosa necesidad de quererlo. Y le agazajarán a usted y a falta de algo más hermoso le ofrecerán palabras. Por eso yo le dedico este libro. Roberto Arlt."

Algunas crítica recibidas:

1. *Crítica* (sin firma) *Magazine* N°2. 22-11-1926

2. *Nosostros.* L. Barletta. N°211. Dic 1926

3. *La Nación,* 7-11-1926

4. *Mundo Argentino.* Carlos Pirán. N°830. 15 dic 1926. p24.

5. *El Hogar.* 26 nov. 1926. p. 8

6. La literatura Argentina. N°36. pp 373. Agosto 1931 (a la segunda edición)

Segunda edición. Editorial Claridad. 1931. 174p. *Cuentistas Argentinos de Hoy.* La reedición incluye una "Nota editorial", y ha sido suprimida la dedicatoria a Güiraldes.:

"Después del éxito obtenido con la edición de *Los siete locos* y mientras su autor termina la segunda parte de esa audaz novela, que aparecerá dentro de pocos meses en esta misma colección bajo el sugestivo título de *Los lanzallamas*, la Dirección de la Editorial Claridad después de vencer los escrúpulos del autor, ofrece en este volumen la primera obra de Roberto Arlt.

El juguete rabioso fue escrita entre los veintiuno y veintitrés años de edad, sin preveer, por supuesto, la responsabilidad que contraía ni el derroche de tiempo que debía hacer para escribir una novela. *El juguete rabioso* es "la obra" de un hombre sin experiencia que en su noble deseo de ser novelista se lanzó a la aventura de conquistar el campo de su preferencia. Sin lograr la perfección esta novela consiguió perfilar la personalidad del novelista que se revela en *Los siete locos,* y que ha de consagrarse definitivamente con *Los lanzallamas.*

A propósito de *El juguete rabioso,* Arlt nos ha facilitado los siguientes datos de su prontuario:

"*El juguete rabioso* fue escrita en distintas etapas. El último capítulo a mediados del año 1924, cuando una editorial organizó un concurso. El primer capítulo en el año 1919. El autor no sabía entonces cuál iba a ser su camino efectivo en la vida. Si sería comerciante, peón, empleado de alguna empresa comercial o escritor. Sobre todas las cosas deseaba ser escritor. Como dije, presenté esta novela a mediados del año 1924, a una editorial cuyo director la rechazó con una serie de razonamientos más o menos ingeniosos. El autor archivó entonces el libro escrito a máquina... ah... no... mejor dicho... ese mismo año la presentó a otra editorial, cuyo editor también la rechazó, pero esta vez no en nombre de la literatura ofendida, sino de las economías maltrechas.

Pasó así el tiempo. La editorial Latina, cuya vida debía ser tan breve y precaria, organizó un concurso de novelas. Uno de los jurados que constituía la comisión era el escritor Enrique Mendez Calzada, quien influyó simplemente por simpatía al autor y a su obra, para que la novela fuera editada, y después de muchas esperas y discusiones al respeto, fue editada, por fin, en el año 1926. En esa época se produjo también el curioso hecho de que la editorial Proa, a cuyo frente se encontraba Ricardo Güiraldes, el autor de "Don Segundo Sombra", quisiera editar la obra, sin que ello se llevara a cabo, por dificultades de orden financiero. Varios capítulos de la novela fueron entonces publicados por la revista.

Cuando se publicó esta novela los críticos se quedaron tan frescos como acostumbran a estarlo la mayoría de las veces cuando aparece un libro cuyo autor trae en sus alforjas la simiente de un fruto nuevo. Su aparición pasó sin dejar mayores rastros en los anales de la crítica, aún cuando entre la juventud *El juguete rabioso* provocara apasionados elogios. Todavía este libro cuenta con exaltados apologistas que lo consideran superior a *Los siete locos*, cosa que desde ningún punto de vista puede admitirse porque no hay comparación posible entre una y otra novela, ni desde el punto de vista constructivo, ni técnico, ni psicológico, ni artístico. Según su propio autor, *El juguete rabioso*, como novela, se parece a *Los siete locos* lo mismo que una pistola antigua a una automática.

De cualquier manera esta obra revela a través de un personaje, en sus cuatro episodios, la vida de un chico atormentado por el ambiente que el estado económico y social de la época han llevado por el tortuoso camino de la mala vida.. Dicho personaje es familiar en esta Babel de América donde se sueña con la fantasías que la miseria provoca. Hay en esta obra la frescura juvenil del personaje y del autor que, como la virtud de la doncella, sólo se brinda una vez en la vida. Esa juventud hace esta novela doblemente interesante.. Roberto Arlt ha llevado al primer capítulo de su obra al menor delincuente que no cayó en las garras de la policía ni de la justicia. De los que han sido víctimas de amabas instituciones se ocupa Castelnuovo en "Larvas". El chico no es delincuente por naturaleza, es aventurero. Quien lo hace delincuente es precisamente quien pretende evitar que lo sea. Ambas cosas, en distintas formas, nos lo demuestran Arlt y Castelnuovo. La Dirección de la Editorial *Claridad* se complace en ofrecer la edición popular de esta primera obra de Roberto Arlt para que los lectores de este autor se formen el exacto juicio que ha de merecer su obra una vez que se publique *Los lanzallamas*. Con esta quedará demostrado el ascendente progreso que la realización de evidencia en su robusta personalidad de nuevo y gran novelista de nuestro tiempo. *El juguete rabioso*, es el arma con que se inició en el disperso combate de la reputación literaria el audaz creador de *Los siete locos*, fantásticos personajes de novela que trafican en el seno de una sociedad que se derrumba.."

> "*El juguete Rabioso* que alcanzó el primer premio de publicación en el concurso de la editorial Latina ha revelado en su autor, Roberto Arlt, un novelista avigoroso, de una sola pieza." (frag) Bibliográfica del diario *Crítica* -Suplemento Magazine. Lunes 22 de noviembre de 1926. p. 14

▲ Editorial Futuro, 1950, 188 p. *Obras de R. Arlt. Vol. I.* La edición corrige la sintaxis y algunas palabras de la primera edición.

▲ Editorial Losada, 1958, 154 p. Colección *Biblioteca Contemporánea* Nº31.

▲ Centro Editor de América Latina, 1968, 123 p. *Biblioteca Argentina Fundamental. Capítulo de Lit. Argentina* Nº 42. Prólogo Jorge Laforgue. Véase: Laforgue, Jorge.

▲ Compañía General Fabril Editora, 1969, 191 p. Libros del Mirasol Nº1. Prol. M. Arlt.

▲ *EL JUGUETE RABIOSO / LOS SIETE LOCOS / LOS LANZALLAMAS*
Barcelona. Bruguera. 1979. 3 vols. Prólogos de J. C. Onetti-M. Arlt-R. Arlt. Respectivamente. Planeta

▲ 1992, La Col. Austral de Espasa Calpe reeditó la obra con un prólogo de Ricardo Piglia. La edición se ha realizando cotejando la primera edición. Véase: Piglia, Ricardo.

***

▲ *LOS SIETE LOCOS.* Tuvo tres ediciones que se agotaron rápidamente, en especial por el empuje que le otorgó el premio municipal
Dedicado a:
Maruja Romero.
Tercer premio Municipal

Primera edición: Editorial Latina. 1929. (La editorial Latina no pudo hacer la segunda edición porque dejó de funcionar: la editorial era una rama de los Hermanos Rosso Aldo y Lorenzo.
Segunda Edición: Editorial *Claridad* 1930
Tercera edición: Editorial *Claridad* 1931.

Los siete locos: esquema argumental

1. Mediante un anónimo se descubre el robo cometido por Erdosain a la compañía Azucarera por 600 pesos y siete centavos.
2. Erdosain es conminado a pagar en el término de 30 horas, de lo contrario irá a la cárcel.
3. E. se encuentra con Ergueta y éste rehusa prestarle dinero.
4. Su mujer, Elsa, se fuga con el capitán Germán Beláunde.
5. E. viaja a Temperley para pedir ayuda al Astrólogo, allí conoce a Arturo Haffner (el rufián melancólico) quien le regala los 600 pesos y siete centavos.
6. E. abofetea a Barsut por haber dejado ir a Elsa.
7. E. en provecho de la organización que comanda el astrólogo planea raptar a Barsut y obtener 20 mil pesos y luego asesinarlo.
8. E. lleva a Barsut a Temperley, diez días después de la fuga de Elsa, engañado y con la ayuda de Bromberg (dependiente del Atrólogo) lo atan en la cochera de la casa.
9. E. paga las deudas a la compañía azucarera y descubre que Barsut había sido el delator.
10. Se cuenta que E. pasa tres días con el cronista y se confiesa in extenso.
11. Comienza una serie de fabulaciones en torno a su venganza de Barsut, especialmente por el episodio asqueroso de la manera de comer de éste.
12. Exigen a Barsut que firme un cheque que cobrará Erdosain.
13. "Sólo el dinero puede hacer nuevos dioses".
14. Barsut en diálogo con el astrólogo se interesa en el proyecto de la organización.
15. En la reunión de los miércoles El falso Mayor del ejército recita una extensa perorata sobre la revolución social.
16. Se establece el poder de la mentira.
17. En la reunión de los miércoles Erdosain habla con El Buscador de oro, cuenta de sus viajes y experiencias.
18. Palinodia a grandes dictadores, en especial Mussolini.
19. Hipólita, la coja (que no lo es físicamente como aparece en la película *Los siete locos* dirigida por Torre Nilsson), esposa de Ergueta, va al encuentro de Erdosain para comunicarle que su marido está en un manicomio.
20. Hipólita cuenta su vida junto a Ergueta.
21. Erdosain seduce a Hipólita.
22. Erdosain parte desde Once rumbo a Ramos Mejía a lo de los Espila (La vieja, Emilio, Elena y Luciana Espila, habían recibido docientos pesos de parte de E. , fruto del robo, para la concreción de la rosa de cobre).
23. Los Espila han logrado la rosa de cobre y sueñan con enriquecerse. Lucia-

na le declara su amor a Erdosain.

24. Hipólita, que lo espera a Erdosain en la pensión, le cuenta cómo llegó de sirvienta a prostituta.
25. E. recuerda episodios de la vida de Ergueta y la bronca que le causó cuando Ergueta le respondió "Rajá, turrito, rajá". (Cap. I).
26. Por primera vez Hipólita le pregunta si se suicidaría.
27. Disquisiciones sobre Dios y el pecado.
28. Fantasías y proyectos del Astrólogo.
29. Episodio de la locura de Ergueta y la muerte del "junta piojos".
30. Otra muerte: el suicidio de un hombre en el bar en presencia de Erdosain.
31. E. cobra el cheque que le diera Haffner para saldar el robo.
32. Bromberg simula estrangular a Barsut.
33. El astrólogo le cede a Erdosain 3 mil pesos y le dice que se haga tres trajes.
34. Erdosain compara al Astrólogo (Levin) con Lenin y se aleja de la quinta de Temperley.

Personajes de la novela *Los siete locos*

Augusto Remo Erdosain: (Se casa a los veinte años)

Elsa Erdosain: (no tiene sobrenombres) Pertenece a una familia adinerada y es una mujer honrada. Se escapa con el capitán y luego ingresa a un convento.

Gregorio Barsut: (No tiene sobrenombres) Es primo de Elsa, tiene buen pasar económico.

Hipólita Ergueta: (Tiene como sobrenombre "La Coja", pero no es renga como aparece en la película de Torre Nilsson *Los siete locos*) Se la nomina como ramera y está casada con Ergueta, el farmacéutico.

Eduardo Ergueta: (Farmacéutico y místico, o el que lee la Biblia) Termina encerrado en un manicomio.

Alberto Levin: (El astrólogo) Está castrado y huye con Hipólita que ha vendido la farmacia, es el gestor de una revolución social.

Gregorio Bromberg: (El judío, el hombre que vio a la partera) Está loco y es asesinado por Barsut.

Arturo Haffner: (El rufián melancólico) Profesor de matemáticas, dueño de prostíbulos.

Germán Beláunde: Capitán con quien huye Elsa.

Doña Ignacia Pintos: Dueña de la pensión donde vive Erdosain, dice haber estado casada con uno de la alta sociedad tucumana. Ofrece en casamiento a su hija María.

María Pintos: Hija de doña Ignacia (La bizca). Asesinada por Erdosain.

Los Espila: Es una familia que vive en Ramos Mejía a quien Erdosain visita y protege. Los Espila fabrican la rosa de cobre gracias a los docientos pesos que les da Erdosain.

Luciana Espila: Se enamora de Erdosain y éste la rechaza porque no la desea.

Eusebio y Emilio Espila: Sordo y ciego falsos.

La anciana Espila y Elena Espila.

Otros personajes.

Los siete locos (Véase: *Obras completas)*

Editorial Futuro, 1950, 254 p. A partir de esta edición la novela sufre correcciones y cambios que no se corresponden con la primera edición.

Los siete locos y Los lanzallamas. Caracas. Ediciones Ayacucho. Venezuela. 1978. Introducción y cronología de Adolfo Prieto

Die Sieben Irren. (*Los siete locos*). Francfurt. Insenl Verlag. 1972.

Die Flammenwerter. (*Los lanzallamas*). Francfurt. Insel Verlag. 1972.

Les sept fous. París. Belfond. 1981. prólogo Julio Cortázar.

Les Lanceflammes. Paris. Belfond. 1983.

Os sete loucos. Río de Janeiro. Francisco Alves. 1982.

Os sete loucos. Río de Janeiro. Francisco Alves. 1982.

Berman, Isabelle y Antoine. *Le sept fous, de Roberto Arlt.* Traduit de l'argentin par... Préface de Julio Cortázar. Ed. Pierre Belford. 1981. 286 pages, 79. F. Véase: Cortázar, Julio-Le sept fous.

***

▲ *LOS LANZALLAMAS*. Editorial Claridad, 1931, 245 p. Dos ediciones;

La editorial Futuro no publicó *Los lanzallamas*. La edición de Claridad fue un fracaso de ventas. Buenos Aires. Editorial Claridad. 30 de octubre de 1931. 245 páginas.

▲ *EL AMOR BRUJO*. Editorial Victoria, Col. Actualidad. 1932, 235 p. Lorenzo Rañó era un imprentero que se convirtió en editor de las ediciones Victoria y la Col Actualidad, el taller de impresión y luego la editorial funcionaban en la calle Boedo 837, donde se imprimía todo el material de *Claridad*.

Créase o no... La novela no ha muerto. *El amor brujo* de Roberto Arlt le hará pasar los mejores momentos de su vida, conociendo el estsupendo drama real de dos almas angustiadas por la voluptuosidad de un amor tormentoso. "Capital: 0,60ctvs /Interior: o, 70 ctvs. Pida su ejemplar donde adquirió este libro."

Editorial Futuro, 1950, 240 p. Hay variantes con respecto a la primera edición.

Compañía General Fabril Editora, 1968, 245 p.

El amor brujo

Personajes:
Estanislao Barder (ingeniero: casado con Elena, un hijo de seis años)
Irene Loayza (colegiala de 18 años)
Susana Loayza (madre de Irene, viuda del teniente coronel Loayza)
Zulema (amiga de Irene, casada con Alberto. Estudia en el conservatorio nacional de Música junto con Irene).
Alberto (mecánico, esposo de Zulema)
Victor y Simona (hermanos de Irene)
La novela tiene una topografía precisa: Buenos Aires / Tigre.

Se inicia con un "prólogo" donde se dan los elementos desatados, y no integra los capítulos posteriores.

En este prólogo se dice que Balder entra por primera vez a la casa de Irene en el Tigre, es recibido por Zulema (amiga) y luego por Susana (madre de Irene) al principio reacia y luego lo acepta. Balder concluye diciendo: *He entrado al camino tenebroso y largo.* Luego la novela se divide en cuatro capítulos cada uno subdividido internamente.

A mediados de 1927 Balder conoce a una colegiala en Retiro, 16 años, se enamora, hasta tal punto que viaja con ella hasta el Tigre tratando de seducirla. Y luego la ve alejarse, la encuentra otras veces, el amor crece.

Irene desaparece durante dos años hasta que por un reportaje que le hacen a Balder en el diario, Zulema lo ubica y consigue encontrarlo junto a Irene. La situación avanza hasta que Balder *comienza* a frecuentar la casa de los Loayza y a dudar de la virginidad de Irene. Este tema se sostiene indefinidamente durante toda la novela.

En un juego mutuo entre ella y él. Si se entrega a la relación o no.

En tanto que se programa el divorcio de Balder y el casamiento con Irene y un viaje de Bodas por España. Balder observa la relación de Zulema con Irene y con Alberto. Y la permisividad de Susana (madre).

Una y otra vez Balder se acerca y se aleja, amante y aterrorizado. Irene confiesa ser pura.

Por último Alberto descubre la infidelidad de Zulema y Balder corrobora la no virginidad de Irene.

Luego: "no me importa que sea virgen o no" (Alberto le pregunta si tiene prejuicios) "lo que me preocupa es que es mentirosa como un negro" (los netros mienten por el látigo del blanco) "Irene miente, la noche anterior descubre que no es virgen, pero para huir decide poner en marcha el elemento de la falsedad y de la mentira. Esto se resuelve en su humillación y dolor.

Su fantasma o conciencia lo acusa del artilugio aún cuando los elementos sean todos ciertos.

La novela concluye cuando su propio fantasma le indica: *volverás*.

(Recordemos que Arlt promete continuar esta novela en una futura obra llamada *Pájaro de fuego o La montaña de arena*, cuyo contenido fue bocetado en una carta a la señorita Arizaga en 1934 (2/3/34):

"... Un personaje Balder sale a la calle pensando en suicidarse. De pronto lleva la mano al bolsillo y encuentra un rollo de dinero en el mismo momento que sus ojos están mirando en una vidriera un aparato llamado Linguafon para enseñar idiomas. Y súbitamente Balder resuelve aprender inglés. Y compra el Linguafon y se lanza de cabeza en un sueño... Cuando sepa inglés irá a Estados Unidos, etccccccc".

***

▲ *TRESCIENTOS MILLONES* (sic en tapa). *Prueba de amor.* Teatro. Con un ensayo crítico de Cayetano Córdoba Iturburu. Prueba de amor/Boceto teatral Ediciones Rañó, 1932.

Colofón:

"Acabóse de imprimir este libro de R. Arlt en los talleres tipográficos de M. Lorenzo Rañó Independencia 3257, Buenos Aires, en Septiembre de 1932."

A veces *Trescientos* aparece escrito con números, a veces con letras. El ensayo que se anuncia en la tapa pertenece a Cayetano Córdoba Iturburu y se titula: *El Teatro del Pueblo y Trescientos Millones*. ...En *300 millones* aparece el leimotiv a cuyo alrededor gira la obra novelística de Arlt. La vida del hombre es miserable, fea o impura. ". Roberto Arlt escribe "A modo de prólogo": "De esa obsesión, que llegó a tener caracteres dolorosos, nació esta obra, que posiblemente nunca hubiera escrito de no haber mediado Leónidas Barletta." R. Arlt. Dibujo de Arlt en la tapa.

***

▲ *EL JOROBADITO*. Cuentos. Editorial Librerías Anaconda, 15 de septiembre 1933, 209 p. Las ediciones de Librería Anaconda pertenecía a Santiago Glusberg y se imprimían en la Imprenta López.

Dedicado a Carmen Antinucci (su primera esposa):

A mi esposa Carmen Antinucci: "Me hubiera gustado ofrecerte una novela amable como una nube sonrosada, pero quizá nunca escribiré obra semejante. De allí que te dedique este libro, trabajando por calles oscuras y parajes taciturnos, en contacto con gente terrestre, triste y somnolienta te ruego lo recibas como una prueba del gran amor que te tengo. No repares en sus palabras duras. Los seres humanos son más parecidos a monstruos chapoteando en las tinieblas que a los luminosos ángeles de las historias antiguas. Por eso no encontrarás aquí doradas palabras mentirosas, ni verás asomar el pie de plata de la felicidad, pero tú, que eres comprensiva y tan amiga mía, recíbelo como recibiste mis otros libros, escritos bajo tu mirada pensativa. Tu agrado será mi mejor premio".

Inexplicablemente las ediciones posteriores a la muerte de Arlt no han tenido presente la primera edición, ha sido alterado el orden de los cuentos -la primera edición empieza con "El escritor fracasado"- y rectificada algunas estructuras sintácticas y gramaticales.

-Editorial Futuro, 210 p., 1951.
-Editorial Losada, 186 p., 1958.
-Compañía General Fabril Editora, 217 p., 1968.

***

▲ *AGUAFUERTES PORTEÑAS*. Impresiones, Editorial Victoria, 158 p., 1933.

"El autor ha reunido en este volumen sus mejores aguafuertes porteñas que han llamado justamente la atención del público de la capital. Roberto Arlt, aparte de ser un novelista consumado, es, también, un articulista de primera fuerza, ágil, ameno, impetuoso, tipo siglo XX, que produce y cocibe al vuelo de la máquina de escribir. En este año lleva publicados ya tres volúmenes. *El amor brujo, 300.000 millones* (sic) y las *Aguafuertes porteñas*.

188

Es, sin disputa, por el momento, quien más produce y el que más trabaja.. De paso, es uno de los escritores que más interesan en la actualidad". (En la contratapa de *Poemas de la bruja y el gorila* de A. F. Amores). 1934.

Editorial Futuro, 222 p., 1950.

Editorial Losada, 202 p., 1958.

Entre crotos y sabiondos

Cronicón de sí mismo

Muchachas de Buenos Aires

Títeres de asfalto y fango:

Editorial Edicom, 1969-1971. Publicaciones autorizadas y elaboradas por M. A. donde se intenta ordenarlas por temas.

***

▲ *AGUAFUERTES ESPAÑOLAS*. Primera parte Talleres Gráficos Argentinos, 1936,. El editor e imprentero era Lorenzo Rosso, ubicado en Doblas 951 al 965. El colofón de la primera edición dice: 4 de diciembre de 1936, 212 páginas

Dedicado a: Don Antonio Manzanera: Cuando yo iba a emprender el viaje hacia la tierra de Sancho y el Quijote, sin mediar ninguna amistad entre ambos, tuvo usted la gentileza de regalarme una guía gorda, « la península y sus colonias», más un bulto de cartas de presentación, que jamás utilecé en España, porque allí todos se parecen a usted, mi querido amigo: sin conocerle le reciben a uno con los brazos abiertos. Roberto Arlt

La editorial Futuro no edita *Aguafuertes Españolas*

1971. Segunda edición por Fabril Editora. Compañía general Fabril editora. Los libros del Mirasol. Presentación por Mirta Arlt.

***

▲ *SEPARACIÓN FEROZ*. Santa Fe, Diario *El Litoral,* 1938. No se ha publicado en libro porque es una versión de *Saverio el cruel.*

***

▲ *EL CRIADOR DE GORILAS*. Cuentos. Editorial Zig-Zag. Col. Aventura Nº 165. Chile. 1941

Editorial Futuro, 1951, 156 p. Las fechas que se dan en el prólogo no corresponden con la aparición de los cuentos.

EUDEBA, 1964, 127 p. ; 1968, 127 p..

Compañía General Fabril Editora, 1969, 189 p. Estas publicaciones no han tenido como modelo la primera edición por eso se confunden algunos datos y fechas.

***

▲ *UN VIAJE TERRIBLE*. Relato inédito. (subtítulo) Buenos Aires. Nuestra Novela. 1941, 64 p. Nuestra Novela fundador y director Alberto Insua. Aparece los viernes. Año I. 11 de julio de 1941. Num. 6. Ilustraciones de M. F. Teijeiro. Nuestra Novela: Dirección y administración, San Martín 195. U. T. 34, 7137. Buenos Aires. 1941.

En la tapa del folleto dice *Un viaje terrible*, en la primera hoja dice *Viaje terrible*. El librito tiene unas siete ilustraciones blanco y negro a tinta. Dedicatoria:

> "Al doctor Eladio Di Lala, noble amigo de sus enfermos. R. A."

Números publicados:

I. *Catalina Fontana, emigrante* (Posiblemente debería decir Inmigrante). Por Héctor Pedro Blomberg

II. *La edad de los novios* por Mateo Booz

III. *Cartas y Cartas* por Benito Lynch

IV. *La curiosa inmpertinente* por Alberto Insúa

V. *Civilización... Desamor* por Cesar Carrizo

VI. *Un viaje terrible* por Roberto Arlt

Debajo de esta lista figura otra lista de colaboradores:

Amorin-Arlt-Barletta-Barreda-de Camara-Blomberg-Booz-Bravp-Bufano-Burgos-Calandrelli-Capdevila-Carrizo-Yunque... etc

Para el próximo número: *El turco de los nardos* por Ramón Gomez de la Serna. Imprenta: Talleres gráficos de Guillermo Kraft. Ltda. Reconquista 319. Bs. Aires.

En la página 3: *Bio-Bibliografía de Roberto Arlt*

> "Nació este notable prosista, de pluma fácil y fecunda, el 26 de abril de 1900 en la ciudad de Buenos Aires.
>
> Su obra, varia y rica, ha alcanzado amplia resonancia y círculo de lectores cada vez más dilatados, a medida que su firma iba adquiriendo justa nombradía desde las tribunas periodísticas en que ha colaborado y aún continúa colaborando. Se inició en el diario *Crítica* en 1926, añó en que dio también a la estampa su primera obra de aliento, la novela, *El juguete rabioso*. En 1928 el jurado municipal premia su novela: Los siete locos, a la que siguen *Los lan-*

zallamas y *El amor brujo*. En ésta última época ingresa en el matutino *El Mun-do*, donde acrecientan su fama unas notas cotidianas, entretenidas, jugosas, repletas de observaciones agudas y aciertos psicológicos que él titula *Aguafuer-tes porteñas*. A través de ellas se va viendo al escritor avanzar por el áspero ca-mino del dominio del instrumento expresivo hasta alcanzar la plena posesión de sus medios literarios. Todavía vive en el rcuerdo de muchos la emoción perdurable de su despedida de sus "aguafuertes", cuando tuvo que marchar a Río de Janeiro como enviado especial del diario.

Después de una rápida visita a España publica un volumen de notas de viaje por la Península. E incansable estrena en el "Teatro del Pueblo" las si-guientes producciones *300 millones, Saverio el cruel, La isla desierta, Africa y la fiesta del hierro*; y en el teatro San Martín, *El fabricante de fantasmas*.

En el diario *El Mundo* lleva publicados alrededor de dos mil artículos, y en las revistas *El Hogar* y *Mundo Argentinou* unos cincuenta cuentos y nove-las cortas. " (Sic).

Colección particular Prof. Juan Carlos Romero.

Un viaje terrible.
Editorial Tiempo Contemporáneo, 1968, 131 p, prólogo Adolfo Prieto. Versiones de un cuento *S.O.S.* y *Prohibido ser adivino en este barco*. Véase: pri-mera edición.

***

▲ *SAVERIO EL CRUEL. EL FABRICANTE DE FANTASMAS*; *LA ISLA DESIERTA*; *300 MILLONES* Editorial Futuro, 1950, 201 p. Raúl Larra (Larrancione)

***

▲ Inédita. *LA CABEZA SEPARA TRONCO*. Obra inédita cuyo tema central se de-sarrolla y se pule en *Saverio el cruel*. La acción transcurre en un hospicio y el personaje se llama Saverio. La obra fue representada por el Teatro del Pueblo en 1964 con algunas críticas negativas. Y una polémica que concluyó con la bajada de cartel de la obra. La polémica está documentada con abundantes notas en diarios y en *Propósitos*. Los manuscritos estan escritos a máquina y llevan correcciones del propio Arlt y abundantes interpolaciones de Barletta. Esta obra fue el germen de *Saverio el cruel*.

***

▲ *EL DESIERTO ENTRA A LA CIUDAD*.
Editorial Futuro, 1952, 102

***

▲ *NUEVAS AGUAFUERTES PORTEÑAS.*

Editorial Hachette, 1960, 329p. Selección y prólogo: Pedro Orgambide, Col. El Pasado Argentino. 69 aguafuertes organizadas en nueve temas. Estas aguafuertes aparecieron después de la muerte de Arlt fue posible realizar esta edición a la muerte de Catalina Iostraibizer, la madre de Arlt, que coleccionaba cuidadosamente las aguafuertes de *El Mundo*, día por día.

***

▲ *NOVELAS COMPLETAS Y CUENTOS.* Prólogo de M. Arlt.
Compañía General Fabril Editora, 1963, 3 volúmenes.

***

▲ *SAVERIO EL CRUEL; LA ISLA DESIERTA.*
EUDEBA, 1965, 78 p.

***

▲ *ESTER PRIMAVERA Y OTROS CUENTOS.* Montevideo. Signos. 1993

4.1.1.2. Obras completas y ediciones especiales

▼ **1951**. *Obra Completa*. Bs As. Editorial Futuro. S. R. L. Viamonte 2455. Dir. Raúl Larra. Publicó solamente ocho tomos. No publicó *Los lanzallamas* porque *Claridad* todavía tenía la primera edición casi sin vender y tampoco publicó *Aguafuertes Españolas* porque todavía circulaban muchos ejemplares.

Obras publicadas de Roberto Arlt:

1º *El juguete rabioso*
2º *Los siete locos*
3º *El amor brujo*
4º *Aguafuertes porteñas*
5º *Saverio el cruel* (teatro)
6º *El jorobadito*
7º *El criador de gorilas.*

8º *El desierto entra a la ciudad.* Editorial Futuro. Gibson 4024. Prólogo de Mirta Arlt. 29 de marzo de 1952. "Con la publicación de esta obra póstuma -que lleva como prólogo un estudio de Mirta Arlt sobre el teatro de su padre- llega ya a su término la publicación de las obras del gran novelista y dramaturgo desaparecido justamente hacen ya diez años." (en la solapa)

▼ **1958/9**. Editorial Losada. S. A. Losada estuvo a punto de hacer la edición completa en dos volúmenes, se hicieron todos los pasos de la edición como películas etc. pero no se llevó a cabo.

El juguete rabioso
Aguafuertes porteñas
Los siete locos

▼ **1963**. *Novelas completas y cuentos*. Prólogo de M. Arlt.
Compañía General Fabril Editora, 1963, 3 volúmenes.

▼ **1964**. Eudeba. *El criador de gorilas*. Prol. R. Larra. Eudeba.
Saverio el cruel / La isla desierta. Prol. Mirta Arlt. Eudeba.

▼ **1968**. *Teatro completo*. Buenos Aires. Schapire.

▼ **1968**. Centro Editor incluyó en su serie Capítulo de la Literatura Argentina, el volumen Nº42, *El juguete rabioso* (lo incluimos en este listado para poder ver el interés que despertaba Arlt en los 60, porque hay otras pequeñas ediciones sueltas que no son relevantes). En 1981/2 C.E.A.L. volvió a publicar la obra en un prólogo de Jorge Laforgue.

▼ **1969/71.** Edicom. Reedita las *Aguafuertes porteñas*, incluyendo las *Nuevas aguafuertes...*, pero tratando de organizarlas por temas:
  1. "Entre crotos y Sabihondos"
  2. "Cronicón de sí mismo"
  3. "Muchachas de Buenos Aires"
  4. "Títeres de asfalto y fango"

▼ **1970/1.** Ediciones de Fabril editora/1970/1
  El juguete rabioso
  Los siete locos
  Los lanzallamas
  El criador de gorilas
  El jorobadito
  El amor brujo

▼ **1971.** *Aguafuertes españolas.* "En una reactualización y revaloración de R. Arlt, acaba de aparecer una nueva edición de A. E. que el escritor concibió al visitar España en 1935, cuando tenía 34 cuatro años. No es exagerado afirmar que quién se asome a este libro quedará verdaderamente impresionado por la fuerza de estas estampas (...)". *La Nación.* Octubre 1971.

▼ **1974.** Circulo de Lectores. Publica *Los siete locos* y *Los lanzallamas.* Circulación Interna. Prólogos de Alberto Vanasco.

▼ **1979/80.** Editorial Bruguera (de Barcelona)
  Narradores de Hoy. Números 21/28/30
  El juguete rabioso (Prólogo de Juan Carlos Onetti).
  Los siete locos
  Los lanzallamas
  (Luego pasaron inmediatamente a la colección popular de venta en quioscos).

▼ **1981**. *Obra Completa*. Prefacio de Julio Cortázar. Bs As. Ed. Carlos Lohlé. 1981. I y II. Tomos. El primer tomo contiene novelas y cuentos. y el 2º tomo aguafuertes y teatro. Los dos tomos no tienen ninguna indicación o nota explicativa, el tamaño de las letras de los títulos se confunden con los subtítulos y no hay índices para rastrear el material. Tanto las *Aguafuertes porteñas* como las españolas fueron suprimidas por un problema de espacio y se incluyeron otras que habían sido recopiladas por Daniel Scroggins en ECA. Véase: Scroggins, Daniel.

▼ **1991**. *Obra Completa*.. Bs As. Planeta. Carlos Lohlé. Biblioteca del Sur. 3 tomos. 772 pp. 1991. (Pesos en australes 560. 000).

▼ **1994**. *El juguete rabioso*. Espasa Calpe. Col. Austral. Edición y prólogo Ricardo Piglia. Cotejada en la 1º edición.

▼ De las primeras ediciones de la obra de Arlt hasta las últimas, se arrastran una inifinidad de modificaciones que ha afectado a la lectura de la obra. Sería necesario realizar un trabajo filológico a partir de las primeras ediciones.

4.1.1.3. Lista cronológica de todos los cuentos de Roberto Arlt entre 1916-1942 y un manuscrito

La totalidad de los cuentos de Roberto Arlt fueron escritos entre 1916 –fecha de publicación de Jehová– y 1942 –fecha del último cuento publicado: *Los esbirros de Venecia*–.

En la lista se incluyen los cuentos de: *El jorobadito* (1933), *El criador de gorilas* (1941), *Viaje terrible* (1941) y la mayor parte de los que refundió y convirtió en otros relatos: un total de 83 cuentos teniendo en cuenta que *La Tía Pepa* y *El gato cocido* son un mismo cuento; *El poeta parroquial*, apareció como adelanto de novela; *El silencio*, variante de *Las fieras*, *Ruptura de compromiso*, variante de *Noche terrible*; *En la orilla* variante de *El traje del fantasma*; *S.O.S. Longitud 145° 31'...* y *Prohibido ser adivino en este barco*. Variantes de *Viaje terrible*; *El hombre del tatuaje*, una versión de *La isla desierta*, si se consideran estas variantes el números de cuentos se reduce a 76 cuentos y si no se tomara en cuenta Jehová, porque parece una futura novela, el total sería de 75 cuentos.

Roberto Arlt publicó en vida todos sus cuentos. No han quedado textos inéditos. Semanal o quincenalmente daba a conocer cuentos en las revistas *Los Pensadores*, *El Hogar*, *Mundo Argentino* y los diarios *El Mundo* y *La Nación*.

Los cuentos abarcan el mayor período de producción en Arlt y conforman una gran variedad de estilos y de temas.

Todos los relatos han sido reordenados según la fecha de publicación. Ninguno de los cuentos escritos por Arlt han sido escritos para un libro determinado, todos, absolutamente todos han pasado primero por las páginas de alguna revista o diario y en segundo lugar fueron publicados en libros.

JEHOVÁ. En *Revista Popular*. Diciembre 1916. Director: Juan José de Soiza reilly. La fecha figura en la contratapa de la primera edición de *El juguete rabioso*. Un fragmento de este texto fue reproducido en 1968 en *Entre crotos y suicidas*, de la editorial Edicom. El texto parece un fragmento de una futura novela.

LA TÍA PEPA. En Revista *Los Pensadores*. Diciembre 1925. Primera versión de *El gato cocido*.

EL POETA PARROQUIAL. En Revista PROA. 1925. Se presenta como un adelanto de *El juguete rabioso* aunque no tiene ninguna relación con la novela. Narra un episodio vivido con Conrado Nalé Roxlo en la casa del poeta Felix Visillac, en el relato *Villac,* el poeta organizaba tertulias literarias en su casa y dirigía una revista *La estrella de Flores*.

EL GATO COCIDO. Mundo Argentino. 27.10.26. En *Estoy cargada de muerte y otros borradores*. Primera recopilación de cuentos de Arlt. O. B. Primer cuento que Arlt publica en *Mundo Argentino*, versión levemente modificada de La Tía Pepa.
Conrado Nalé Roxlo: "En 1925 o 1926, publicó en *Mundo Argentino* su cuento El gato cocido, la terrible historia de una vieja avara –Pepa Mondelli– que hierve vivo a un pobre gato que le robó una "tira de asado". Era un cuento muy bueno y muy celebrado. Eso sí, no sé que comentario habrá hecho la protagonista, que era su suegra, y figuraba con el nombre completo..."

UN ERROR JUDICIAL. Mundo Argentino. 2.11.27. En *Estoy cargada...*
Para esta fecha todavía es cronista policial del diario *Crítica*. Es posible que el cuento formara parte de alguna nota policial.

EL INSOLENTE JOROBADITO. El Mundo. 9.5.28 y 14.5.28. En *El jorobadito*. Publicado dos veces, tiene pocas variantes con *El jorobadito* (la tercera versión) Ilustrado por Julio Payró.

PEQUEÑOS PROPIETARIOS. El Mundo. 10.5.28 y 23.5.28. En *El jorobadito*. Se publica dos veces, no ofrece variantes con la versión definitiva. En septiembre 1928 escribe el aguafuerte: "Filosofía del hombre que necesita ladrillos" donde reproduce la misma temática.

ESTER PRIMAVERA, La Nación. 9.7.28. Suplemento literario. Director Eduardo Mallea. En *El jorobadito*

LAS FIERAS, Revista *Vértice*, Nov/28. En *El jorobadito*. La revista dirigida por Julia Prilusky Farnny publica el texto y luego una antología.

ESCRITOR FRACASADO, en *El jorobadito*. Publicado por primera vez en *La Nación*, una página completa, como *Un hombre fracasado* 17.1.32. En la primera edición de *El jorobadito* este texto ocupa el primer lugar, versiones posteriores modificaron el orden. Ilustado por L. Macaya.

EL TRAJE DEL FANTASMA. En *El jorobadito*. *La Nación*. 1930.

REGRESO. Fue publicado por primera vez en *La Nación*. Recopilado por Alberto Vanasco quién no ha podido indicar ni fecha ni lugar de publicación.

EL SILENCIO. *El Hogar*. 21.3.30. En *Estoy cargada*.... Fragmento de Las Fieras. Véase.

RUPTURA DE COMPROMISO. *ElHogar*. 2.5.30. En *Estoy cargada*... Versión de "Noche terrible".

LA CLASE DE GIMNASIA. *El. Hogar*. 18.7.30. En *Estoy cargada*..

EN LA ORILLA, *El Hogar*. 5.12.30. *Estoy cargada*...
Fragmento de *El traje del fantasma*. En algunas antologías se ha reproducido otro fragmento bajo el título de *Las siete jovencitas*.

CLASES DE BOX. *El. Hogar*. 30.1.31. El antecedente figura en la serie de aguafuertes que escribe sobre clases de gimnasia a las que asiste en la YMCA.

LA HOSTILIDAD, *El. Hogar*. 1.5.31. En *Estoy cargada*...

NOCHE TERRIBLE. *Mundo Argentino*. 26.8.31. En *El jorobadito*.
En la publicación figura *Una noche terrible*. Reproducimos el copete de la publicación:
"Roberto Arlt autor de la novelita *Una noche terrible* que se publica en este número, hace para los lectores de *Mundo Argentino* su propia biografía".

LA BATALLA. *El Hogar*. 11.12.31.

UNA TARDE DE DOMINGO. *Mundo Argentino*. 20.4.32. En *El jorobadito*.

LA LUNA ROJA, El. Hogar. 16.11.32. En *El jorobadito.*
Copete: "Una narración simbólica es esta de Roberto Arlt, en la que se describen las sensaciones de una gran ciudad que ve aproximarse una tremenda catástrofe social, con la inquietud de los unos y el grito de rebeldía de los otros, en medio de una atmósfera que por momentos parece de verdadera pesadilla".

EL GRAN GUILLERMITO, Mundo Argentino. 18.1.33. En *Estoy cargada...*
Guillermito es un ladrón típico, igual que "El Pibe Repollo", es el mismo personaje de *Las fieras,* reaparece en algunas notas de la revista *Don Goyo* y el cuento *El cazador de orquídeas.*

LA JUGADA. El. Hogar. 7.7.33. En *Estoy cargada...*

ESTOY CARGADA DE MUERTE. Mundo Argentino. 7.8.33. En *Estoy cargada...*
Arlt llamó a este cuento *El beso fatal.* La revista lo anuncia como "novela corta de ambiente nacional" y el copete dice:
"después de una larga ausencia, cuando esperaba ansiosamente la llegada de su esposo, la mujer se dio cuenta de que estaba enferma, y este pensamiento: *Estoy cargada de muerte...* se clavó en su cerebro, atormentándola terriblemente como una espantosa obsesión." "La lepra impide el "roce oscuro" de los cuerpos, el resplandor de la belleza y la libertad de ser." En este texto reaparece Elsa, la mujer intocable como en *El jorobadito, Ester Primavera* y *Noche terrible* y la ausencia definitiva como en *El traje del Fantasma.*

LA MUERTE DEL SOL. Mundo Argentino. 5.12.34. En *Estoy cargada...*
Cuento de tipo fantástico como *Viaje terrible, La luna roja* y *El traje del fantasma.* En febrero de 1935 fue traducido al farncés para la Revue Argentine dirigida por Octavio Gonzalez Roura "La Mort du Soleil".

DEBAJO DEL AGUA. Mundo Argentino. 19. 4. 36. En *Estoy cargada...*

LA PISTA DE LOS DIENTES DE ORO. Mundo Argentino. 20.1.37. En *El crimen casi perfecto.* Segunda recopilación de cuentos de Arlt a cargo de Omar Borré-1994. Cuento policial.

¡S.O.S! LONGITUD 145º 30" LATITUD 29º 15. El. Hogar. 22.1.37
Versión de *Un viaje terrible.* Reproducido en rev. *Hispamérica* Nº68. Año XXIII. 1994. U. S. A. p. 87. O.B.

LA AVENTURA DE BABA EN DIMISH ESH SHAM. *El. Hogar.* 23.1.37. En *El criador de gorilas.*

UN ARGENTINO ENTRE GANGSTERS. *El Hogar.* 26.2.37. En *El crimen casi perfecto*

EUGENIO DELMONTE Y LOS 1300 NOVIOS. *El. Hogar.* 9.4.37.

EL INCENDIARIO. *Mundo Argentino.* 14.4.37.

LA VENGANZA DEL MONO. *El. Hogar.* 7.5.37. En *El crimen casi perfecto.*

RAHUTIA LA BALINARINA. *El. Hogar.* 20.5.37. En *El criador de gorilas.*

LA OLA DE PERFUME VERDE. *Mundo Argentino.* 16.6.37.

LA DOBLE TRAMPA MORTAL. *Mundo Argentino.* 9.6.37.

HUSSEIN EL COJO Y AXUXA LA HERMOSA. *El. Hogar.* 25.6.37.

EL EMBRUJO DE GITANA. *Mundo Argentino.* 28.7.37

HALIJ MALIJ, EL ACHICHARRADO. *Mundo Argentino.* 25.8.37. En *El criador de gorilas.*

EL RESORTE SECRETO. *El. Hogar.* 3. .37.

EL MISTERIO DE LOS TRES SOBRETODOS. *El Hogar.* 19.11.37.

LA PLUMA DE GANSO. *Mundo Argentino,* 5.1.38.

LOS CAZADORES DE MARIL. *Mundo Argentino.* 18.1.38

EL JOVEN BERNIER ESPOSO DE UNA NEGRA. *Mundo Argentino.* 9.3.38

HISTORIA DEL SR. JEFRIES Y NASSIN EL EGIPCIO. *El. Hogar.* 22.4.38. En *El criador de gorilas.*

LA VENGANZA DE TUTANKAMÓN. *Mundo Argentino.* 15.5.38

LA CADENA DEL ANCLA. *El. Hogar.* 26.5.38. En *El criador de gorilas.*

EL HOMBRE DEL TATUAJE. *Mundo Argentino.* 30.11.38. Reproduce *La isla desierta,* obra teatral en un acto ya estrenada por el Teatro del Pueblo dirigida por L. Barletta.

ESPIONAJE. *El. Hogar.* 9.12.38.

EL 8º VIAJE DE SIMBAD. *El. Hogar.* 3.6.38

EL EXPERIMENTO DEL DR. GENÉ. *El. Hogar.* 9.9.38

ACUÉRDATE DE AZERBAIJAN. *Mundo Argentino.* 29.9.38. En *El criador de gorilas.*

EL BASTÓN DE LA MUERTE. *Mundo Argentino.* 19.10.38

LA TABERNA DEL EXPOLIADOR. *Mundo Argentino.* 23.11.38

LOS BANDIDOS DE UAD DJUARI. *Mundo Argentino.* 14.12.38. *El criador de gorilas.*

ACCIDENTADO PASEO A MOKA. *Mundo Argentino.* 1.2.39. En *El criador de gorilas*

ODIO DESDE LA OTRA VIDA. *El. Hogar.* 3.3.39. En *El criador de gorilas*

EL CHISTE MORISCO. *Mundo Argentino.* 15.3.39

UNA AVENTURA EL GRANADA. *Mundo Argentino.* 22.3.39

EL HOMBRE DEL TATUAJE VERDE. *El. Hogar.* 14.4.39. En *El criador de gorilas*

EL CAZADOR DE ORQUÍDEAS. *Mundo Argentino.* 26.4.39. En *El criador de gorilas*

LA FUGA. *Mundo Argentino*. 31.5.39. En *Estor cargada...*

EL APRENDIZ DE BRUJO. *El. Hogar*. 23.6.39. En *Estoy cargada.*

EJERCICIO DE ARTILLERÍA. *Mundo Argentino*. 26.6.39. En *El criador de gorilas*

DIVERTIDAS AVENTURAS DE MISTER GIBSON *Mundo Argentino*. 2.8.39

LA VENGANZA DEL MÉDICO. *Mundo Argentino*. 30.8.39

PROHIBIDO SER ADIVINO EN ESTE BARCO. *Mundo Argentino*. 27.9.39

EXTRAORDINARIA HISTORIA DE DOS TUERTOS. *El. Hogar*. 11.10.39

EL ENIGMA DE LAS TRES CARTAS. *Mundo Argentino*. 8.11.39

UNA HISTORIA DE FIERAS. *El. Hogar*. 25.11.39

LOS HOMBRES FIERAS. *Mundo Argentino*. 3.1.40. En *El criador de gorilas.*

JUBULGOT EL FARSANTE. *Mundo Argentino*. 17.1.40

LA PALABRA QUE ENTIENDE EL EFEFANTE. *Mundo Argentino*. 20.3.40.

UN CRIMEN CASI PERFECTO. *Mundo Argentino*. 29.5.40, en Idem.

LA FACTORÍA DE FARJALA BILL. *El Hogar*. 31.5.40. En *El criador de gorilas*

VEN, MI AMADA ZOBEIDA QUIERE HABLARTE. *El Hogar*. 12.4.41. En *El criador de gorilas.*

VIAJE TERRIBLE. *Nueva Novela*. 11.7.41

LA ÚLTIMA AVENTURA. *Mundo Argentino*. 10.12.41

HISTORIA DE NAZDA, YAMIL Y *Mundo Argentino*. 10.6.42

SINGULAR HISTORIA DE ABULADAS Y EL PEDAZO DE HIELO. *El Hogar*. 20.3.42

EL JUICIO DEL CODI PRUDENTE. *El Hogar*. 22.5.42

LOS ESBIRROS DE VENECIA. *Mundo Argentino*. 1.7.42

Manuscrito de Roberto Arlt

Borrador-manuscrito en lápiz de un cuento inédito de Arlt hallado en edición de *Kim* de Rudyard Kipling, traducido de Juan Izquierdo Croselles. Editorial Atenea. S. E. Madrid. Volumen 53. 1921. Primera edición, con retrato del autor:

"La mujer, el marido y el orongután. Casa del orongután. (Prólogo/La hija del cazador de monos, cuando se va el novio se arroja a los brazos del orongután) La noche del casamiento el orongután se encierra. Enferma el orongután. El marido se queja y dice que no puede mantener al orongután y su mujer. El orongután con celos. Y asesinato del orongután." *(sic)*

4.1.1.4. Lista de todos los artículos publicados en la revista Don Goyo. 1926-1927.

"Epístola a los genios porteños", núm. 21, 23 de brero de 1926, p. 8.

"Mi traje y el teniente coronel", núm. 22, 2 de marzo de 1926, pp. 27-28.

"El poeta triste", núm. 25, 23 de marzo de 1926, pp. 61-62.

"El hombre feliz", núm. 26, 20 de abril de 1926, pp. 12-13.

"Espartaco Nasón", núm. 29, 20 de abril de 1926, pp. 64-65.

"Guía para místicos", núm. 31, 4 de mayo de 1926, pp. 27-28.

"Epístola a un provinciano", núm. 32, 11 de mayo de 1926, pp. 8.

"A un poeta bien vestido", núm. 33, 18 de mayo de 1926, p. 8.

"La aventura con el cosmético", núm. 37, 15 de junio de 1926, pp. 27-28.

"El gallinero matemático", núm. 39, 29 de junio de 1926, pp. 27-28.

"Episodios tranviarios", núm. 41, 13 de julio de 1926, pp. 27-28.

"El fantástico compañero de viaje", núm. 48, 13 de julio de 1926, pp. 27-28.

"El dinamitero", núm. 49, 7 de setiembre de 1926, pp. 52-53.

"Epístola de un L.C. erudito al Jefe de Policía", núm. 53, 5 de octubre de 1926, pp. 12-13.

"Fantásticos proyectos para modernizar a Buenos Aires", núm. 54, 12 de octubre de 1926, p. 58 y p. 60.

"Nuestra policía, la mejor del mundo", núm. 55, 19 de octubre de 1926, pp. 10-11.

"Cartas de pésame", núm. 57, 2 de noviembre de 1926, p. 12.

"El ensanche de la calle Corrientes. Queja extraordinaria al Intendente", núm. 59, 16 de noviembre de 1926, pp. 54-55.

"Autobiografías humorísticas, de Roberto Arlt autor de *El juguete rabioso*", núm. 63, 14 de diciembre de 1926, p. 20.

"Novelas en forma de nuez" [varios: Roberto Arlt, "La huida"], núm. 65, 28 de diciembre de 1926.

"El Regimiento 8. Cazadores de queso", núm. 70, 1 de febrero de 1927, p. 28 y 64.

4.1.1.5. Lista de obras prometidas por Arlt que nunca llegó a escribir:

1. *La princesa de la luna* (en *Crítica*, 1926)
2. *El pájaro de fuego* (en Contratapa de la edición de *300 millones, Claridad*, 1932)
3. *La montaña de arena* o *El pájaro de fuego* (en Carta a su hermana Lila)
4. *Helena de Troya* (Teatro, en carta a su madre)
   Circa. Dic. 1940. :
   "De trabajo voy bien. Actualmente estoy preparando una obra de teatro cuyo plan traje de Buenos Aires y cuando termine ésta preparé otra sobre *Elena de Troya*, cuyo plan también tengo hecho." R. Arlt.
5. En 1934, carta a la Srta. Arizaga, traza la síntesis argumental de la continuación de *El amor brujo*:
   "Un personaje, Balder sale a la calle pensando en suicidarse. De pronto lleva la mano al bolsillo y encuentra un rollo de dinero en el mismo momento en que sus ojos entán mirando en una vidriera un aparato llamado "Linguafon" para enseñar idiomas. Y súbitamente Balder resuelve estudiar inglés. No se matará. La fuerza de voluntad que emplearía en suicidarse la utilizará para estudiar un idioma. Y compra el Linguafon y se lanza de cabeza en un sueño. Cuando sepa inglés irá a Estados Unidos, etctctctct... Es decir, para poder vivir es necesario ser lo suficiente (mente) inteligente para saber abrise la puerta de un sueño... nuevamente ... amar la existencia con dientes y uñas." R. Arlt.
6. *Diario de un morfinómano*. Relato aparecido en Córdoba alrededor de 1921 con un prólogo de Juan José de Soiza Reilly que hasta la fecha no ha podido ser ubicado, muchos dudan de su existencia.
   Entrevistado José Marial definió el color amarillo de la tapa, los tipos y el tamaño de la edición que halló en una librería de usados y que por casualidad no compró.
7. *El emboscado rojo* (novela, en contratapa de 300 millones, *Claridad*, 1932 en preparación)

8. *Cuando lleguen los otros* (teatro, idem anterior)
9. *Cuando ellos lleguen.* Anunciada en *La literatura argentina*, 1932, no se aclara el género, posiblemente se trate de un cuento.
10. *El bandido en el bosque de ladrillos.* Contiene tres cuentos que a su vez se titulan: *El silencio, Esther Primavera* y *Beso de muerte* 28/6/30. *La Razón.* Reportaje donde explica que está preparando este libro de cuentos. Estos cuentos han sido recopilados en *Estoy cargada de muerte y otros borradores.* O.B. Buenos Aires, Torres Agüero. 1985.

4.1.1.6. Lista de obras teatrales

El Humillado (frag. Los siete locos)

300 millones

El fabricante de Fantasmas

Saverio el cruel

La Isla desierta

Africa

La fiesta del hierro

Prueba de amor "boceto teatral irrepresentable para personas honestas"

El desierto entra a la ciudad

La juega de los polichinelas "burlería"

Un hombre sensible "burlería"

Separación Feroz, "boceto en un acto" (Antecedente de *Saverio el cruel)*

La cabeza separada del tronco. Estrenada en 1964 por el Teatro del Pueblo.

4.1.1.7. Algunas representaciones teatrales

En Argentores se puede consultar el fichero de estrenos que ofrece bastante información. En este caso hay dos libros relevantes el de José Marial *El teatro independiente* -1955- que tiene un capítulo dedicado a "El Teatro del Pueblo" y consigna muchísimos datos sobre teatros independientes y sobre Arlt. El otro libro es de Raúl Héctor Castagnino; *El teatro de Roberto Arlt-1964-* que también ofrece muchos datos aunque tiene muchos errores con las fechas y los nombres, por ejemplos dice *Prueba de fuego* en lugar de *prueba de amor* , inclusive el error ha circulado en otros textos.

El Teatro del Pueblo dirigido por Leónidas Barletta estrena la mayor parte de la producción dramática de Arlt. El Teatro del Pueblo comenzó a funcionar en 1931 sobre la calle Corrientes al 400.

• *EL HUMILLADO*. Adelanto de *Los siete locos* en *Claridad*. Estrenada y adaptada al teatro por L. Barletta en marzo de 1932.

• *TRESCIENTOS MILLONES*, estrenada por El Teatro del Pueblo el 17 de junio de 1932.

• *SAVERIO EL CRUEL*. Teatro del Pueblo, 4 de septiembre de 1936.

• *EL FABRICANTE DE FANTASMAS*. Compañía de Milagros de La Vega y Carlos Perelli. 8 de octubre de 1936.

• *LA ISLA DESIERTA*. Teatro del Pueblo. 30 de diciembre de 1937.

• *AFRICA*. Teatro del Pueblo. 17 de marzo de 1938.

• *LA FIESTA DEL HIERRO*. Teatro del Pueblo. 18 de marzo de 1940.

• *EL DESIERTO ENTRA A LA CIUDAD.* Teatro "El Duende". 5 de noviembre de 1953.

• PRUEBA DE AMOR. se representó cuatro años después de su muerte, en La Casa del Teatro. 1947.

• *EL AMOR BRUJO.* Puesta en escena: Sergio Renán. Adaptación: Luis Ordáz. Octubre 1971.

• *LOS SIETE LOCOS.* Dir. Rubens Correa. Teatro El Picadero. Versión teatral en la que se funden *Los siete locos, Los lanzallamas* y escenas de *El juguete rabioso* y alguna aguafuerte. El Teatro El Picadero desapareció. 1980.

• *SAVERIO EL CRUEL.* Dir. Roberto Villanueva. Teatro Cervantes. 1988.

• *LA FIERTA DEL HIERRO.* Dir. Rubens Correa. Teatro Andamio 90. 1994.

• *POR AMOR AL ARLT.* Dir. Ismael Hase. Teatro Municipal Presidente Alvear, 1995.

4.1.1.8. Filmografía y televisión

Películas

300 millones. Versión experimental de Simón Felman.

1967. *Noche Terrible.* Coproducción argentina/brasileña. El primer episodio está realizado por Eduardo Coutinho y el segundo por Rodolfo Kuhn. "Respeté la estructura básica del cuento de Arlt, que ya tiene una narración afín con el cine. Están todos sus racontos y agregamos uno más, que llamamos "Si yo fuera capaz", y que describe cómo el novio protagonista encara –en su imaginación– la realidad y sus disyuntivas". R. Kuhn. *Guión:* Rodolfo Kuhn, Carlos del Peral y Francisco Urondo. *Fotografía:* Juan Jusé Stagnaro. *Intérpretes:*Jorge Rivera López, Susana Rinaldi, María Luisa Robles, Federico Luppi, Héctor Pellegrini. *Dirección:* Rodolfo Kuhn. *Duración:* 82'. *Estreno:* Septiembre 1967: cines Paramount y Libertador. Blanco y negro.

1973. *Los siete locos.* Incluye algunos pasaje de *Los lanzallamas.* Director: Leopoldo Torre Nilson. Actúan: Norma Aleandro, Afredo Alcón, Sergio Renán. Véase: Torre Nilson.

1977. *Saverio el cruel* Dirigida por Ricardo Willicher. Se trata de una versión libre en que la que no reconoce la obra de Arlt. Alfredo Alcón, Graciela Borges, Diana Ingro.

1984. *El juguete rabioso.* José María Paolantonio. Actúan Pablo Cedrón (incoporado al film por su presunto parecido con el escritor). Julio de Gracia (el rengo) Cipe Lincovsky, Osvaldo Terranova.

1994. Secretaría de Cultura de La Nación realizó un video de 30 minutos aprox. dentro de una serie denominada DNI (Documento Nacional de Identidad). realizado por Ricardo Monti sobre Arlt y la representación escénica: se muestran fragmentos de distintas representaciones teatrales, fílmicas y hay reportajes a directores de teatro y cine y crítico como Carlos Pelleriti, J. M. Paolantonio, Rubens Correa.

En televisión se adaptaron:

* *Pequeños Propietarios* (1974)
* *Noche terrible* (15/2/83).
* *300 Millones.* Carlos Muñoz
* *Prueba de amor.* Fue representada en la televisión y fue dirigida por Laura Bro (1972).

4.1.1.9. Artículos, notas y prólogos escritos por Arlt
(transcripción de algunos textos)

Solamente incluimos algunas notas porque las *Aguafuertes* son alrededor de 2000.

Al margen del Cable: "El Paisaje en las Nubes", por Roberto Arlt. Esta es la última nota que escribió Arlt antes de morir y fue publicada al día siguiente de su desaparición /Especial para *El Mundo* / *N. de la R:* - Roberto Arlt contribuyó con su pluma a ennoblecer esta página y su prestigio irradiaba sobre todas las firmas que aparecen en ella. Esta es su última nota, y en este momento de tremendo dolor no podríamos decir si es o no mejor que otras suyas. Pero repite una de las más preclaras modalidades de su conducta de escritor propenso a destacar el lado paradójico de la vida. Debe leérsela con una emoción particular, pues representa la última expresión de un espíritu escepcional en quien todos veíamos un hermano eminente.

"Evidentemente, los hombres no eligen a sus padres ni a sus destinos. Quizá ofrecerían un espectáculo magnífico si aquellos que están por nacer tuvieran poder de escoger a sus progenitores. Qué batallas de párvulos o qué batallas parvulescas se producirían en los planos astrales. Qué de niños descalabrados entonces nacerían; faltos unos de piernas, otros de brazos, otros de narices. Los más feroces, por supuesto, aparecerían en hogares pudientes.

Bueno, uno de los que no pudo elegir fue George Zabriskie.

George tuvo por padre un zapatero remendón, que tenía un cuchitril hediondo a cuero y cola, en las proximidades del barrio negro de Nueva York. El padre de George le suministraba al pequeño profundas lecciones de moral con el tirapié. De este modo George, aunque se desarrolló en pleno ambiente fascineroso, adquirió lo que se podría llamar el cartabón ético. Este cartabón ético le sirvió para no convertirse en pistolero ni ratero en los tiempos que aun se cotizaban los matones. George, mediante este cartabón se convirtió en chauffeur. Su padre, hombre de principios, que leía la Biblia y le inculcaba la moral con el tirapié, le decía:

-Hijo, hasta los chaufferes entrarán al reino de los cielos.

A los diez y siete años, George manejaba eficientemente su coche, pero no creía que los cielos tuvieran reino. En cambio, su padre, se hizo adventista. Creía, cada vez con mayor vehemencia en el advenimiento de Jesucristo y en la aclaración del misterio que encubre el Sexto Sello.

A los diez y siete años, George manejaba eficientemente su coche, pero no creía que los cielos tuvieran reino. En cambio, su padre, se hizo adventista. Creía, cada vez con mayor vehemencia en el advenimiento de Jesucristo y en la aclaración del misterio que encubre el Sexto Sello.

George envidió a su padre. A medida que los días transcurrían entre sus manos y conducía su automóvil por los desfiladeros de sombras que son las calles de Nueva York, mirando con mirada a veces vacía, el perfil de los rascacielos que en la altura próxima del cielo tienen un tono de canela rosada, que se oscurece a medida que el sol desplaza en el cemento la silueta oscura de otros rascacielos, nuestro hombre aprendió a respetar las musarañas del cerebro, y las musarañas viéndose respetadas en el caletre del chauffer, crecieron descomunalmente.

Es decir, se convirtió en un soñador.

Durante un tiempo tuvo su parada junto al quiosco del piramidal edificio de Wolworsth, otras junto al palacio cúbico de Sigwin. Allí construyó sueños magníficos. Cuando doblaba la cabeza hacia arriba, millares y millares de ventanas de los rascacielos parecía que iban a desplomarse sobre sus ojos, y entonces pensaba en los bosques que aun subsisten en las llanuras quebradas, en los ríos que serpentean ociosos entre los prados esmaltados. Otras veces, con su coche llegaba hasta las terribles calles de los suburbios, edificios de siete pisos de fachada de ladrillo sin rebocar, empavesados por la ropa interior de los inquilinos, recién lavada. Y los sueños de George crecían en medio de esta miseria, rectos como palmeras cuyo penacho busca el sol.

Después tuvo su parada a la altura del número 1. 000 de la 5ta Avenida y en breves líneas de corte poético describió la melancolía alegre de los abedules que aun se encuentran esquinados en las ochavas y el canto extraño de los pajaritos en las ramas de piel manchada.

Sus compañeros supieron que escribía.

Luego, viajó por una compañía de transportes hacia las horrendas casas de inquilinato del antiguo barrio turco, de frentes rayados por las oblicuas rampas de hierro de las escaleras de Incendio. Su horror al paisaje de cemento, le hizo cantar en un lenguaje de un Teócrito prerrafaelista, estampas de égloga, ríos de sábanas anchas y mansas donde centellean peces extraordinarios, valles antorchados de bosques donde moran pensativos animales de cornamenta bronceada y cuando ya hubo publicado un considerable número de poemas de color verde manzana con manchas de oro y azul, los recopiló en un volumen que se editó con el nombre de "Geografía de la Mente".

"Geografía de la Mente" es el itinerario fantasmagórico que sigue con su espíritu hambriento de luz, el prisionero de la ciudad de cemento gris. Como "Los Cuentos de un Soñador" de Lord Dunsany, "Geografía de la Mente" es una ventana abierta en el glorioso mundo del paisaje. El hombre que se asfixiaba entre las murallas de la ciudad titánica, se ha evadido mentalmente, y entonces como un bebedor de haschich, vagabundea por los campos adornados del plano astral, y el plano astral deja de ser un plano astral para convertirse en una acuarela entre cuyos horizontes todos quisieramos morir.

"Geografía de la Mente" es el éxito literario del año 1942. "New Republic" por intermedio de su crítico dijo que éste era el mejor libro del año.

La aventura de George Zabrieskie no termina aqui. Los fiduciarios del "Guggenheim Memorial", han resuelto otorgarle a George una beca, para que durante un año pueda pasearse por la soledad de los bosques y dedicarse a la poesía sin la preocupación del volante. Un crítico, maldito sea él, se ha preguntado, si George en los campos encontrará el auténtico silencio de las grandes llanuras, la frescura de paisaje, que descubrió oculta tras las montañas cúbicas de la titánica ciudad de cemento.

Nosotros, a pesar del crítico, creemos en George.

3 de marzo de 1932
(Reproducido en *Conducta* Julio/Agosto de 1942:

Pequeña historia del Teatro del Pueblo
Por Roberto Arlt. (Esta nota fue leída por Arlt como homernaje a El Teatro del Pueblo cuando Barletta estrenó El Humillado).

Hace un año vine a este local a traer una obra, que, como otros autores, me había pedido Barletta.

La impresión que recibí fue pésima. Era invierno, el salón destartalado con montones de reboque caído por los rincones, el escenario desmantelado, la compañía tiritando en banquitos de madera, todo hacía creer en la proximidad del fracaso. Comprometí una nota en *El Mundo*. Y dije la verdad de lo que

---

había visto, y además, aquello que pensaba: un éxito por cien fracasos.

Estoy seguro que a muchas personas de la incipiente compañía no les causó mucha gracia. Alguien dijo que yo, cuando me levantaba, me desayunaba con un limón. Cito esta frase porque me resulta graciosa, más inexacta. Yo he hecho en realidad en mi sección del diario, aquello que, precisamente, hace el director del Teatro del Pueblo en su teatro: lo que le parece verdadero, prescindiendo de toda clase de intereses, inclusive los de la amistad.

Posiblemente esta conducta sea antipática... pero hay que convenir que únicamente tienen fuerza para seguirla aquellos que están respaldados por la honestidad de sus propósitos, por la pasión de un ideal.

Si yo hubiera hecho en esa época el elogio del Teatro del Pueblo, los que me han leído y conocieron aquella desmantelada etapa del Teatro del Pueblo, hubieran dicho sencillamente de mí que estaba dándole un "bombo" a algo inexistente.

Haber dicho la verdad entonces me autoriza hoy a hacer... iba a decir... su elogio... pero yo no me he propuesto hacer elogios. La misión de un escritor que se estima a sí mismo, es señalar a los ojos de los demás, las virtudes y los defectos, que destacan la obra de un prójimo.

Nos encontramos aquí frente al escenario creado por la voluntad de un grupo de jóvenes artistas que tienen su proa enfilada hacia el futuro.

Si uno mira esto, dice: ¡es tan simple! Y es cierto... es tan simple visto de afuera y tan complicado examinado por dentro, que uno no sabe a quién admirar más, si a Barletta o los que lo acompañaron en esta loca empresa.

¡Qué optimismo el de estos artistas... qué buena fe... qué paciencia... qué solidaridad! Tres empresas similares a ésta fracasaron. El Teatro Libre, la Mosca Blanca y El Tábano. Mientras escribo me acuerdo de la conquista de Méjico, llevada a cabo por Hernán Cortés. Tres expediciones costosas fracasaron antes que llegara Cortés a Méjico con la cuarta expedición que aniquiló el imperio de los Moctezumas. Ustedes me dirán qué tiene que ver el Teatro del Pueblo con la conquista de Méjico por Hernán Cortés.

Yo le veo una relación: conciencia de lo que uno se propone, voluntad de agrupamiento, falta de dinero, vacío... oh sí... la historia antigua le enseña a uno muchas cosas, y entre las cosas que le enseña, la más formidable es ésta: ¡Cuidado con un hombre de voluntad... !

Las revoluciones, ya sean políticas, económicas o artísticas, las han efectuado siempre individuos que se caracterizaron por tener a su disposición un caudal de obstinación endiablada. Una voluntad trabajando como una mecha de acero contra el muro de la sociedad y contra la impermeabilidad de los funcionarios a quienes no les interesa el arte.

Tres teatros fracasaron antes que éste. Y uno de ellos, el Teatro Libre, disponía de dinero.

De modo que cuando se organizó esta compañía, o mejor dicho, cuando se efectuó esta asociación de hombres con pasta de héroes, las habladurías corrieron como de costumbre y a Barletta y sus compañeros les cupo el honor de que se hablara de ellos con ese tono irónico que nosotros los porteños conocemos tan bien. Hubo chistes en los diarios, y cada uno de nosotros puso su fracesita. (Seamos sinceros).

Es duro y amargo estar solo. Para estar solo y trabajar solo, se necesita el temple de un diablo... y estos artistas durante casi un año estuvieron solos. Cierto es que se estimulaban mutuamente, pero la situación en que se encontraban no era la del éxito, ni mucho menos.

Siguieron. Hubo gente que vino y gente que se fue. He visto a Barletta tomar a gente del brazo en la puerta de este salón para que entrara. Lo he visto en la puerta pregonando como un rematador para que los transeúntes entraran gratis. Lo he visto discutir con el cobrador de la luz...

Y por fin entraron algunos, vinieron otros, y hoy estamos aquí todos juntos, en una especie de camaradería invisible, que se liga al porvenir de esta obra indestructible, de la cual deseo hablarles.

Para un despreocupado lector de diarios, el Teatro del Pueblo es un barracón donde alguna buena gente se reune a escuchar cosas raras de la nueva generación que se va a comer crudos a todos los viejos autores.

Esta hipótesis sería en cierto modo verdadera, si nosotros fuéramos aficionados a los muertos, pero los cadáveres no nos interesan. Tenemos, es verdad, la pretensión de crear un teatro nacional, en consonancia con nuestros problemas y nuestra sensibilidad, y entonces, esas empresas de comicuchos, y autores de sainetones burdos, no nos interesan... más aun... nosotros sabemos que hay alguien que, por la espalda, día a día está matando al irrisorio teatro nacional... y es el cine.

Este enemigo fortalecido con dos mil salones distribuidos en toda la República, a los cuales acude gente de las más variadas culturas e inculturas, destruye insensiblemente en el público el afecto y el interés, por el bodrio eterno, con su italiano eterno, su gallego eterno y su ruso eterno... y el compadrito de arrabal que no emociona a nadie porque lo ha substituido el ultramoderno pistolero con su fusil ametralladora.

De hecho aparecieron en escena nuevos factores con los cuales el teatro no podía competir. Lujo, panorama, mujeres espléndidas, romanticismo barato, pero romanticismo al fin y al cabo, y hoy, la persona habituada a las butacas de un cine moderno, cuando entra a un teatro nacional, siente tentaciones al salir de hacerse desinfectar.

Creo que los diarios hicieron encuestas, y que los autores contestaron:

—El cine mata al teatro.

¡Qué poca visión del porvenir!

No se daban cuenta que el cine era una empresa comercial, a mucha mayor altura que la empresa del teatro nacional. El cine, entendámonos bien, puede matar al teatro nacional, lo que no puede matar el cine, es el teatro, el arte teatral, la obra concebida para el escenario teatral... y esa obra... como es natural... la obra auténticamente teatral, es rechazada por el teatro nacional, y no tiene posibilidades de prosperar en la pantalla.

¿Por qué el cine no puede matar a la obra artísticamente teatral?

Pues porque escapa a su jurisdicción.

El cine podrá absorber el drama pasional, la novela larga, una obra de pistoleros, porque hay un público que al asistir a sus representaciones, paga, además, tales gastos. Pero en cuanto el cine quiere meterse a realizar arte, arte puro... lo hace... pero al día siguiente los accionistas de la empresa cinematográfica arman un lío tremendo.

La película artística no paga ni los gastos. Tal es lo que ocurrió aquí con "Aleluya" y "Luces de la ciudad". Financieramente, la última película de Carlitos fue un fracaso.

Sin embargo, en teatro no hubiera sido un fracaso. "Aleluya", teatralizada, tampoco hubiera fracasado.

Si una película, pongamos por caso, se paga con un millón de espectadores, y por diversas razones no interesa a un millón de espectadores... su asunto, en cambio, puede entrar en los dominios de la escena teatral.

Pero ocurre aquí otro fenómeno. El cine y el teatro son dos artes distintos... para cuando el cine sea un arte. Pero así como el cine fue destruyendo al público del sainete, este mismo cine está destruyendo al público del cinematógrafo. Es decir, lo educa... naturalmente en un porcentaje bajo... pero siempre respetable. Este público, un buen día termina por hartarse de películas a base de besos, de dactilógrafas ingenuas y de vampiresas a ultrance. Se aburre y entonces mira en dirección al teatro. Pero es imposible pretender que esta gente vuelva al teatro nacional. No; el teatro nacional ha quedado lejos... es un recuerdo con algunos muertos.

Aquí se está preparando el teatro futuro... para que cuando esa gente se harte de películas malas, tenga donde entrar. Estamos en los comienzos de la lucha, preparativos para afrontar los problemas que se producirán mañana.

La situación creada a los autores sinceros en este país, es fantástica.

Los empresarios teatrales, y con los empresarios el público, rechazaban la obra de las generaciones innovadoras. Muchos se desanimaron y colgaron la peñola. Trabajar ¿para qué y para quién?

Sin embargo, el público tenía curiosidad de conocer autores nacionales; quería ver lo que daba la generación del 900.

Los autores de la generación siguiente, a su vez, decían:

-¿Para qué ser autores, sino tenemos teatro?

Se repetía el cuento de la gallina y el huevo. ¿Quién fue primero, el huevo o la gallina? Sin embargo, existía una frase que podía dar una clave. La frase de un gran industrial: Enrique Ford. Enrique Ford dijo, cuando se le oponían obstáculos a su comercio de automóviles:

-Cierto... no existen caminos... pero nuestros automóviles son tan baratos que, por sí mismos, fabricarán caminos.

Y así ocurrió... Los automóviles Ford han trazado el camino en todas las direcciones de nuestro campo. Huella Ford.

No sé si Barletta conocía esta frase de Ford; pero procedió del mismo modo. No existían autores, ni teatros, pero debe haberse dicho: hagamos el teatro que los autores se harán después... y aunque la conducta es audacísima... es la justa. Realizó su teatro y los autores vienen. Ya son unos cuantos... y buenos... mañana serán más. No deseo que esto sea tomado como un excesivo elogio para Barletta: pero los conquistadores de cualquier color proceden siempre así: crean la dificultad, se cierran el camino de salida, y entonces no les queda otro recurso que triunfar o romperse la cabeza. Y como un hombre antes de romperse la cabeza, piensa muchas veces, opta por lo más fácil, es decir, por triunfar.

Eso es lo que hizo Hernán Cortés en compañía de algunos camaradas. Quemar los bergantines. Indudablemente ese asaltante de imperios conocía la psicología humana.

Y también esto es lo que ha hecho Leónidas Barletta.

Ha creado un teatro, jugándose su prestigio de escritor.

Yo, no quisiera extralimitarme en los juicios, pero me agradaría que ustedes recordarán este panorama que actualmente ven. Un pequeño escenario, bancos rústicos, iluminación a la buena de Dios.

Y quisiera que lo recordaran, porque dentro de algunos años, el Teatro del Pueblo será una empresa montada con todas las exigencias del arte moderno, y muchos dirán:

-En lo que se ha convertido el Teatro del Pueblo.

Y otros, los tránsfugas, dirán:

-¡Qué suerte ha tenido Barletta!

Y nadie, seguramente, se acordará de esto: Que barletta y sus camaradas han hecho y hacen aquí el trabajo de peones de limpieza, albañiles, carpinteros, pintores, electricistas, apuntadores, actores, decoradores, nadie recordará que esta gente vive como en una isla, combatiendo contra toda clase de dificultades.

Pero no hay que compadecer a esta gente. Sería ridículo. Para triunfar se necesita voluntad; para tener voluntad hay que tener pasión de la obra; para tener pasión hay que tener humildad, la necesaria, la indispensable humildad, que no rechaza ni el más desagradable trabajo, porque el más desagradable trabajo forma parte del conjunto de la obra, y tan importante es barrer el piso, como acondicionar un decorado. Y aquel hombre que quiere triunfar, y cree que es más importante acondicionar un decorado que barrer el piso, ese hombre no va a ninguna parte.

Creo que estamos en presencia de una realización que, con el tiempo, va a crecer hasta convertirse en sede oficial de nuestro teatro nacional. No digo palabras de optimismo, sino de hombre que conoce y sabe valorar los efectos de una terrible fuerza humana: la voluntad.

Y esta gente la tiene. Tiene la voluntad desarrollada en tal grado... que, no se rían de lo que les voy a decir: si tuviera dinero no podría hacer más de lo que actualmente hace.

Cuando comencé les hablé de Hernán Cortés. Ahora vuelvo a recordarlo. Creo que les va a interesar. Después de la conquista de Méjico pasaron años, Hernán Cortés, capitán general de la Nueva España no era el audaz y pobre capitán que destruía el Imperio de Moctezuma, sino el conquistador repleto de oro. Aburrido de su inactividad, organizó una expedición. Pero no una expedición de muertos de hambre como la que lo había acompañado a él, sino de hombres fuertes, armados hasta los dientes.

Y la expedición fracasó. Organizó otra que le costó mucho dinero. Y fracasó. Organizó una tercera expedición. Y ésta también fracasó. Tenía dinero, tenía fuerza, tenía poder. Pero le faltaba algo, algo que es sumamente precioso en la vida del hombre: la voluntad y el optimismo de los conquistadores de treinta años.

Y esos somos nosotros. /Marzo 1932.

4.1.1.10. Adelanto de novelas en revistas

"El rengo". Fragmento del cap IV de La vida puerca, publicado en 1926 bajo el título *El juguete rabioso*. Buenos Aires. Revista *Proa*. 1925.

"La sociedad secreta". Buenos Aires. Revista *Pulso*. 1928. Fragmnento de *Los siete locos*. Primera parte de la novela de Roberto Arlt publicada por entregas.

"El humillado". *Cuentistas Argentino de Hoy*. Buenos Aires. 1929. Compilación de Guillermo Miranda Klix y Alvaro Yunque. Fragmento de *Los siete locos*

"Naufragio". Buenos Aires. Revista *Claridad.*. 1929. Fragmento de *Los siete locos*.

"El Bloque de oro". Buenos Aires. *Claridad*. 1930. Fragmento de *Los lanzallamas*

"Un alma al desnudo". Azul. Revista *Azul*. 1931. Fragmento de. *El amor Brujo*.

"S. O. S." Buenos Aires. *Revista Argentina*. 1931. Fragmento de *Los lanzallamas*

4.1.1.11. Iconografía

> "Si se observa la foto de recién casados de Catalina Iopztraibizaer y Carlos Arlt se advierte en seguida que Roberto recibe el rostro de su padre, su caja frontal espaciosa, sus cejas hirsutas, su cabello abundante alisado hacia atrás. Hay en ese rostro, una adustez, un gesto de autoridad que impresiona. De Catalina, su madre, Roberto hereda unos grandes ojos castaños, con un destello singular, ojos que de pronto parecen lejanos como horadando lo inmediato, ojos que expresan la vida interior y también un aferramiento al entorno." p. 115. Raúl Larra. *Roberto Arlt el torturado*. Esta fotografía no ha sido hallada.

1920. Retrato en tapa de *Las ciencias ocultas en la ciudad de Buenos Aires*.. Col. particular Sr. Juan Carlos Romero.

1922. Retrato familiar. Su primera esposa Carmen, su primera hija Electra Mirta, una empleada negra, Roberto Arlt y un burro. Córdoba. Se puede ver en la *Revista Argentina*. Julio 1971. Buenos Aires.

1926. Retrato acompañando la "autobiografía humorística" en la revista *Don Goyo*. Dic. 1926. En Biblioteca Nacional. Col. O. B.

1926 Retrato que acompaña la bibliografía de *El juguete rabioso*. *Mundo Argentino*. Carlos Piran. En Biblioteca Nacional o en Biblioteca del Museo de la Ciudad. Véase: Piran, Carlos.

1928. Circa. Esta fotografiado junto a Conrado Nalé Roxlo, ha sido reproducida en *Para leer a Roberto Arlt*. Omar Borré/Mirta Arlt. Torres Agüero editor. 1985.

1929. Retrato tapa de *Los siete locos*. Primera edición. Se puede consultar en Instituto de Literatura Argentina. Facultad de Filosofía y Letras. U. B. A. y Biblioteca Nacional.

1929. "Autosemblanza", en *Claridad* nº 162 (40), 14 de julio de 1928. Se trata de la autobiografía y una caricatura que aparece en la recopilación de Guillermo Miranda Klix de cuentistas contemporáneos, realizada en colaboración con Alvaro Yunque. Biblioteca Nacional. Col. O. B.

1929. Agosto. Retrato en "Roberto Arlt sostiene que... "extenso reportaje en *La literatura Argentina*. Biblioteca Nacional. o Biblioteca Colegio Buenos Aires. Col. O. B.

1929. Caricatura en *Cuentistas Argentinos de hoy*. Guillermo Miranda Klix y Alvaro Yunque. Instituto de Lit. Argentina. F. de Filosofñia Y letras. U.B.A. Col. O. B.

1929. Dibujo de Arlt realizado por Bello en Aguafuerte "De vuelta al pago", 15 de nov, Biblioteca Nacional diario *El Mundo*.

1930. Tapa tercera edición de *Los siete locos*. En Instituto Literatura Argentina. F. F. y Letras. U. B. A.

1930. Tapa de *Los lanzallamas*.

1931. Caricatura de cuerpo entero. En las autobiografía que acompaña *Una noche terrible* en *Mundo Argentino*.

1931. *Los lanzallamas*. "Noticias gráficas de la capital". Buenos Aires. *Mundo Argentino*. Año XXi. 4 de noviembre de 1931. Nº 1085. p. 24. Aparece un texto con la fotografía de Arlt de 6 cm. La sección es en huecograbado. Véase: "Noticias Gráficas de la capital" y *Los lanzallamas*.

1931. *Los lanzallamas*.. Roberto Arlt. "Nuestro compañero de redacción R. Arlt, cuyo último libro *Los lanzallamas*, continuación de su novela *Los siete locos*, acaba de ser entregado a la circulación." Buenos Aires. *El Mundo*, 31 de octubre de 1931. p. 32. Contratapa, incluye una foto de Arlt. Véase: *Los lanzallamas*. Roberto Arlt.

1931. Dibujo del rostro de Arlt realizado por Pintos Rosas en la tapa de la segunda edición de *El juguete rabioso*.

1932. *Trescientos millones* y *Prueba de amor*. Fotografía de Arlt en la tapa. Véase: *300 millones* en Obras que Arlt publicó durante su vida

1933. Tapa *Aguafuertes porteñas*.

1935/6. *El Mundo*. Retratos desde España. Acompañan a las *Aguafuertes españolas*, fotografías de Arlt. *El Mundo*, en Biblioteca Nacional.

1940. Dibujo de Moreau, en *Argentina Libre* en Biblioteca Nacional, Biblioteca Sarmiento.

1934. Liacho, Lázaro. (Seudónimo de Jacobo Simón Liachovitzky. 1897/1969). *Palabra de hombre*. Buenos Aires. Edición del autor. 1934. En la página 55 grabado de Arlt por Francesco.

1938. Fotografía de Arlt de cuerpo entero. Acompañado por una familia muy numerosa, en la Patagonia. Nota en *El Mundo*.

1937. Lorenzo, Tirso. "Aguafuertes españolas por Roberto Arlt". Bs. As *Mundo Argentino*. 2 de febrero 1937, p. 17. Sección Actualidad Bibliográfica. Se reproduce la tapa del libro: que tiene un dibujo de Arlt. Véase: Lorenzo, Tirso.

1937. "En el mundo de las letras: Roberto Arlt el vigoroso novelista cuyo libro *Aguafuertes españolas*, que acaba de aparecer, es un nuevo exponente de su habilidad de narrador». Epígrafe a una foto de Arlt en *El Hogar*. 5-2-37. p. 37. Biblioteca Museo de la Ciudad.

1937. Junto a Homero Manzi en Santiago del Estero. rev. *Ahora*. B. Nacional.

1938. Ensayo en el teatro del Pueblo. *Mundo Argentino*.

1936. Fotografías en *El Mundo* acompañando notas sobre teatro

1938. Retrato de Sigfredo

1930. En *La Razón* con Bernárdez, Ledesma.

1932. Retrato en tapa de *El amor brujo*. Primera edición. Col. particular Prof Juan Carlos Romero.

1932. "Amigos lectores: han estado ustedes en buena compañía!" Buenos Aires. *Mundo Argentino*. Páginas centrales con fotos. p. 36-37-38, foto de Roberto Arlt. 28 de dic. 1932, nº 1125. La revista muestra las fotos y el nombre de sus colaboradores más destacados en 1932.

1935. Marruecos. Conocida fotografía en *El Mundo*. Arlt vestido con atuendos árabes. En *El Mundo*.

1940. Agosto. *Mundo Argentino*. Buenos Aires. "Cómo se monta una obra en el Teatro del Pueblo" (Incluye seis fotografías) La Nº 3 dice: "Roberto Arlt en un momento de lectura, comentada con los actores, de una escena de su interesante farsa." (sic)Nº 4: "El autor sigue atentamente el ensayo de *La fiesta de hierro*, desde un rincón del escenario". Esta fotografía es bastante conocida y se reprodujo en el libro *Estoy cargada de muerte* y otros borradores.

1941. "Nuevas corrientes en la literatura hispanoamericana". Artículo de Eduardo Mallea, en *Leoplan* 25 de febrero. p. 52. Retrato de Bernardez, Marechal, Borges, Arlt, Bioy Casares, Erro y Martinez Estrada. Biblioteca Sarmiento. Biblioteca Nacional.

1941. "Un viaje terrible". *Nuestra Novela*. Dibujo de la cabeza de Arlt en la tapa realizada por M. F. Teijero.

1942. *Conducta*. Número homenaje. Julio 1942. Retrato en la tapa Instituto de L. Argentina. F. F y Letras. U. B. A.

1942. 30 de julio. "Roberto Arlt", artículo de Luis Emilio Sato. Fotografía de Arlt. *Argentina Libre*.

1942. 26 de julio. Retrato en *El Mundo*. Se reproducen varias fotografía.

1942. Retrato. En *El trompo*. Dirigida por Marcelo Menaché. "El industrial desconocido". Col. O. B.

1949. En «Guía general». Comisión Nacional de Cultura. Año III, nº 47. 2º Rubro 49, pp. 28, 29, 30. (A 7 años de su desaparición). Instituto de Literatura Argentina. F. F. y Letras. U, B. A.

1971. Anónimo. «Roberto Arlt». Buenos Aires. Rev. *Argentina*. 1971. Bilingüe inglés/español. Director C. Ustirberea. Ilustración de Hermenegildo Sábat: caricatura de Arlt. La revista incluye fotos del primer matrimonio de Arlt con su hija recién nacida, y un gran retrato de Arlt, *Las fieras*, cuento perteneciente a *El jorobadito*.

1971 «Alberto Cedrón. Argentino en Nueva York. Cedrón trabaja ahora en el proyecto de decoración de los muros que rodearán la plaza Roberto Arlt, en Buenos Aires» Buenos Aires. *La Opinión*. 11 de julio de 1971. p. 9. La escultura se realizó y figura en una de las paredes de la plaza. Hoy, la escultura sufre un importante deterioro.. La plaza está ubicada en Avenida de Mayo y Piedras.

1971. Eduardo Gonzalez Lanusa. *Roberto Arlt*. Buenos Aires. Historia Popular Nº 35. Centro Editor de América Latina. Entre la página 52 y 72 reproduce fotografía de: Roxlo y Arlt aprox. 1919. /Chapa con el nombre de la Calle Roberto Arlt (hoy desaparecida)/Foto de Elizabeth Shine de Arlt, segunda esposa del escritor (1939)/Fotografía de una comida de camaradería en el aniversario de *Claridad*, en el centro de la mesa Arlt/Retrato de Arlt por Sigfredo. /Talla de quebracho situada en el hall del Teatro del Pueblo, de Juan Tapia/Arlt vestido de árabe en Marruecos/Dibujo de Hogobono (aparecido en la Revista *Siete Días* en 1970). /Reproducción de la patente de invención de las medias vulcanizadas/Página de una libreta con fórmulas químicas escritas por Arlt/Tapa de la primera edición de *El juguete rabioso*/Tapa de la primera edición de *El amor brujo*/tapa de la primera edición de *El criador de gorilas*/ Tapa de la segunda edición de *El jugueta rabioso*/Tapa de *El jorobadito* primera y segunda edición/Tapa de *El desierto entre a la ciudad*/ *La sociedad secreta*, frag. en Pulso de *Los siete locos*/Foto de Arlt/El Teatro del Pueblo, hoy situado en Diagonal norte al 900. /Logotipo del Teatro del Pueblo pintado en el muro de acceso a la escalera del teatro. Frente del edificio del diario *Crítica* ubicado en Avda de Mayo 1300. /Edificio de la editorial Haynes donde funcionaba la redacción del diario *El Mundo* en Bogotá y Rio de Janeiro (demolido).

4.1.1.12. Notas aparecidas el día de su muerte: 26 de julio de 1942

La Prensa. Lunes 27 de julio de 1942. Roberto Arlt. La C. D del círculo de la Prensa invita a sus socios a acompañar los restos del con. socio fallecido que serán inhumados hoy a las 11 en el cementerio del Oeste. Casa de duelo, Rodríguez Peña 80.

*Larra, Raúl. «Nota necrológica»Buenos Aires. *La Hora.* 27 de julio, 1942. Véase: Larra, Raúl.

*"Necrológicas". «Don Roberto Arlt» Buenos Aires. *La Nación.* Buenos Aires. p 6. 28 de julio, 1942.

*Necrológicas. Buenos Aires. Noticias gráficas, 26-7-42.

*Necrológicas. Buenos Aires. *La Prensa*, 27 julio 1942. «Círculo de la Prensa»

*Necrológicas «Don Roberto Arlt falleció ayer en esta capital. Buenos Aires. *La Nación*».

*Necrológicas «Fallecimiento del señor Roberto Arlt» Buenos Aires. *La Prensa*, p8. 27 de julio de 1942.

*Necrológicas. Buenos Aires. *La Razón-* 27. 7-42. Debe señalarse que el diario que menos referencias hace de Arlt, de su obra y esta vez de su muerte.

4.1.2. Bibliografía sobre Roberto Arlt

4.1.2.1. Libros y revistas dedicados a Roberto Arlt

▲ REGA MOLINA, HORACIO. *La flecha pintada*. Buenos Aires. Ediciones Argentinas, Ensayos/Glosas. 15 de nov. 1943. Sobre los cuentos de *El jorobadito*, p. 269.

"Cada nuevo libro de Arlt suscita en torno de su obra arremolinadas opiniones. Desde su inicial *El juguete rabioso* ha logrado convertir a pocos de los que, desde el primer momento no fueron cautivados por sus novelas." (Reflexiona sobre el cuento *Noche terrible*). "Si algún célebre escritor occidental hubiera escrito este libro, sobrarían lenguas de alabanza, pero, por ahora, y hasta tanto subsiste la indígena penuria de nuestra admiración colectiva, sólo es un cuento de Roberto Arlt".

▲ LARRA, RAÚL. *Roberto Arlt, el torturado*. Buenos Aires. Ed. Futuro. 1950. 154 pp. /Talleres Gráficos Cadel, 1956. (segunda edición)-Tercera edición 1962. Cuarta Edición 1973. Luego ha tenido numerosas ediciones. Es el primer libro que se escribe sobre Arlt. Véase: Larra, Raúl.
Indice:
Preludio/1. El muchacho del suburbio/2. El mundo alucinado/3. El novelista torturado/4. Florida contra Boedo/5. El imaginero de la farsa/6. El cronista porteño/7. El cínico romántico/8. El escritor y la política/9. El soñador de inventos/10. La partida inesperada. 145pp.

▲ CONTORNO. Revista. Buenos Aires. Mayo 1954, Nº 2. *Dedicado a Roberto Arlt* /Indice: La mentira de Arlt... Gabriel Conte Reyes / Una expresión, un signo... Ismael Viñas / Erdosain y el plano oblicuo... Ramón Elorde / Roberto Arlt y el pecado de todos... F. J. Salero / Arlt y los comunistas... Juan José Gorini / Roberto Arlt: una autobiografía... M. C. Molinari / Roberto Arlt, periodista... Fernando Kiernan / Arlt, Un escolio... Diego Sánchez Cortés / Arlt, Buenos Aires... Jorge Arrow / El único rostro de Jano... Adelaida Gigli. / Dirección: Ismael Viñas y David Viñas. Roque Sáenz Peña 651 - Te. 30-2409 - Tres pesos.

▲ CONDUCTA. Buenos Aires. Julio/Agosto. 1942. Director: Leónidas Barletta.

▲ MACEDONIO. «La danza voluptuosa» Macedonio, año S, n° 11, p. 43-46, septiembre 1971. Aguafuerte española. «Primera autobiografía» Macedonio, año 3, n° 11, pp. 39-42, septiembre, 1971. Se reproduce la misma Aguafuerte de 1930 que incluyó Barletta en 1942 en la revista Conducta.

Sumario: Editorial: El legado de Macedonio. J. C. Martini / Poemas. A. Girri / Cuento. J. Cortázar / Poemas. C. Gourinski / Primera autobiografía. R. Arlt / Aguafuerte. R. Arlt / Semblanza de un genio rioplantense. J. C. Onetti / Roberto Arlt, o los ruidos del derrumbe. A. Vanasco / Roberto Arlt y el lenguaje. R. Larra / Arlt en España. M. Arlt / Microbibliografía de Arlt. H. J. Becco / Bibliografía. J. Bonanino / Poemas premiados. M. Alvarenga.

▲ MASOTTA, OSCAR. *Sexo y traición en Roberto Arlt.* Buenos Aires. Jorge Alvarez Editor, 1965.

▲ ETCHENIQUE, NIRA: *Roberto Arlt. La Mandrágora,* 1962, 121 págs. (Clásicos Argentinos del Siglo Veinte).

▲ ROBERTO ARLT. Buenos Aires. Folleto: Editado por un núcleo de actores en ocasión de la semana de homenaje. 1948. 20 páginas. "Se terminó de imprimir el 16 de agosto de 1948 en la imprenta Chile, Perú 565, Buenos Aires". 60 ctvs. Colaboran: Córdova Iturburu, Pascual Naccarati, , Marcelo Mensaché, José Marial, Raúl Larra, Vicente Barbieri, Ernesto Castany. Véase: cada uno de los autores.

▲ GONZÁLEZ LANUZA, Eduardo. *Roberto Arlt.* Ed. C. E. A. L. Buenos Aires. 1971. Col. La Historia popular n° 35. El libro contiene varias fotografías. : Indice: Retrato-Biografía. El lenguaje de Arlt- El adolescente-La Obra-Periodista-Narrador-dramaturgo-Obras de R. Arlt. bibliografía sobre R. A. /"Agradezco a la amistad de Elizabeth Mary Shine de Arlt, Mirta Arlt, Conrado Nalé Roxlo, Córdoba Iturburu y Pascual Nacaratti la generosa contribución de los elementos que han hecho posible este trabajo." E. G. L.

▲ DAVID MALDASVKY. *La crisis en la narrativa de Roberto Arlt.* Buenos Aires. Ed. Escuela. 1968.

▲ GOSTAUTAS, STASYS. *Buenos Aires. y Arlt. Dostoyevski, Martínez Estrada y Escalabrini Ortiz.* (sic)Madrid. Insula. 1977. Gostautas es un investigador de origen rumano que trabajó durante un tiempo en Buenos Aires. recopilando material. El trabajo es amplio y cuidadoso y aporta mucha información. Los originales estuvieron en la editorial Eudeba para su publicación y luego con el advenimiento del gobierno militar fueron incinerados. El libro fue publicado en España. Gostautas vive y enseña en EE.UU. Véase: Soriano, Osvaldo, quien en 1992 descubre el libro y hace una nota, poco más de 20 años de publicado. En Buenos Aires. circularon muy pocos ejemplares, los que Gostautas envió a las personas que había conocido. El Instituto de Literatura Argentina de la F. de F. y Letras tiene un ejemplar.

▲ GUERRERO, DIANA. *Roberto Arlt, el habitante solitario.* Col. «*El juguete rabioso*», Dirigida por David Viñas. Buenos Aires. , Granica, 1972 (2ª Edición, 1986. Ed. Catálogos. Col. Dirigida Por David Viñas). Diana Guerrero fue secuestrada junto con su esposo durante la dictadura militar y nunca se pudo saber más de ellos. Véase: Blengino, Vanni.

Indice: Prefacio-Introducción al universo arltiano-1. El aprendizaje de la sociedad-2. Imagen del mundo social-3. Las relaciones interpersonales-4. Los oficios de vivir-5-El individuo que busca y se pierde. Bibliografía: Preparada especialmente para esta obra por Estela Edith Rossi. Véase: Rossi, Estela Edith. Viñas, David (Texto de contratapa): "Nos proponemos explicar los significados ideológicos subyacentes en el discurso literario de Arlt. Para realizar este fin se presentan dos caminos. El primero era buscar las referencias directas entre los contenidos de la obra del escritor y la 'sociedad' porteña. Pero, en realidad, nos pareció que este procedimiento comienza a mostrar sus limitaciones: con un mínimo de buena voluntad se puede demostrar fácilmente la correspondencia (o aparentar que se lo hace)entre algunas palabras, algunas frases, algunos aspectos de la obra, y las situaciones sociales. Este modo de análisis arriesga que no se comprenda el sentido total y específico del universo de significaciones estudiado, dejando de lado sus articulaciones internas. Cada uno de los aspectos se mostraría, entonces, fuera de la función que desempeña en la obra y susceptible de que se le atribuya cualquier contenido. El otro cambio posible era el intento de exponer la ideología arltiana desde el interior de la obra y recurriendo lo menos oposible a elementos externos. Preferimos este método para extraer el sentido específico del universo literario de Arlt. Por otra parte, pese a que este ensayo tenga como tema la obra de Arlt, no es un trabajo de crítica literaria, No analizamos el estilo ni la estructura de la obra, ni utilizamos -al menos explícitamente- muchos de sus cuentos que no aportan significaciones distintas. (...) No respetamos, tampoco, la cronología de las obras utilizadas ni analizamos cada una por separado, con la excepción de *El juguete rabioso*; el resto de las obras es tomado en su conjunto siguiendo una clasificación temática. (...) La obra de Arlt aparece como una crítica desesperada y pesimista al modo de vida de la pequeña burguesía argentina de los años veinte y treinta desde una perspectiva espiritualista igualmente pequeño burguesa. (...) Diana Guerrero.

▲ ROBERTO ARLT. Buenos Aires. *Gaceta de los Independientes* nº 1, mayo-junio, 1955). Número dedicado.

▲ GASPAR PÍO DEL CORRO. *La zona novelística de Roberto Arlt*. Universidad Nacional de Córdoba. Col. «Cuarto Cente» ¡Error! El marcador no está definido. Dirigida por prof. Emilio Sosa López. 29 octubre de 1971, 45 págs.

"Para concentrar nuestra indagación de la narrativa de Roberto Arlt, nos ubicaremos en el eje de sus novelas, esa secuencia temático- estructural integrada por *Los siete locos* (1929) y *Los lanzallamas* (1931), obras que responden a un tiempo histórico inmediato -en sus anticipaciones y efectos- definible por la crisis internacional del 29, la crisis nacional del 30 y sus proyecciones en el ámbito literario argentino, a saber: agudización de las tensiones en los frentes ideológicos de nuestros escritores (derecha -izquierda), y aparición de obras que pretenden cuestionar a fondo la realidad nacional *(La grande Argentina, El hombre que está solo y espera, Radiografía de la Pampa)*. "(...)"...es muy importante el estudio del cuento de Arlt para bucear los rasgos que favorezcan una interpretación de su unidad estilística , toda vez que constituya la única forma genérica indicadorta de una constante inveterada en el proceso literario de este autor;..."

Indice: La sátira del mundo positivista/El grotesco del mundo idealista/Encrucijada de realidad y fantasía/El absurdo de la salida hacia adentro/La ruptura como salida/Notas.

▲ SCROGGINS, DANIEL C. *Las aguafuertes porteñas de R. Arlt*. Ediciones Culturales Argentinas. Secretaria de Cultura de Educación. Buenos Aires. 1981. Contiene: -Las lecturas de R. Arlt Documentados en las *Aguafuertes* porteñas. –Recopilación de algunas aguafuertes. -Y una cronología de las aguafuertes desde 1928 hasta 1933.

▲ REVIEW 31/Nueva York, enero-abril 1982, p. 29-30. -Currents in the contemporany Argentine novel (Arlt-Mallea-Sábato y Cortázar). Columbia. Universidad de Missouri, 1957. (Roberto Arlt and the Memotic Rationale, p. 21-45).

▲ AMÍCOLA, JOSÉ. *Astrología y fascismo en la obra de Arlt*. Buenos Aires. Weimar Ediciones. Febrero 1984. 132 pp.
"Explicación introductoria: La creciente popularidad de Arlt en la década del 60, que tiene su contrapartida en el silencio que rodeó a su figura en las dos décadas anteriores, lleva necesariamente, a todo investigador que lo trate, a plantearse el problema que ha seguido la recepción de su obra por parte de sus lectores."
Indice: Problemática entorno a la obra de Arlt/La obra en interrelación con principios filosóficos/La obra en relación con acontecimientos políticos. /La obra en interrelación con acontecimientos psicosociales/La obra como diálogo con el lector/La obra total de Arlt en relación con intereses pequeño-burgueses.

▲ *Seminario sobre Roberto Arlt*. Publicatións du. Centre de Recherches Latino-Americano de l'Université de Poitiers. Sep. 1981. [Seminario realizado en abril de 1978 bajo la dirección del Prof. Alain Sicard] [Impreso en Portugal 22-6-82]. Gerardo M. Goloboff: La primera novela de R. Arlt: el asalto a la literatura. p. 1. Maryse Renaud: Una ambigüedad fecunda. p. 29. Ximena Mandakovic: De la angustia a la Revolución de *Los siete locos* y *Los lanzallamas*. p. 43. Soledad Bianchi: Ayer y hoy de una «Fiera» p. 73. Nicasio Perera San Martin: Distancia y distanciación en El Criador de gorilas, p. 85. F. Moreno Turner: La fábrica de mentiras. A propósito de una burlería de R. Arlt. p 111. Paul Verdevoye: Aproximación al lenguaje porteño de R. Arlt. p. 133. Paul Verdevoye: Léxico. p. 151. Véase: cada autor por separado.

▲ FLINT, JACK M. *The Prose Works of Roberto Arlt: A Thematic Approach*. Durham. University of Durham. 1985. 93pp.

▲ CASTAGNINO, RAÚL HÉCTOR. *El teatro de Roberto Arlt*. La Plata: Universidad Nacional de La Plata, 1964. Es el primer libro sobre la obra teatral de Arlt. Segunda edición: Buenos Aires, Nova, 1970, 126 págs.
(Compendios Nova de Iniciación Cultural, 59).

▲ GOLOBOFF, GERARDO MARIO. Genio y Figura de Roberto Arlt. Buenos Aires. Eudeba, 1989.

▲ NÚÑEZ, ANGEL. *La obra narrativa de Roberto Arlt.* Buenos Aires: Edtorial Minor Nova, 1968. El libro conformó una tesis para la licenciatura y obtuvo el premio del Fondo Nacional de las Artes.
Indice:
Prólogo: solamente explica su apoyatura teórica
Cap I. La Técnica narrativa/Cap. II Valoración de la técnica narrativa / cap. III El reflejo social en la obra. /Cap IV *El Mundo* de Roberto Arlt/ Cap V La aventura del amor. /Bibliografía citada. El libro se centra principalmente en el análisis de *El jorobadito* y Una Noche terrible.

▲ SPECK, PAULA K. *Roberto Arlt and the art of Fiction* (tesis. EE. UU. Universidad Yale).

▲ NORTON, ROBERT LEE. The Novels of Roberto Arlt: A new direction in Spanish American Fiction. University of Missouri. Columbia. Ph. D. 1974. Language and Literature, modern.
No tengo noticias de su publicación, en Buenos Aires. circuló una copia microfilmada. 4 de octubre de 1974. Tiene un amplia bibliografía.
Robert Lee Norton trabajó durante un año en Buenos Aires.

▲ LIACHO, LÁZARO. (Seudónimo de Jacobo Simón Liachovitzky. 1897/1969). *Palabra de hombre.* Buenos Aires. Edición del autor. 1934.
En la página 55 hay un grabado de Arlt por Francesco/1934.
"Arlt dentro y fuera de *El amor brujo.*
Introducción:
"Aquí analizo la posición del escritor, con respecto a los valores de su trabajo..."
"Analizo la vida de Balder, de Irene, etc.. como así la de Roberto Arlt. El lector podrá determinar hasta que punto, mi observación es exacta." "Quiero si, para fijar los signos de mi intento, recordar alguna palabras de filiación autobiográficas de R. Arlt. Son los siguientes:
1. Me interesan entre las mujeres... /2. Me atrae ardientemente la belleza.. /3. El futuro es nuestro..." —Liacho trata en su libro de desacreditar estos tres puntos.

Consideraciones preliminares: El escritor ante el público.

Conclusiones: Repugna a Arlt, todo lo que sea belleza. A pesar de todo puede que la salvación de Arlt resida en el futuro. Para comprobarlo seamos pacientes. Esperemos. Esperemos nueve meses. Después Arlt alumbrará *El pájaro de fuego.* Véase: Iconografía.

▲ ARLT, M y BORRÉ, OMAR. *Para leer a Roberto Arlt.* Buenos Aires. Torres Agüero Editor. 1985. Incluye una antología de textos nunca publicados en libros.

▲ ZUBIETA, MARÍA A. *El discurso narrativo arltiano.* Buenos Aires: Hachette. 1987.

▲ ROBERTO ARLT. Buenos Aires. *Clarín,* cultura y nación, jueves 31 de julio de 1975) Incluye: La tragedia del hombre que busca empleo/aguafuerte de 1930/Arlt el angél al revés, nota de Abelardo Castillo, las *Aguafuertes porteñas* de R. A. por Tomás Lara. *Erdosain, la víctima complaciente* por Jorge B. Rivera. Arlt en la zona peligrosa por U. Petit de Murat. *El aprendiz de inventor.* por Elías Castelnuovo.

Véase: Castillo, Abelardo, Lara, Tomás-Rivera, J. -Petit de Murat, U. - Castelnuovo, Elías.

▲ HERNANDEZ, DOMINGO LUIS. *Roberto Arlt La sombra pronunciada.* Barcelona. Montesinos. 1995. 366pp

▲ PASTOR, BEATRIZ. *Roberto Arlt o la rebelión alienada.* Gaithersburg. Hispamérica. 1980.

▲ CORRAL, ROSE. *El obsesivo circular de la ficción.* Asedios a *Los siete locos* y *Los lanzallamas* de R. Arlt. México. El Colegio de México. Fondo de Cultura Económica. 1992. 120pp.

▲ *Cuadernos de Cultura Hispanoamericanos* Nº 11. Madrid. 1993. (Número dedicado a Arlt).

▲ Sobre el cierre de esta edición, se anuncian en *Primer Plano,* suplemento de cultura de *Página/12,* domingo 17 de mayo de 1996 un libro de Carlos Larrea y otro de Horacio González.

4.1.2.2. Guías bibliografías específicas sobre la obra de Roberto Arlt

Las bibliografías que se incluyen son las únicas que hasta la fecha circulan en relación a la obra de Arlt.

▼ Guía bibliográfica de Roberto Arlt, por Horacio Becco y Oscar Masotta. Las diez páginas que componen esta guía constituyen el primer intento por sistematizar los datos bibliográficos acerca de la obra de Roberto Arlt, una obra dispersa, mal anotada, con escasos informes bibliográficos y críticos. El trabajo de Becco y Masotta, recopila la bibliografía conocida y arrastra errores en los datos de ediciones de las obras de Arlt, o errores cometidos sobre los datos de editoriales y autores. Son mínimos, estos señalamientos, en tanto que la obra de Becco y Masotta es la primera bibliografía realizada sobre este autor y de seguro será la fuente ineludible y primera de todo aquél desee estudiar a Arlt.

Becco, Horacio: realizó otras cronologías breves y microbibliografías sobre Arlt. Nuestro trabajo de recopilación bibliográfica parte de este ordenamiento hecho por Masotta y Becco. En 1971 Horacio Jorge Becco trazó una «microbibliografía de Arlt» para la Nación que incluyó luego en el número once de la revista Macedonio. Cuando Masotta y Becco inician su trabajo bibliográfico sobre la obra de Arlt el único libro sobre este autor era el de Larra: *Roberto Arlt el torturado* (1950), el resto son artículos y las revistas Contorno, Conducta, Columna y Metrópolis que habían dedicados sus números a la trayectoria literaria y teatral de Roberto Arlt.

▼ Rossi, Estela Edith. "Bibliografía"* preparada especialmente para el libro *Roberto Arlt/el habitante solitario* por Diana Guerrero

El trabajo realizado por Edith Rossi es muy valioso: incluye los primeros artículos periodísticos, nombre de cuentos y las epístolas de Don Goyo. Es una de las más importantes bibliografía sobre Arlt, 17 páginas, desde la 191 a 223. Está organizada de la siguiente forma:

A/Trabajos sobre Arlt
I. Novelas/Cuentos/Obras Completas
Material existente cuya fecha no ha podido verificarse
En Prensa
II. Teatro
III. Cine
IV. Televisión
V. Cuentos/Epistolas/Ensayos, etcétera, publicados en periódicos y revistas
Material existente cuyos datos no se han podido precisar
B/Antologías de Roberto Arlt
C/Antologías que incluyen trabajos de Arlt
D/Estudios críticos/Ensayos/Reseñas/Juicios ocasionales/Homenajes, etc.
Estudios lingüísticos
Addenda
Premios
Conferencias
Otros homenajes
Noticias sobre su muerte
Nómina de algunas publicaciones periódicas en las que colaboró Arlt.
Periódicos / Fuentes consultadas
15 de mayo de 1972

▼ GOSTAUTAS, STASYS. "Bibliografía" en *Buenos Aires. y Arlt.* Véase: Gostautas, Stasys
Bibliografía de la página 309 a319.
Novelas y cuentos
Teatro.
Columna periodística
II. Crítica
III. Otros textos y fuentes

▼ BORRÉ, OMAR. 1) *Para Leer a Roberto Arlt*
2) *Estoy Cargada de Muerte...* y 3) *El crimen casi perfecto.*

▼ SEMINARIO SOBRE ROBERTO ARLT.
Centre de Recherches Latino-Américaines de l'Universittë de Poitiers.
Francia. 1980.
Bibliografía: Está dispersa en los ocho artículos que conforman el libro. Algunos la ubican como pie de página y otros la colocan al final del artículo.

▼ BASTOS, MARÍA LUIS. *Borges ante la crítica argentina. 1923-1960.* Ediciones Hispamérica, 1974. U. S. A.

La Bibliografía que acompaña a esta obra consta de 353 asientos bibliográficos. Está centrada en Borges pero es de suma utilidad la referencia a revistas y crítica:

Indice:

A. Las revistas y la crítica
B. Crítica sobre Borges
C. Obras de J. L. Borges
D. Obras de J. L. Borges en colaboración con otros autores.
E. Información bibliográfica sobre la obra y la crítica de J. L. Borges.

▼ GOLOBOFF, MARIO. *Genio y Figura de R. Arlt.* Eudeba. Breve Bibliografía.

▼ GREGORICH, LUIS. *Capítulo de Literatura Argentina.* C. E. A. L. Breve Bibliografía.

▼ BIBLIOGRAFÍA ARGENTINA DE ARTES Y LETRAS. Compilaciones especiales. Buenos Aires. Fondo Nacional de las Artes.

Importante publicación periódica dirigida por Augusto Raúl Cortazar. Las compilaciones especiales formaron parte de la Bibliografía general y luego fueron separadas. Alrededor de veinte autores fueron bibliografiados, no está Arlt, pero considero una obra muy importante dentro de la bibliografía argentina. Es importante el N° 36 de las Compilaciones Especiales "Bibliografía básica de obras de referencia de artes y letras para la Argentina" por Josefa Sabor y Lydia Revello. 1959.

▼ BIBLIOGRAFÍAS. Buenos Aires. 1959. Facultad de Filosofía y Letras. Instituto de Literatura Argentina "Ricardo Rojas"se han publicado alrededor de 20 pequeñas bibliografía de autores argentinos entre las que se halla Arlt por H. Becco y O. Massotta.

▼ GNUTZMANN, RITA. "Bibliografía selectiva sobre Roberto Arlt". U. S. A. *Revista Interamericana de Bibliografía.* Vol 36. N°1. 1989. Véase: Gnutzmann, Rita.

▼ HERNÁNDEZ, DOMINGO-LUIS. "Bibliografía" *en Roberto Arlt la sombra pronunciada.* Barcelona. Montesinos. 1995. Véase: Hernández, Domingo-Luis.

4.1.2.3. Bibliografía general sobre Arlt en libros, artículos, revistas y folletos.

–A –

ABAD DE SANTILLÁN, DIEGO. *Gran enciclopedia argentina*. Buenos Aires. Ediar 1956. 9 volúmenes. Roberto Arlt, tomo 1. p. 260.

ABRAMSON, B. «¿Antisemitismo o ignorancia?» Buenos Aires. *Claridad*, Nº212. Agosto, 1930. «¿Quién causa mayor daño?, una ignorante y adivino con sus chapucerías o uno de esos "escribidores"…» Abramson considera deshonroso gastar dinero en premios municipales para obras semejantes. (*Los siete locos*).

—«El sustrato social de los protagonistas de Arlt». Buenos Aires. *Claridad*, Nº246. Junio, 1932.

«Actualidad bibliográfica». Buenos Aires. Rev. *La Literatura Argentina*. Nº36. Agosto 1931. p. 373. Esta revista se encuentra, semi completa en Hemeroteca de la Biblioteca Nacional y completa en Biblioteca del Colegio Nacional Buenos Aires.
"Es interesante leer este libro (*El juguete rabioso*/2ª edición) después de *Los siete locos*, que ha sido el éxito de Arlt. Hay quienes consideran superior al primero más que al segundo, pero su autor no comparte la opinión. Ciertamente en *El juguete…*, se delinea ya la estructura de *Los 7 Locos*. Hay semejanza en ciertos personajes, en el ambiente, en las búsquedas psicológicas. Pero la segunda obra de Arlt está mucho más trabajada, sobre todo en lo subjetivo, en la indagación de las conciencias atormentadas por una avidez indefinible de emancipación."

«Actualidad bibliográfica». Bs. As *La Literatura Argentina*, Nº15. Noviembre 1929. p 88. "*Los siete locos* de R. Arlt". Esta revista ha publicado un índice de actualizaciones bibliográfica muy importante. (Véase: *Datos útiles*).

ACUÑA, JUAN ENRIQUE. "Roberto Arlt en el limbo" Buenos Aires. *Propósitos*. Año 1. N°3. 28 de diciembre de 1951. Propósitos periódico semanal fundado y dirigido por Leónidas Barletta.

ACHÁVAL, HORACIO. *Buenos Aires: de la fundación de la angustia*. Buenos Aires. Ediciones de la Flor. 1967.

ADELLACH. ALBERTO C. "Roberto Arlt o la tecnología imposible". Buenos Aires. *Clarín Cultura y Nación*, 25-7-74. p. 1.

"Aguafuertes españolas por R. Arlt. Buenos Aires. Fabril Editora". Buenos Aires. *La Nación*. Octubre 1971. s. f. Nota bibliográfica acerca de la reedición sin firma. "En una reactualización y revaloración de R. Arlt, acaba de aparecer una nueva edición de Aguafuertes españolas, que el escritor concibió al visitar la convulsionada España de 1935, cuando él tenía treinta y cuatro años. No es exgerado afirmar que quien se asome a este libro quedará verdaderamente impresionado por la fuerza de estas estampas- más bien artículos de costumbre situados en el corazón de Marruecos, Tanger, o Tetuán o en una barca sardinera de Narbate, o en Sevilla, en Semana Santa..."

Aguafuertes porteñas. Reseña: «El autor ha reunido en este volumen sus mejores aguafuertes porteñas que han llamado justamente la atención del público de la capital. Roberto Arlt aparte de ser un novelista consumado es también, un articulista de primera fuerza, ágil, ameno, impetuoso, tipo Siglo XX que produce y concibe al vuelo de la máquina de escribir. En este sólo año lleva publicados ya tres volúmenes. *El amor brujo*, 300. 000 millones (sic) y *Las aguafuertes* porteñas. Es, sin disputa, por el momento, quien más produce y el que más trabaja. De paso, es uno de los escritores que más interesan en la actualidad». En: contratapa de *Poemas de la bruja y el gorila* por Alfonso Ferrari Amores, Ed. Rañó, 30 de sep. 1933.

Aguafuertes porteñas. Edición de Silvya. Saítta Buenos Aires. *Clarín* 14-7-91- Reproduce:. El derecho de alacranear. 10-12-1929. (Véase: Saitta, Silvya).

AGUIRRE, MARIANO. «Roberto Arlt, un literato entre la ética y la degradación». Barcelona. *Revista Camp de l'Arpa*. N° 79/80. Septiembre-Octubre 1980. Sección: Encuentros pp. 39-53. Reproduce *Aguafuertes...* y *El poeta parroquial*.

AGUIRRE, OSVALDO. "Desde la vidriera del café". Aguafuertes de Roberto Arlt. Montevideo. *El País cultural.* 28 de octubre de 1994-p. 1ss. El artículo está centrado en *Las aguafuertes:* introducción al género y a la historia arltiana en relación al periodismo; "misterio y catástrofe", hace referencia a los temas y a los textos, "el humor" y "El trato de los canallas". Recuadros: "Vida y Obra"- "Arlt y cine" -Bibliografía-dos dibujos de Ombú, un fotograma de la película *Los siete locos* de Torre Nilson-1972- y la tapa de las obras completas de Planeta, 1º Ed.
Véase: (En el mismo suplemento) Rivera, Jorge B. "Ergueta, el profeta crapuloso". Idem.

AINSA, FERNANDO. "Roberto Arlt entra en las universidades francesas". Tucumán. *La Gaceta Literaria.* 29-5-83. Especial mención a la traducción francesa de *Los siete locos* y *Los lanzallamas* con prólogo de Julio Cortázar.

—"la provocación como antiutopía en Roberto Arlt"Madrid. *Cuadernos Hispanoamericanos.* 1993. Supp. 15-22-

AITA, ANTONIO. "Algunos aspectos de la literatura argentina". Buenos Aires. *Nosotros.* 1930.

—*La literatura argentina contemporánea* 1900-1931. Buenos Aires. Talleres Gráficos Argentinos. 1931. p. 59. "Arlt en *El juguete rabioso* o en *Los siete locos* -hasta es visible en el título la sugestión del autor de Los Siete Ahorcados-revela una imaginación desordenada, sin disciplina intelectual ni profundidad espiritual para hondar en ese mundo que tanto le atrae. Arlt carece de dones analíticos para hacernos sentir la tragedia de la angustia que tanto nos conmueve y alucina con los rusos. Escritor de estilo pintoresco, algunas páginas narrativas revelan sus excelentes dotes de novelista, pero éstas necesitan una intensa depuración."

—*La literatura y la realidad americana.* Buenos Aires. Talleres Gráficos Argentinos. 1931.

A. F. L. "Soiza Reilly visto por Roberto Arlt". La Plata. *El Día.* 11 de abril de 1971. p8. Se trata del aguafuerte "Este es Soiza Reilly"31/5/1930 en *El Mundo.* Arlt escribe desde Río de Janeiro al enterarse que ha ganado el tercer premio municipal de literatura. La evocación de Juan José de Soiza Reilly –periodista– se centra en el reconocimiento y apoyo literario que le brindó al escritor a los 16 años cuando publicó "Jehová" su primer cuento.

«ALBERTO CEDRÓN. Argentino en Nueva York». Buenos Aires. *La Opinión.* 11 de julio de 1971. p. 9. La escultura se realizó y figura en una de las paredes de la plaza Roberto Arlt. Hoy, la escultura sufre un importante deterioro. La plaza está ubicada en Avenida de Mayo y Piedras.

«Alberto Hidalgo emitirá libremente su voto en el jurado municipal de literatura». Buenos Aires. *La literatura argentina.* Revista bibliográfica. año 2. Nº 15. pp. 73-74. Noviembre 1929. Sobre Roberto Arlt: p. 73.

«Algo más sobre una encuesta de Clarín. Florida y Boedo. Lo que nos dijo: Juan Goyanarte. Nicolás Cócaro». Buenos Aires. *Clarín.* p. 8. 26 de julio de 1959. Juan Goyanarte fue un destacado editor, publicó, también, una revista llamada *Ficción,* actuó en la década del 60.

ALEGRÍA, FERNANDO. *Breve historia de la novela hispanoamericana.* México. Studium, Ediciones de Andrea. 1959.

—*Historia de la novela hispanoamericana.* México. Ediciones De Andrea. 1966.

—*La novela hispanoamericana.* Siglo XX. Buenos Aires. Centro Editor América Latina. 1967.

ALFAYA, JAVIER. "Roberto Arlt. Retrato de un desconocido". Buenos Aires, *La Calle.* Nº130. 16-22 de septiembre. 1980

ALONSO, LISARDO. «*Los lanzallamas* de Roberto Arlt". Buenos Aires. Megáfono, IX. Dic. 1931. p125. "Curiosa es la posición que dentro del mundillo literario ocupa Roberto Arlt -nos permitimos hablar así porque no somos 'señores enfáticos' sino simples lectores que hemos adquirido su libro en la esquina- un poco por propia voluntad y otro poco acaso por inercia. Sus apresuradas notas diarias en *El Mundo* le han dado una popularidad de la cual él se jacta pero que por sí misma no tiene nada de envidiable, sin duda. De ahí ese prejuicio con que cortamos el año pasado los pliegos de *Los siete locos* creyendo encontrar una serie anodina de "aguas fuertes porteñas" donde sólo había un libro desconcertante, muy superior a ellas, con todos sus infinitos defectos, porque servía para revelar en Arlt algo que las notas no dejan ver nunca. Si éste de hoy: *Los lanzallamas* no fuera la exacta mitad del primero, podríamos exigirle algo más positivo que señalar la existencia de un vigoroso talento mal empleado. Nos parece bastante razonable que los críticos se ensañaran con *Los siete locos* sin tener en cuenta el premio municipal; lo que no alcanzamos a comprender es porqué acusan de realista a estas novelas. Aburren ya las disquisiciones de alta estética sobre el realismo, máxime ahora que las Kodaks están tan baratas."

ALONSO, FERNANDO, LAFLEUR, RENÉ HÉCTOR Y. PROVENZANO, SERGIO.
Las revistas literarias argentinas 1893-1960. Buenos Aires. Ediciónes Culturales Argentinas. 1962. Primera edición-Véase: Lefleur, René o Provenzano, Sergio, especialmente por la segunda edición.
Indice:
Noticia preliminar/La primera vanguardia (1893-1914) / Guía hemerográfica (1893-1914) / La nueva generación (1915-1939) Guía hemerográfica (1915-1939) / La generación del 40 (1940-1950) / Los últimos años (1951-1967)/Guía hemerográfica (1951-1967) / Epílogo/Indice de revistas.
"Articular un panorama de las revistas literarias argentinas nacidas en el presente siglo, es el propósito de este trabajo".

ALONSO FERNANDO Y REZZANO, ARTURO. *Novela y sociedad argentinas*. Buenos Aires. Paidós. 1971. 313 pgs. Biblioteca del Hombre Contemporáneo, Nº162. Sobre Roberto Arlt, Cap. IV. La generación del 22. pp. 96-103. Fragmento de *Los siete locos*, pág. 268. Véase: Rezzano, Arturo.
"La peculiar figura de quien fuera considerado *el Dostoievky de la generación del 22*, a la vez que uno de nuestros más discutidos escritores -novelista. cuentista, periodista y dramaturgo-, hace su entrada en el terreno literario en el año 1926. (…)En la obra de Arlt se refleja el sentimiento de conmiseración del autor hacia sus doloridas criaturas como una prueba de que los mismos llevan mucho de quien les ha dado vida."

ALPHERATTE. "Roberto Arlt, el desbordante". Análisis astrológico. Buenos Aires. *Mundo Argentino*, 1º de octubre, 1958. Un esbozo de la personalidad de Arlt realizado a través de su signo astrológico (Tauro). Cuenta algunas anécdotas y señala el interés de Arlt por las ciencias ocultas. Alpheratte es el astrólogo permanente de la revista *Mundo Argentino*, en varias oportunidades Arlt confiesa que lo ha consultado. La carta natal de Cesar que figura en El desierto entra a la ciudad, fue realizada por XUL Solar y Alpheratte.

ALTAMIRANO, ALDO JOSÉ. *La selva del damero: Espacio literario y espacio urbano en América Latina.* Pisa: Giardini. Rosalba Campra editores. Roberto Arlt y las novelas, el tratamiento de la vida ciudadana en Buenos Aires, 1993. Véase: Renaud, Marysé.

Los siete locos y The Revolt of the Cockwach People», grito del sol, year 2, Book 4, pp. 69-80 (Oct-Dic. 1977).

AMABLE, HUGO. «Sobre Arturo Haffner, uno de los personajes raros de Roberto Arlt». Buenos Aires. *Megafón.* Año III, nº 6. pp. 173-181. Dic. 1977.

AMÍCOLA, JOSÉ. *Astrología y fascismo en la obra de Arlt.* Buenos Aires. Weimar Ediciones. 132 pp. Febrero 1984.
"1. Explicación introductoria: La creciente popularidad de Arlt en la década del 60, que tiene su contrapartida en el silencio que rodeó a su figura en las dos décadas anteriores, lleva necesariamente, a todo investigador que lo trate, a plantearse el problema que ha seguido la recepción de su obra por parte de sus lectores."
Indice: Problemática entorno a la obra de Arlt/La obra en interrelación con principios filosóficos/La obra en relación con acontecimientos políticos. /La obra en interrelación con acontecimientos psicosociales/La obra como diálogo con el lector/La obra total de Arlt en relación con intereses pequeño-burgueses.

ANDAHAZY-KASNYA, BELA. «Roberto Arlt: arte y contradicción». Buenos Aires. Rev. *La Rosa Blindada.* VII. Nov. Dic. 1965. p39-43.
El problema fundamental es superar la realidad: en la medida en que el escritor hunda sus personajes en ésta, no como testigos sino como partícipes del engranaje, el mito de la trascendencia pura, de las situaciones límites como problema, desaparecen: la reflexión del ser en sí o la acción del ser social: ésa es la disyuntiva; si bien la pasión es una realidad, el pasionalismo o el emoti-

vismo son el falseamiento de una postura humana entronada en la realidad histórica. p. 40.

ANDERSON IMBERT, ENRIQUE. *Historia de la literatura hispanoamericana*, I / II. México: Fondo de Cultura Económica, 1966. pp349. Col. Breviarios Nª 89.

ANDREEV, LEONID NIKOLAEVICH. "Homenaje a Roberto Arlt". Tratamiento del cuento. T'ma. ; relatonship to Arlt, Roberto, role of plagiarism, in meta-fiction; application of reader-response-theory and criticism. 1991.
Véase: MacCracken, Ellen.

"Amigos lectores: han estado ustedes en buena compañía!" Buenos Aires. *Mundo Argentino*. Páginas centrales con fotos. p. 36-37-38, foto de Roberto Arlt. 28 de dic. 1932, nº 1125. La revista muestra las fotos y el nombre de sus colaboradores más destacados en 1932.

Anarchisten in Argentina. Der Imel-Verlag entedeckt R. Arlt. Roberto Arlt: «Die Flammenwerf» Roman, insel Verlag, 33 Seiten, Leinen. 24 Marzo.) Frank Furter neue Presse 9-5-73 Nº 107.

ANDRÉS, ALFREDO. *Palabras con Leopoldo Marechal*. Buenos Aires. Carlos Pérez Editor, 1968. El libros está estructurado en base a un extenso reportaje a Marechal. Cuando Marechal habla sobre Arlt reproduce una carta que le envía Arlt con motivo de la publicación del poema *El Centauro* en *La Nación*. Véase: Marechal, Leopoldo y también *Cartas*.

"Aniversarios". Buenos Aires. *Primera Plana*. Año V. Nº 240, p. 6. Del 1 al 7 de agosto de 1967.

Anónimo. «Roberto Arlt». Buenos Aires. *Rev. Argentina*. 1971. Bilingüe inglés/español. Director C. Ustirberea. Ilustración de Hermenegildo Sábat: caricatura de Arlt. La revista incluye fotos: del primer matrimonio de Arlt, su hija recién nacida, y un gran retrato de Arlt, Las Fieras (cuento perteneciente a *El jorobadito*). Véase: Iconografía.

"Aproximación al Mundo de R. Arlt". Diálogo con Torre Nilson. Buenos Aires. *La Nación*. 26 de abril de 1973 En relación al estreno de la película *Los siete locos*.

ARA, GUILLERMO. *Introducción a la literatura argentina*. Buenos Aires. Editorial Columba, 1966. p. 55.
"Se observa que en Roberto Arlt la creación fantástica ocupa el lugar del acto heroico, de la rebeldía en acción. Sus personajes representan esa transferencia al plano literario de la impetuosidad crecida entre el escepticismo y la ansiedad metafísica, entre el obrar solitario y la voluntad de catastrófico aislamiento."

—*Los argentinos y la literatura nacional*. Buenos Aires. Editorial Huemul, 1966. p. 122
"La novela de Roberto Arlt nos plantea problemas ni siquiera insinuados por sus antecesores locales. El mismo vivir porteño dentro del cual se debate la miseria, la obsesión de vivir y el vuelo metafísico de sus criaturas, está dado en ambientes y personajes de insospechada psicología, aún dentro de la vulgaridad y lo patológico de sus perfiles externos."

—"La novela argentina de hoy". Actas de la 5ª asamblea internacional de filosofía y literatura hispánica. Bahía Blanca, U. Nacional del Sur, 363 pp Sobre Arlt pp 22-26. Depto de Humanidades, Instituto de Humanidades, 1968.

ARGENTINA LIBRE. (1940-1946) Buenos Aires. Periódico semanal dirigido por Octavio Gonzalez Roura, quien fundó la Revue Argentine en París en la década del 30. Era de tamaño sábana y en él escribieron infinidad de autores nacionales y extranjeros. Roberto Arlt publica varios artículos en este diario y varias veces es mencionado o criticado. *Argentina libre,* semanario de orientación socialista, tenía como objetivo principal enjuiciar las atrocidades de la guerra europea a través de un espíritu antifascista. O. Gonzalez Roura fundó, también, en 1946: Antinazi. En las páginas de Argentina Libre se sumaban voces de escritores, políticos y observadores de distintos puntos de Europa y América como Salvador Allende y el nicaragüense Sandino. Finalizada la guerra, los intelectuales argentinos centraron sus críticas en la política económica del gobierno peronista. Omar Borré *Toño Salazar*. Buenos Aires. Ediciones Tres Tiempos. 1986.

—*Saverio el cruel*. Opera lírica a estrenarse en el teatro Colón de Buenos Aires, en noviembre de 1996.

ARLT, MIRTA. Prólogo a *Los lanzallamas*. Buenos Aires. Fabril, 1968. Mirta Arlt nacida en Córdoba llega a Buenos Aires. en 1952 con el propósito de organizar la publicación de la obra de su padre. En muchos casos este excesivo cuidado la indujo a escribir la mayor parte de los prólogos que se publicaron. El primero en visitarla en Cosquín fue Raúl Larra que preparaba una biografía *Arlt el torturado* y luego mediante la editorial Futuro edita la obra completa. Larra narra este episodio en *Etcétera*. Buenos Aires. Anfora. 1982. Véase: Larra, Raúl.

—Prólogo a *El amor brujo*. , Fabril, 1968.

—Prólogo a *El jorobadito*, Fabril, 1968.

—Prólogo a *El criador de gorilas*, Fabril, 1969.

—*Roberto Arlt en España*, 1934. *La Opinión*. 28-11-71. p. 8. 1971.

—«Arlt en España». Prólogo a *Aguafuertes españolas*. Fabril, 1971.

—«Los seres de la ciudad de los ángeles caídos», *Revista La Nación*. 7-1-73. p. 12. Estreno cinematográfico de »*Los siete locos*.

—Estudio preliminar. El teatro de Arlt, *Saverio el cruel y La isla desierta*. Buenos Aires, Kapelusz, 1974. Col. GOLU.

—«Teatro y locura» p. 43-66. En *Creación y locura*, (varios cuentos). Ediciones Johnson y Johnson. Buenos Aires. 1975.

—«Habla sobre Roberto Arlt». Buenos Aires. Ayesha. Nº 2 Julio. p. 12. Revista editada por alumnos del Colegio Nacional Sarmiento, Buenos Aires. 1978.

—"Roberto Arlt en el Testimonio de su hija". Buenos Aires. *La Nación*. Buenos Aires. Mes de las Letras, síntesis de una conferencia 15-8-1980. p. 13. Charla que se ofreció en el Centro de repartidores de diarios de Buenos Aires. Lectura de Aguafuertes a cargo de una actriz uruguaya: China Zorrilla.

—«Mi padre». Buenos Aires. *Somos*. Año V. Nº 255. 7-8-81. p. 49 Cuenta una anécdota sobre un señor que le habla de Arlt.

—"Arlt y nosotros». Rosario. *Cuadernos de la Dirección de Cultura de Rosario.* Serie revista nº 12. Jornada de Homenaje a Roberto Arlt (conferencias recopiladas). Auspiciadas principalmente por el Editor Carlos Lolhe en la presentación de las *Obras Completas.* 1982.

—Estudio preliminar a *Trecientos millones* y *La juerga de los polinchinelas*: cronología, bibliografía, la obra dramática, y el teatro independiente. Buenos Aires, Abril. Col. Huemul nº 112. 1982.

—*Trampolín de un genio creador.* Buenos Aires. *Clarín Cultural y Nación,* 22-7-82. p. 1 ss. Sobre una carta de un editor francés que en 1963 habría acordado publicar a Arlt y se niega en l963 por considerarlo un autor pre-existencialista.

—*El teatro como fenómeno colectivo.* Rosario Universidad Nacional del Litoral, 1967. Compilación de varios autores.

—«No alcancé a enemistarme con mi padre». *Los escritores y el país.* La Plata. *El día.* 4-3-66.

—«Mi padre: imágenes». La Plata. *Revista de la Universidad.* Nº 8, p. 163. Mayo-Agosto, 1959.

—Prólogo a *Los siete locos. Buenos Aires.* Fabril, 1968.

—Prólogo a *Saverio el cruel.* Buenos Aires, EUDEBA, 1964.

—Prólogo a *Novelas Completas y cuentos de Roberto Arlt.* -Tres volúmenes- Buenos Aires, Fabril, 1963.

—«El teatro de mi padre», prol. a *El desierto entra a la ciudad.* Buenos Aires, Futuro, 1952. Primera edición.

—«Sobre Roberto Arlt». Buenos Aires.
Propósito. Buenos Aires. Año 1. Nº 2. 11-2-52.

—«Con la hija del autor Roberto Arlt» Los Andes. 10 de junio de 1973, p. 7 [S/F] En relación al estreno de «*Los siete locos*» realizada por Leopoldo Torres Nilson.

—*Prólogos a la obra de mi padre*. Buenos Aires, Torres Agüero Editor. 1985. Recopilación y presentación Omar Borré.

—y BORRÉ, OMAR. *Para leer a Roberto Arlt*. Buenos Aires. Torres Agüero Editor. 1985. Véase: Borré, Omar.

—*Saverio el cruel*, de puño y letra. Buenos Aires. *La Nación*. "Una pieza que posee otra estética acaso una estética rechazada por Leónidas Barletta cuando estrenó la pieza en 1937: Textualmente, *Saverio el cruel comienza* así:
"Telón bajo. Enfermero de guaradapolvo blanco y gorrito reglamentario. Enfermero. Señoras y señores: Para finalizar los festejos con que celebramos la fundación de este establecimiento de enfermedades mentales, asistirán a ustedes a la representación de la farsa que escribió uno de los dementes, aquí internados. La compañía que la representa también ha sido seleccionada entre los locos más cuerdos, hospitalizados en este establecimiento, que sin pecar de inmodestos, creo que podemos calificar de modelo. (Se retira, luego vuelve sobre sus pasos) AH! me olvidaba de decirles que las decoraciones han sido ejecutadas por un enfermo que hoy no podrá cosechar vuestros aplausos porque lo tenemos encerrado con chaleco de fuerza. (Mutis)."
"El estilo dominante en el Teatro del Pueblo, dirigido por Leónidas Barlettas, era el del realismo socialista. Probablemente mi 'papá' quería estrenar la pieza y aceptó las modificaciones sugeridas por el director"p. 4. 1969.

—«Roberto Arlt y la orfandad de Dios». Buenos Aires. *Estudios. Nº 585*. 1967. pp 397-99.

ARLT, CATHERINA IOBSTRAIBIZER DE: «Mi querido Roberto» Carta de la madre de Arlt a su hijo, fechada en Cosquín el 30 de junio de 1939. La carta es sumamente curiosa no solamente por la sintaxis que con frecuencia recuerda a la de Arlt sino porque en ella vaticina su muerte:
"Cosquin 30. 6. 1939.
Mi querido Roberto
No me siento nada bien y quiero decirte una cosa antes de morir. te ruego para el bien de tu alma para tu salvacion buscate un fraile o un cura y confesate y comulgá y decile que tambien te de el sacramento de la confirmación que tu no lo recibiste, contale toda tu vida…". Véase: *Cartas*.

ARLT, ROBERTO. *Antología*. La Habana, Casa de las Américas, 1967. 259 p. prol. David Viñas. Véase: Viñas, David.

—*Obra Completa*. Buenos Aires. Ed. Lohlé. 1981. Prol. Julio Cortázar. 2 Vols. Por segunda vez se publica la obra completa, la primera vez fue la realizada por Raúl Larra en editorial Futuro, es decir todo el material que Arlt había dado a conocer en libros. La obra lleva un brevísimo prólogo de J. Cortázar, carece de índice y de toda posible referencia a la obra o al autor, los títulos de los cuentos, *Las aguafuertes* y demás textos son todos exactamente iguales de manera que no hay forma de saber cuando empieza o termina un texto o cundo estos títulos son subtítulos o marcas del escritor. Se han recortado los tomos de aguafuertes y se han incluido algunas recopilas por Daniel Scroggins (Véase) sin mención alguna. Durante muchos años la Editorial Losada había iniciado la composición de la obra completa pero no se concretó. La edición de Lolhé es en rústica y unos pocos aparecieron encuadernados. En un local de la calle Florida en el mes de octubre se presentó al público la edición. Capitaneaba la mesa Mirta Arlt, Rodolfo Rabanal y Roger Plá.

—*Teatro completo*. Buenos Aires. Editorial Shapire. 1968. Prol. M. Arlt. 2vol. Colec. Tatú Nº 26/27. 272 pp y 223pp. Cada obra tiene un prólogo. La primera vez que se publica el teatro completo.
Contenido:
Tomo I
1) Presentación y ubicación de Roberto Arlt; 2) prólogo de Amor; 3) prol. a Trescientos millones; 4) prol. a Saverio el cruel; 5) prol. a El fabricante de fantasmas.
Tomo II
6) prol. a La isla desierta; 7) prol. a Africa; 8) prol. a La fiesta del hierro; 9) prol. a El desierto entra a la ciudad. Schapire. Todas las obras están prologadas por M. Arlt.

—Ensayo crítico a *Poema de la bruja y el gorila*. Buenos Aires. Ed. L. Raño, 30 Septiembre de. 1933. 95p. Ed. Rañó y Ed. Victoria eran la misma empresa *Poemas de la Bruja y el gorila* por Alfonso. Ferrari Amores, compañero de Arlt en el diario *El Mundo*, ha obtenido el premio Vea y Lea por un cuento "El papel de plata" y se dedicó al género policial. No obstante alrededor de los años 1935 escribió infinidad de novelas de aventuras ubicadas en oriente. Prólogo de Roberto Arlt.

—Prefacio a *Poemas* de Alfonso Ferrari Amores. Lorenzo Raño. 1932.

—"Molotov y Sarajoglu conversan." Buenos Aires. *Mundo Argentino.* 15-11-1939. p. 8. ss.

—"Bombas de papel de seda sobre los techos de Alemania". Buenos Aires. *Mundo Argentino.* 22-11-1939. p. 4ss. Son muchos los artículos políticos que escribió Arlt de manera que anotamos solamente dos.

—"Ricardo Güiraldes en la intimidad". Buenos Aires. *Crítica*, p. 2. (frag) 10 de octubre de 1928. En homenaje a la llegada de los restos mortales de Don Ricardo Güiraldes. "La muerte de R. G. ha causado una impresión extraordinaria entre todos los que lo hemos conocido. Y se explica. Su vida íntima era tan perfecta como su obra y la permanencia de ese eco puesto de manifiesto en todos sus actos llegó a construirlo en atmósfera de señorío adorable, un verdadero empaque simbólico, cuya seducción era irresistible. Esta era la impresión que este hombre causaba al enfrentársenos. Físicamente era de pequeña estatura, pero recio, bien plantado, de color cetrino. Bajo la frente como retobada en encontrazos de espacio, surgía la nariz de gavilán y este perfil bravío pulido por el viento y por el sol, daba la apariencia de "mocito matrero" de gauchito trasplantado a la ciudad por cuyas calles caminaba con un ligero balanceo de hombre acostumbrado al caballo..." R Arlt. (El artículo había sido anunciado en el último número de Martín Fierro donde se menciona un Homenaje a Güiraldes que no se concreta.)

—Jornadas de homenaje a… Presentación de las *Obras Completas* en la Editorial Lohlé. Recopilado en: *Cuadernos de la Dirección de Cultura de Rosario.* Serie Revista, nº 12. 1982 Luis Mainelli-Graciela Maturo-Francisco Lolhé-Mirta Arlt.

—*La mujer, el marido y el orangután.* Caza del orangután Prólogo. / La hija del cazador de monos, cuando se va el novio se arroja en brazos del orangután. / La noche de casamiento el orangután la encierra. / Enferma el orangután/ El marido se queja y dice que no puede mantener al orangután/ y a su mujer/ El orangután con celos/ El asesinato del orangután. / (Bosquejo de un cuento hallado en una edición de Kim de R. Kipling entre las pertenencias de R. Arlt, está escrito en lápiz y tiene las características de los cuentos de El criador de gorilas.

—*Los lanzallamas*. "Autor de *los siete locos y los lanzallamas* cuyas obras han alcanzado el primer puesto entre los novelistas de la nueva generación". Buenos Aires, *Claridad*. 14 de noviembre de 1931. Véase: *Los lanzallamas*.

—*El juguete rabioso*. La novela argentina que más se ha discutido en los últimos años. Los juicios ya publicados y la popularidad de su autor nos eximen de todo comentario sobre la importancia de esta edición". Buenos Aires. *Claridad*. 14 de marzo de 1931. Segunda edición. Véase: *El juguete rabioso*.

—«Un alma al desnudo». Azul. Rev *Azul*, II Agosto, 1931, 147-54. Adelanto de «*El amor brujo*», versión diferente de la que incluye en la novela.

—*El rengo. Proa, VII*. Febrero, 1925, 28-35. Adelanto de *La vida puerca* o *El juguete rabioso*.

—*Las fieras* (cuento), en *Rev. Vértice*, p. 38 a 52. Año II, nº 13. Buenos Aires. Dic. 1928. Cada cuento lleva una pequeña nota de cada autor. La revista *Vértice* fue fundada y dirigida por la poeta Julia Prilusky Farnny, no hace mucho se ha reeditado esta antología.

—Carta a su madre, apróximadamente fechada en Marzo de 1938, en Buenos Aires. Véase: *Cartas*.

—Carta a Mirta, su hija. Aprox. 1941. Fue reproducida en la revista *Ficción Nº15*. Septiembre-octubre 1958. Buenos Aires. p. 21. Recuerdos de mi padre. A propósito de algunas cartas. Véase: *Cartas*.

—Carta a Leopoldo Marechal. Arlt le dice a Marechal de su admiración por El Centauro publicado en *La Nación* el 30 de cotubre de 1939. Véase: Marechal y Cartas.

—«Primera autobiografía». Buenos Aires. *Conducta*. XXI. Julio/Agosto 1942. Número de homenaje. La revista reproduce un aguafuerte de 1930 que Barletta consideró una autobiografía.

—«El poeta parroquial». Buenos Aires. *Proa, X*. Mayo, 1925. pp 24-39. Más que un cuento parece una crónica, pero siempre se la ha considerado parte de *El juguete rabioso*. Pero no ingresó a la novela y nada tiene que ver con la novela.

—"Créase o no.. La novela no ha muerto. *El amor Brujo* de Roberto Arlt le hará pasar los mejores momentos de su vida, conociendo el estupendo drama real de dos almas angustiadas por la voluptuosidad de un amor tormentoso. (Capital 0. 60 ctvs. Interior: 0. 70 ctvs. Pida su ejemplar donde adquirió este libro). [anuncio de venta de " 300 millones", de Ed. Rañó. 1932]

—*Estoy cargada de muerte.* Buenos Aires. Torres Agüero editor. 1985 Primera recopilación de 14 cuentos de Arlt hallados en revistas y diarios de la época. Recopilación, estudio preliminar, cronología y bibliografía a cargo de Omar Borré. Véase: Borré, Omar.

—«Entre los huelguistas de Avellaneda» Buenos Aires. *La Comuna, nº 4,* págs. 6-7, noviembre, 1971.

—«Arlt». Buenos Aires. *Propósitos.* Nº 148. 4 de agosto de 1966. Recordatorio

—«Querida Vecha». Carta de Roberto Arlt a su madre «la Vecha». Aproximadamente Enero/febrero de 1935, relata su próximo viaje a Europa. Véase: *Cartas.*

—"Una editorial chilena incluirá una obra de Roberto Arlt en una colección de novelistas donde figuran desde Walter Scott hasta Edgar Wallance. Arlt tendrá el honor de ser el único escritor sudamericano de la serie. Pero no se le abonarán derechos de autor, sino de traductor. "en *Argentina Libre*, sección: «de los cuatro vientos», 10 de abril 1941, p. 6. La pequeña referencia a *El criador de gorilas,* responde a alguna broma sobreentendida.

—"En el mundo de las letras: Roberto Arlt el vigoroso novelista cuyo libro «Aguafuertes españolas», que acaba de aparecer, es un nuevo exponente de su habilidad de narrador". Epígrafe a una foto de Arlt en *El Hogar.* 5-2-37. p. 37.

—*El Humillado.* Crítica a la puesta en escena de un frag. de *Los siete locos,* en *Tribuna Libre.* 3-3-32. *El humillado* es un capítulo de *Los siete locos* que Arlt presenta como adelanto en la revista *Claridad* de Antonio Zamora y que Leónidas Barletta sin modificar casi nada pone en escena en el cine-teatro Devoto.

—«Arlt, el chofer y el auténtico escritor» (anécdota) En *La Razón,* 29 Oct. 1960, pág. 12 [S. F.]

—*Saverio el cruel.* Estreno cinematográfico jueves 1º de Sep. 1977, Gran Cine Atlas. Versión libre -totalmente desvirtuada-o libre. Dirección Ricardo Wulicher. Actor principal: Alfredo Alcón, Graciela Borges. Duración 16.'.

—En *El Mundo,* martes 16 de julio de 1940. p. 16. Se refiere a «La fiesta del hierro». Texto extenso y muy interesante Arlt manifiesta su estética del teatro.

—«Naufragio». (del libro en prensa: *Los siete locos*) En: *Claridad* (rev.) 23 de marzo de 1929 (57), Nº 179. (Sin página)

—El bloque de oro (de la novela en preparación *Los lanzallamas*). En: *Claridad* (rev.) nº 222 (100), 10 de enero de 1931. Incluye una foto de Roberto Arlt.

—«La danza voluptuosa». Buenos Aires. *Macedonio,* año S, nº 11, p. 43-46, septiembre 1971. Aguafuerte española. Número dedicado.

—«Primera autobiografía» Macedonio, año 3, nº 11, pp. 39-42, septiembre, 1971. Se reproduce la misma Aguafuerte de 1930 que puso Barletta en 1942 en la revista *Conducta.*

—En «Guía general». Comisión Nacional de Cultura. Año III, nº 47. 2º. Rubro 49, pp. 28, 29, 30. A 7 años de su desaparición.
Fotografía en tapa.

—En *Sur* / nº 326-7-8. Sep. 1970/junio 1971, p. 159 ss. tapa.

—"Autosemblanza", en *Claridad nº 162 (40),* 14 de julio de 1928. Se trata de la autobiografía y una caricatura que aparecerán próximamente (en la recopilación de Guillermo Miranda Klix de cuentistas contemporáneos, realizada en colaboración con Alvaro Yunque.

—*El paisaje en las nubes.* Al margen del cable, en *El Mundo,* 27 de julio de 1926. Ultima nota de Arlt, es publicada al día siguiente de su muerte. Aparece en una carpeta de la redacción del diario *El Mundo* no es la nota que Arlt había escrito para ese día sino que al encontrase en su carpeta deciden publicarla. (Edmundo Guibourg).

—*La cadena del ancla* (Cuento), incluido en *El criador de gorilas*. (En: *La Nación*, 5-7-81) Cuento reproducido como anticipación de la *Obra Completa* de la editorial Lohlé.

—*Ester Primavera*. Reproducido en el diario *La Opinión*, Colección n° 35 Los grandes cuentos - 1978 Se trata de un cuento de *El jorobadito*. Publicado por primera vez en el diario *La Nación*.

—«España 1934». En: *La Opinión Cultural*,. 28 de Nov. 1971, p. 8. Copete introductorio y algunos aguafuertes de Arlt en España.

—Los autores independientes en los teatros comerciales. 5-12-1941. Diario *La Hora*.

—*Roberto Arlt*. Folleto editado por un núcleo de actores argentinos en ocasión de la semana de homenaje. Buenos Aires. 1948.

—*Il Giocattolo Rabbioso* di Roberto Arlt. Traduzione di Angiolina Zucconi. Roma. Ed. Savelli. Col. il pane e le rose. 1978. Romanzo. Subtítulo: "Un adolescente degli anni venti tra rivolta e delazione". Introduzione di Goffredo Fofi. Nota critico-bibliográfica di Vanni Blengino.
Contratapa: "Scritto nel 1926, il giocattolo rabbioso é il primo romanzo di R. Arlt: carico di allusioni autobiografiche, mai tuttavia meccanicamente riprodotte, é la storia di un adolescente, della sua voglia di vivere, della sua rabbia e delle sue angosce esistenziali. Véase: Fofi, Goffredo-Blengino, Vanni-Zucconi, Angiolina.

—En una carta de agradecimiento al Señor Honorio Barbieri quien le había hecho una crítica en la revista bibliográfica La literatura Argentina, Arlt le dice que los únicos que le hicieron notas sobre *Los siete locos* fueron: Córdoba Iturburu, Cesar Tiempo, Elías Castelnuovo, Juan Sebastian Tallon, Emilio Soto, Last Reason, Alberto Hidalgo y Ramón Doll. Véase: estos autores. No de todos se ha podido encontrar las críticas. Arlt olvida otras críticas importantes como como fue la de Ulises Petit de Murat.

—*Aguafuertes Uruguayas y otras páginas,* Montevideo. Ediciones de la Banda oriental. Séptima Serie Nº 2. 83 p. Recopilación y prólogo de Omar Borré. 1996. (Notas de Arlt sobre su viaje a Montevideo y artículos de la revista Don Goyo).

—*Al margen del cable,* edición a cargo de Cristina Landi. Buenos Aires, Seix Barral, Biblioteca Borré. 1996. Prólogo Ricardo Ibarlucía. (En prensa).

—*Cuentos completos,* edición a cargo de Omar Borré. Buenos Aires. Seix Barral. Se han recopilado y cronologizado todos los cuentos escritos por Arlt. Colección dirigida por R. Piglia.

—"Roberto Arlt o el regreso de la humillación". En *Clarín,* 25 de enero 1973 / p. 3 (Suplemento cultura y Nación) (Nota bibliográfica a «Regreso». Ed. Corregidor / 72. Recopilación de Alberto Vanasco sin fecha.

ARRIETA, RAFAEL ALBERTO (director). *Historia de la literatura argentina,* 4 tomos, Buenos Aires. Ediciones Peuser, 1959.

ARROW, JORGE. (Seudónimo de Ismael Viñas). Buenos Aires. *Contorno. Nº2.* "Dedicado a Roberto Arlt". Mayo, 1954. p. 12 Véase: *Contorno,* y también Viñas, Ismael.

ARROM, JOSÉ JUAN. *Esquema generacional de las letras hispanoamericanas.* Bogotá. Instituto Caro y Cuervo, 1963. Menciona brevemente a Arlt y ubica su obra.

ASSET, VÍCTOR: «El escritor y el hombre». Buenos Aires. *Democracia.* 27 de enero, 1957.

ASÍS, JORGE. "...Yo desciendo del tronco de Roberto Arlt". Buenos Aires. *Ayesha,* nº 2, Buenos Aires. Julio 1978, p. 13. Reportaje, revista del Colegio Nacional Sarmiento. Véase: Woulflin, Daniel. Asís, Jorge (Oberdam Rocamora: hay un texto que habla sobre Arlt).

AULICINO, JORGE. «Roberto Arlt, el octavo 'loco'» (Crónica de un escritor que no daba importancia a su genio). *Clarín* -informe especial-, domingo 26 de julio de 1987. p. 24.

AVELLANEDA, ANDRÉS. «De Areco a los suburbios porteños». Así vieron a Ricardo Güiraldes y Roberto Arlt sus contemporáneos. *La Opinión cultural*, domingo 13 de junio de 1976, p. 8 y 9.

"Las vidas de Ricardo Guiraldes y Roberto Arlt, curiosamente, confluieron en un breve período, hacia 1924, cuando el joven hijo de inmigrantes se convirtió en secretario privado del acaudalado escritor y propietario rural. Aún habrá que hacer la historia íntima de esa extraña relación que Güiraldes hizo posible para contribuir económicamente al sostén de la familia Arlt, y que, con seguridad, no podía haber sido anulada entre dos individuos más diferentes entre sí. Disímiles fueron también los dos libros de estos narradores aparecidos en 1926: pero la importancia posterior de *Don Segundo Sombra* y *El juguete rabioso* han tenido en la evolución de nuestras letras, permite hermanarlos por un momento." El artículo de dos páginas incluye un itinerario de Güiraldes y otro de Arlt.

AZCOAGA, ENRIQUE. «Correspondencia sobre Roberto Arlt». *El Mundo,* 16 de marzo de 1958.

–B–

BAJARLÍA, JUAN. *La polémica Reverdy-Huidobro: origen del ultraísmo.* Buenos Aires, Editorial Devenir, 1964.

—Roberto Arlt o el regreso de la humillación. En *Clarín,* 25 de enero 1973 / p. 3. Suplemento cultura y Nación Nota bibliográfica a «El regreso». Ed. Corregidor / 72. Recopilación de A. Vanasco.

BARACHINI, DIEGO. «Arlt, Saverio y Wulicher». En Rev. *Claudia,* 1977 Comentario general sobre Arlt y Wulicher, director de la película *Saverio el cruel.*

BARBIERI, VICENTE: "Roberto Arlt inventor de sucesos extraordinarios" en *Roberto Arlt.* p.17. Buenos Aires, 1948. 60 ctvs. Colofón: "Se terminó de imprimir el 16 de agosto de 1948 en la imprenta Chile, calle Perú 565, Buenos Aires".
Colaboran en este folleto: Córdoba Iturburu- Pascual Naccarati-Marcelo Menasché-José Marial-Raúl Larra-Ernesto Castany. *Editado por un núcleo de actores argentinos en ocasión de la semana de homenaje.* 1948.

BARCÍA, JOSÉ. «La elocución porteña»Buenos Aires. *Rev. Comentario*. año XV, nº 60, p. 34-43, mayo-junio 1968. Sobre Roberto Arlt, p. 41. p. 19. José Barcia especializado en el lunfardo de Buenos Aires, perteneció a la Academia del Lunfardo. "Mantengo fresco el recuerdo de su proyección en la crítica y en la alabanza de los lectores en cuyas filas me conté con el entusiasmo exaltado del muchacho que se somete a la dulce tiranía del lirismo. Zamora había sido el impulsor de Arlt y, por lo tanto tenía derecho a beneficiarse con otros frutos de su talento. Por eso editó también *Los lanzallamas* y más tarde, de acuerdo con el formidable novelista, (…)la segunda versión de *El juguete rabioso*. En todos los casos, la fortuna fue la misma: clamorosa y tanto que llega hasta nuestros días."

BARCIA, PEDRO LUIS. "Arlt y la lucha por la expresión". Buenos Aires. *La Nación*. Suplemento dominical. 26 de julio de 1992.

BARFUALDI, ROGELIO. «Los fantasmas de Roberto Arlt». *Crítica*, XI/ XII. Junio, 1965. 14-20.

BARLETTA, LEÓNIDAS. «¿Y el teatro del Pueblo?» en *Argentina Libre*, 28-III-1940, p. 13. Artículo de Barletta en respuesta a un enjuiciamiento de Samuel Eichelbaum al Teatro del Pueblo. Eichelbaum es jefe de sección de *Argentina Libre*.

—«*Los siete locos* merece el primer» Buenos Aires. *La Literatura Argentina*, XVII, enero 1939).
"Hace pocos días terminé la lectura de *Los siete locos* de R. Arlt, novela que conceptúo como buena. Sabía yo, por *El juguete rabioso* que en Arlt había un excelente novelista, pero en el presente libro se ha superado. Un libro como el de Arlt, a quien el jurado municipal debe otorgarle el primer premio, da por tierra con todos los Zogoibi y Don Segundo Sombra de los éxitos fáciles"

—«Gente de Boedo». Buenos Aires. *Testigo, II*. Junio, 1966. 19-22. pp 19-22. "Roberto Arlt: Por supuesto que R. A. perteneció a Boedo en alma y vida. El hecho de que por razones obvias tuviese que trabajar como secretario de Guiraldes e ingresar en el periodismo, y no pudiese por ese motivo asistir a nuestras reuniones, y no firmase algunos sueltos cargados de vitriolo que nos daba, no significa que no estuviese con nosotros. Publicó en Metrópolis con su firma. Toda su obra teatral la llevó al Teatro del Pueblo. El carácter social-revolucionario de sus novelas pertenecen a Boedo, no a Florida. Le gustaba venir a charlar al café El Japonés, y se sentía desilusionado de que ninguno de nosotros viviese en Boedo.

—«Crítica y ensayos. *El amor brujo* de Roberto Arlt». Buenos Aires. *El Hogar.* 16-ix-1932.

—«Cronicón. Teatro 1936». Buenos Aires. *La Vanguardia,* Anuario 1937. Sobre Arlt p. 62.

—«Sobre una crítica a Arlt» Buenos Aires. *en Propósitos, año I nº 6,* 29-III-32.

—«Arlt y Nosotros» Buenos Aires. *Conducta* XXI, Jul-agosto 1942.

—"Durante dos años de deseperada lucha por imponer un teatro de arte en Buenos Aires, tuvimos a Roberto Arlt a nuestro lado. Empezó su vinculación con nuestra compañía con el estreno de 300. 000. 000, obra magnífica, rebosante de fantasía y de humanidad. Después le estrenamos Saverio el cruel, La Isla desierta, Africa, La fiesta del hierro. Era todo un suceso estrenarle…" "Arlt fue de los que se identificaron con el movimiento vanguasrdista del Teatro del Pueblo". "R. A es un artista, cultivó la pobreza yvivió atormentado. Algún día no habrá necesidad de padecer miserioa para conservar la dignidad del ideal".

—«*El juguete rabioso*». Buenos Aires. *Nosotros,* nº 211 Diciembre, 1926. pp 553-4. (Véase: En la cronología se reproduce esta nota-1926)

BARRENECHEA, ANA MARÍA. *La expresión de la irrealidad en la obra de Borges.* Buenos Aires. Ed. Paidós, 1967.

BARRETT, WILLIAM. "Irrational Man". *N. York. Garden City.* Boubleday, 1958.

BARRIGA VILLANUEVA, REBECA (ref.) Olea Franco, Rafael (ed) Valender, James (ed), *Reflexiones lingüísticas y literarias: Literatura, II.* Ciudad de México.

Centro de Estudios de Lingüística y Literatura. Colegio de México. 1992. 378pp. Rose Corral: "Onetti/Arlt o la exploración de algunos vasos comunicantes" Véase: Rafael; Olea Franco, Rafael; Valender, James. y Corral, Rose. Artículos sobre J. C. Onetti y sobre las novelas de Arlt.

BASTOS, MARÍA LUISA. *Borges ante la crítica Argentina: 1923-1960.* Buenos Aires. Ediciones Hispamérica. 1974. Director de ediciones: Saúl Sosnowski. El libro consta de una Introducción, ocho capítulos, una conclusión, un apéndice, Bibliografía, Indice de nombres, Indice de revistas y publicaciones periódicas. 355 páginas.
Introducción: "Este libro aspira a proporcionar elementos para el estudio de la crítica literaria argentina referida a la obra de Borges entre 1923 y 1960. La fecha inicial coincide con la publicación de Fervor de Buenos Aires-el primer libro del escritor- y con la aparición de revistas literarias que renovaron el panorama cultural porteño, marcando el principio de una lenta pero patente evolución de la actitud para valorar la literatura... El libro se abre con un panorama de las revistas literarias de Buenos Aires. entre 1923 y 1929... El capítulo tercero se refiere a las primeras discusiones sobre Borges..." El libro es sumamente útil para todo aquel que quiera tener una clara visión del panorama crítico, no solamente de Borges sino de Arlt y otros autores de la época.

BECCO, HORACIO JORGE, MASOTTA, OSCAR. *Guías bibliográficas: Roberto Arlt.* Buenos Aires: Universidad Nacional de Buenos Aires, 1959.
El trabajo de Becco ha sido de mucho valor para la investigación de la literatura argentina. (Véase: Masotta, Oscar) y *Bibliografías específicas.*

BECCO, HORACIO. «Microbibliografía sobre Boedo y Florida» Buenos Aires. *Testigo* II, Junio 1966.

—«El vanguardismo en la Argentina». Buenos Aires. *Cuadernos del Idioma,* nº 4. Abril. 1966. pp 127-52.

—«Cronología y bibliografía» Buenos Aires. *La Nación.* 10-X-1971. p. 2.

—*Cuentistas argentinos.* Buenos Aires. Ediciones Culturales Argentinas, 1961.

—Y Beck, Vera. «La revista Martín Fierro: rememoración en su XXV aniversario». Buenos Aires. *Revista Hispánica Moderna*, XVI. Enero-Diciembre, 1950. pp 133-141.

—Y Foster, David William (véase). *La nueva narrativa hispanoamericana*. Bibliografía. Casa Pardo. 1978. "...Esta compilación representa la tentativa de presentar de una manera organizada la bibliografía de y sobre catorce figuras destacadas de la narrativa actual en América latina que se han merecido una atención en algunos casos exhaustiva..." Prefacio, p. 7. En este trabajo no hay mención de Arlt porque el trabajo se centra en nuevas narrativas pero es muy útil para establcer relaciones con escritores modernos y Arlt.

Benavides, Washington. "Prólogo" a la Octava edición de *El juguete rabioso* (Primera edición uruguaya). Lectores de la banda Oriental. Segunda Serie. Volumen Nª14. Julio 1982.

—Prólogo a *Las Fieras y otos cuentos*. Montevideo. Lectores de la Banda Oriental. Tercera serie. Volumen Nº3. Julio 1984.

Berenguer Carisomo, Arturo. *Literatura argentina*. Barcelona. Ed. Labor. 1970. pp. 190. Nueva Colección Labor, 115. Sobre Roberto Arlt, págs. 80-82, 86, 88, 139. Panorama sencillo de la literatura argentina. Manual informativo.

Berman, Isabelle y Antoine. *Le sept fous, de Roberto Arlt*. Traduit de l'argentin par... Préface de Julio Cortázar. Ed. Pierre Belford, 286 pages, 79. F. Véase: Cortázar, Julio -Le sept fous.

Bernandez, Francisco Luis. «Arlt». Buenos Aires. *Clarín* (suplemento). 26-2-1970. p. 1. Recuerdo del amigo.

Berman, Antoine. Carta personal a Jaqueline (?), fechada el jueves 26 de febrero de 1963. La carta consta de 3 carillas y expresa la dificultad de la editorial Seuil de editar a Arlt en Francia, especialmente por considerarlo un autor existencialista anterior a los frnaceses.

Bianco, José. "En torno a Roberto Arlt". Cuba. *Casa de las Américas*, V. Mayo, 1961. pp 45-57.

«Se proponen, en cambio revelarnos el alma humana, averiguar qué es, qué puede un hombre. Pero esta definición tan elocuente y suficiente de la novela define "el pecado original" de algunas novelas argentinas que se escribi»s que se escribíría el propio Murena, más adelante, en la década del cincuenta. En ese sentido, Roberto Arlt es "uno de los antecedentes principales de la novela argentina"». p. 53.

BIANCHI, SOLEDAD. «Ayer y hoy de una fiera» Poitier. *Seminario sobre Roberto Arlt*. Sep. 1981. publications du Centre de Recherches Latino-Américaines de Université de Poitiers. 186pp. Seminartio realizado en abril de 1978 bajo la dirección del prof. Alain Sicard. Véase:Seminario sobre Roberto Arlt.
"La permanencia de los lumpen en el café constituye una práctica cotidiana en que el silencio, la espera, el aburrimiento y la contemplación se practican como ritos. El café de «Ambos Mundos» une y separa el mundo de la superficie y el mundo subterráneo. «Ambos Mundos» es el fin del camino de descenso seguido por el protagonista es el paradero a su viaje de perdición, al proceso de hundimiento que ha seguido, a su caída progresiva. Es en «Ambos Mundos», café-jaula que encierra a las «fieras», que une y separa «tras el espesor de la vidriera» los dos mundos conocidos por el narrador- personaje desde donde este se dirige a una mujer a la que amó en el pasado, tratando de romper la incomunicación y el aislamiento que siente entre sus compañeros actuales." p. 73.

BIANCHINI, ANGELA: «L'Europa riscopre la letteratura argentina. I sette pazzi, di Roberto Arlt». Turin. *La Stampa*. pp. 18. 30 de abril. 1961. Nota bibliográfica en relación a la traducción de *Los siete locos*.

BIETTI, OSCAR. "Nueva crítica para R. Arlt" sobre *Sexo y traición en R. Arlt*, de O. Masotta. Buenos Aires. *La Prensa*. 24-10-65. Suplemento. Segunda sección. «Para Masotta escribir significa tener que hacerlo en los términos de un acto de trascendencia política... Masotta advierte que una verdadera labor crítica excedería los límites de este ensayo. "Un trabajo posterior debiera rebasar el análisis de las novelas», para convertirse en un psicoanálisis existencial e histórico del hombre Arlt y no ya del hombre de Arlt. Este psicoanálisis investigará al nivel del entrecruzamiento dialéctico de la obra con la vida del autor, la relación entre la autenticidad de sus personajes, la insinceridad constitutiva del autor y la presente sinceridad del hombre Arlt. Se vería, entonces, cuáles mitos sociales revelan la obra y la vida de Arlt y cuáles denuncian y cuáles otros en cambio, afirman. "Oscar Masotta.»

BLANCO AMOR, JOSÉ. «Los marginales Roberto Arlt» Buenos Aires. *La Nación*. 23-7-1978, 3ª sección, p. 1. Visión general de Roberto Arlt.

BLASTEIN, ISIDORO. *Anticonferencias*. Buenos Aires. Emecé. 1983. Breve relato que narra un presunto encuentro con Arlt.

BLENGINO, VANNI. Nota critico-bibliográfica di *Il Giocattolo Rabbioso* di Roberto Arlt. Roma. Ed. Savelli. Col. il pane e le rose. 1978. Romanzo. Subtítulo: "Un adolescente degli anni venti tra rivolta e delazione". Introduzione di Goffredo Fofi.
Contratapa: "Scritto nel 1926, il giocattolo rabbioso é il primo romanzo di R. Arlt: carico di allusioni autobiografiche, mai tuttavia meccanicamente riprodotte, é la storia di un adolescente, della sua voglia di vivere, della sua rabbia e delle sue angosce esistenziali. Véase:Fofi, Goffredo -Roberto Arlt -o- Zucconi, Angiolina (traductora)
"La critica argentina ha privilegiato nell'opera di Arlt i significati idiologici latenti ed espliciti, attribuendo alla ideologia un ruolo sicuramente maggiore di quello che l'autore si era proposto... "p. 155.

BONET, CARMELO M., «La novela». Buenos Aires. *Historia de la literatura argentina*, tomo IV (dir. por R. A. Arrieta), Ediciones Peuser, 1959, págs. 218-220. 6 vols. sobre Roberto Arlt, t. IV, págs. 218-220.

—*El realismo literario*. Buenos Aires. Editorial Nova, 1958.

BORGES, JORGE LUIS. Buenos Aires. Martín Fierro, XX. Agosto. 1925.

—«Página sobre la lírica de hoy». Buenos Aires. *Nosotros*.

—«Ultraísmo». Buenos Aires. *Nosotros*, nº 151. Diciembre, 1921. p. 468.

—y BULLRICH, SILVINA. *El compadrito*. Buenos Aires. Segunda Edición. Ed. Fabril. 1968 (incluye un texto de Arlt).

—«La inútil discusión de Florida y Boedo». Buenos Aires. *La Prensa*. 30-9-28 (2ª secc.) p. 25. Sostiene que jamás existió tal polémica.

—«Declaraciones de J. L. Borges» en *La Literatura Argentina*, X, junio 1929, p. 14-15.:
"¿A quién lee de los nuevos?...:Y de los muchachos leo a los poetas Nicolás Olivari, Carlos Mastronardi, Francisco Luis Bernardez, Norah Lange y Leopoldo Marechal. Y de prosa es notable Roberto Arlt. También Eduardo Mallea. No leo otros."

—«La Pampa y el suburbio son Dioses» Buenos Aires. *Proa*, nº 15 Menciona a Arlt.

BORRÉ, OMAR. Adelanto de la recopilación:*Estoy cargada de muerte*. «El 27 de octubre de 1926, a pocos días de la aparición de «*El juguete rabioso*», R. Arlt editó en *Mundo Argentino* el cuento que hoy reproducimos. El mismo está incluido en la recopilación que Torres Agüero publicará próximamente con un prólogo de Omar Borré, que reúne catorce relatos. *Tiempo Argentino*, 20-11-84).

—Recopilación de las notas aparecidas en Don Goyo. Prólogo y bibliografía (en prensa). Véase:Lista de artículos de Don Goyo.

—*Cuentos completos de Roberto Arlt: una poética de la reescritura* en Hispamérica. Año XXIII, Nº 68, 1994, pp. 87-94. Gaithersburg.

—*El crimen casi perfecto*. Recopilación y estudio. Buenos Aires. *Clarín*/Aguilar. Col. La muerte y la brújula. Nº 7, director: Jorge Laforgue. 1994.

—*Aguafuertes uruguayas y otras notas* (*Don Goyo*). Montevideo. Ed. La Banda Oriental. Recoplación y estudio. 1996.

—y ARLT, MIRTA. *Para leer a Roberto Arlt*. Buenos Aires. Torres Agüero. 1985. (Incluye textos desconocidos de Arlt, cronología y bibliografía). Véase: Arlt, Mirta.

—Recopilación, prólogo y cronología de 14 cuentos de R. Arlt. *Estoy cargada de muerte y otros borradores*. 1985. Véase: Arlt, Roberto.

—Intertextualidad, grotesco y utopía en Arlt». Buenos Aires. *Espacio* nª7 FFyL. Enero 1989. Véase: Zubieta, Ana María.

—Arlt y la revista 'Don Goyo' (1925-1927). Buenos Aires. *Espacio* nº 7. F. F. y L., U. B. A. Enero 1989. p. 34 y ss.

—"Apuntes porteños de Raúl Scalabrini Ortiz". Gaithersburg. *Hispamérica*. 1990. Agosto/dic. Nº56/57. Año XIX. pp57ss

—"Cuentos de Roberto Arlt:una poética de la reescritura". Gaithersburg. *Hispamérica. Nº 68. 1994 pp 79 ss.* Se reproduce el cuento S. O. S Longitud 145º30', latitud 29° 15'.

Fotografías y documentación. Buenos Aires. *Pagina/12.* 28de julio de 1992. Suplemento dedicado a Arlt. (Véase: también *Quimera).*

BOSQUET, ALAIN. «Une ouvre vénéneuse et lyrique» Paris. *Magazine Litteraire* nº 178, Nov. 1981, p. 61 'lettérature étrangere. Sobre *Los siete locos* y la traducción al francés.

BRANDO, OSCAR "Roberto Arlt. Un fabricante de fantasmas". Montevideo. *Brecha.* Año IX. Nº437. 15 de abril de 1994. p. 22. Sostiene o conjetura que las obras dramáticas de Arlt no han sido recopiladas en libros.

BRAVO DE RUEDA, JOSÉ ALBERTO. "Rose Corral. *El obsesivo circular de la ficción: asedios a Los siete locos y Los lanzallamas de R. Arlt.* "México. El Colegio de México-Fondo de Cultura Económica. 1992. "reseñana. Gaithersburg. *Rev. Hispamérica. Nº68.* Año XXIII. p. 123-4-5. 1994. Véase: Corral, Rose.

BREMER, THOMAS. "Die erzahlte start am Rio de la Plata:montevideo, Buenos Aires. und der Ursprung des lateinamerikanischen stadtischen Sozialromans. "en *LILI: Zeitschrift fur Literaturwissenschaft und Linguistik.* 5900. Siegen 21, Germany (Lili). 1982. 12:48, pp69. 87.

BREYER, GASTÓN: «El paisaje de *Los siete locos*». Buenos Aires. *Gaceta de los Independientes.* Año 1. Nº 1. Mayo-junio, 1955. Gastón Breyer realizó la escenografía de *Los siete locos,* en este artículo explica y reproduce un boceto escenográfico.

BRIANTE, MIGUEL. «Al final, parece que Arlt da lástima». Buenos Aires. *Tiempo Argentino -Cultura-* Domingo 6 de enero de 1985, p. 5.

BRIÓN, ANTONIO. «Consecuencias del urbanismo». Buenos Aires. *Claridad* Nº 208 Junio. 1930.

BRESHWOOD, JOHN. *The Spanish American Novel.* U. S. A. 1975.

BROWN, MARY JO. Tradition and Innovation in Roberto Arlt's Theater Dissertation Abstracts International, Ann Arbor. 1986. Enero 46:7. Desarrolla el tema de lo absurdo.

BUONOCORE, DOMINGO. *Libreros, editores e impresores de Buenos Aires.* Esbozo para una historia del libro argentino. Buenos Aires. Bowker Editores. *1974.* La inclusión de este asiento bibliográfico es solamente orientador, el texto no cita a Arlt, pero sí, registra el nacimiento y desarrollo de editoriales como Rañó, Claridad, Rosso, Glusber y otras. Josefa Sabor (Pepita) me regaló un ejemplar de este libro que me ha sido muy útil.

–C–

CABALGATA. Buenos Aires. Revista literaria y de Arte. Dirigida y fundada por Arturo Cuadrado. Enero 1948. p11, "revistas de revistas". Se incluye esta referencia porque es una revista que dedicó muchos artículos a Arlt.

CALAFATI, OSVALDO. "Roberto Arlt, la vida puerca". *Río Negro,* Gral. Roca, 22-8-71.

CALKI (seudónimo de RAIMUNDO CALCAGNO). *El mundo era una fiesta.* Ed. Corregidor. Buenos Aires, julio 1977, p. 63: Roberto Arlt tenía razón». Reproduce algunas aguafuertes dedicadas a estrenos cinematográficos.

CALVO, PEDRO F.: «Roberto...» -poema- Buenos Aires. *Conducta.* nº 21, julio-agosto, 1942. Número de homenaje.
Roberto, No se cumplió tu sueño...
Siempre decías, tú que viajaste,
-viviré en el Delta, su paz me gana.

Y los arroyos rumorean felices
pues tu deseo
era una lisonja que les brindabas.
Viviré en el Delta -tu repetías-
y los isleños que ya te aman
sin conocerte,
eran amigos, eran hermanos o camaradas
que te esperaban
allá en el Arias o en el Naranjo, en Barón Grande
o Canal Campana
para escuchar,
rumor de cajas, o de corceles desbocados
en tus palabras;
o catarata
cuando soltabas tu carcajada
y rienda suelta dabas al goazo que en mil chispazos
en tus grandes ojos reflejabas. (Fragmento)

"Calle Corta para el genio de R. Arlt" (los libros). *Confirmado*, año I, nº 6, junio 11 de 1965, p. 41. Ilus. foto de Arlt y foto de Masotta. [El artículo trata fundamentalmente sobre el libro que acaba de aparecer de Oscar Masotta, *Sexo y traición en R. Arlt* y la imposición del nombre R. Arlt a una calle por el barrio de Liniers luego se concretó frente a una cuadra de Rivadavia y Acoyte.]

"Calle Roberto Arlt. Denominación a un tramo de la calle Neuquén" (Ordenanza 20. 797, H. Consejo Deliberante de la Ciudad de Buenos Aires. Versión taquigráfica de la 35ª sesión ordinaria. Segundo período. 26 de octubre, 1965, págs. 2344-2347). (En 1983 fue reemplazado el nombre de «R. Arlt» por Araoz Alfaro»).

CAMBOURS OCAMPO, ARTURO. *Letra Viva*. Buenos Aires. La Reja. 1969. 106 págs. Sobre Roberto Arlt, págs. 63 y 96. Colecc. Ensayos Literarios, 1. Sobre Roberto Arlt, págs. 38, 60, 62, 73, 82, 133, 195, 216, 232.

—*Revista Movimiento*, año 1, nº 2, julio 1941.

—*El problema de las generaciones literarias*. Buenos Aires: A. Peña Lillo, Editor, 1963.

—«Opiniones». Buenos Aires. *La Literatura Argentina*, XXI Mayo, 1930. 254. «Creo que Arlt obtuvo el lugar que le corresponde, el tercer premio».

CAMPOS, JORGE. "La ciudad, el reflejo del hombre" en *Insula*. Madrid. 1978. Nº384. p. 11

CAMPS, POMPEYO. Poema sinfónico. «Homenaje». Ejecutado por la Orquesta Sinfónica de L. R. A. en la Facultad de Derecho de la Universidad de Buenos Aires. Buenos Aires. *La Nación* p. 14, 14 de mayo, 1964. Se trata de una partitura que no hemos tenido noticias de su difusión posterior.

CANTINI, ROBERTO. "Giocattoli…"Italia, Milán. Rev. *Cultura*. Roberto Arlt. Il Giocattolo Rabbioso. Introduzzione Goffredo Fofi, nota critico-bibliográficas Vanni Blenginno. 30 de junio de 1978.

CANTO, PATRICIO. «La personalidad argentina». Tucumán. *Gaceta Literaria*. XX. Mayo. 1960. pp 4-5.

CAPDEVILA, ANALÍA. "Sobre la teatralidad en la narrativa de Arlt. "Cuadernos Hispanoamericanos. *Madrid*. España. 1993. Supp. 11. 53-57

CARELLA, TULIO. *Picaresca porteña*. Buenos Aires. Ediciones Siglo Veinte. 1966.

CARILLA, EMILIO. *Estudios de Literatura Argentina*. Siglo XX. Universidad Nacional de Tucumán, Facultad de Filosofía y Letras, 1968, 173 págs. (Cuadernos de Humanitas, 25). Sobre Roberto Arlt, págs. 67-68.

CARAS Y CARETAS. Fotografía de Arlt, Marechal y otros que obtuvieron premios municipales el 8 de mayo de 1930. El 17 de Marzo de 1930, nº 1650. «Hemos visto tu escracho en '*El Mundo*', después en C» Aguafuerte escrita en Río de Janeiro el 30-5-1930.

CÁRREGA, EMILCE: «Páginas con perfil exótico. Novelas completas y cuentos de Roberto Arlt». Buenos Aires. *La Prensa*. 22 de noviembre de 1964. Noticia bibliográfica sobre la edición Fabril.

CARRICABURO, NORMA y MARTINEZ CUITIÑO, L. «Una picaresca porteña:

El juguete rabioso de Roberto Arlt». *Madrid.* Actos de la Picaresca,. F. U. E. 1979, pp. 1, 137, ss. Véase:Carricaburo, Norma.

CARTER, BOYD G. *Historia de la literatura hispanoamericana a través de sus revistas.* México. Ediciones De Andrea, 1968. «En el artículo de fondo del primer número, se dice que la "única credencial que exigimos es el fervor desinteresado por la vida del espíritu". De este modo se anuncia para la revista PROA, segunda época, un programa de orientación menos combativo que el de su antecesor homónimo.» p. 105

CASADEVAL, DOMINGO F. *La evolución de la Argentina vista por el Teatro Nacional.* E. C. A. (1985)- Cuadernos de Cultura.

«Cascotes». Buenos Aires. *Claridad,* N°206. Mayo. 1930.

CASTAGNINO, RAÚL HÉCTOR. *El teatro de Roberto Arlt.* La Plata: Universidad Nacional de La Plata, 1964. Es el primer libro sobre la obra teatral de Arlt. Segunda edición: Buenos Aires, Nova, 1970, 126 págs. (Compendios Nova de Iniciación Cultural, 59).

—"Recuperación de 'La fiesta del hierro' de Roberto Arlt". Buenos Aires. *La Prensa.* 22 de julio de 1962.

—"Punchy language". Buenos Aires. *Comentario.* Año XVII. N°70, pp79-89. Enero/febrero 1970. Sobre Arlt p. 79.

—«Un boceto olvidado de Roberto Arlt» Buenos Aires. *Talía.* año 7, t. IV, n° 23, págs. 2-3, 1962. Incluido en El Teatro de R. Arlt
Trata *La cabeza separada del tronco.*

CASTANY, ERNESTO: «Erdosain, el humillado» Buenos Aires. *Gaceta de los Independientes.* año 1, n° 1, mayo-junio, 1955. Explica la puesta en escena de el teatro de Barletta. "Muchas veces me he preguntado cuando se me ocurrió la sorprendente idea de teatralizar *Los siete locos,* la novela de Roberto Arlt que en 1930 obtuvo el primer premio municipal de literatura (sic. fue el tercer premio). Y digo sorprendente, porque *Los siete locos,* dados los planos en que se desarrolla, numerosos y contradictorios, es como todas las buenas novelas, una extraordinaria obra para leer en soledad, y no para ver y oir en la compartida penumbra de una sala. Jamás pude encontrar una respuesta que me diera una explicación exacta. Creo que me sucedió algo semejante a lo que le pasó al propio Arlt con *300 millones,* el primer trabajo que realizó para la escena. A él le obsesionó la desesperada vigilia de una sirvienta que, un amanecer, se mató tirándose bajo las ruedas de un tranvía. A mí, la lectura de *Los siete locos,* me causó una impresión tremenda, y hoy, veinticinco años más tarde, me sigue sacudiendo como el primer día."

—«Recuerdos de Roberto Arlt». Buenos Aires. Roberto Arlt. *Folleto de varios autores.* 1948.

CASTELNUOVO, ELÍAS: «Roberto Arlt». Buenos Aires. *Columna,* nº 1, agosto, 1942.

CHANG RODRIGUEZ, RAQUEL; DE BEER, GABRIELLA. *La historia de la literatura iberoamericana.* Textos del XXVI Congreso del Instituto Internacional de Literatura Iberoamericana.

—"La sociedad secreta y la revolución simulada en *Los siete locos* y *Los lanzallamas* de R. Arlt. "EnNueva York. Ed. Norte/City University of New York. pp. 404. Véase: De Beer, Gabriella., Corral, Rose.

— "El arte y la revolución social". Buenos Aires. *Claridad.* Nº238. 14 de noviembre de 1931. p. 14. Castelnuovo señala que la carta que Roberto Mariani envía a la Revista Martín Fierro (1924)dio origen a la división Florida y Boedo.

— "Entrevista" Buenos Aires. *La literatura Argentina.* XX. Abril 1930. p226. "Yo estimo preferentemente a los escritores religiosos de verdad como Yunque, la Onrubia y Arlt. Aquellos cuyo fondo respira y transpira religiosidad. No estimo a los escritores religiosos, alquilados por la religión, o rotulados por conveniencia o por animadversidad hacia el pueblo o por odio al socialismo o al anarquismo. Opino que Jesucristo fue el primer anarquista de la historia. Y que si volviera al mundo no lo alcanzarían mil rebenques para echar a todos los mercaderes del templo.

—«Roberto Arlt: El aprendiz de inventor.» Buenos Aires. *Clarín,* 31-7-75.

—«Roberto Arlt» Buenos Aires. *Clarín, cultura y nación,* jueves 31 de julio de 1975) Incluye: La tragedia del hombre que busca empleo/aguafuerte de 1930/Arlt el angél al revés, nota de Abelardo Castillo, *Las aguafuertes* porteñas de R. A. por Tomás Lara. Erdosain, la victima complaciente por Jorge B. Rivera.
Véase: Castillo; Abelardo; Lara; Tomás-Rivera; J. Petit de Murat, U.

— «El dolor difícilmente entra en la realidad de aquel que no conoce del mundo más que sus caricias». Buenos Aires. *La Literatura Argentina,* XX. Abril. 1930. pp 225-26.

— «Igual que ayer». Buenos Aires. *Claridad.* Nº222. Enero. 1931.

— «Un pueblo fabuloso». Buenos Aires. *Claridad.* Nº240. Diciembre. 1931.

— «El movimiento de Boedo». Buenos Aires. *Todos,* 22 de julio de 1959.

— "Valoraciones sobre R. Arlt". La Plata. *El Día.* nº 41, 2 sec., 20 abril 1958.

—Sobre «Africa» (estreno teatral en el Teatro del Pueblo), Buenos Aires. *Conducta. Nº 1,* Agosto 1938.

— «Antonio Zamora». Palabras pronunciadas en el sepelio de Antonio Zamora, Fundador de *Claridad.* Buenos Aires. *Todo es Historia,* nº 172. Sep. 1981, p. 12.

— "Valoraciones sobre Roberto Arlt". La Plata. *El Día.* Nº41, Abril 1958.

CASTELLANOS, CARMELINA DE. *Tres nombres en la novela argentina.* Santa Fe. Ediciones Colmegna. 1967. Col. Hispanoamérica. edición del Instituto Argentino de Cultura Hispánica de Rosario.
Ayacucho 2154. Rosario.
Indice: Tres nombres en la novela Argentina/dice:Los argentinos en sus textos/I. Roberto Arlt:*Los siete locos*/Análisis/IIManuel Mujica Láinez:La Casa/Análisis/III. Ernesto Sábato:El túnel. /Análisis/IV. Ernesto Sábato:Sobre Héroes y Tumbas/Análisis/Indice de nombres mencionados en el texto. 78 páginas.

"...Parto del año 30 no solamente porque en él se produce un cambio político y social trascendente sino porque ha surgido, en la novela, un nombre que marca una etapa:Roberto Arlt. La publicación de *Los siete locos* empieza nuestro recorrido, que terminará en 1961, con Sobre Héroes y Tumbas, de Ernesto Sábato..."

CASTILLO, ABELARDO. «Roberto Arlt, el ángel al revés» Buenos Aires. *Clarín.* «Roberto» Buenos Aires. *Clarín,* cultura y nación, jueves 31 de julio de 1975). P.1. Incluye: La tragedia del hombre que busca empleo/aguafuerte de 1930/Arlt el angél al revés, nota de Abelardo Castillo, *Las aguafuertes* porteñas de R. A. por Tomás Lara. Erdosain, la victima complaciente por Jorge B. Rivera. Arlt en la zona peligrosa por V. Petit de Murat. El aprendiz de inventor. por Elías Castelnuovo. Véase: Lara, Tomás; Rivera, J.; Petit de Murat, U.; Castelnuovo, Elías.

CASTRO VEGA, JORGE. *Aproximación al teatro de Roberto Arlt 'La isla desierta'.* Montevideo. Col. Fichas del estudiante. Libreta 1. Tupac Amaru Editorial. 1988.

C. C. «Notas del surrealismo en Argentina»Buenos Aires. *Zona Franca* XI. Febrero, 1972. p 66.
Centro. Buenos Aires. Año 1. N°1. Noviembre 1951.
Presentación: En agosto de 1948, al publicarse el último número de VERBUM, se decía «Verbum ya no teme a la muerte. Dentro de algún tiempo vendrán otros, los que nos siguen, y Verbu» volverá a reaparecer, (…) *Verbum,* quien ya no teme a la muerte pasajera de la desaparición». Hoy, noviembre de 1951, los que seguimos a aquellos en la labor del Centro de Estudiantes de Filosofía y Letras, reaparecemos, no con *Verbum* sino con *Centro,* confiados en que podremos asegurar su continuidad… Fue en ese Centro de estudiantes fundado en 1905 y que ocupaba un local en la Facultad, que emanó *Verbum,* revista en la que colaboraron más de una vez los profesores de la casa. Desde 1908 y durante treinta años salieron ininterrumpidamente ochenta y seis números de la misma; luego medió un breve paréntesis al que siguió la aparición de tres números más en los años 1941 y 1942 y por fin el silencio, el silencio más largo, a partir de 1943. Así, *Centro* es una publicación cuya gestación y gestores podrán olvidarse, pero cuya sobrevivencia y crecimiento dependerá de sus lectores y en este caso, lo esperamos, futuros colaborado-

res. A la espera quedamos. Centro. Algunos nombres del primer número: Ramón Alcalde, Adolfo Carpio, Gerardo Aldújar, Darío Cantón, Gustavo Cirigliano, Noé Jitrik, Francisco Oddone, Sara Slavutzky, Horacio Cárdenas, David Viñas. El Nombre de Oscar Masotta aparece en el Nº 13. Véase:Masotta, Oscar.

CERSÓSIMO, EMILSE B. *Literatura y profesía: Arlt, Sábato, Marechal y Güiraldes*. Buenos Aires. Ed. Proyecto Linae. 1982.

«Cita con un gran ausente. Roberto Arlt vuelve en un ciclo cultural» Buenos Aires. *El Mundo*, p. 28, 29 de marzo, 1967. Homenaje.

«Cita con un gran ausente. Aquel ingenuo, maravillado y solitario Roberto Arlt». Buenos Aires. *El Mundo*. p. 32. 31 de marzo de 1967. Palabras pronunciadas por Conrado Nalé Roxlo, S. Ganduglia, E. Alemán.

Claridad. nº1. Julio 1926. Fundada y dirigida por Antonio Zamora. "*Claridad* aspira a ser una revista en cuyas páginas se reflejen las inquietudes del pensamiento izquierdista en todas sus manifestaciones. Deseamos estar muy cerca de las luchas sociales y de las manifestaciones puramente literarias." En esta revista Arlt publicó textos y adelantos de sus novelas y a través de ella recibió elogios y críticas adversas.
"Esta revista no es una revista más. Es simplemente una revista con traje nuevo. Los mismos que hacían *Los pensadores* seguirán haciendo *Claridad*...". A partir del número 6 de *Claridad* la numeración retoma la de *Los Pensadores*, en la que Arlt publica un cuento: "La tía Pepa" (1922). Véase: *Los Pensadores*.

CLINTON, STEPHEN T. «Theme and Technique in the Novels of Robert». Kansas. Unpublished Ph. D. dissertation, University of Kansas, 1972. (Tesis no publicada)

CÓCARO, NICOLÁS: «Tres libros de Arlt» Buenos Aires. *La Nación*. pág. 4, 11 de enero, 1970. Suplemento. Se refiere a la edición de aguafuertes de Editorial Edicom. esta editorial con la autorización de la sucesión Arlt lanza una serie de títulos con nuevos nombres, pero reorganizando *Las aguafuertes* bajo supuestas líneas tematicas. La única novedad es que uno de estos tomos incluye Jehová primer cuento aparecido en la revista de Soyza Reilly, 1915.

CODINA, IVERNA. *América en la novela*. Buenos Aires. Ediciones Cruz del Sur, 1964.

COLÁNGELO, JUAN VITO: «Roberto Arlt, escritor de dos realidades»La Plata. *El Dia*. p. 2, 19 de noviembre, 1968.

COLOMBO, ISMAEL B. *Ricardo Güiraldes. El poeta de la pampa*, 1886-1927. Buenos Aires. Editorial Francisco A. Colombo. 1952, 99 pp. Sobre Roberto Arlt, pág. 90.

«Comentarios bibliográficos». Buenos Aires. *La Prensa*, n° 21. 903, 11 de enero 1930.
"El señor Roberto Arlt... ya sea por desdén hacia la forma consagrada o porque sus personajes desbordaron el límite o plan originario, únicamente ha desarrollado una acción episódica y bastante precaria, restringida a la conciencia de los individuos o a los hechos inmediatos, vinculados con las circunstancias de las curiosas vidas que pinta y las reacciones y movimientos exteriores, y generalmente arbitrarios, de sus sujetos."
"Cómo se monta una obra en el Teatro del Pueblo". En *Mundo Argentino*. Agosto 1940. Se refiere al montaje de *La fiesta del hierro* de R. Arlt. Hay seis fotografías: 1. "Bailarines en un descanso del ensayo, con las máscaras que les adornaron en la fiesta de adoración ritual del hierro homicida, una de las escenas de la obra " (Se muetran cuatro máscaras) 2. "Los actores Remo, Eresky y Genovesi con el director del conjunto, Leónidas Barletta, dirige la terminación del montaje del ídolo Baal Molok, el devorador de hombres, al cual los traficantes de armas le ofrecen un acto de unánime pleitecía en *La fiesta del hierro*."3. "Roberto Arlt en un momento de lectura comentada con los actores, de una escena de su interesante frasa. ". 4. "El autor sigue atentamente el ensayo de *La fiesta del hierro*, desde un rincón del escenario. ". 5. "Detalle del ídolo, el decorador Aguiar y el violinista Codina." 6. "El sastre de la compañía Antonio Guerra." (La nota indica que el T. del Pueblo estrenó 170 obras).

Conducta. Buenos Aires. Número homenaje a Roberto Arlt. Julio 1942.

CONSTENLA, JULIA. *Crónicas de Buenos Aires*. Buenos Aires. Editorial Jorge Alvarez, 1965. Reproduce:"Las ciencias ocultas en la ciudad de Bs. As". Nota preliminar M. Arlt.

Conte Reyes, Gabriel. (Seudónimo de Ismael Viñas). Véase: Viñas y *Contorno.*

—*Contorno.* Revista. Buenos Aires. Mayo 1954, N° 2. Dedicado a Roberto Arlt.
Indice: La mentira de Arlt… Gabriel Conte Reyes / Una expresión, un signo… Ismael Viñas / Erdosain y el plano oblicuo… Ramón Elorde / Roberto Arlt y el pecado de todos… F. J. Salero / Arlt y los comunistas… Juan José Gorini / Roberto Arlt: una autobiografía… M. C. Molinari / Roberto Arlt, periodista… Fernando Kiernan / Arlt, un escolio… Diego Sánchez Cortés / Arlt, Buenos Aires… Jorge Arrow / El único rostro de Jano… Adelaida Gigli. / Dirección: Ismael Viñas y David Viñas. Roque Sáenz Peña 651 - Te. 30-2409 - Tres pesos.

Córdova Iturburu, Cayetano. «Roberto Arlt, el mundo de las angustias y los sueños». p. 5-6 *Folleto:Roberto Arlt. Editado por un núcleo de actores en ocasión de la semana de homenaje.* Buenos Aires. 1948. Véase: Roberto Arlt.
"Uno de los personajes de Roberto Arlt -Erdosain, de *Los siete locos* - solía sentir, acorralado por el infortunio, que de pronto entraba en lo que él llamaba la "zona de la angustia". Era esta zona una especie de atmósfera flotante que se levantaba a dos metros del suelo, sobre las ciudades, estaba hecha de los dolores, las miserias, las desesperaciones y las humillaciones de la gente, tomaba a los hombres por la garganta y dejaba en las bocas "un regusto de sollozo". Cada vez que abro un libro de Arlt, cada vez que me detengo en una de sus páginas y vuelvo a leer cualquiera de sus párrafos, tengo la sensación desgarradora de que entro, como el infortunado personaje, en la tremenda Zona de la angustia.

— "El Teatro del Pueblo y 300 millones". Buenos Aires, en *300 millones.* Ediciones Raño, 1932. Prólogo.

— «Evocación de Roberto Arlt: Los sueños y los personajes». Buenos Aires. *Cabalgata.* Octubre, 1946. Primera nota.

— «Evocación de Roberto Arlt: Autenticidad argentina de su literatura». Buenos Aires. *Cabalgata.* Octubre, 1946. Segunda nota.
"Llego por este camino, sin propopnérmelo, a otro de los aspectos de la obra

literaria de R. Arlt. El de la directa originalidad de sus fuentes. Nada de lo hizo reconoce otro origen que el de la observación directa, muchas veces vívida. Una considerable proporsión de sus páginas, la mayor parte, tal vez, es sencillamenta autobiográfica. Más de una novela suya lo es de extremo a extremo y una gran cantidad de sus cuentos…La obra de Arlt es nuestra, profundamente nuestra." Véase: *Cabalgata*.

— «Resumen de un nuevo novelista argentino: Roberto Arlt». Buenos Aires. *La Literatura Argentina*. XXIII / XXIV. Agosto 1930. p 329. "En Roberto Arlt, la ciudad y el hombre alcanzan, por primera vez entre nosostros, rigurosa identificación con la realidad. En *El juguete rabioso*, su primera novela, el panorama de ciertos barrios porteños puede compararse, por fin, libre de pintoresco convencional;pero las figuras son, en realidad, secundarias. En *Los siete locos*, su segunda novela, el hombre destaca en primer término los rasgos de su psicología. ya no es la ciudad sino el hombre lo que interesa."

— *La revolución martinfierrista*. Buenos Aires. Ediciones Culturales Argentinas, 1962.

—«Libros. *Los siete locos*». Buenos Aires. *La Literatura Argentina*. año 1, nº 1, p. 8, 1930. Número extraordinario.

—«Un nuevo novelista argentino: Roberto Arlt». Conferencia pronunciada en Amigos del Libro, septiembre de 1930.

—«Un nuevo novelista argentino: Roberto Arlt»Buenos Aires. Revista jurídica y de Ciencias Sociales. *Centro de Estudiantes de Derecho*, Buenos Aires, año 49, nº 1, págs. 30-58, mayo, 1932. Publicación conferencia de 1930.

—«Imagen del hombre». Buenos Aires. *La Nación*. p. 1. 10-10-71.
"… Una noche -serían más de las dos de la mañana- me despertó el timbre del teléfono. Sin mucho entusiasmo me levanté y descolgué el auricular. ¿ A quién se le ocurriría llamar a tales horas? Desde el otro extremo de la línea me llegó la voz de Roberto Arlt, mordiendo las palabras, en aquella forma lenta y tan personal de articular los sonidos.
- Mirá, estoy aquí en un café con unos ladrones…Me están contando cosas maravillosas…¿ No querés conocerlos?"

CORELLI, ALBINO. «El pensamiento rebelde de Roberto Arlt». Buenos Aires. *Universidad,* 70. Enero-Marzo, 1967, 59.

CORRAL, ROSE. *El Obsesivo circular de la Ficción.* Asedios a *Los siete locos* y *Los lanzallamas* de Roberto Arlt. México. El Colegio de México. Fondo de Cultura Económica. 119pp. 1992.
Indice:
I. Introducción/II. La aventura interior/III. La sociedad Secreta y la revolución simulada/IV Voces:el diálogo posible/V. El imperio de lo imaginario. Epílogo/Bibliografía.
Advertencia:El estudio que ahora se publica fue originariamente una tesis de doctorado que se presentó en El Colegio de México en 1987. Se ha revisado el material allí presentado y se ha actualizado la bibliografía crítica, cada vez más abundante, sobre el escritor porteño. De manera parcial, algunos capítulos se han publicado en revistas..." p. 7. Véase:Bravo de Rueda, José Alberto. Reseña.

—"Onetti/Arlt o la exploración de algunos vasos comunicantes" EN Olea Franco, Rafael (ed). Valender, James (ed), Barriga Villanueva, Rebeca (ref.) *Reflexiones lingüísticas y literarias:Literatura, II.* Ciudad de México. Centro de Estudios de Lingüística y Literatura. Colegio de México. 1992. 378pp. Véase:Olea Franco, Rafael; Valender, James;Barriga Villanueva, Rebeca.
.Artículos sobre J. C. Onetti y sobre las novelas de Arlt.

— "La sociedad secreta y la rebelión de los magos:una aproximación a *Los siete locos* y *Los lanzallamas.* "México. Nueva Revista de Filología Hispánica. 1988. 36:2, pp1265/1276.

—"La sociedad secreta y la revolución simulada en *Los siete locos* y *Los lanzallamas* de R. Arlt. "En Chang Rodriguez, Raquel; De Beer, Gabriella. *La historia de la literatura iberoamericana.* Textos del XXVI Congreso del Instituto Internacional de Literatura Iberoamericana. Nueva York. Ed. Norte/City University of New York. pp404.
Véase: Chang Rodriguez, Raquel, De Beer, Gabriella.

—"Introducción al estudio de la imagen simbólica en *Los siete locos* de R. Arlt. "en *Deslindes Literarios.*Juan Goytisolo, el romancero, José Emilio Pacheco, José Gorostiza, Alejo Carpentier, Reinaldo Arenas, Roberto Arlt, Roman Jakonson. Mexico City. Centro de estudios Lingüística y Literatura. Colegio de México 1977. pp125/137.

— "Acerca de la estrategia de la ficción de R. Arlt". México. *Nueva Revista de Filología Hispánica*. 1983. pp. 195-200-

CORTÁZAR, JULIO. «El escritor y sus armas políticas». Buenos Aires. *Panorama*. 24 Noviembre 1970. Extenso reportaje a Julio Cortázar, de visita en la Argentina, realizado por Francisco (Paco) Urondo. Hay muchas fotografías de Cortazar. Transcribo un fragmento de ese reportaje, justamente el que despertó algunas polémicas en Raúl Larra.
"... hubiera sido muy fácil, por ejemplo, haber estado bajo la influencia de Elías Castelnuovo y Roberto Arlt y hecho cuentitos que transcurrían en los cafés o en los piringundines. No, eso no era lo mío: era otra cosa. Yo tiraba para todo lo alto; he tirado siempre así, para arriba y, sin embargo, por la vía del lenguaje se que tuve una conexión." pp. 44-55.

— Prólogo a *Los siete locos* Ed. Lafont. París. 1981. Este prólogo suscitó una serie de malos entendidos por parte de uno de los herederos de Arlt quienes indujeron enérgicamente, a la editorial francesa, a suprimir el texto de Cortázar.

— "Apuntes de relectura" Prólogo a las obras completas de Roberto Arlt. Ed. Carlos Lolhé. Buenos Aires, julio 1981.

CORREA, CARLOS. Próximo a publicar un libro sobre Arlt. No hay otra información (1995).

CORRO, GASPAR PÍO DEL. Véase: Del Corro, Gaspar Pío.

CORTINA ARAVENA, AUGUSTO. *Aguafuertes*. Buenos Aires. *El Hogar*. 1928. Este dato ha sido incorporado para mostrar un antecedente inmediato en *Las aguafuertes*. Véase: en la misma revista 27-1-28. p. 25. Prácticamente tiene la misma estructura de las notas de Arlt, los temas son cotidianos y la sección es permanente. Asimismo Juan Prieto escribe en *Mundo Argentino* "Cuadritos Porteños", la misma característica.

CORVALÁN, OCTAVIO. *Modernismo y vanguardia.* New York. Las Américas, 1967. p. 196.
"El inconformismo de Arlt es genuino; sus lastigazos a la sociedad, certeros. No está haciendo mera teoría revolucionaria ni escribe novelas de tesis. Los dramas individuales que presenta son una manera de decirnos lo mal que está ordenado el mundo, puesto que la sociedad, organizada sobre bases injustas, produce estos seres violentos." ... "Superado el problema de ser un esclavo de las clases privilegiadas o de abandonar la literatura para siempre, R. Arlt abrió una picada hacia el realismo cortando camino, derribando preceptivas anquilosadas y afirmando su individualidad a toda costa. Al proceder así también se aseguró un lugar entre los escritores llamados universales. Si aún no se lo ha conocido universalmente se debe a la desdichada circunstancia de que escribió en español desde un país periférico y a contrapelo de las tendencias en boga."

COSTAZ, GILLES. «Roberto Arlt: un argentin a decouvrir». París. *Le Matin des linees.* 5 de febrero de 1982. Sec. 'Litterature étrangere' Sobre la edición francesa de *Los siete locos.*

CRISAFIO, RAUL. "Arlt: el lenguaje negado". *Cuadernos Hispanomaericanos.* Madrid. España. 1993. Supp. 11. 37-46.

—"El teatro independiente en la Argentina: el 'caso' Roberto Arlt". Roma. *Letterature d'America:Rivista Trimestrale.* Otoño, 5: 24- 25, 95-106- Trabaja el tema de El Teatro del Pueblo (1931) y el grotesco.

CRISTALDE, JANER. *Os sete loucos-* traducao de. Sao Paulo. Ed. Castro Alves. 1982. Véase: Escobar, Pepe:reseña bibliográfica.

«Crónica del teatro". *Africa,* de Arlt» Buenos Aires. *Conducta.* nº 1, págs. 29-30, agosto, 1938. Reseña.

Crónicas de mi gente. Textos de L. Lugones, R. Arlt, A. Discépolo, N. Trejo, N. Olivari, Eva Perón, J. Gelman, N. Etchenique, G. Tuñón,. y otrós. Dirección: Beatriz Seibel. Teatro Payró. Actríz: Elsa Berenguer. 19-XII-72. Reseña en Nueva Plana nº 9, 19-XII-72, p. 26. Véase: Seibel, Beatriz.

CRUZ, JORGE. "Lectura política". *Literatura argentina y realidad política.* De

Sarmiento a Cortázar. Por David Viñas. Buenos Aires. *La Nación*
"Este libro es el primer tomo de una obra en diez dedicada al estudio de la literatura argentina y sus vínculos con la política nacional. David Viñas detalla en el prólogo el plan de su vasta empresa a lo Menendez y Pelayo, en parte desarrollo de otras publicaciones del autor: *Literatura argentina y realidad política* (1964, Ed. Jorge Alvarez) y *Del apogeo de la oligarquía a la crisis liberal: Laferrer* (1965, Universidad Nacional del Litoral). Y en 1967, Ed. Jorge Alvarez. En *De Sarmiento a Cortazar*, propone una lectura política de la literatura de nuestro país entendida como un texto único, corrido, donde la burguesía argentina habla. "Luego Jorge Cruz introduce algunos fragmentos de la obra". A Roberto Arlt lo sorprendemos ambiguamente reducido y frustrado por el lenguaje artificial y sus valores correlativos, a la vez que tentado por el populismo y temeroso de sus consecuencias.

CÚNEO, DARDO. "La crisis argentina del 20 con Güiraldes". México. *Cuadernos Americanos*. 1965. Año XXIV, Nº 3, Mayo-Junio.

—"El hermano Roberto", Buenos Aires, *El Mundo,* Julio 26, 1956.
Evocación de los 30 años de la muerte de Arlt.

—*Las propias vanguardias*. Buenos Aires. Ed. Secretaría de Cultura de la Nación. Buenos Aires. Sobre Arlt, p. 169.

—*Aventura y letra de América Latina*. Buenos Aires. Ediciones Pleamar. 1964.

CUTOLO, VICENTE. *Nuevo diccionario bibliográfico argentino (1750-1930)*. Buenos Aires. Elche, 1968.

—D—

DABINI, ATILIO."Dialéctica del período Florida-Boedo".Buenos Aires*El Mundo.*. 16 de noviembre, 1960.

DANERO, EDUARDO M. Fichero salteado. Santa Fe. *Librería y Editorial Castellví,* 1958.

DAPIA, SILVIA G. Y GREGORIO, GUILLERMO. "Roberto Arlt: lo reprimido de la literatura argentina". *Romance Languages Annual* (RLAN), Wsr Lafayette, IN, Col. 6, p. 434-438, 1994.

DE BEER, GABRIELLA, CHANG RODRIGUEZ RAQUEL. *La historia de la literatura iberoamericana.*Textos del XXVI Congreso del Instituto Internacional de Literatura Iberoamericana. "La sociedad secreta y la revolución simulada en Los siete locos y los Lanzallamas de R. Arlt." En Nueva York. Ed. Norte/City University of New York. pp 404.
Véase: Chang Rodriguez. Raquel, Corral, Rose.

«Declaraciones de Jorge Luis Borges».BsAs *La Literatura Argentina*, X Buenos AiresJunio, 1929. 14-15.

DELLEPIANE, ANGELA. «La novela argentina».Buenos Aires. *Revista*, 34, 1968.

DE SOLA, GRACIELA. *Proyecciones del surrealismo en la literatura argentina.* Buenos Aires. Ediciones Culturales Argentinas, 1967. "Por encima de la gramática de la superficialidad mimética o retórica, las imágenes de Arlt brotan expresionistica y surrealistamente de una intensa conmoción interior." p. 62.

DE TORRE, GUILLERMO. *Historia de las literaturas de vanguardia.* Madrid: Ediciones Guadarrama, 1965.

«Découvrir Roberto Arlt», en Sélection Hebdemadaire du journal, *Le monde* París. du 14 an 20 jannier 1982, pág. 12.

DEL CORRO, GASPAR PÍO. *La zona novelística de Roberto Arlt.* Universidad Nacional de Córdoba. Col. «Cuarto Centenario». Dirigida por prof. Emilio Sosa López. 29 octubre de 1971, 45 págs.
"Para concentrar nuestra indagación de la narrativa de Roberto Arlt, nos ubicaremos en el eje de sus novelas, esa secuencia temático- estructural integrada por *Los siete locos* (1929) y *Los lanzallamas* (1931), obras que responden a un tiempo histórico inmediato -en sus anticipaciones y efectos- definible por la crisis internacional del 29, la crisis nacional del 30 y sus proyecciones en el ámbito literario argentino, a saber: agudización de las tensiones en los frentes ideológicos de nuestros escritores (derecha-izquierda), y aparición de obras que pretenden cuestionar a fondo la realidad nacional *(La grande Ar-*

gentina, El hombre que está solo y espera, Radiografía de la Pampa...).*"(...)"*...es muy importante el estudio del cuento de Arlt para bucear los rasgos que favorezcan una interpretación de su unidad estilística, toda vez que constituya la única forma genérica indicadora de una constante inveterada en el proceso literario de este autor;..."
Indice: La sátira del mundo positivista/El grotesco del mundo idealista/Encrucijada de realidad y fantasía/El absurdo de la salida hacia adentro/La ruptura como salida/Notas.

DELFINO, AUGUSTO MARIO. "Silencio de Arlt". Buenos Aires. *Conducta.* Nº 21. Julio-agosto, 1942. Número homenaje a Arlt con referencia a su muerte.

D'ELIA, ALFREDO."Puntos de vista". Buenos Aires*La literatura Argentina*, 10. junio 1929.

DE LA GUARDIA, ALFREDO. "Angustia de nuestro tiempo". Buenos Aires. *Gaceta de los Independientes.*Año 1, nº 1. Mayo-Junio, 1955.
"Dentro de cuatro meses, una escultura de Alberto Cedrón se instalará en la plaza Roberto Arlt".Buenos Aires.*La Opinión.* p. 22. 26 de noviembre, 1971. La escultura es un módulo de hierro que ocupa toda una pared de la plaza - no es una imagen de Arlt. Véase: Cedrón, Alberto.

DEREDITA, JOHN F. «¿Es propiedad? Intermediación genérica, intertextualidad, diseminación en un texto de Ricardo Piglia» en *Texto/contexto en la literatura latinoamericana.*Madrid.Instituto Internacional de Literatura Iberoamericana. pp61 ss. 1982.

«Después de 'los locos'» Buenos Aires. *Crónica*, 13. Mayo, 1973, p.19. [cine: S.F] Estreno de «Los siete locos», film dirigido por Torre Nilson en el que se adaptaron las dos partes *Los siete locos* y *Los lanzallamas.*

"Desvirtúanse las observaciones de Roberto Arlt". Buenos Aires. *La Nación.* 2ª secc., pág. 4, 25 de mayo, 1971). (Sobre teatralizaciones de aguafuertes por Mirta Arlt y Carlos Páis).

DICCIONARIO DE LA LITERATURA LATINO-AMERICANA. Argentina. 2 vols. Washington, D.C.: Union Panamericana, 1960-61.

Díaz, Roberto. "Roberto Arlt, su narrativa en Buenos Aires". Buenos Aires. *Tango y lo demás..* Abril-junio 1974/nº 14. Exposición de toda la obra de Arlt en juicios y comentarios actuados.

—«La literatura de Roberto Arlt». Conferencia pronunciada el 15 de octubre de 1971 en la sede social del Club Atlético Lanús.Buenos Aires*La Opinión*, p.21. 15 de octubre, 1971.

Díaz, Geno (Textos y dibujo). "A 20 años de su muerte R. Arlt sigue diciendo cosas". Julio 1962-p. 44, 45, 46. Buenos Aires. *Clarín*. Simula un reportaje con respuestas dadas por Arlt a través de su obra.

Diego, Celia. «La sinrazón razonada». Buenos Aires. *Ficción*. XII. Marzo-Abril, 1958. p 90-99.

Die Zone der Angst von R. Arlt, en Frank Furter Allgemeine Zeitung Samstag, G. November 1971. Nummer 258 (Importante artículo sobre las novelas de Arlt). Aues dem Spanischen von Bruno Keller.

"Dios los cría y ellos se juntan". Buenos Aires. *Claridad. Nº 130*. Febrero 1927. p. 2. ipo del plumífero sietemesino- ha constituido con otros escritores como él: Olivari, Tuñón, Arlt, Fijman, un grupo de afinidad... Todos ellos usan el diario de Botana para destacar sus nombres y conseguir puestos rentados... El diario del pueblo se ha convertido, en poco tiempo, en el diario del hampa. Luego viene el señor Arlt, autor de una novela que se llama *La Vida Puerca*. Esta novela, según su propia declaración, la arrancó de su propia vida».

Doll, Ramón. «La producción literaria de 1929». Buenos Aires. *Claridad. Nº 198 76*, 11-1-1930. Año VIII, sin página (Extensa y favorable nota sobre «Los siete locos»). La Producción literaria de 1929» (11/1/30):

Los 7 locos de Roberto Arlt
Hagamos a un lado la broza, vale decir: un novelón insufrible de Hugo Wast titulado "Lucía Miranda", que entre otras cosas llega bien inoportunamente, pues doctos investigadores han llegado a la conclusión de que la tal Lucía Miranda era una ramera. Otro novelón histórico de Manuel Gálvez, sobre la

guerra del Paraguay y designado "Humaytá": libro sin belleza, sin emoción histórica, con la falta de gusto característico en Gálvez, pudimos sepultarlo en el más piadoso de los olvidos si no amarga con una continuaciíon, de nuevo Garmendia de la guerra del Paraguay, guerra en la que de no haber muerto tanto infeliz, suministraría un largo rato de material humorístico, como puede comprobarlo quien lea a Thompson.

Fuera de número, estos dos libros que no tienen más importancia que la importancia que cualquier ciudadano quiera darle a sus autores y que nosotros desde ya se la denegamos, señalemos un buen libro: *Los 7 locos* de Roberto Arlt, constituye la mejor novela que se ha escrito en este país en los últimos años, incluso todas las que tuvieron éxito de crítica y de librería casi unánimes, por la calidad y la situaciíon de sus autores.

Y es que al lado del talento dosificado y repulido que indudablemente existe en las escenas deslavazadas de "Segundo Sombra" y al lado de la grosera propaganda comercial que Larreta organizó con "Zogoibi", esta novela de Arlt, fornida, intensa, sobrándose en pasión y en fantasía, anegada en cálidos torrentes de vida dolorosa, de humanidad apenada, aplastada, traspasada de tristeza, este talento de Roberto Arlt que se prodiga y se desperdicia como rico, no necesita mistificaciones literarias; ni las intrínsecas con que los pulidores de metáforas pretenden simular talento, ni la extrínsecas a base de revistas ad hoc que deben anunciar la criatura antes, durante y después del parto. Roberto Arlt se coloca con esta novela al frente de la narrativa argentina y sin hacer ningún elogio desmedido, podemos decir que en todos los cuadros y en todos los sectores literarios de la actualidad nacional no hay un escritor que sea capaz de igualar la fuerza expresiva, el vigoroso flujo de vitalidad que circula por algunas escenas del libro.

Las imaginaciones de Erdosain cuando se encuentra abocado a la cárcel y habla de esa visión extraordinaria de la pena, que él considera como una realidad objetiva y que llama "la zona de la angustia"; luego la escena de la fuga de su esposa, los extraños episodios de la casa de "El astrólogo", donde un hombre que responde al horripilante apodo de "el hombre que vió a la pantera" (Nota: así en el original, lo correcto es *partera*), estrangula o simula estrangular la víctima; todo es fuerte, cáustico, sorprendente bajo la pluma de Arlt, cuyo libro exige un análisis especial, una crítica detenida y minuciosa que no es posible insertar en estas notas.

Le hacía falta emplearse a fondo. Frente a la máquina desagotaba su fluencia subjetiva, el tumulto de conciencia que se atropellaba en un afán incontenible de expresarse.

Roberto Arlt experimentó la lucha por la vida antes de dar lo más recóndito de su ser a la experiencia literaria. Recorrió los más raros oficios y creyó que los abandonaba por ineptitud, cuando adivinó la medida de sus naturales aptitudes de escritor que sin duda alguna eran de excepción en nuestro medio. Ya autor de libros, comprendió que algunos editores, con los que tropezó en sus comienzos, no aventajaban en nada a los traficantes y cambalacheros que había conocido antes en su azarosa y desvalida adolescencia; ni unos ni otros sospechaban lo que latía detrás de su apariencia arbitraria, de su franqueza a veces agresiva. Pero Arlt, seguro de sí mismo, ambuló sin renunciamientos con los originales bajo el brazo, desafiando los juicios poco alentadores. No obstante la diferencia de sensibilidad y de gustos, Ricardo Güiraldes le prestó el primer apoyo decisivo. En las páginas de la revista "Proa", apareció como primicia un capítulo de *El juguete rabioso*, el libro que lo revelaría definitivamente. Cuando su nombre tuvo con *Los siete locos* una consagración de mayores proporciones, Arlt ya había ganado la masa y sobre todo el alma porteñas, que como novelista y cuentista, consolidaría con libros como "*El amor brujo*", *Los lanzallamas, El jorobadito*.

Una noche le oimos decir a Arlt: "Mis personajes no sueñan nunca sacarse un premio de lotería", "un tratado para la fabricación de cañones me emociona tanto como un poema". Estas afirmaciones que parecen antojadizas se llenan en sus abigarradas novelas de energía vital y de un contenido mezcla de sarcasmo y de fantasía desbordante.

Arlt concibió y realizó sus obras, incluso las primeras, al margen de fórmulas y teorías. Sentía una insobornable necesidad de construir novelas rezumantes y sudorosas de vida, aunque ésta se asociara con proyecciones desaforadas de su calenturienta imaginación. El reflejo de la realidad exterior y las pesadillas reconstruidas entraban en dosis equivalentes. Sobre todos los amaneramientos, Arlt desechaba en la novela la preocupación literaria, esa pintura al duco retórico que para muchos compañeros de generación tenía preeminencia. Y no solamente en ese sentido manifestó cierta afinidad con Horacio Quiroga. Autodidacto e inventor de artes mecánicas por vocación, compuso los relatos como pudo, más fiel al arrebato espontáneo que a la influencia de las lecturas. Era un narrador fundamentalmente instintivo. De la misma manera, vitalizó la prosa, la que cada vez se hizo más apta para traducir su tendencia introspectiva y los movimientos profundos de su sensibilidad.

Roberto Arlt poseía una pujante y cultivada vena inventiva, capaz de urdir las fábulas más complejas. Esa facultad le permitía delinear personajes que perteneciendo a una familia psicológica común, eran variedades ricas de matices propios. Por otra parte, con idéntica facilidad superponía mil y una incidencias en el desarrollo deliberadamente folletinesco de la trama narrativa. En el ensamblaje de sus episodios se confunde el prurito de suscitar...

(...) Arlt vio con ojos parecidos algunos rincones de Buenos Aires. También en sus croquis de la mala vida porteña alternan en un desbarajuste lleno de colorido los elementos de la picaresca; ex hombres, inventores fracasados, fulleros, vividores, farsantes, en fin, malandrines de toda especie.

La madurez de su talento y la concepción ahondada de ese género de novela, autorizaban a esperar nuevos libros donde tales personajes, que eran sus héroes favoritos, reaparecieran integrados en la doble dimensión que los coloca por encima de la mera aventura. Estábamos seguros que Arlt profundizaría las raíces sociales de sus dramas por una parte y por la otra, que subordinaría la morosidad descriptiva a la problematización del destino del hombre. La muerte trunca ese proceso de superación que virtualmente arranca de su primer libro. En *El juguete rabioso* Arlt se regodea perfilando prolijas descripciones de espeso naturalismo fisiológico, se abandona a raptos de crispada y sagacísima introversión, pero en el epílogo despunta un sentido de la piedad que sin duda se hubiera sobrepuesto a sus transportes de desesperación nihilista.

En las novelas y cuentos de Roberto Arlt, atiborrados de personajes y sucesos insólitos, está presente la sugestión de Buenos Aires, de barrios y alrededores que impregnan sus relatos, aunque no sea la que prefiere el gusto burgués. Por el contrario, experimentaba un frenético placer en escandalizarlo. Desafiaba el "orden establecido" sea en el dominio de la moral, sea dentro de la literatura de imaginación que en su caso comprometía a menudo el calificativo de "bellas letras". Arlt llevaba la estética realista hasta los extremos donde se encuentran loa rbitrario y lo obstinadamente personal. No temió a la truculencia ni de situaciones ni de expresiones. Pero pocos novelistas de su generación calaron tan hondo el subsuelo de los apetitos sórdidos y de las existencias libradas a su fatalidad. Perdurarán algunos de sus libros, tales como el propio *El juguete rabioso*, testimonio de una época de subversión y de un medio que ha sufrido sus consecuencias. Es el drama de la adolescencia proletaria, necesitada y por lo mismo extraviada, en que la busca de trabajo se hace a costa de crueles humillaciones. Arlt muestra allí cómo la sensibilidad enfermiza exacerba el sentimiento del ridículo y crea hasta la tortura, la conciencia de la inutilidad y de la inadaptación en un mundo movido por el egoísmo social.

Roberto Arlt unía el amor a lo fantástico a un humorismo agrio, de puntas incisivas. La fuerza de su sarcasmo no disimula una fruición que, como un resorte, la dispara desde adentro. En sus novelas, en sus cuentos, en farsas tan magníficamente logradas como su pieza *300 Millones,* la imaginación alucinada se mezcla con el sabor pantagruélico y con la exuberancia de su inconfundible sentido de lo bufo. Esa mixtura de elementos caracteriza sus famosas *Aguafuertes porteñas* y *Acuarelas españolas,* vivos apuntes periodísticos de la realidad cotidiana e impresiones de viaje que popularizaron su nombre.

Roberto Arlt ha confesado su pesimismo sobre el hombre y sobre la vida, pero supo convertir esa confesión en una afirmativa potencia creadora.

—*Ensayo y crítica*. Buenos Aires. *Claridad.* 1929.

—*Opiniones sobre Claridad por...* Encuesta que realiza la revista, Doll responde en varias páginas y hace hincapié en el problema editorial y los editores que explotan a los escritores y concluye diciendo: «estoy seguro que si se les presentara un Arlt que ya hoy un Arlt que ya hoy está al frente de la producción literaria nacional, estos animales se pondrían a regatearle los ejemplares y a discutirle las resmas de papel...". En: *Claridad,* febrero 1930, nº 200.

«Dos textos casi desconocidos de R. Arlt». En La Opinión Cultural, domingo 19 noviembre, 1972/p. 10 [Reproduce: «Un hombre fracasado» que apareció en *La Nación* el 13-5-34 y «autobiográfía» que es un aguafuerte titulada «Soliloquio de un solterón», 1930, y que Conducta en julio/agosto 1942 la imprime y la re-bautiza Soliloquio del Solterón- Ilus. Sabat.

DOWLING, LEE. Cronology (sobre R. Arlt). en Review: Latin American Literature Arlts. New York. 1982. Enero/abril, 31. pp26-28. (en inglés)

DREI, SILVIA. El grabado, actualidad de siglos. Buenos Aires. *Clarín* Revista, 1975. Se trata de un reportaje a Fernana de Chelo (grabador) en oportunidad de editar sus ilustraciones a tres cuentos de Arlt. Ed. Colombo. Uno de los cuentos «Las siete jovencitas» (es fragmento de «El traje del fantasma» error que aparece en varias antologías).

DRUCAROFF AGUIAR, ELSA "Femina infame"en *Nuevo texto crítico,* 1989, pp. Sobre Roberto Arlt y el jorobadito. 103-113.

Du Biscay, Azcarate. *Buenos Aires. de la fundación de la angustia.: Buenos Aires.* Ediciones De la Flor, 1967.

—E—

E. A.: «Inauguración de la temporada de la Comedia de la Provincia». La Plata. *El Día.* p. 15. 26 de junio de 1971. Sobre *La isla desierta* de Roberto Arlt. Reseña.

Eichelbaum, Samuel. «…consideraciones sobre la orientación de los escritores jóvenes». Buenos Aires. *Literatura Argentina,* XVII. Enero 1930, p. 145. Nota.

Elorde, Ramón. «Erdosain y el plano oblicuo», Buenos Aires. *Contorno. Nº2.* Mayo, 1954. Número homenaje. Véase: *Contorno.*
"Y lo terrible de Erdosain es precisamente la conjunción de esos dos elementos; aquella lucidez respecto a sus actos, y esa incapacidad de control. Correlativamente su vivir aparece no como un constante sino como un inicial hacerse de sus actos aunque no existía una coacción que los determine: el empezó a actuar para sufrir más, que en realiadad era un vivir más, un sentirse vivir más, pero los hecho lo sumergieron en su propio juego, convirtiéndose realmente en «una víctima de los acontecimientos»." p. 5.

"*El amor brujo*, de Roberto Arlt, adaptada por Luis Ordaz; puesta en escena: Sergio Renán". Buenos Aires. *La Opinión.* p. 22. 6 de octubre de 1971. Reseña. Véase: Algunas representaciones teatrales.

«El año de los libros en flor». A medio siglo de la aparición de tres obras claves de nuestras letras. Buenos Aires. *La Opinión Cultural.* Domingo 13 de junio de 1976, p. 1. Presentación general del suplemento de la Opinión Cultural dedicado a *Don Segundo Sombra, Los desterrados* y *El juguete rabioso.*

«'El cazador (sic en lugar de criador) de gorilas', por Roberto Arlt»Buenos Aires. *La Nación.* p. 5. 28 de febrero de 1965. Reseña:

"El 17 del corriente se iniciarán las funciones en el Teatro del Pueblo" Buenos Aires. *La Nación.* Africa. p. 15. 6 de marzo de 1938. Gacetilla.

"El desierto entra a la ciudad, por Roberto Arlt". Buenos Aires. *La Nación*. p. 8, 15 de marzo de 1953. Reseña.

El Duende (Seudónimo de Antonio Ulquiano Murga) Buenos Aires. Nueva Gaceta. Año 11/nº 122, p. 59-61, julio 1949. Sobre la reposición de 300 Millones, de Arlt.

«El film '*Los siete locos*' representará a la Argentina en un festival internacional» Neuquén. *Los Andes.* 10 de junio de 1973. p. 7 [S. F.]

El fútbol. Buenos Aires. Editorial Jorge Alvarez. 1965. 149 pp. Colecc. Narradores. Contenido: Sebrelli, Martínez Estrada, Arlt, Cau y otros. Se reproduce el Aguafuerte "Ayer vi ganar a los argentinos". Cada autor va introducido por una breve biografía y al final del libro una "Bibliográfia sobre el juego y deporte en general". El libro no tiene autor.

El Humillado. Teatralización de un capítulo de «*Los siete locos*» por el Teatro del Pueblo. Buenos Aires. Marzo 1932. Noticia del estreno «Tribuna libre» el 3 de marzo de 1932. Reseña.

El juguete rabioso. Primer premio: Concurso Literario 1926 de la Editorial Latina, jurado: Adolfo Rosso, Julio Noé y Enrique Méndez Calzada. Véase: *El juguete rabioso* en Obras de Roberto Arlt y en la Cronología año 1925.

«*El juguete rabioso* por Roberto Arlt». Buenos Aires. *La Literatura Argentina*, XXXVI. Agosto, 1931. p 373.

El juguete rabioso. Buenos Aires. *Crítica.* 1926. Crítica bibliográfica en el Suplemento *Crítica* Magazine: Lunes 22 de noviembre de 1926, Nº2. Año 1. p. 14.
"*El juguete rabioso* que alcanzó el primer premio de publicación en el concurso de la editorial Latina ha revelado en su autor, Roberto Arlt, un novelista vigoroso, de una sola pieza. Arlt cuenta con 26 años. Publicó por primera vez en *Revista Popular,* luego colaboró en *Proa, Mundo Argentino, Ultima Hora* y *Don Goyo.* Su novela fue rechazada por las editoriales Babael y *Claridad,* cuyo asesor literario, el señor Castelnuovo aconsejó a Arlt, coincidienmdo cvon el de Babel que, se dedicara a la venta de legumbres. La nueva generación ca-

recía del novelista capaz de hacernos olvidar a muchos cansados narradores actuales. *El juguete rabioso* lleno de escenas descriptivas con un realismo agudo, irónico y amargo, que alcanza en muchas páginas una conmovida entonación lírica, marca la aparición de un recio escritor, que posee, como pocos, el sentido de la novela. Arlt prepara *La princesa de la luna* y *Los siete locos*. He aquí un trozo tomado al azar de este libro admirable: Toda la literatura de Boedo no cabe en tres páginas de las cientos setenta de *El juguete rabioso*". (Sin firma)

El juguete rabioso. Segunda edición. Buenos Aires. Ed. *Claridad*. 15 de agosto de 1931. 0. 50 ctvs, Col *Claridad*. Anuncio.

—*El juguete rabioso*. La novela argentina que más se ha discutido en los últimos años. Los juicios ya publicados y la popularidad de su autor nos eximen de todo comentario sobre la importancia de esta edición." Buenos Aires. *Claridad*. 14 de marzo de 1931. Segunda edición.

"El teatro del Pueblo inauguró ayer su temporada» Buenos Aires. *Noticias Gráficas*. Viernes 18 de marzo de 1938. p. 15. Se refiere a *Africa*. Dedica buena parte de la nota a la personalidad literaria de Arlt pero se centra en el estreno de *Africa*.

"El teatro del Pueblo inicia su temporada esta noche con *Africa*". Buenos Aires. *La Prensa*. 17-3-38. p. 16.

"El Teatro del Pueblo evocó a Arlt". Buenos Aires. *Propósitos*. Nº 199. 3 de agosto, 1967. Nota amplia sobre el homenaje.

E. M.: *Aguafuertes porteñas*, de Roberto Arlt». Dir. Carlos Pais Buenos Aires. *Primera Plana*. año 9, nº 437, p. 68. Junio 1. 1971. Sobre la teatralización de Aguafuertes de Arlt realizada por Mirta Arlt -... en el Teatro General San Martín- la crítica fue en general negativa. Véase: "Desvirtúanse las observaciones...".

"Encuesta sobre literatura argentina". Buenos Aires. *La Opinión* 27 nov. 1977, p. 1ss. Sobre Florida-Boedo.

"En *Carátula* del sábado pasado se elogia a los últimos libros de Roberto Arlt y Enrique Mendez Calzada". Buenos Aires. *Claridad.* 25 de enero de 1930, nº 199. p 77: "todo el resto tijera y traducción, aun los artículos firmados por gente del país".

"En el Teatro del Pueblo se realizará una polémica esta tarde sobre la pieza Africa." Buenos Aires. *La Nación.* p. 11. 23 de marzo de 1938. Nota informativa.

"En el Teatro Argentino se presentará esta noche una compañía de comedias". Buenos Aires. *La Nación.* p. 14, 8 de octubre, 1936. Se refiere a la Compañía de Teatro de Carlos Perelli y Milagros de la Vega que presentaron *El fabricante de fantasmas* de R. Arlt. Pieza que estuvo apenas una semana en cartel. Gacetilla.

"Encuentro con Erdosain". Buenos Aires. Rev. *La Nación.* 7-1-73, p. 12 y ss. Fotografías de la película (S. F.) Sobre *Los siete locos* film de Leopoldo Torre Nilson. Véase: Torre Nilson, Leopoldo.

«Erdosain en el tablado. Buenos Aires. *La Nación.* p. 4. 22 de mayo de 1955. Sobre la representación teatral de *Los siete locos,* de..., con Ernesto Castany. Véase: Castany, Ernesto.»

"Erdosain el humillado". Buenos Aires. *Talía.* Año 2, t. 1, nº 12, p. 18, agosto-septiembre 1955). Puesta en escena del... de E. Castany según la. de R. Arlt *Los siete locos,* por el Teatro de Los Independientes. Véase: Castany, Ernesto y también *Talía.*

Erotismos y variaciones. R. Alonso. 1970, 122 p. Colec. Amores. Incluye: «*Los lanzallamas*», de Roberto Arlt, p. 21-24.

ESCOBAR, PEPE. "A Literatura vai ao ringue " (os sete loucos-traducao de Janer Cristalde), en *Folha de Sao Paulo,* 8-8-82. Véase: Cristalde, Janer.

ESPINOSA, ENRIQUE (seudónimo de Samuel Glusberg) Véase: Glusberg, Samuel.

ESQUIVEL, ANTONIO. «La dramática de Roberto Arlt». Buenos Aires. *El Nacional.* Abril 23, 1965.

"Estrena R. Arlt en el Teatro del Pueblo". Buenos Aires. *El Mundo.* Miércoles 10 de julio de 1940, p. 18. [Vida teatral] (Sobre *La fiesta del hierro).*

"Escenificación del Aguafuertes de Roberto Arlt". Buenos Aires. *La Nación.* p. 15, 21 de mayo, 1971. [La escenificación la hizo Mirta Arlt y Carlos Pais en el Teatro San Martín, Casacuberta.

ESTRELLA GUTIÉRREZ, FERMÍN. *Recuerdos de la vida literaria.* Buenos Aires. Losada, 1966, 270 págs. Cristal del Tiempo. Sobre Roberto Arlt, p. 88.

Estrenará hoy el Teatro del Pueblo una obra de Roberto Arlt". Buenos Aires. *El Mundo.* Viernes 17 de junio de 1932. p. 7.

"Espectáculos del Argentino. Mañana iniciará su actuación una compañía nacional. Estrenará *El fabricante de fantasmas,* de Roberto Arlt". Buenos Aires. *La Nación.* p. 14, 7 de octubre, 1936 Se trata de la compañía de Carlos Perelli y Milagros de la Vega. Actriz principal Esther Podestá.

"Estrenan hoy una farsa de Roberto Arlt". Buenos Aires. *El Mundo.* p. 14, 18 de julio de 1940. Sobre *La fiesta del hierro.*

ESTEBAN, JUAN CARLOS: "Roberto Arlt, una conducta" Rosario. *Espiga.* Año 4, Nº 14-15. Verano 1951-1952.

ETCHENIQUE, NIRA. "El magnífico octavo loco". Buenos Aires. *Imagen.* p. 41, fecha.

—*Roberto Arlt.* Buenos Aires. La Mandrágora, 1962, 121 págs. Clásicos Argentinos del Siglo Veinte
Indice: Roberto Arlt:hombre/ *El juguete rabioso/ Los siete locos/*El verdadero Arlt/ *Los lanzallamas, El amor brujo* y Un descubrimiento decisivo/El teatro/Obras de R. Arlt/teatro representado/Bibliografía- "Evocación de Arlt". Buenos Aires. *Propósitos.* Nº 182. 6 de abril de 1967.

"Evócase la figura de Roberto Arlt". La Plata. *El Día*. p. 18. 1º de setiembre de 1970. Pronunciada por Perla Mallo Huergo en el Círculo de Periodistas de La Plata. [Conferencia]

—F—

FERNÁNDEZ, TEODOSIO. *La fiesta del hierro*. Buenos Aires. *Conducta*. Junio-julio 1940. Comentario a la puesta en escena. (Véase: *Quimera*).

FAUDMIRI, H. «Apuntes sobre la personalidad en la literatura». Buenos Aires. *Claridad*. Nº 268. agosto 1933, "No hay naturalidad, falta contexta psiquica. Todo esto se resume, verbigracia, en *Los siete locos* de Arlt…".

FELDMAN, SIMON. *300 Millones*. Buenos Aires: cortometraje sobre la obra de Roberto Arlt, 1958.

FERNÁNDEZ, CÉSAR. «La fiesta del hierro». Buenos Aires. *Conducta*. XIV (noviembre-diciembre, 1940). Cesar Fernandez y Cesar Fernandez Moreno son dos escritores que nada tienen que ver entre sí, en algunas bibliografías se los ha confundido.
"Responso en no" Poema. Buenos Aires. *Conducta* Nº homenaje. Julio-agosto 1942.
Amaneciendo más allá del río
en una barca de rojizas velas.
Sobre tu piel un resplandor de fuego.
....
Aquí mi mano que buscó tu mano;
aquí mi corazón donde pervives
meridiano, nocturno, atrabiliario.
Y otros ojos te lloren, no los míos.

FERNANDEZ, GRACIELA BEATRIZ. "La isla desierta: un espacio clausurado, una metáforta. "en. *Estudios Filológicos*. Valdivia. Chile. 1983. 18, 49-57. (en español)

FERNÁNDEZ LEYS, ALBERTO. *Tres poetas y dos narradores argentinos*. La Plata,

Municipalidad de La Plata, 1963, 288 págs. Sobre Roberto Arlt: «La vida, juguete rabioso de Roberto Arlt», p. 243-248. —

—«Roberto Arlt y la crítica literaria». *La Plata. El Día.* p. 9, 17 de febrero, 1971.

FERNÁNDEZ MORENO, CÉSAR. *La realidad y los papeles.* Madrid, Aguilar, 1967. Recopilación de textos de varios críticos.

FERNANDO, VALENTÍN. "El matiz desesperado de Roberto Arlt". Buenos Aires. Todo, V Diciembre. 1946. p6.

—«Roberto Arlt». Buenos Aires. *Davar*, XXII. Abril. 1949. 70-9. "Su literatura es una de las pocas que pude entroncarse con las grandes corrientes novelísticas psicológicas. Quizá fue un novelista limitado técnicamente, pero su lityeratura fue distinta, y ni antes mi después casi no ha existido en la argentina un escritor que se expresara como lo hizo: un novelista de tanta garra e imaginación, de tanta piedad y crueldad, un hombre tan desesperado y con tantos deseos de ser feliz; y a sus novelas casi no le interesa el país- es más bien en sus artículos donde demuestra su interés por lo social y lo económico-, sino el alma humana." p. 72.

FERNS, H. S. *Argentina.* New York. Praeger. 1969.

FERRARI AMORES, ALFONSO. «Arlt y Chicuello». *La voz del interior.* No ha podido ser ubicado. Según el autor Aprox. 1952. Ni el propio Ferrari Amores poseía este artículo. Ferrari Amores tuvo mucha difusión por sus cuentos policiales y fue premiado por *Vea y Lea* con el cuento "El papel de Plata".

FERRARI AMORES, ALFONSO. «Escritores y Descamisados...» Buenos Aires. *La Prensa,* 24 de mayo de 1953. Incluye una fotografía de Arlt, Véase: iconografía. Arlt prologó dos libros de poemas de Ferrari Amores. Véase: Arlt Roberto, Prefacio (1932) a *Poemas* y "Estudio preliminar" (1933) a *Poemas de la Bruja y el gorila.*
"Entre nosotros, en el tiempo negro en que transcurrió mi juventud (no necesito remontarme a la patética miseria de los Carlos de Soussens, Fernández Espiro, Bécher o Sánchez, ser escritor popular equivalía a vivir bloqueado. In-

versamente, ser literato, esto es desconocido para el pueblo y aplaudido por la "elite", presuponía ser hombre de fortuna. Es decir, que si bien no era la literatura lo que hacía su riqueza, podía asegurarse que era su riqueza lo que le permitía hacer literatura. El talento, junto con la turberculosis, eran orgulloso patrimonio de los escritores. Provenían éstos del submundo social y morían en él. Solamente los Torlonia granaderos o cerealistas ingresaban en el círculo áureo. Voy a referirme someramente a unos cuantos compañeros que eran, a la vez, escritores y descamisados.

Allá por los años 1927 o 1928, mientras de día trabajaba como moldeador de una fábrica de maniquíes por cuatro pesos diarios, iba yo de noche a la redacción de un matutino iniciado bajo la dirección de Gerchunoff, para pasar a máquina, en alguna que no estuviera al alcance de los redactores, mis borroneados manuscritos. Allí conocí a Roberto Arlt. Era Arlt rusófilo en literatura, como casi todos los juramentados a novelistas que yugaban en los diarios a cambio de unos pesos para los cigarrillos. Su Dostoiewsky era una manera de protestar contra todo, aunque hoy pienso que mejor nos hubiera servido para tal fin una gomera de cazar gorriones. Lo que la gente superficial llama falta de seriedad asumía en él proporciones tan descomunales, que llegaba a parecer la cosa más seria de Arlt. Y lo era, en efecto. Una vez le dije que no me gustaba Debussy. Se detuvo en medio de la vereda llena de gente, me miró horrorizado, y gritó hasta hinchársele las venas del cuello:

-¿Pero vos sabés quién es Debussy?

Y con seguridad que él tampoco lo sabía. Era así, aparatoso y simulador en el trato, tanto como sincero y llano al escribir. Le gustaba cortar la cola al perro de Alcibíades. Ahora que lo más absurdo de todo era nuestra amistad. En aquel tiempo yo era todavía un tipo ensillado de convencionalismo, un poco adulterado por el bachillerato, mientras que Arlt era un cavernícola químicamente puro y una enciclopedia picaresca digna de presidir una nueva y más completa Corte de los Milagros en cualquier parte del mundo. Era un escritor virilmente leal con la realidad (sobre todo, con la peor), y su lenguaje era otro distinto al que con bastante frivolidad, empleábamos los demás por conocido. Años después, lamentablemente, Arlt empezó a aprender inglés en un club deportivo, y por fin terminó tocando el piano.

Otro descamisado de talento fue el poeta Gustavo Riccio. Murió demasiado jóven para expresarse totalmente. Formábamos cuadros filodramáticos, tertulias de sótano, y después empezamos a actuar un poco en transmisiones radiales como autores y actores. Terminado el servicio militar, anduve recorriendo provincias como cómico de la legua, con repertorio gauchesco. "Vivid entre lobos y aprenderéis a aullar", dice un refrán español. Yo aullé con poemas. Los grandes diarios de entonces los ignoraron. Pero desde entonces sé que un poeta no es un acumulador de metáforas; es, ante todo, un alma compartidora, un hombre de tratos entre los suyos. Yo llamé poetisos a los otros, los cinceladores de coplas y lunarios.

Marchábamos a repecho. Muchos quedaron en el camino. Cayeron escupiendo sangre, mientras los argentinos ricos tiraban la plata en París. Pensando en estas cosas, me gusta imaginar que me despojo de mi condición de civil, para volver a ser aquel conscripto del 2 de Infantería que fui en 1924. En realidad, nunca dejé de ser aquel soldado, porque siempre entendí la vida como una militancia patriótica. Mi vocación fueron las letras, pero cuando, sobre todo en los ratos de desaliento, buscaba el aliciente para seguir luchando, yo veía al término de todas las rutas, la bandera nacional. Y sé otra cosa, y es que en los hechos que se nos presentan como adversos hay siempre algo que puede sernos de provecho, aparte de la experiencia o el escarmiento que nos reportan. La adversidad es un personaje que nos sale sorpresivamente al paso disfrazado de hechicero indio, envuelto en pieles de animales feroces, con cuernos y aullando; pero trae las manos a la espalda, y en ellas un precioso objeto. Si adivinamos qué es, nos lo regala."

FERRARI DE ZINK, SILVIA. "R. Arlt. Novelas completas y cuentos 1963". Rosario. *Crítica nº 9-10*, p. 24 y ss., junio 1964.

FERRER, HORACIO y ALEJANDRO SAENZ GERMÁIN. "Roberto Arlt: un argentino que usted debe conocer". Buenos Aires. *Rev. Gente*. año IV, nº 185, 6-2-69, p. 46-57). Un panorama muy interesante, con muchas fotos y...de varios poemas entre ellos ...Véase: Saenz Germain, Alejandro.

FERRO, HELLÉN. "Un relato de Arlt en ajustada versión" Buenos Aires. *Clarín, 16-2-83*, p. 34. /Se refiere a (una) Noche terrible que fue adaptada para T. V.

FLAWIA DE FERNANDEZ, NILDA MARÍA. "Roberto Arlt y las nuevas formas narrativas. "Paris. *Rio de la Plata. Culturas*. 1987. En español. sobre *El juguete rabioso*. 4-6. pp352-363.

FLINT, J. M. «The Prose Style of Roberto Arlt: Towards a reappraisal». *Archivos Ibero-americanos*, Igg. 5 (1979) p. 161-177.

—"Politics and society in the novels of Roberto Arlt". *Archivos Ibero-americanos*, 2 (2), 1976, p. 155-163.

—«Idea e ideología de Roberto Arlt». Conferencia pronunciada el 16 de setiembre de 1971 en la sede del Instituto Cultural Argentino-Británico. *El Día*, La Plata, p. 8, 16 de setiembre, 1971.

—"Fantasy the Absurd and the Gratuitous Act in the Works of Roberto Arlt". en Neophilologus. 1012 VT Amsterdam. Netherlands (Neophil). 1984. Enero 68:1pp63/71. (en Inglés).

—*The Prose Works of Roberto Arlt:A Thematic Approach*. Durham. University of Durham. 1985. 93pp.

FLORES, ANGEL y SILVA CÁCERES, RAÚL. *La novela hispanoamericana actual*. New York. Las Américas, 1971. Véase: Silva Cáceres, Raúl.

FLORES FRAVERO, CASIANO. "Aquel canasto con papeles" Tucumán. *La Gaceta*. 9 sep. 1973, 2ª sección) [Una nota anecdótica sobre Arlt].

FLORES, LAURO. "El mundo marginal de Roberto Arlt." Greeley. Confluencia: *Revista Hispánica de Cultura y Litertura*. Fall. 1987. p. 47-59.

"Florida y Boedo". *La campana de Palo*, 21-8-1925, p. 3

F. O. N. "Roberto Arlt, escritor de pueblo". La Plata. *Gaceta*. 27-7-68.

FOFI, GOFFREDO. "Introduzione di Roberto Arlt Il Giocattolo Rabbioso. Roma. Savelli. 1978. Véase: Zucconi, Angiolina (traductora) o Blengino, Vanni. "…Potremmo ricordare, in cinema o in letterature, molti esempi simili a quello del Silvio di Arlt: L*infanzia di un capo de Sartre, Il buco di Becker, certi eroi di Genet, certi eroi di Camus, La tela di ragno di Roth (stessi anni ma nella Germania prhitleriana…), certi momenti di America America di Kazan. e si potrebbe continuare…"

FOPPA, TITO LIVIO. Diccionario teatral del Río de la Plata. Buenos Aires, 1940.

FORNET, JORGE. "Otro homenaje a Roberto Arlt" en *Nueva Revista de Filología*. Tomo XLIII. Nº 1, Colegio de México. 1994. p. 115-141.

FOSTER, DAVID W. y BECCO HORACIO JORGE. *La nueva narrativa hispanoamericana*/Bibliografía-Casa Pardo, 1978.

— "La isla desierta, por R. Arlt: *A structural Analysis*" *Latin American Theatre, Review*, 11, 1. 1977. p. 25-34.

—y FOSTER, VIRGINIA R. *Research Guide to Argentine Literature*. Metuchen, N. J.: Scarecrow, 1970.

—y FOSTER, VIRGINIA R. *Manual of Hispanic Bibliography. Deattle.* University of Washington Press, 1970. Se puede consultar en el Instituto de Literatura Argentina de la Facultad de Filosofía y Letras, U.B.A. Los autores reproducen fragmentos de las críticas más sobresalientes de los autores que tratan.

—y FOSTER, VIRGINIA R. -*Manual of Hispanic Bibliography*. Seattle. University of Washington Press, 1970.

—*Research Guide to Argentine Literature*. Metuchen, N. J.: Scarecrow, -Modern latin american Literature (2 volúmenes) N. York, 1970.

— Arlt: "The Maverick". Nueva York en *Review* 31, p. 29-30. *Latin American Literature and Arts* (en inglés), enero-abril 1982.
"Reaccionando con una mezcla de resignación y enojo hacia las críticas desfavorables hechas a *Los siete locos* en su prólogo a *Los lanzallamas*, Arlt consigna los beneficios o resultados producidos por esas críticas. Hubo dos cualidades esenciales en la escritura de Arlt que molestó a los críticos de su época:Su deplorable uso del español y su énfasis lamentable en los desagradables aspectos de la sociedad."

—*Currents in the contemporany Argentine novel* (Arlt-Mallea-Sábato- y Cortázar). Columbia. Universidad de Missouri, 1957. (Roberto Arlt and the Memotic Rationale, p. 21-45).

"Francisco Luis Bernardez, Tomás Allende Iragorri, Roberto Arlt y Roberto

Ledesma nos anticipan algunas referencias de sus próximos libros". Buenos Aires. *La Razón*. El Libro y sus anexos: Anuncian nuevas obras varios escritores de prestigio. "Un volumen de cuentos de Roberto Arlt." (En este reportaje Arlt anuncia *El bandido en el bosque de ladrillos*). (Fotografía de todos). 28 de junio de 1930.

FRANCO, JEAN. *An Introduction to Spanish-American Literatura*. Oxford. Cambridge University Press, 1969. J. Franco llama a Arlt pionero en el campo novelístico en el que pocos escritores europeos han triunfado por completo y establece que él junto a una visión personal y pesadillezca de un mundo en el cual la ciudad misma es el principal enemigo.

—*A literary history of Spain*. Spanish American Stanford (California). 1973.

—*Historia de la literatura hispanoamericana*. Traducción al español Carlos Pujol. 476 páginas. Barcelona. Ariel. 1981. 4º Edición. Sobre Arlt, p. 340-343.

FREDERIK UNGAR. 1975.
Se trata de un compendio de autores y cada uno se le adjudica un fragmento de los escritos más conocidos. En el caso Arlt, por ejemplo, incluye una pequeña biografía, un fragmento de Lane (10 renglones), otra de Mazzotta, (unos 8 fragmentos)

FRIEDEMBERG, DANIEL. "Fantasmas de la Modernidad". Buenos Aires. 5/4/90. *Clarín*. Cultura y Nación. p. 1 y ss.

—«Arlt todavía inédito». Buenos Aires. *La Razón*. 1985. Reseña a *Estoy cargada de muerte*.

"Exposición del año literario". En *Claridad*, Buenos Aires, 24 de dic. 1927, nº 149 (sin página). De los escritores que no han publicado este año se recuerda a Benito Lynch, Roberto Mariani, Alvaro Yunque, Elías Castelnuovo, Roberto Arlt, Guillermo Estrella, J. L. Borges, Salas Subirat y J. H. Figueroa

FRUGONE, CARLOS J. «*Los siete locos*, Buena acogida en Berlin»Buenos Aires. *Clarín*, 1-7-73, p. 3. Se refiere a la película *Los siete locos* de Torre. Nilson. Véase: Torre Nilson, Leopoldo.

FUENTES, CARLOS. *La nueva novela hispanoamericana*. México. Editorial Joaquín Mortiz, 1969.

FUNDACIÓN CINEMATECA ARGENTINA. Buenos Aires. Corrientes 2092/2º piso. Posee un archivo de microfilm en el cual Arlt ocupa un lugar de privilegio, muchos de los recortes no tienen fecha.

"Fue repuesta la pieza de R. Arlt 300 Millones". Buenos Aires. *La Nación*. 21-8-48, p. 11.

—G—

GANDOLFI-HERRERO, ARISTIDES. «Crónica: Roberto Arlt». Buenos Aires. *Nosotros*, nº 76. julio, 1942.

GANDOLFI-HERRERO, ARISTIDES. *La literatura social en la Argentina*. Buenos Aires. Editorial *Claridad*. 2. 1941.

GANDOLFO, ELVIO E. «La novela nueva argentina». Rosario. *El Lagrimal Trifurca*. III y IV. Octubre. 1968-Mayo. 1969. pp. 73-93.

GANDUGLIA, MARIO. "Entre Aleman y Arlt". T. Viendo. Buenos Aires. *El Cronista Comercial*. 28 de mayo. 1973. Crónica acerca del film de Torre Nilson *«Los siete locos»*.

GANDUGLIA, SANTIAGO. "Buenos Aires, Metrópoli". Buenos Aires. *Martín Fierro*. año IV, nº 42, junio 10-julio 10, 1927.

—«Párrafos sobre la literatura de Boedo" Buenos Aires. Martín Fierro. XXVI. Diciembre. 1925.»

GARASA, DELFIN LEOCADIO. *Paseo Literario*. Municipalidad de la ciudad de Buenos Aires. 1982. Fichado de barrios de Buenos Aires. en donde el autor ubica y comenta la existencia de escritores.

GARCÍA COSTA, VÍCTOR. *El periodismo político*. Buenos Aires. C. E. A. L. Col. La historia popular. nº 79, mayo 1972.

GARCÍA, GERMÁN. *La novela argentina*. Buenos Aires. Editorial Sudamericana, 1952. "Tuvo mucha imaginación este novelista. Imaginación desordenada, indisciplinada, porque R. Arlt imaginaba lo absurdo y no lo absurdo lógico, valga la frase que puede reflejar un poco la influencia de la lectura de sus libros de absurdos y de antilógica... Arlt trata como Dostoievski algunos desequilibrados, pero estos son de veras locos mientras que los de aquél eran hombres. Al fin, los del eslavo son almas que se desnudan y los del argentino engranajes mal armados." p. 215

GÁRCIA SAEZ, A. y E. BERNAL AMAIZ. "Análisis de Saverio el cruel". Buenos Aires. *Lengua y literatura III*. Stella DR. 1981, p. 242-266.

GARCÍA LUNA, RAUL. "Arlt: el único". Buenos Aires. Rev. *Somos*, año V, n° 255, 7-8-81, p. 48-49. Aparición de las obras completas de Arlt, reseña del trabajo literario de Arlt.

GARCÍA, JULIO. "Erdosain el humillado". Buenos Aires. *Talia*. año 2, t. 1, n° 2, p. 18, sep. 1955. Nota sobre el estreno de la obra «*Los siete locos*», adaptada por Ernesto Castany.

GARCÍA MALT, DANIEL. «Roberto Arlt, entre el folletín y la literatura», Buenos Aires. *La Razón*, p. 6, Cultura, 21-4-85.

GAYOSO, DANIEL. «Panorama de Arlt para los no iniciados». Buenos Aires. *Tiempo Argentino* 29 sep. 1985. Comentario al libro. *Para leer a Roberto Arlt* por M. Arlt/O. Borré. Véase: Borré, Omar.

GARCÍA, RAÚL. "Ensayos de la locura". Buenos Aires. *Página/12*. Sup. Primer Plano, p. 3. 17/3/96.

GEOGESCU, PAUL ALEXANDRU. "Prolegómenos a una teoría de la novela hispanoamericana". Caracas. *Revista Nacional de Cultura*. N°226. Agosto/septiembre 1976. pp. 48-56.

GERCHUNOFF, ALBERTO. "Sobre Aguafuertes españolas". Buenos Aires. *El Mundo*. 22 de mayo, 1936.

—*Conferencia pronunciada en Chile. en 1938,* cita por primera y última vez a Roberto Arlt en una serie de veinte conferencias en la Universid 2 de Santiago: «De Darío a las letras de tango». Manuel Kantor, yerno y albacea de la obra de Gerchunoff, facilitó unas citas que aquel hizo de Arlt en Chile. Son apenas simples referencias: "Austríaco de origen, ha leído poco, pero sí especialmente a los novelistas rusos. «Siete locos» (sic) se titula un libro de cuentos (sic) suyo, tosco, pero que interesa vivamente. En Arlt trabaja el instinto de escritor, por eso podemos decir de él que escribe admirablemente y que su gramática incongruente no le impide darnos una visión admirable de la vida. Véase: el libro de Miryam E. Gover de Nasatsky: *Bibliografía de Alberto Gerchunoff.* Buenos Aires. Fondo Nacional de las Artes. En las 255 páginas de bibliografía no existe una sola mención a Roberto Arlt.

GERTEL, ZUNILDA. *La novela hispanoamericana contemporánea.* Bs. As: Editorial Columba, 1970.

GHIANO, J. CARLOS. «Relectura de Arlt». Buenos Aires. *La Prensa,* p. 6. 6 sep. 1981. "Convendría que se realizara con ecuanimidad una historia de la crítica argentina sobre Arlt al estilo de la que María Luisa Bastos dedicó a los estudiosos de Borges. "Véase: Bastos, María Luisa.

—«300 Millones». Buenos Aires. *Diccionario de Literatura Universal.* Dir. Róger Pla. Muchnik, 1966, 3 vols., t. 3, p. 378/9.

—«*Los siete locos*» Buenos Aires. *Dic. Lit. Universal.* Dir. Róger Pla. Muchnik, 3 vols., t. 3, p. 276, 1968.

—«*El juguete rabioso*». Buenos Aires. *Diccionario de la Literatura Universal,* dir. por Róger Pla. Muchnik, 3 vols., t. 2, p. 295, 1966.

—«Personajes de Roberto Arlt». Buenos Aires. *Reseña.* año 1, p. 9 y 15. Este artículo fue incluido en los libros: Temas y aptitudes -1949-y Testimonios de la novela argentina -1956.

—*Testimonio de la novela argentina.* Buenos Aires: Ediciones Leviatán, 1956 («Personajes de Arlt», p. 171-182). "Ciertas actitudes de Arlt se aproximan a las críticvas sociales que encarnan las mejores películas de Charles Chaplin, como éste Arlt acumula los rasgos intencionales y las situaciones insoportables para proyectar el sentido del juicio; de ahí que lo ridículo sea en ellos patético...", p. 176

—«Mito y realidad de Roberto Arlt». Buenos Aires. *Ficción*, XVII. Enero-febrero, 1959. pp 96-100. "Estos libros incorporan el nombre de Arlt a una serie prestigiada por los títulos más significativos de escritores europeos y americanos, dando así una suerte de visto bueno editorial a uno de los creadores más discutidos de las letras argentinas contemporáneas. "..." No puede hablarse entonces del realismo de Arlt, que comentaristas ingenuos han relacionado con el de los novelistas de la revolución comunista, sino que debe destacarse como símbolo de dolidas interpretaciones de la realidad; en última instancia, una alerta asunción de la constante miseria de ser hombre en un mundo maleado por los mismos hombres, donde las religiosnes, las teorías políticas y los adelantos mecánicos se inventan como balsas que permitirán navegar por un tiempo, el mal tiempo que soporta cada una de las infinitas generaciones, sin alcanzar ni siquiera reflejos de la felcidad."

—*Temas y aptitudes*. Buenos Aires. Editorial Ollantay, 1949

—*Constantes de la literatura argentina*. Buenos Aires. Editorial Raigal, 1953. Arlt, p. 168.

—«Boedo y Florida». Buenos Aires. *Ficción*. VII, 135-40, mayo-junio, 1957.

GIGLI, ADELAIDA. «El único rostro de Jano». Buenos Aires. *Contorno* Nº2. Mayo, 1954. "Dedicado a Roberto Arlt". Véase: Contorno.

GIMÉNEZ PASTOR, ARTURO. *Historia de la literatura argentina*, 2 vols. Buenos Aires. Editorial Labor, 1948.

GILMAN, CLAUDIA. *"Los siete locos*. Novela sospechosa de Roberto Arlt" Madrid. *Cuadernos Hispanoamericanos*. 1993. Nº11, 77-94. Número dedicado.

GIORDANO, CARLOS. Boedo y el tema social. *Cap. de la Lit. Argentina*, nº C. E. A. L. 1982.

GIRODANO, ENRIQUE. "Los textos dramáticos de Roberto Arlt" en Muñoz, Silverio. Doctores y proscriptos:la generación de latinoamericanistas chilenos en U. S. A. Minneapolis. Inst. for the Study of Ideologies and. Literature. 1987

— *La teatralización de la obra dramática:De FlorencioSanchez a Roberto Arlt.* Mexico Premia. Red de Jonas. 255p. 1982. (Se dedica a *300 Millones* y *Saverio el cruel*).

—"Función de los textos folletinescos en *Trescientos millones* de R, Arlt. "Financiado por el departamento de Español Escuela de Humanidades y Sociedad Científica. Latinoamericana. Student Organization. New Jersey Committes for the Humanities. En Mic, Rose S. *Literature anda Popular Culture in the Hispanic World*: A Symposium. Upper Montclair. Gaithersburg. Montclair State Coll. *Hispamérica*. 211pp. 1981. Véase: Mic, Rose S.

GIORDANO, JAIME. "Roberto Arlt o la metafísica del siervo". Atenea, Núm. 412. Enero-marzo, 1968. pp. 73-104. "Con el mundo humano de la narrativa de Roberto Arlt, se incorpora a la literatura hispanoamericana, como protagonista, una distinta condición social: la servidumbre, y una nueva colectividad: la pequeña clase media. La diferencia arltiana es que no aportan sus personajes sólo su figura física, sus elementos pintorescos y su drama más visible. Aporta esta clase social su pensamiento, su moral, su imaginación, es decir, todo su mundo interior." p. 74.

— «El espacio en la narrativa de Roberto Arlt». *Nueva Narrativa Hispanoamericana,* II. Septiembre, 1972. p. 119-148.

—"Roberto Arlt: Escritura expresionista". *Revista de Estudios Hispánicos.* St. Luis. 1985. Enero. 19:1. pp. 55-70-

GIUDICI, ERNESTO. «*Claridad*» en la década del 30. Buenos Aires. *Todo es historia,* n° 172, sep. 1981, p. 26 y ss.

GIUSTI, ROBERTO. "El teatro". *Historia de la literatura argentina*, dir. por Rafael Alberto Arrieta, Peuser, 1959, 6 vols. Sobre Roberto Arlt, t. 4, p. 596-597-599.

—"Introducción a Bibliografía de la Revista *Nosotros*. 1907-1943." Bibliografía Argentina de Artes y Letras. Compilación especial. nº 39-42. Elene Ardissone y Nélida Salvador. Fondo Nacional de las Artes. 1971.

GLUSBERG, SAMUEL. «En año editorial 1929». Buenos Aires. *La Vida Literaria*, XVII diciembre, 1929. p 4.
"En cuanto a *Los siete locos* de Roberto Arlt -el fenómeno- me parece la novela de un loco lindo: el autor. El libro como confesión novelada es a trechos interesantísima y de gran fuerza expresiva. Pero Arlt no es más genial que Macedonio Fernandez." (sic).

GNUTZMANN, RITA. "Introducción" a la edición de *El juguete rabioso*. Madrid. *Cátedra*. Letras Hispánicas. 1985.

—«Los aguafuertes de Roberto Arlt y los años 20». Río de la Plata. París. Francia. *Cultura*. nº 4-5-6, 1987, p. 337-349.

—*Roberto Arlt o el arte del caleidoscopio*. Vitoria. Servicio Editorial Universidad del País Vasco. 1984. Trabajo sumamente amplio, abarca toda la narrativa y también el periodismo.

—«Roberto Arlt, *El amor brujo* o la destrucción de». *Anales de literatura hispanoamericana*, nº 11, 1982, p. 93-104. t.

—«Roberto Arlt y la literatura de situaciones límites». *Memoria del XX Congreso del Instituto Internacional de Literatura Iberoamericana. Budapest, 1981*.

—«Tipos femeninos. en la narrativa de Arlt». Ponencia XXI *Congreso de Lit. Iberoamericana*, Puerto Rico, 1982.

—«Roberto Arlt, *El amor brujo*: una novela psicológica y social». *Ponencia en el XIX Congreso de Literatura Iberoamericana*. P: Tts burgh. 1979.

—«Roberto Arlt: Tres aspectos de su narrativa». *Iberorromania nº 4*, 1975, p. 115-136.

—"Roberto Arlt se queja". Tenerife. *La Página*. Año V, Nª 3-4-pp 13-14. 1993.

—"Viaje real y viaje mental en la obra de Roberto Arlt" Tenerife. *La Página*. Nª3-4. pp. 47-54- 1993.

—"Ricardo Piglia o la crítica como relato detectivesco" *Reunión: Universidad del Norte*, Asunción, Paraguay, 22 al 27 de julio de 1991. Organizado por el Instituto de Literatura y Cultura Hispánico, California Universidad del Norte. Asunción.

—"Homenaje a Arlt, Borges y Onetti de Ricartdo Piglia" Pittsburgh. *Revista Iberoamericana*. abril-junio 1992. 58:159. pp 437-48.

—"Bibliografía selectiva sobre Roberto Arlt. "Washington. *Revista Interamericana de Bibliografía* /Inter American Review of Bibliography. 39, 3. 20. 1989.

—"La zona de la angustia de Roberto Arlt. "Gaithersburg. *Hispamérica*. *12/35-* pp 21-34. 1983. Artículo en donde se asocia a Arlt con el existencialismo.

—"RobertoArlt:redescubrimientode un pionero"Bilbao. *Letras de Deusto*. 1986. Sep. dic, 16/36 pp. 153-159.

GOBELLO, JOSÉ; SOLER CAÑÁS, LUIS: Primera antología lunfarda, Buenos Aires, Las Orillas, 1961, 166 págs. Incluye: «Laburo nocturno», por Roberto Arlt, p. 23. Véase: Soler Cañás, Luis-

GODOY, LUCAS. (Seudónimo de Anibal Ponce) «Roberto Arlt: '*El amor brujo*'». Buenos Aires. *Mundo Argentino*. 5 de octubre de 1932. p. 55

"Balance Literario de fin de año". Buenos Aires. *Mundo Argentino* Nº1093. Año XXI. 30 de diciembre de 1931. p. 62. Incluye una fotografía de Arlt. "Elías Castelnuovo con Larvas, Margarita Arsamasseva con El Nieto, Herminia Brumana con La Guía y Roberto Arlt con *Los lanzallamas*, los representan este año vigorosamente."

GOLDAR, ERNESTO. *Proceso a Roberto Arlt*. Buenos Aires. Plus Ultra, 1985. "...lectura ideológica de *Los siete locos*" (en contratapa).

Indice:
El amor
La prostituta, la doncella y el monstruo/El mito de la pureza/Homoxesualidad y orden sexual/Pequeña burguesía, delación y sexo/Machismo y escándalo/Los silencios del cafiolo y la mina/Matrimonio e idiología/El discuros de la raza varonil.
La comedia
La desconexión con la realidad/extravagancia y significación/Guiñar el ojo/El autor, los protagonistas y el lector/Personajes y conciencia de personaje/Soñar despierto/Estructura de la fantasía/Estilo y sorpresa.
El crimen
La eterna idea de matar/ser a través de un asesinato/La malevolencia/El homicidio imaginario/Los suicidas/Erdosain es su propio juez/el sadismo/la aristocracia violenta/Sexo y conciencia helada/la sanción/anticipaciones y fatalidad-
El Robo
La comedia de robar/El dinero/"sabía que era un ladrón".
La Traición
El adolescente y los adultos/la pareja lumpen/Clase media y degradación/ante el fiscal/los honestos/el buen culpable.
La Humillación
Las situaciones/los signos/el sistema/el discurso de la angustia/sociología/la lucha contra la humillación.
La marginalidad
La ciudad/la revolución imposible/literatura y marginalidad/ *Las aguafuertes* el criador de gorilas/miseria y lumpenización.
El Silencio de Dios.

—«Un desconocido llamado Arlt». Buenos Aires. *Nueva Plana*, p. 26 y ss. nº 9. 19 de diciembre de 1972.

—"Claves y constantes en R. Arlt". Buenos Aires. *Diario La Voz*. p. 1. 13 de oct. 1982. Goldar propone 9 claves de interpretación de la obra de Arlt, agrega que hay muchísimas más, pero él adelanta 9.

GOLOBOFF, GERARDO MARIO. «La primera novela de Roberto Arlt: el asalto a la literatura», en *Revista de Crítica Literaria Latinoamericana*, nº 2, 1975m,

p. 35-49. Véase: Seminario sobre Roberto Arlt - Centro de Recherches latino-americanos de l'université de Poiturs, sep. 1981.

—*Genio y Figura de Roberto Arlt.* Buenos Aires. Eudeba, 1989.
Indice: La explosión urbana/*El juguete rabioso*/La pasión de inventar/Relatar la fiesta/Los humillados/El personaje y sus sombras/El escritor "fracasado"/El fabricante de fantasmas/Otras luces, otras vidas/El legado de Arlt/Bibliografía/cronología/apéndice.
—"Algunos antecedentes de la narrativa arltiana". *Madrid. Cuadernos Hispanoamericanos.* Supp. 11. 47-51. 1993.

GÓMEZ GIL, ORLANDO. *Historia crítica de la literatura hispanoamericana.* Nueva York, Holt, Rinehart and Winston, 1968.

GONZÁLEZ, MANUEL PEDRO. *Estudios sobre literaturas hispanoamericanas.* México. Ediciones Cuadernos Americanos, 1951.

—«Africa de Arlt». Buenos Aires. *Conducta*, I. p. 29. 1938. Estreno teatral. "Arlt está probando que es el dramaturgo del teatro de hoy. Ha devuelto al teatro su originaria libertad y toda la frescura y la inocencia —espontaneidad y verdad—que sólo alienta en las grandes obras."

GONZÁLEZ, HORACIO. *Arlt, política y locura.* (Al cierre de este libro recibí la noticia de su publicación).

—"Demonios y misterios en la crítica arltiana. *Los siete locos".* Bs. A. 13/3/96. *Página/12.* Suplemento Primer Plano. p. 2-3.

—"Un parecido con Lenin". Buenos Aires. 13/3/96. *Página/12.* Suplemento Primer Plano, p. 2 (Firmado H. G.)

GONZÁLEZ TUÑÓN, ENRIQUE. El premio municipal 1930. Buenos Aires. *La literatura argentina*, mayo 1930. Sostiene que Arlt debió obtener el primer premio.

GONZALEZ TUÑÓN, RAÚL. "Crítica y los años 20", Buenos Aires. *Todo es Historia.* Nº32. p. 54 y ss. Dic. 1968.

—"El Cantor" -reportaje- Buenos Aires. *La Opinión*. pp 1-5. 6-5-73.

—"Hace cinco años moría un poeta argentino", escritores con la ciudad, de allí Arlt y Scalabrini Ortiz. Antonio Pagés Larraya escribió: «Desde *El juguete rabioso*, su primera novela, se reveló como novelista de Buenos Aires. Conocía los secretos e intuía el alma de los barrios porteños.» Casi todos los personajes se mueven en Buenos Aires. y reflejan las múltiples estructuras de la vida humilde de la ciudad. Los barrios, las calles, la realidad de paredes adentro...»Gostautas ordena el material relacionado con el contenido narrativo, el lenguaje y el estilo pocas veces abordado por la crítica argentina. La ciudad se particulariza a través de la observación de la novela, una narrativa que ocurre en la ciudad, si el texto de Pagés Larraya es uno de los primeros en señalar el ámbito de la ciudad en Arlt, asimismo el trabajo de Jaime Rest «Roberto Arlt y el de» se inicia presentando los antecedentes de Roberto Arlt en Fray Mocho y también en el cuentista norteamericano O. Henry: *La Opinión*, 1973.

GOTTING, JORGE. "Vigencia de Roberto Arlt. Encadenado a una máquina de escribir." Buenos Aires. *Clarín*. 26 de julio de 1976. p. 12. "Hoy se cumplen 34 años der la muerte de R. A., un escritor argentino y un periodista que vivió sus 42 años de manera lúcida y angustiosa. Quizá su mejor definición la dio él mismo:El porvenir es triunfalmente nuestro. Nos lo hemos ganado con sudor y tinta y rechinar de dientes frente a la Underwood, que golpeamos con manos fatigadas hora tras hora. Y que el futuro diga...". (Copete).

GRAN RUIZ, BEATRIZ HILDA. "La cabeza separada del tronco". Buenos Aires. *Propósitos*, n° 35, 21 de mayo, 1964) [Se hace referencia a una pieza teatral que dio origen a «Saverio el cruel» y luego -arreglos mediante- L. Barletta la estrenó en 1964 en el Teatro del Pueblo.

GRAY, JULIO ARDILES. «La literatura argentina de 1926». Buenos Aires. *La Opinión* Cultural, domingo 13 de junio de 1976, p. 6 y 7.

GREGORICH, LUIS. «La novela moderna: Roberto Arlt» (fascículo), en Capítulo, *La historia de la literatura argentina*, n° 42, Centro Editor de América Latina, Dirección: Adolfo Prieto, idem, 1982 bajo la dirección de: Susana Zanetti. 1968. (Véase: Zanetti, S.).

—«Oscar Massotta, Sexo y Traición en Roberto Arlt, Buenos Aires, Jorge Alvarez, 1965» Buenos Aires. *Cuadernos de Crítica*, nº 2, dic. 1965, p. 53. Artículo sobre el trabajo de Oscar Massotta.

—"La narrativa latinoamericana actual". Capítulo universal. Nº 14. CEAL. 1970. p320. "Con Arlt se origina la reciente novelística realista argentina."

—«Los protagonistas». Buenos Aires. Diario *La Opinión*. domingo 13 de junio de 1976, p. 2.

—"Borges y Arlt, o el resplandor que anida entre las cenizas". Buenos Aires. *La Opinión*. 27-7-77.

GRILL, HUMBERTO. «Recordando a Roberto Arlt». Buenos Aires. *Democracia*. jueves 9 de agosto de 1951 Incluye una fotografía de Arlt. Véase: Iconografía. Recordatorio a nueve años de su muerte. Grill dice hacer conocido a Arlt y cuenta algunas anécdotas.

GRÜBELEIEN EINES WEIBEN AFFEN (Zuei Romane des Argentiness R. Arlt) por Georg Rudolf Lind, en Stuttgarter Zeitung nº 115, 19-5-73.

GUDIÑO KIEFFER, EDUARDO. "Buenos Aires. y Arlt". Buenos Aires. *Clarín*. p. 4. 6-9-79, p. 4. Nota sobre el ensayista Stasys Gostautas que escribió *Buenos Aires y Arlt*. Véase: Gostautas, Stasys.

GUDIÑO KRAMER, LUIS: "A propósito de una crítica". Buenos Aires. *Propósitos*, año 1, nº 8, 2 de mayo, 1952. Sobre la polémica Salama/Larra

GUERÍN, B. "Epílogo de la triste sorpresa". Buenos Aires. *Conducta*, Nº 21. Julio-Agosto 1942. Número de homenaje: "dejemos que el tiempo nos diga lo que fue. Su presencia de muchacho noble, su simpática figura de 'globe trotter' inquisidor, su mirada curiosa, sus ojos inquietos de soñador, paso, amigos. no indaguemos su amistad, camaradas. Seamos sinceros. Frecuentemente decepcionaba con su brusquedad de evadido y de insociable., que muchos nunca le han podido aceptar;...El no tenía tiempo ni paciencia para oirnos..."

GUERRERO, DIANA. «La tradición en R. Arlt». Buenos Aires. *Buenos Aires, nº 7*, abril-junio 1972, p. 47-53.

—«El pobre, la mujer, el amigo y el deforme en la obra de Roberto Arlt». Buenos Aires. *La Opinión*. 16-4-72. p. 10-11 Adelanto del libro Guerrero, Diana. Roberto Arlt, el habitante solitario. Col. «*El juguete rabioso*», Dirigida por David Viñas. Buenos Aires, Granica, 1972 (2ª Edición, 1986. Ed. Catálogos. Col. Dirigida Por David Viñas) Diana Guerrero fue secuestrada junto con su esposo durante la dictadura militar y nunca se pudo saber más de ellos. Véase: Blengino, Vanni.

Indice:Prefacio-Introducción al universo arltiano- 1. El aprendizaje de la sociedad- 2. Imagen del mundo social- 3. Las relaciones interpersonales- 4. Los oficios de vivir- 5-El individuo que busca y se pierde. Bibliografía:Preparada especialmente para esta obra por Estela Edith Rossi. Véase:Rossi, Estela Edith. Viñas, David (Texto de contratapa).

Prefacio: "Nos proponemos explicar los significados ideológicos subyacentes en el discurso literario de Arlt. Para realizar este fin se presentan dos caminos. El primero era buscar las referencias directas entre los contenidos de la obra del escritor y la 'sociedad' porteña. Pero, en realidad, nos pareció que este procedimiento comienza a mostrar sus limitaciones: con un mínimo de buena voluntad se puede demostrar fácilmente la correspondencia (o aparentar que se lo hace)entre algunas palabras, algunas frases, algunos aspectos de la obra, y las situaciones sociales. Este modo de análisis arriesga que no se comprenda el sentido total y específico del universo de significaciones estudiado, dejando de lado sus articulaciones internas. Cada uno de los aspectos se mostraría, entonces, fuera de la función que desempeña en la obra y susceptible de que se le atribuya cualquier contenido. El otro cambio posible era el intento de exponer la ideología arltiana desde el interior de la obra y recurriendo lo menos oposible a elementos externos. Preferimos este método para extraer el sentido específico del universo literario de Arlt. Por otra parte, pese a que este ensayo tenga como tema la obra de Arlt, no es un trabajo de crítica literaria, No analizamos el estilo ni la estructura de la obra, ni utilizamos -al menos explícitamente- muchos de sus cuentos que no aportan significaciones distintas. (...)

No respetamos, tampoco, la cronología de las obras utilizadas ni analizamos cada una por separado, con la excepción de *El juguete rabioso*, el resto de las obras es tomado en su conjunto siguiendo una clasificación temática. (...)

La obra de Arlt aparece como una crítica desesperada y pesimista al modo de vida de la pequeña burguesía argentina de los años veinte y treinta desde una perspectiva espiritualista igualmente pequeño burguesa. (…)Diana Guerrero.

GUÍA DEL ESPECTADOR. Buenos Aires. *El Mundo,* viernes 19 de julio 1940. Teatro
Polémico, 18. 30 hs, Teatro del Pueblo, Corrientes 1530, 35-3606, 2º Acto de *La fiesta del hierro* de R. Arlt. Libre debate. Entrada 0. 30 ctvs.

GUÍA QUINCENAL. *Comisión Nacional de Cultura.* Véase: Roberto Arlt, julio, 1949.

GUIBOURG, EDMUNDO. "Sobre El fabricante de fantasmas". Buenos Aires. *Crítica.* 1936.

GUZMÁN, FLORA. (Véase: *Quimera).*

—H—

"Hace 40 años moría Arlt ". Buenos Aires. *Rev. Flash,* 27 de julio de 1982, p. 19. (S. F.).

HAMILTON, CARLOS. *Historia de la literatura hispanoamericana,* segunda parte. New York: Las Américas, 1961.

HARSS, LUIS AND DOHMANN, BARBARA. *Into the Mainstream.* New York. Harper and Row, 1967.

HARSS, LUIS. *Los Nuestros.* Buenos Aires. Ed. Sudamericana. 1966. "El primer novelista en la nueva veta, nacido en 1900, un año después de Borges, fue Roberto Arlt, una figura algo enigmática, hijo de inmigrantes alemanes y por temperamento y carácter oscuramente destinado a recorrer el camino de la pasión. Problemas de familia, una infancia escuálida, el rechazo de la disciplina paterna, la fuga temprana del hogar, años de vagabundeo y misera en la gran ciudad…" "Vivió y murió ignorado por su época" del Prólogo arbitrario, con advertencias, p. 26.

HAYES, ADEN W. "Roberto Arlt: la estrategia de su ficción". Londres, *Themesis*, 1982.

— «Arlt's Anfessional Fiction: The arthetics of Failure». *Journal of Spanish Studio Twentieth Century*, vol. 5, nº 3, p. 191-201, (Winter, 1977).

—"La revolución y el prostíbulo: 'Luba' de Roberto Arlt". *Journal of Hispanic and Lusophone Discourse. Analysis.* Minneapolis. 1987. Spring. 2:1. 141-147. El autor de este artículo analiza "Luba", cuento de Ricardo Piglia, en "Nombre Falso" como si realmente se tratara de un texto desconocido de Arlt.

HEKER, LILIANA. "Una lúcida desolación" Buenos Aires, p. 4-5. *Clarín*, 28-7-77.

HERNÁNDEZ ARREGUI, JUAN JOSÉ. *Imperialismo y cultura. La política en la inteligencia argentina.* Buenos Aires, Amerindia, 1957, 333 págs. Sobre Roberto Arlt: «Florida y Boedo», p. 90; «El intelectual alienado», p. 111-117.

HERNÁNDEZ, DOMINGO LUIS. «Roberto Arlt: una institución prodigiosa». *Madrid. Liminar* nº 9-10, p. 65-72, dic. 1981.

— "Revisión crítica o la trayectoria hacia la autonomía". *Revista de Filología. Universidad de La Laguna.* Nª0. pp81-84. 1981

— "Los modelos culturales en *El juguete rabioso:*la complejidad de un mundo innovador". *Revista de Filología. Universidad de La Laguna.* Nª1. pp. 59-74. 1981.

—"La estrategia de Lázaro y Blacamán apellidado el Bueno". *Revista de Filología.* Universidad de La Laguna. nª4. pp. 75-90. 1985.

—"Roberto Arlt: la modernidad y el despilfarro". Madrid. Nº 38. pp. 54-57. *Leer* enero 1991.

—"Roberto Arlt". Tenerife. *La Página.* Nº 13-14-pp. 3-28. 1993.

—"Arlt y Dostoievski". Tenerife. *La Página.* pp3-28. Nº 13-14. 1993.

—"19 notas para leer a Roberto Arlt" Tenerife. *La Página* Nº 13-14-pp 55-74. 1993.

—*Los cuentos de Roberto Arlt*. Universidad de La laguna. Secretariado de Publicaciones. Canarias. 1995 (Material que no ha sido posible hallar)

—*Roberto Arlt la sombra anunciada*. Barcelona. Ed. Montesinos. 365 pp. 1995. Completísimo libro en el que se analizan particularmente los cuentos de Arlt.

HERRERA, FRANCISCO. «El grupo de Boedo». Buenos Aires. *Gaceta Literaria*. Nº 20. 1960. El autor es profesor de la Universidad Laguna y se doctoró con una tesis sobre la narrativa de Roberto Arlt.

— "Roberto Arlt". Buenos Aires. *Gaceta Literaria*. Nº15. p. 3. Noviembre-/diciembre 1958. "El humor es otro elemento en la obra del autor de *Los lanzallamas*. Pero también es peculiar; encierra una tristeza lacerante, y más que a festejara lo gracioso parece dirigido a burlarse de lo ridículo"•

HIDALGO, ALBERTO. «Sobre *Los siete locos*» Buenos Aires. *La literatura argentina*, XV, p. 73, nov. 1929). "Arlt es en nuestro ambiente un caso único: no conoce la gramática elemental, pero tiene una imaginación y un léxico exhuberantes que hacen de *Los siete locos* una obra poderosamente sugestiva. Habría ganado Arlt publicándola con todos los errores de ortogrāfñia, según se lo aconsejé cierta vez."

HOMENAJE A ARLT. Buenos Aires. *Propósitos*, nº 161, 3 de noviembre, 1966).

HOMENAJE A ROBERTO ARLT Buenos Aires. *Propósitos*, nº 181, 30 de marzo, 1967. «Homenaje a R. Arlt»: «Con motivo de cumplirse el vigésimo aniversario de la publicación de «*Los siete locos*», fue honrada la memoria de R. Arlt, cuya... personalidad literaria, su garra de novelista y su originalidad entre los escritores argentinos de los últimos tiempos, analizó Raúl..., señalando la gran pérdida que significó para las letras argentinas la prematura desaparición de R. Arlt, cuya contribución literaria es claro testimonio de un escritor destinado a alcanzar categoría de primer importancia en las letras argentinas». Sociedad Argentina de Escritores, 1948-1950- Año del libertador Gral. San

Martín. Boletín, p. 33. (p. 31 se indica que el 9 de sep. de 1949 el Sr. Raúl Larra habla «R. Arlt novelista»).

HOMENAJE EN CABALLITO. Roberto Arlt en su barrio. Buenos Aires. *El Mundo*, p. 40, 2 de abril, 1967. Pedro Orgambide, Zulma Núñez, Leónidas Barletta.

HORVATH, RICARDO. Noche Terrible sin la crueldad de Arlt. Buenos Aires. *La Voz*, p. 3. 17-2-83. En relación a la versión televisiva adaptada por Ordaz.

HOSNE, ROBERTO. «El sentido de una actitud». Tucumán. *Gaceta Literaria*, IX. Abril, 1957. 5.
"El dolor, la angustia del escritor R. Arlt conciben la Revolución Social como una forma de aniquilamiento, de destrucciónde una sociedad viciada y corrompida, por lo mismo, impedido por su propia desesperación no alcanza a comprender los aspectos fecundos de esa revolución, la cual perecería más necesitada por las prostitutas, los rufianaes, cafishios e intelectuales frustrados que por los mismos trabajadores.

HOWES, BÁRBARA. *The eye of the Heart*. Indianápolis y Nueva York. Bobbs-Merrill, 1973.

HUIDOBRO, VICENTE. *Obras completas*. Buenos Aires: Zig-Zag, 1964.

—I—

ISACSON, JOSÉ. "Nuevas *Aguafuertes porteñas*, por Roberto Arlt" Buenos Aires. *Comentario*. nº 28, 1961. *Reseña*.

—J—

JARKOWSKI, ANIBAL. "La colección Arlt: modelos para cada temporada. Madrid. "*Cuadernos Hispanoamericanos*. Supp. 11. (23-36). 1993.

JITRIK, NOÉ. "Entre el dinero y el ser: lectura de *El Juguete rabioso* de R. Arlt". Michigan. En *Escritura*, Caracas, Año 1, N°1, Caracas. 19176 *Rev. Dispositi-*

vo. 1: 1976. Nº2. pp 101-133. Reproducido en. *La Memoria compartida.* México. Universidad Veracruzana. 1982. Segunda edición: Buenos Aires. C. E. A. L. 1987

—*El juguete rabioso.* Buenos Aires. *El Mundo.* p. 43. 11-7-1965. Reproducido en *Escritores Argentinos: dependencia o libertad.* Buenos Aires. Ediciones del Candil. 1967. p. 89.

—*Roberto Arlt: Antología.* (Selección y prólogo) México. Siglo Veintiuno Editores. Col. La Creación literaria. 258 pp. 1980.
"La presencia y vigencia de R. Arlt. Bibliografía seleccionada sobre R. A." La obra de Arlt no se puede entender si, al mismo tiempo, no se hacen otras lecturas: una del contexto político social argentino (lo que va del proyecto liberal burgués del 80 a la crisis del radicalismo y la aparición del elemento militar en la escena política, pasando por el fenómeno de la inmigración y todas sus consecuencias, los conflictos ideológicos y de clases, la relación con la cultura europea, la crisis del sistema capitalista a fines de la década de los veinte, etc.) otra que invita a una diversificación textual: el sainete y el teatro culto, el lunfardo y los intentos de una literatura popular, la poesía de vanguardia, el tango, la arquitectura, el cine, la radio, la industria, la comicidad, el fútbol y el box, la delincuencia y otros. Arlt proporciona una imagen clara y diversa de cómo era la Argentina, Buenos Aires. y sus gentes;...", p. 7.

JOZEF, BELLA. "Roberto Arlt: Um Projeto de Liberatacao do Homen. "en *Minas Gerais*, Suplemento Literario. Belo Horizonte. Brazil, p 6-7, 9 de abril de 1983. (en Portugués).

—K—

KIERNAN, FERNANDO. "R. Arlt: periodista". Buenos Aires. *Contorno.* Nº 2. p. 10-11. Número de homenaje. mayo 1954. Véase: *Contorno*

KOCZAUER, BÁRBARA. "La rebelión de los intelectuales en *Los siete locos* y *Los lanzallamas*. Sobre la relación entre literatura y sociedad: Homenaje a Alejandro Losada. En Morales-Saravia, José (ed). *La Literatura en la sociedad de América Latina.* Lima. Latinoamericana. 270 pp. 1986. Véase: Morales-Saravia, José.

LAFORGUE, JORGE. *Nueva novela latinoamericana*, I/II. Buenos Aires. Editorial Paidós, 1972. La fiesta de hierro de Roberto Arlt». Buenos Aires. *Conducta*. XII Junio-Julio. 1940.

—Prólogo y notas a *El juguete rabioso*. Buenos Aires. Centro Editor América Latina. Col. Capítulo, *Biblioteca Argentina* Fundamental N°76. "Los caminos que abrió *El juguete rabioso* son los de nuestra literatura contemporánea". p. VI. 1982.

LAGO FONTÁN, MANUEL. "El teatro de Roberto Arlt", por M. L. F. *El Mundo*, pág. 18, 19 de julio, 1940. Sobre *La fiesta del hierro*. Sobre *El fabricante de fantasmas*. *El Mundo*, Buenos Aires, 8 de octubre, 1936. Reseñas.

«*La Nación* y su crítica teatral». Buenos Aires. *Propósitos*, n° 41, 2 de julio, 1964. Sobre *La cabeza separada del tronco* fue un manuscrito de Arlt que luego transformó en *Saverio el cruel*. L. Barletta agregó algunos elementos transformó otros y estrenó la pieza en 1964 sin el apoyo de la crítica.

LANCELOTTI, MARIO. *El cuento argentino*. Buenos Aires: Editorial Universitaria de Buenos Aires, 1964.

—*El cuento argentino*. Buenos Aires. Editorial Universitaria de Buenos Aires, 1964. "Muere con Arlt, dijo Eduardo Mallea, uno de los auténticos escritores que nuestra tierra literaria ha suscitado, uno -pese a su juventud- de los verdaderos eminentes. Roberto Arlt ha tenido poco tiempo para vivir, demasiado ocupado en dejar hecha una obra de calidad y vigor igualmente considerables. Era dueño de una naturaleza legítima de novelista, y lega al país, pese a quedar su labor inconclusa, algo que entra ya espiritualmente en su historia." p. 72.

Landa, Cristina. (Véase: R. Arlt *Al margen del cable*, edición de...)

«La producción literaria de 1929". » Buenos Aires. *Claridad*. N°198. Enero, 1930. «*Los 7 locos*». Véase: Doll, Ramón.

LARA, TOMÁS DE. "*Las aguafuertes* porteñas de R. A." «Roberto Arlt» Buenos

Aires. *Clarín, cultura y nación*, jueves 31 de julio de 1975. Incluye: La tragedia del hombre que busca empleo/aguafuerte de 1930/Arlt el ángel al revés, nota de Abelardo Castillo, . "Erdosain, la víctima complaciente" por Jorge B. Rivera. "Arlt en la zona peligrosa" por V. Petit de Murat. "El aprendiz de inventor". por Elías Castelnuovo. Véase: Castillo Abelardo-Rivera, J. -Petit de Murat, -Castelnuovo, Elías.

LARA, TOMÁS DE; RONCETTI DE PANTI, INÉS LEONILDA. *El tema del tango en la literatura argentina*. Buenos Aires. Ediciones Culturales Argentinas. 465 pp. 1961, Biblioteca del Sesquicentenario. Colecc. Textos. Contenido: sobre Roberto Arlt, pp. 146, 162. -Antología Documental: 1929, Roberto Arlt, *Los siete locos*, p. 280. - 1930, Roberto Arlt, *Aguafuertes porteñas*, «Mala Junta», p. 285.

LARRA, RAÚL. -Seudónimo de Raúl Larranccione-. «La 'Generación del 900' y nosotros». Buenos Aires. *Claridad*. Nº 299 Marzo, 1936.

— *Roberto Arlt, el torturado*. Buenos Aires. Ed. Futuro. 1950. 154pp. Talleres Gráficos Cadel, 1956. (segunda edición)

— «Roberto Arlt y el lenguaje». Buenos Aires. *Macedonio*, XI. p. 65-68. Invierno, 1971.

— "Más sobre Roberto Arlt" *Buenos Aires. Propósitos*. año 1, nº 9, 16 de mayo, 1952).

—"Roberto Arlt es nuestro (Nuestro: error en tapa)". Buenos Aires. *Cuadernos de Cultura Democrática y Popular*. nº 6, págs. 104-219. Febrero 1952. Respuesta a Roberto Salama que en el número anterior había juzgado a Arlt como un escritor burgués y decadente. Véase: Salama, Roberto.

—«Presentación»: Roberto Arlt. *El criador de gorilas*, págs. 5-11, 127 págs., Colecc. Argentina. Buenos Aires, Eudeba, 1968.

— «Roberto Arlt». Buenos Aires. *Roberto Arlt*. Folleto. 1948. Véase: Roberto Arlt. Folleto de varios autores.

—«Roberto Arlt, 20 años después» Buenos Aires. *Hoy en la Cultura*, nº 5, pág. 9, setiembre, 1962.

—«Ubica» Buenos Aires. *Argumentos*. n° 2, 1938.

— Etcétera. Buenos Aires. *Editorial Anfora*, enero 1982. Larra, Raúl. "Yo editor" p. 38. «Le propuse a Mirta Arlt encarar la publicación de las obras de Arlt, agotadas desde su muerte en 1942, sin que nadie osase publicarlas. ¿Qué resonancias tendría a ocho años de su desaparición? ¿Estaba realmente muerto o resucitaría?... En 1950 publiqué *Arlt, El torturado*, y en seguida *Los siete locos* y casi toda la obra de Arlt. Quedó sin editar *Los lanzallamas*... la editorial *Claridad* cuando vio que había editado *Los siete locos* lanzó a la venta *Los lanzallamas* que tenía en depósito a un precio muy bajo. Los libros de Arlt no fueron entonces el boom que pensaba. De *Los siete locos* imprimí 5. 000 ejemplares, en cambio de los libros siguientes entre 3000 y 2000. Su venta fue lenta... Arlt iba a resucitar lentamente, aun no se había desprendido la pátina del olvido."

—«Nota necrológica»Buenos Aires. *La Hora*. 27 de julio, 1942. Véase: Necrológicas.

— «*Roberto Arlt, novelista*». Conferencia pronunciada en el salón de actos de la Sociedad Argentina de Escritores, el 8 de setiembre de 1949. *La Nación*. 9 de setiembre de 1949.

— Idem. Buenos Aires. S. A. D. E. *Boletín*. 1948-1950. Año del Libertador General San Martín. p. 33.
"Con motivo de cumplirse el vigésimo aniversario de la publicación de *Los siete locos*, fue honrada la memoria de Roberto Arlt, cuya recia personalidad literaria, su garra de novelista y su originalidad entre los escritores argentinos de los últimos tiempos, analizó Raúl Larra, señalando la gran pérdida que significó para las letras argentinas la prematura desaparición de Roberto Arlt, cuya contribución literaria es claro testimonio de un escritor destinado a alcanzar categoría de primera importancia en las letras argentinas."

— «Contestando a un lector sobre la obra de Roberto Arlt». Avellaneda. Nueva Vida. S/F.

«Las encuestas de *Clarín*. "Florida y Boedo". Lo que nos dijo: Jorge Luis Borges. Buenos Aires. *Clarín*. *p*p. 6-7. 19 de julio de 1959. Borges niega los movimientos lñiterarios de Florida y Boedo.

Latcham, Ricardo A. *Perspectivas de la literatura hispanoamericana contemporánea: la novela*. Santiago de Chile: Atenea, 1958.

La versión de '*300 millones*' tendrá carácter de mascarada trágica: Reportaje a José Mario Paolantonio -su director. (R. J.) Buenos Aires. *La Opinión*. 13-3-73. p. 19 Sobre la puesta en escena que en el Teatro San Martín. Véase: Paolantonio, José Mario.

«La vida literaria. Libros argentinos»Buenos Aires. *La Nación*. 7 de noviembre de 1926. Sobre Roberto Arlt: *El juguete rabioso*-reseña- p. 12.

La vida literaria. Nº VII-VIII. Buenos Aires. Diciembre, 1928. p 8.

La Vida Literaria. Nº XVIII. Buenos Aires. Enero, 1930, p 6.

Leal, Luis. *Breve historia de la literatura hispanoamericana*. New York: Alfred A. Knopf, 1973.

Ledesma, Roberto. "Roberto Arlt, persona." Tucumán. *La Gaceta de Tucumán*. p 2. 30 de junio de 1963. -Ledesma era amigo de Arlt-
"... ¿Cómo era Roberto Arlt?. Se recuerda su modo particular de paladear las palabras, como si las palabras fuesen algo físico, con sustancia y sabor: (...) Se asombraba de todo. Ante un término en desuso que aprendía en un diccionario, o en la lectura de algún clásico, se deslumbraba como un chico que descubre un vidrio de colores, y así como éste lo llevaba en el bolsillo para exhibirlo, indefectiblemente la palabra iba a colorear el aguafuerte del día siguiente. Y su mejor manjar era poder reunir varios de esos términos en una sola frase, que de puro espesa, antes de saber qué significaba, resultaba impúdica para ciertos oídos a los que también se satisfacía en escandalizar; por ejemplo: «los gañones solfadaban a las fregatrices». Bien pudo Scalabrini Ortiz, en una observación afortunada afirmar que Arlt era el prototipo del verdadero escritor, el escritor que escribe toqueteando las palabras; y no lo dijo así, sino con una expresión más gráfica y yo lamento no poder repetirla aquí (...)" "Roberto Arlt era un escritor peripatético." "Y por eso también la temprana muerte de Arlt no tiene sentido: es una prueba no sé si de la ceguera o de la estupidez de lo que llamamos destinos. Habría podido vivir mil vidas, sin que se dejaran de oir ni un solo día las risas de su sorna, y las interjecciones de sus pensamientos asombrosos."

"Le feu du gendarme et du voleur" Argentine Le sept fous par R. Arlt. Paris. *Nouvel Observateur*, 30/6/82 p. 60.

LEGAZ, MARÍA ELENA. «Roberto Arlt o la pérdida del centro». Buenos Aires. *Megafón*. año IV. N° 7. pp. 71-80. Junio 1978.

LELAND, CHRISTOPHER TOWNE. "The Last Happy Men: The Generation of 1922 and the Argentine Reality". Disertación. Arbor. septiembre de 1982. Hace referencia a Mariani y sus *Cuentos de la oficina, El juguete rabioso* y *Don Segundo Sombra*: compara los conceptos de alienación, antiliberalismo, homosexualidad y las relaciones familiares.

Le sept fous, de Roberto Arlt. Traduit de l'argentin par Isabelle et Antoine Bernan, préface de Julio Cortázar. Ed. Pierre Belford, 286 pages, 79. F. Véase: Bernan, Isabelle et Antoine. y Cortázar, Julio.

LEWALD, H. ERNEST. *Buenos Aires*. New York: Houghton Mifflin, 1968.

LIACHO, LÁZARO. (Seudónimo de Jacobo Simón Liachovitzky. 1897/1969). *Palabra de hombre*. Buenos Aires. Edición del autor. 1934.
En la página 55 hay un grabado de Arlt por Francesco/1934.
"Arlt dentro y fuera de *El amor brujo*.
Introducción:
"Aquí analizo la posición del escritor, con respecto a los valores de su trabajo…"
"Analizo la vida de Balder, de Irene, etc.… como así la de Roberto Arlt. El lector podrá determinar hasta que punto, mi observación es exacta. ""Quiero si, para fijar los signos de mi intento, recordar alguna palabras de filiación autobiográficas de R. Arlt. Son los siguientes:
1. Me interesan entre las mujeres… /2. Me atrae ardientemente la belleza… /3. El futuro es nuestro… "—Liacho trata en su libro de desacreditar estos tres puntos.
Consideraciones preliminares: El escritor ante el público.
Conclusiones: Repugna a Arlt, todo lo que sea belleza…………… A pesar de todo puede que la salvación de Arlt resida en el futuro. Para comprobarlo seamos pacientes. Esperemos. Esperemos nueve meses. Después Arlt alumbrará "El pájaro de Fuego". Véase: Iconografía.

LICHTBLAU, MYRON I. *The Argentine Novel in the Nineteenth Century.* New York. Hispanic Institute, 1959.

LINDSTROM, NAOMÍ. «Physical Appearances in Arlt» *Romance Note, vol. XVII.* Nº 3. pp. 227-229. Chapel Hill. North Caroline, Sping 1977.

— "La elaboración de un discurso contracultural en *Las aguafuertes* Porteñas de Arlt". *Hispanic Journal* Indiana University of Pennsylvania. Vol. 2, Nº 1 - Fall 1980- pp. 47/55. N. L. escribe sobre la irregularidad del discurso arltliano, el famoso «escribir mal» se basa en conjeturas de Jitrik, Gonzalez Lanuza y M. Goloboff.

— ROBERTO ARLT 1900-1942. *Review* 31/Center for inter American Relations, 680 Park Avenue, Nueva York. Enero-abril 1982, p. 26-28. La Revista incluye Aguafuertes y un fragmento de «*Los siete locos*» traducidos al inglés por N. Lindstrom.

—"Focus on Roberto Arlt. 1900-1942. "en Review: Latin American Literature and Arts. Neva York. 31. pp. 26-41. Enero-abril. 1982.

— Literaty Expressionism in Argentina. Tempe, *Az: Center for Latin American Studio,* 1977.

— «Narrative Garble in Arlt: A Study in the Conventions of Expressionism», *Kentucky Romance Quarterly,* … 26, Nº 3. pp. 319 - 332. 1979.

—"El discurso 'disparatado' en Arlt: el texto El texto del ocultamiento. Caracas. Rev. *Escritura.* pp357-373. julio-diciembre. 1981.

—"Arlt's exposition of the myth of woman". en *Virgillio. Woman as myth and metaphor in latin american literature.* Carmelo ed. Columbia. 1985.

—The Aguafuertes of R. Arlt.: Reprises of an Idiosyncratyc Genre. Toronto. Revista Canadiense de Estudios Hispánicos. Ontario. 12: 1. 134/140pp. 1987. Autum.

LISARDO, ALONSO. *Los lanzallamas.* Buenos Aires. *Megáfono.* nº 9. Dic. 1931. p. 125/ ss. Tomo, II. Nota crítica sobre la novela y su autor, 6 de agosto, 1958). Número especial aparecido a raíz de Separación feroz, obra dramática de Arlt publicada en El Litoral, enero, 1938.

LÓPEZ PEÑA, ARTURO. *Teoría del argentino*. Buenos Aires. Editorial Abies, 1958.

LORENZO, TIRSO. *Nuevos Horizontes del idioma*. Buenos Aires. Iberia. 1936. Tirso Lorenzo era un especialista en filología y periodismo en la década del 30 y escribía en *El Hogar* y a veces en *Mundo Argentino*. En su notas se ha referido un poco a Arlt. En este libro nada. Pero lo que es interesante de este trabajo la señalización purista del uso del idioma en Buenos Aires a partir de cierto grupo de intelectuales. Como redactor del *El Hogar* censura fuertemente el uso del tratamiento de Vos en el lenguaje porteño.

— "Aguafuertes españolas por R. Arlt. "Bs. As *Mundo Argentino*. 2 de febrero. Actualidad Bibliográfica. p. 17. 1937.

Los Pensadores. Buenos Aires. "Un hombre de izquierda Antonio Zamora, comenzó a publicar el 22 de febrero de 1922, un cuadernillo semanal conteniendo una «obra selecta» de la literatura universal. La publicación se llamó *Los Pensadores* y sólo nos interesa como antecedente, ya que en la larga serie de títulos todos *Los siete locos* por Roberto Arlt». Buenos Aires. La *Literatura Argentina* XV. p 88. Noviembre, 1929.

Los siete locos. Tercer premio. Concurso Municipal de Literatura. Obra en prosa, año 1929. Otorgado el 8 de mayo de 1930.

"*Los siete locos* en versión fílmica". Buenos Aires. *La Nación*. 4 de mayo de 1979.

Los siete locos. Adaptación teatral de Canton, Correa, Epina. Buenos Aires. Teatro del Picadero. Funcionaba en el pasaje Discepolo, hoy llamado Rauch, entre Corrientes y Lavalle. La adaptación mezcló historias de *los siete locos, Los lanzallamas* y algunos pantallasos de *El juguete rabioso*. En el Hall del teatro se exhibieron cuadros de: Benitez, Berni, Caruño, Drucaroff, Iñiesta, Magyarm, Mar, Gerpe, Staenan y Villanor, todos en relación a Arlt. Los cuadros fueron reproducidos en el programa en blanco y negro. Poco después el teatro desapareció físicamente por la acción de una bomba. Buenos Aires. 1980.

"*Los siete locos* una película que rescata un modo nostálgico y vigente." Buenos Aires. *Clarín*. 14-12-72. p. 2. (L. S)) Sobre el film de L. Torre Nilson, 1972.

"*Los 7 locos* en Italia" (S. F). Buenos Aires. *La Opinión*. p. 23. Sobre el prólogo de Juan Carlos Onetti a las *Aguafuertes*. 3 junio de 1971. Véase: Onetti, Juan Carlos.

«*Los siete locos* por Roberto Arlt». Buenos Aires. *La Nación*. p. 9. 8 de diciembre de 1929.

Los 7 locos: Excelente adaptación de Arlt en una muy dura obra de nuestra pantalla (J. C. F). Buenos Aires. *Clarín*. p. 5. Sobre el film de L. Torre Nilson. 4 mayo de 1973.

LOVELUCK, JUAN. *La novela hispanoamericana*. Santiago de Chile: Editorial Universitaria, 1963.

LUDMER, JOSEFINA Y JITRIK, NOÉ. *El juguete rabioso. Cátedra de Literatura Latinoamericana*, F. de F. y L. U. B. A., 1º cuatrimestre 1973. Apuntes de clase. Sobre la metodología Noé Jitrik *Producción Literaria y Producción Social*. Buenos Aires, Sudamericana. 1975. Véase: Jitrik, Noé.

LUCHI, LUIS. "Arlt". Buenos Aires. *Propósitos*. Nº 107, 14 de octubre de 1965.

—M—

MACCRACKEN, ELLEN. "Metaplagiarismo and the Critic's Role as Detective: Ricardo Piglia's Reinvention of Roberto Arlt. "Nueva York. Publications of *the Modern Language Association of America*. Octubre 1991. Véase: Andreev, Leonid Nikolaevich.

Macedonio Nº XI. dedicado a Roberto Arlt. Buenos Aires. Invierno 1971. Véase: Libros y Revistas dedicadas a Roberto Arlt.

MAFUD, JULIO. *El desarraigo argentino*. Buenos Aires. Editorial Americalee, 1959.

—"Roberto Arlt, Arte y vida". Buenos Aires. *La cooperación Libre*. 1971. p. 23-24-25. Claves de la literatura argentina. La publicación reproduce una conferencia de Mafud en relación a las *Novelas y cuentos completos de R. Arlt* por Fabril Editora, tres volúmenes. "La trama de los sucesos en Arlt siempre se desarrolla con interrupciones, trabajosamente. Se suceden a través de vueltas y bifurcaciones. Por momentos desaparecen y dejan lugar a los discursos de los personajes. Como en *los lanzallamas* y *Los siete locos*. Pero repèntinamente los sucesos, como una masa de agua rebalsan las compuertas y se disparan como un pistoletazo. Como cuando Erdosain encuentra a Elsa en adulterio o Silvio Astier comete la traición. No hay nunca graduación, medida en Arlt. Su apasionamiento y su frenesí hacen estallar siempre su material de creación." p. 25.

MAGIS, CARLOS. *La literatura argentina*. Mèxico. Editorial Pomarca, 1965.

MAGRINI, CÉSAR. "Un gran vacío sobre el estreno de *los 7 locos*" Buenos Aires. *Actualidad Nacional*, 4/5/1975. .

MAINELLI, LUIS. «Palabras de apertura» jornadas de homenaje a Roberto Arlt. Rosario. *Cuaderno de la dirección de Cultura de Rosario*. Serie Revista nº 12. 1982. Véase: *Obras completas*. Ed. Lolhé,

MALDAVSKY, DAVID. *La crisis en la narrativa de Roberto Arlt*. Buenos Aires. Editorial Escuela, 1968. Arlt pertenece al grupo de descendientes directos de inmigrantes, llegados al país no mucho antes. La ideología de este grupo contrastaba con la de los viejos habitantes del país y contribuyó a su modificación. Esta doble característica de su inserción social: estratos medios de técnicos del intelecto, hijos de inmigrantes, determinó una mayor tensión sentida como fracaso en las aspiraciones y como peligro de caer en los estratos populares. La visión que Arlt tenía de la realidad estuvo determinada por esta matriz social. p. 137.
La cita del libro de Maldasky aporta una síntesis de introducción al estudio del escritor. Pero lo que más interesa en este ensayo es la marcación de los temas comunes en la narrativa de Arlt. Dice Maldasky que hay dos temas básicos: conflicto edípico y la muerte. Los personajes tienen sensación de carencias básicas, el fracaso está dado por la idealización de la mujer. El ensayista expresa que en los textos en donde la mujer está presente hay siempre «rencillas» y cotidianeidades, como en el cuento «Pequeños Propietarios». El primer nivel argumental remarca la visión del recuerdo, el autor de *Los siete locos* quiere hacer o hace creer acerca de sí mismo y su pasado.

Otro nivel argumental está dado por la imagen opuesta a la idealizada: madre/suegra o sustitutos. Más adelante el crítico expresa un tema específico del psicoanálisis: «el coito irrealizado» se traduce en desventuras de la vida y la lucha en contra del aburrimiento, dolor, muerte, soledad… Hay en el trabajo de Maldasky una clara visión psicoanalítica, no social, en donde se muestra «el coito» transformado en un vínculo denigrante y tortuoso, por lo que impotencia se confunde con omnipotencia. El ejemplo idealizado del Astrólogo en *Los siete locos* y *Los lanzallamas*, un personaje que narra su castración no sólo espiritual sino física, por lo tanto la hipocresía y la infelicidad obnubilan la interpretación en «*El jorobadito*», «Una Noche Terrible», «Pequeños propietarios»-

Se establece en este estudio el origen de la inversión de los valores que surge como relato básico. Por una parte hay un nivel superficial: se establece siempre un vínculo con un objeto idealizado, ocurre luego la perdida y el hallazgo de ese objeto en el presente de la narración. El coito funciona como un elemento que destruye toda idealización, en los textos de Arlt los personajes lo rechazan, he aquí una perturbación de los valores sociales. El vínculo con la mujer en la narración es fuente de dolor para los personajes masculinos. Mientras el hombre personaje no establece el coito mantiene su falo, cuando se enamora se vuelve esclavo de la mujer y pierde el significante falo, es decir la castración. Hipólita, escribe David Maldasky, se convierte en esclava del Astrólogo porque no tiene deseos. La no necesidad del «otro» constituye la vida sin angustia. El deseo genera la angustia del otro. En la pareja cada uno muestra una imagen falsa del otro. La traición intelectual aparece cuando todo está perdido, recurso del fin.

En *Las crisis en la narrativa…*, los personajes de las obras de Arlt son mostrados en forma semejante: tienen necesidades y sufrimientos y también traicionan la necesidad y el sufrimiento. Cuando los personajes recapacitan sobre el odio y el amor hacia sí mismos la autodestrucción se patentiza en ellos y nace la traición como un mecanismo de defensa. La traición se expresa en términos de degradación: cuando el narrador cuenta escenas alegóricas de la escena primaria, el padre, el capitán que le roba la esposa a Erdosain, el Capitán y Elsa huyendo juntos y la imagen edípica de Erdosain, abandonado para encarar posteriormente la destrucción de la mujer idealizada a través del crimen, el pecado, la humillación… El trabajo de Maldasky tiene una sobredosis del tratamiento psicoanalítico en torno de la obra de Arlt, pero después del libro de Masotta, es el primer aporte con esta línea que quiebra la tradicional visión del lector del realismo social o el costumbrismo. El espectro del trabajo de David Maldasky es bastante amplio ya que registra varias crisis dentro de su narrativa, algunas ya las hemos visto a través de otros autores, interesa, a nuestro propósito, la preocupación del estudioso en sistematizar las lecturas que se han hecho a la obra de Arlt «¿Cuáles fueron los lectores que pudieron hablar a través de la obra de Arlt?: » Existen tres actitudes con respecto a su narrativa:

1. Una crítica de aparente acuerdo con su autor.
2. La que se opone frontalmente al escritor.
3. La crítica que se propone comprender la obra.

Maldasky plantea como temas comunes en la narrativa arltiana la impotencia confundida con la omnipotencia, la inversión de los valores, la anulación de las idealizaciones a través del acto sexual irrealizable. «Si el hombre no tiene deseos sexuales la mujer se convierte en su esclava». La reflexión de los personajes sobre el odio y el amor refuerzan la autodestrucción y elaboran la traición como mecanismo de defensa. Asimismo la traición es un recurso de la degradación del hombre quien reproduce escenas primarias.

MALLEA, EDUARDO. "The Young Writers of America Hispana" Nueva York. *The Nation.* volumen 752, núm. 17. 26 de abril de 1941, pp. 502-504. (Ver cita de Arlt de este artículo y el de…)

—«A Writer's Testimony». *Symposium on Latin America.* Wellesley: Wellesley College, 1963. pp. 52-53.
"En cuanto a la novela joven argentina, no quiero citar más que *El juguete rabioso* y *los siete locos,* de Roberto Arlt; algún relato de Borges y *La invención de Morel,* libro donde Adolfo Bioy Casares acaba de lograr una pequeñá obra maestra de ingenio en el dominio del misterio stevensoniano o sus regiones fantásticas afines."

—"Nuevas corrientes en la literatura de hispanoamérica". Buenos Aires. *Leoplan.* Año IX. Nª186. 25 de febrero de 1942. (En el aguafuerte del 22/2-41 Arlt evoca este artículo).

MANGONE, CARLOS Y JORGE WARLEY. "La Modernización de la crítica. La revista *Contorno".* *Capítulo de Lit. Argentina* N° 122, y en tomo de Selección de Trabajos. Ed. C. E. A. L. 1981. Fascículo.

—Y WARLEY, JORGE. *Contorno, selección*. Selección y prólogo por... -. Col. Capítulo N°122. Ed. Centro Editor de América Latina. 174p. Libro. Véase: Warley. Jorge.

MANZIONE, HOMERO. (Usó el seudónimo de Homero Manzi para componer tangos). "El corazón se acongoja frente al drama de Santiago del Estero". Buenos Aires. *Ahora*, 13-XII-1937, sin N° de página (el artículo corresponde a la pág. 10). La publicación aparece los lunes y jueves). El artículo de varias páginas narra los desastres de la sequía. Manzione habla de Arlt y cuenta un pequeño reportaje. Incluye una foto de Arlt. Biblioteca Nacional. (1 Homero Manzi).

MANZUR, JORGE. "Reencuentro con R. Arlt" -a 41 años de su muerte- Buenos Aires, *La voz*. p. 1. 24-7-83. Manzur escribe un relato donde se advierte la admiración y el profundo deslumbramiento que continúa produciendo en los jóvenes novelistas argentinos.

«Mañana iniciará su actuación una compañía nacional. Estrenará El fabricante de Fantasmas, de Roberto Arlt". Buenos Aires. *La Nación*. p. 14, 7 de octubre, 1936. Gacetilla.»

MARECHAL, LEOPOLDO. *Antología poética*. Selección y prólogo de Alfredo Andrés. Buenos Aires. Ediciones de la Flor, 1969.

—*Palabras con Leopoldo Marechal*. Buenos Aires. Carlos Perez editor. 1968. Reportaje y antología: Alfredo Andrés. Col. Los Hacedores a cargo de Juana Bignozzi. 144 pp. Las menciones a Arlt por parte de Marechal aparecen durante todo el reportaje En p. 30 el periodista le pregunta "¿ Cómo era Roberto Arlt?" y Marechal responde: "Un hombre lleno de ternuras interiores y un intuitivo nato. En la redacción lo veía siempre a mi derecha, tecleando con fiebre su máquina de escribir. De pronto me dirigía sus ojos claros y me preguntaba: Ché, Leopoldito, ¿hombre se escribe con hache o sin hache?. Yo le aclaraba la duda y volvía él a su teclado. Al leer sus obras, siempre me dio la idea de un Miguel Angel tallando un tronco de quebracho con un cortaplumas, porque tenía mucho que decir y medios expresivos rudimentarios. !Mejor para vos, Roberto! Hay otros que manejan complicados recursos expresivos y no tienen nada que decir. En su narrativa siguió hasta los recursos de Rocambole, lo cual no es censurable, ya que Lautremont hizo lo mismo y con la misma gracia en sus Chants de Maldoror. En 1929 él publicó *Los siete locos* y yo las Odas para el hombre y la mujer, que nos intercambiamos. Después viajé a Europa, no volví al periodismo y él se me perdió, como tantos, en el trajín de la ciudad. Casi veinte años después, al publicart en *La Nación* mi poema EL CENTAURO, recibí con sorpresa la siguiente carta escrita por Arlt en tinta roja y con su firma de jeroglífico (Véase: Cartas).

MARIAL, JOSÉ. *El teatro independiente.* Buenos Aires. Alpe. 1955. 260pp. Colección Nuestra Expresión. Sobre Arlt pp 66-67-81-84-99-150-162.
Indice: El Teatro independiente/Las actividades artísticas y culturales y nuestro teatro/El gran comienzo/Teatro del Pueblo "Primer teatro independiente en Buenos Aires"/Otros teatros independientes/Reseñoa de teatros independientes/Direcciones escénicas/Los experimentos/El teatro independiente y nuestra cultura/Referencia al teatro profesional/La crítica teatral. Fechado en Diciembre de 1954. El libro aporta mucha y concreta información sobre el tema referencia a estrenos y puestas en escenas y los teatros independiente y Barletta. Entrevisté A Marial cuando era Director de la Biblioteca de Argentores (1984) me dio datos muy valioso y me permitió ver las fichas de registros de obras con sus fechas y hasta sus ingresos. Una fuerte sordera a veces hacía muy complicada la conversación. Marial estuvo, por su tarea periodística muy cerca de Arlt, comentó haber visto en la ciudad de Córdoba el folleto-novela Diario de un morfinómano, texto inhallable.

—"Roberto Arlt el nuestro". Buenos Aires. en *Roberto Arlt-* Un folleto de homenaje de varios autores-1948

MARIANI, ROBERTO. "Roberto Arlt". Buenos Aires. *Conducta.* N°21. Julio/Agosto. 1942. Homenaje.

MARTINEZ ESTRADA, EZEQUIEL. *La cabeza de Goliat.* Buenos Aires. Nova. 1957.

MARTINEZ, TOMÁS ELOY. "Arlt: la realidad, la crisis". Buenos Aires. *La Nación.* 14 de junio de 1959. Reseña.

MARTINEZ, Victoria-Jeanne. "The Semiotic of a Bourgeois Society: An Analysis of the *Aguafuertes porteñas* by R. Arlt. "Dissertation-Abstracts-International, Ann Arbor, Mi (DAI). 1993. Jan, 53. Degree granting ainstitution: Arizona State U. 1993.

Martín Fierro. Buenos Aires. Nº1. Febrero de 1924.

Martín Fierro. Buenos Aires. Nº 12/13. Noviembre de 1924.

MASIELLO, FRANCINE. *Lenguaje e ideología. Las Escuelas argentinas de Vanguardia*. Buenos Aires. Hachette, 1985. (Encara el tema de la parodia en Macedonio Fernández y en Roberto Arlt).

MASOTTA, OSCAR. "Roberto Arlt, yo mismo" en *Conciencia y estructura*, Buenos Aires. Jorge Alvarez 1969. p. 177-192 El libro contiene varios artículos, en la p. 281 se indica: «Comunicación leída en el salón Artes y Ciencias» como presentación al libro *Sexo y traición en Roberto Arlt,* (Véase: libros sobre), 12 febrero 1965.

—"Roberto Arlt, Yo mismo", Barcelona. *Ajoblanco* Nª 51. pp30-35. Reproduce el prólogo citado anteriormente.

— «Roberto Arlt al día»Buenos Aires. *Fichero*. año 1, nº 1, págs, 31-33, junio, 1958.

—"Roberto Arlt, la plancha de metal". Buenos Aires. *Centro* Nº13. pp. 9-42. Tercer trimestre. 1959. (Artículo incluido en Sexo y traición... "Inventar, crear, robar, imaginar, soñar, asesinar, mentir, delatar: todos estos actos se corresponden en que, a través de ellos, los personajes de Arlt apuntan a hacer efectivo una suerte de corte de amarras con lo que son. Por un lado cumplen alguno de esos actos porque ellos estan inscriptos en el destino personal, porque no podría ser de otra manera, porque el hombre de Arlt, lo sabemos, no actúa, sino que es actuado por lo que es. Erdosain no es malo porque él hace el mal, sino que hace el mal porque él es malo. Pero aparte de esas órdenes venidas desde la propia personalidad-entidad, el hombre de Arlt encuentra en la práctica de la maldad un hálito de soberanía, la convicción de que es posible pasar a la trascendencia a través de él. En estas novelas la acción mala es tonificadora, es el aliento que ayuda a soportar la tenebrosa atmósfera interior, es un respiro que separa de la tristeza que envuelve a la vida. En el mal, y de un salto, se pasa de las tinieblas a la claridad, y parece entonces que la vida y la alegría fueran posibles."
"La sinceridad de Arlt, los problemas que torturaban a Arlt, tal vez no convenzan mucho. El hombre atrapado por la gran ciudad y víctima de su buro-

cracia y de la estupidez de su moral, el nostágico vacío de su mundo el hombre aplastado por sus jefes y condenado a una vida gris, el solitario que extrae su ordullo de su desprecio de la vida vanal. "p. 17. Véase: Centro. Revista del centro de estudiantes de la Facultad de Filosofía Y Letras. U. B. A.

—«Seis intentos frustrados de escribir sobre Arlt». Buenos Aires. *Hoy en la Cultura*, nº 5, pág. 8, setiembre, 1962.
"tengo a Borges y a Arlt por los dos grandes escritores que haya producido el país hasta la fecha. La mala fe política del primero, sus nefastas, estúpidas (el término no pretende ser un insulto, sino ser más bien descriptivo) opciones públicas: la ingenuidad pública del otro, su buena voluntad para educarse ideológicamente. uno y otro, expresarían, cada uno a su nivel y cada uno a su modo, las peripecias culturales de un país subdesarrollado. Tesis atractiva pero es preciso dejar de lado. "/Este texto integró luego Sexo y Traición-...

—«Silencio y humillación en Roberto Arlt»Rosario. *El Litoral.* 6/VIII/1958. Número apoarecido en relación a Separación Feroz, drama. Publicado en El Litoral en enero de 1938.

MASTRONARDI, CARLOS. *Formas de la realidad nacional.* Ediciones Culturales Argentinas, 1961, 201 págs. (Biblioteca del Sesquicentenario). - 2ª. ed., Editorial Ser, 1964, 217 págs. (Pueblo y Literatura). Sobre Roberto Arlt, págs. 111-119.

— «La angustia y el prodigio en la obra de Arlt» Buenos Aires. *El Mundo* 2 de noviembre. 1958.

MATAMORO, BLAS. "El astrólogo y la muerte". *Cuadernos Hispanoamericanos.* Madrid. España. Supp. 95-102. 1993. (Véase: también *Quimera).*

—"Güiraldes, Arlt y la novela educativa". Madrid. *Cuadernos Hispanoamericanos.* Revista mensual de cultura Hispánica. Junio 432. pp 61-69. 1986.

MATHIEU, CORINA. "Mario Szichman como desacralizador de mitos en A las 20: 25, la señora entró en la inmortalidad" (Se refiere a Eva Perón)en Menchacatorre, Felix. Ensayos de literatura europea ehispanoamericana. San Sebastian. Universidad del País Vasco. 605pp. 1990.

MATTALIA, SONIA. "Modernización y desjerarquización cultural: el caso Arlt de La Vida Puerca a *El amor brujo*. "Pittsburgh. *Revista Iberoamericana*. Abril. Junio, Nº58: 159. pp501-516. 1992.

MATURO, GABRIELA. «*Saverio el cruel*» - Jornadas de homenaje a R. Arlt. - *Cuadernos de la Dirección de Cultura de Rosario*. Serie Revistas n º 12. 1982.

MAY, ROLLO: *Psychology and the Human Dilemma*. Princeton: D. Van Nostrand Co., 1967.

MAYER, MARCOS. "Mapa de ningún lugar". Buenos Aires. 30 de julio de 1993. Suplemento Metrópolis, *Pagina/12*. Reseña bibliográfica de *Aguafuertes porteñas* Buenos Aires. vida cotidiana., recopilación y estudio Silvia Satta (sic). Véase: Saítta, Silvya.
"De las dosmil aguafuertes porteñas que Roberto Arlt publicó entre 1928 y 1942 en el diario *El Mundo* sólo una cuarta parte había sido publicada en libro hasta ahora. Alianza acaba de editar un nuevo volumen, "Buenos Aires, vida cotidiana", de estos textos, registro asombrado de un porteño.

MAZZEI, ANGEL. *Treinta cuentos argentinos. 1880- 1940*. Guadalupe. Incluye: «Pequeños propietarios», por Roberto Arlt, págs. 205-213. 1968.

M. D. E. "El cuento en la Argentina. Relato, filosofía y costumbrismos reunidos por Roberto Arlt» Buenos Aires. *La Nación*, pág. 4, 19 de mayo, 1963.

MEAD, ROBERT G. JR. *Breve historia del ensayo hispanoamericano*. México: Ediciones De Andrea, 1956.

MELIÁN LAFINUR, ALVARO. *Literatura Contemporánea*. Bs. As: Sociedad Cooperativa Editorial Limitada, 1918.

MELIS, ANTONIO. "La deformación social y su reflejo en el cuerpo de un cuento de R. Arlt" Madrid. *Cuadernos Hispanoamericanos* Nº390. pp 683-689. dic. 1982. Desarrolla su tesis a partir del cuento "Pequeños propietarios".

MENASCHÉ, MARCELO: «La fiesta del hierro». Buenos Aires. *Argentina Libre*. Año 1, nº 27. p. 13. 5 de setiembre, 1940. La obra se estrenó el 18 de julio de 1940 y es el sexto extreno teatral de Arlt.
"Roberto Arlt es uno de nuestros escritores más imaginativos. Entre nosos-

tros, donde el empaque y el aburrimiento literario constituyen los medios más seguros de afirmar un puesto en las letras, esto ya es bastante. Muchos le reprochan a R. A. su imaginación, traviesa y desenfrenada. Sin duda, están todavía al lado de Boileau, que declaraba friamente que una maravilla absurda no le interesaba: Le vrai quelquefois netre pas vraisemblable; /une maraveille absurde est pour moi sans appas.

Lo cierto es que las novelas de Arlt, con todos sus defectos y sus pretendidas influencias, quedarán como novelas representativas de una modalidad y una época. De la misma manera que *300millones* o *Africa*, pongo por caso, como piezas teatrales perfectamnete logradas.

En La fiesta del hierro hay una intención inicial poderosa, el tráfico de los armamentistas que no vacilan en ensangrentar su hogar con tal de alcanzar el cenit de sus reprobables negocios.

Obras como la fiesta del hierro ofrecen gran cantidad de dificultades que conviene señalar en mérito de la compañía que se hace cargo de la representación. (Nota extensa donde analiza la puesta de La fiesta del hierro, tiene algunos elogios para Arlt y para el Teatro del Pueblo.

— «Roberto Arlt» Buenos Aires. en Roberto Arlt. - 1948. -

—«Valoración de una obra» Buenos Aires. *Gaceta de los independientes*, año 1, nº 1, mayo-junio, 1955.

—" Al margen de una nota de Roberto Arlt". Buenos Aires. *Conducta*, XIV, nov/dic 1940. Respuesta de Menasché a la nota 'agresiva' que le hiciera Arlt del estreno de Fosco.

MENDEZ CALZADA, ENRIQUE. "Cuando a fines de 1928 Alfonso de Laferrere se disponía a dejar la dirección del suplemento literario de *La Nación* para asumir otras funciones…, yo estaba lejos de prever que tal circunstancia precipitaría uno de los acontecimientos más extraños de mi vida: ¡Yo iba a conocer a un humorista!… el humorista era Enrique mendez calzada. M. C. se convirtió en director del suplemento a partir del año 1928. Una de las novedades que impuso Mendez Calzada fue la de colocar unos días antes en las páginas del diario lo que se publicaría el domingo. M. C. se casó con Ana María Benito-rosarina- que murió poco tiempo después a raíz de una picadura de mosca verde. Luego en el 30 se fue a Paris y en el 41 se suicidó. En 1931 le sucedió en el cargo del suplemento Eduardo Mallea-tenía 27 años-

"Alberto Pineta *Verde Memoria*. Buenos Aires. Ediciones Antonio Zamora. Tres. 1962. Véase: Pineta, Alberto.

MENDILAHARZU, MANUEL SELVA FORTUNATO Y LORENZO J. ROSSO. *Bibliografía general argentina*. Buenos Aires. Imprenta Rosso, 1931-1933. 2 v. publicados A-C Inventario analítico-crítico de todas las publicaciones argentinas desde el origen de la imprenta en el Río de la Plata hasta hoy. / Esos ejemplares se encuentran en la Biblioteca del Colegio Nacional de Buenos Aires. Si los autores son importante consignan una biografía.

MEO ZILIO, GIOVANNI: «Genovesismos en el español rioplatense» *Nueva Revista de Filología Hispánica*, vol. XVII, nº 34, México, El Colegio de México. 1970.

—ROSSI, ETTORE: *El elemento italiano en el habla de Buenos Aires. y Montevideo*. Florencia, Valmartina Editore, 1970, t. 1. Consiglio Nazionale delle Ricerche. Sobre Roberto Arlt, págs. 11, 16, 31, 42, 51, 62, 64, 65, 68, 69, 80, 107, 114, 116. Obra analizada: *Aguafuertes porteñas*, Buenos Aires, 1933 y 1958.

MERLINO, MARIO. «Roberto Arlt: los escritos del buen ladrón». *Cuadernos hispanoamericanos*, nº 373. P. p. 130-142. Junio 1981.

MIC, ROSE S. *Literature anda Popular Culture in the Hispanic World*: A Symposium. Upper Montclair. Gaithersburg. Montclair State Coll. *Hispamérica* 211pp. 1981. Véase: Giordano, Enrique.

MIAJA DE GARCÍA, MARÍA TERESA. "El discurso histórico y el literario en el mundo alucinante de Reinaldo Arenas". en *Deslindes literarios...* México. Centro de estudios lingüísticos y literarios. Colegio de México. 1977. Véase: Rose Corral/Ana Rosa Domenella.

MIRANDA KLIX, JOSÉ GUILLERMO Y ALVARO YUNQUE. *Cuentistas argentinos de hoy*. Editorial *Claridad*, 1929. Muestra de cuentistas jóvenes entre 1921 y 1928, 241 páginas.

MODERN, RODOLFO. «Roberto Arlt» Buenos Aires. Fichero de escritores contemporáneos. *La Prensa*, Incluye un frag. de «La isla desierta». 16-3-80.

MONNER SANS, RICARDO. *Notas al castellano en la Argentina*. Buenos Aires. Ed. Estrada. 1944. -la primera edición 1903-. Monners Sans fue un sistemático censor de la prosa de Arlt y de muchos otros jóvenes que escribían en diarios y revistas de Buenos Aires. Arlt sostiene una polémica con Moner Sans en el aguafuerte "El Idioma de Los Argentinos".

MOLINARI, MARTA. (Seudónimo de Ismael Viñas) «Roberto Arlt: Una autobiografía». Buenos Aires. *Contorno*, II. Mayo, 1954. p. 8. Dedicado a Roberto Arlt. Véase: Viñas, Ismael, se reproduce un fragmento de este artículo.

MONTEMAYOR, CARLOS. «Una presentación de Roberto Arlt» (sic). México. *Revista de la Universidad de México*, XXVII. pp. 4-5. Junio, 1973.
"Todos los escritores sudamericanos contemporáneos cuyo lenguaje es desenvuelto, coloquial, cotidiano, aprendieron a hablar en Roberto Arlt."

MONTENEGRO, VÍCTOR. "Una interpretación acerca de los elementos morbosos en las novelas de Roberto Arlt». La Plata. *Estudios Literarios e Interdisciplinarios*. Universidad Nacional de La Plata, p 115. 1968. "A más de 25 años de su muerte la obra narrativa de Arlt sigue manteniendo una vigencia en lo integral, que trató de ser ignorada por la crítica dominante, transformándolo en un autor «intuitivo», con raros aciertos pintorescos y numerosas fallas relacionadas con su cultura."

MORALES, ERNESTO. *Historia de la literatura Argentina*. Buenos Aires. Atlántida Col. Oro 1944.

—*Historia del teatro Argentino*. Buenos Aires. Dos manuales de divulgación en los cuales menciona a Roberto Arlt. 1944.

MORALES, MIGUEL ANGEL. "Sobre Roberto Arlt"México. *Revista de la Universidad de México*. Vol. XXXI. pp 13-18. 11 de julio de 1977.

MORALES-SARAVIA. *La Literatura en la sociedad de América latina*.
Lima. Latinoamericana. 270 pp. Véase: Koczauer, Bárbara "La rebelión de los intelectuales en *Los siete locos* y *Los lanzallamas* etc." artículo que integra el libro. 1986.

MORETTI, AMILCAR H.: «Roberto Arlt: *El fabricante de fantasmas*», La Plata. *El Día*. pp. 10-11, 8 de marzo, 1970.

MUNRO, DANA. *The Latin American Republics: A History.* New York: Appleton Century Crofts. 1960.

MUÑOZ, JOSÉ. «La agonía de Haffner, el rufián melancólico de Roberto Arlt». Buenos Aires. Dibujos y adaptación. *Revista Fierro.* 1986. . 1986. Presentación Ricardo Piglia.

MUÑOZ MOLINA, TEODORO. Prólogo y Bibliografía a *El juguete rabioso.* Buenos Aires. Ed. Espacio Literario. 1992.

MURENA, HÉCTOR ANDRÉS. *El Pecado original de América.* Buenos Aires: Editorial Sur, 1954.

— «Rostro de Roberto Arlt». Buenos Aires. *La Nación.* p. 51. 11 de Marzo de 1951. "Y si la novelística de un país se mide en rigor por lo que sus novelistas han imaginado, en la nuestra, que a través del historicismo, el naturalismo, el folklorismo y el nacionalismo se había resignado a humillar la imaginación ante la mera realidad, Arlt figura entre los primeros. "Véase: Murena, Héctor"20 años después".

—«Después de veinte años» Buenos Aires. *La Nación,* pág. 1, 10 de octubre, 1971.
"... Hace veinte años publiqué en estas mismas páginas (1951) un corto escrito sobre R. Arlt..."
"El caso de Arlt resulta diferente. Es él, por cierto, quien anuncia entre nosostros la Gran Desgracia. Pero ¿Cómo lo anuncia? Lo anuncia con libros que quedan devorados por su mensaje, deformados para siempre en su crispación por la mala nueva en que les tocó ser vehículo. Libros en los que la literatura fracasa, aconsejan el fin de la literatura., rompen la fe en la continuidad de la cadena de los hombres, son suicidas. el suicidio es el único consejo que la vida no puede dar a los vivientes".

— N —

NACCARATI, PASCUAL. "El teatro de Roberto Arlt". Buenos Aires. *Folleto: Editado por un núcleo de actores argentinos en ocasión de la semana de homenaje.* pp. 5-6-7-8. Véase: Roberto Arlt (Folleto). 1948.

—"El teatro de Roberto Arlt". Buenos Aires. Rev. *Trompo* (dirigida por Marcelo Menaché). Año 1, Nº1. Segunda época. Sep. 1945, p. 2. Reproducido en Fronteras. Pascual Nacaratti fue uno de los actores del teatro del pueblo que interpretó las obras de Arlt y luego fue su amigo personal. Juntos idearon la fabricación... de medias para... mujeres con un sistema de vulcanización. Pascual Nacaratti (Falleció en 1984) poseía cartas de Arlt, de la madre de Arlt. Nacaratti se ha negó a mostrarme esos documentos aduciendo que eran sumamente personales.

NALÍM, CARLOS ORLANDO. Acotaciones a *El juguete rabioso* de Roberto Arlt". Buenos Aires. *Nueva revista de filología hispánica* 23 (2), 1974, pp. 401-410.

NATTALÍA, SONIA. (Véase: *Quimera*).

NEWMAN, KATHLEEN ELIZABETH. "The Argentine Political Novel: Determinations in Discourse". Dissertation Abstracts International. Ann Arbor. 1984. (en Inglés)

NEYRA, JOAQUÍN: «Novelas y cuentos juntos y en traje nuevo. Roberto Arlt» Buenos Aires. *La Razón*. 4 de abril de 1964. -

— «*Aguafuertes porteñas:* Una rica galería de tipos» Buenos Aires. *La Razón*. 31 de diciembre de 1960.

— «Veinte años después» en *Teatro. de los Independientes* obra adaptada por Ernesto. Castagny. Véase: Castagny, Ernesto.

NOÉ, JULIO. "Pobreza y salvación del panorama literario". Buenos Aires. *El Hogar*. 22-12-33. p. 42. «libros de cuentos han publicado entre otros Roberto Arlt, Olivari, F. E. Gutierrez y Barletta...». 1933.

NORTON, ROBERTO LEE. The noveles of Roberto Arlt. New direction in *Spanich american fiction*. University of Missouri. Columbia Ph. D. 1974. (Tesis de grado)
«Nos parece mal». Que Roberto Arlt, en sus aguafuertes de «*El Mundo*», no pueda con el genio y se desayune con varios literatos cada mañana. La vez pasada nos hizo creer que las «correspondencias» desde Roma, de Manuel Gálvez, eran malísimas. Ahora bien, Gálvez no ha escrito nunca desde Roma.

Buenos Aires. Rev. *Criterio*, 25 oct. 1928, pág. 110. Director Atilio dell'oro Maini. R. Arlt contesta a esta pequeña nota en un Aguafuerte del 31/oct. /1928 «Porqué no se vende el libro Argentino» «Nos parece mal» se refiere al aguafuerte del 25/10/28 «Argentinos en Europa». 1928.

«Notas y comentarios. » Buenos Aires. *Claridad.* Nº. 207. Mayo, 1930.

«Notas y notabilidades. » Buenos Aires. *La Vida Literaria*, XIX. Abril, 1930.

«Notas y notabilidades». Buenos Aires. *La Vida Literaria*, V, 48, Noviembre, 1931.

"Noticias gráficas de la capital". Buenos Aires. *Mundo Argentino*. Año XXI. Nº 1085. p24. 4 de noviembre de 1931. Aparace un texto con la fotografía de Arlt de 6 cm. La sección es en huecograbado. "*Los lanzallamas* es el título de la novela del escritor Argentino Roberto Arlt que acaba de publicarse, y que ha de confirmar, sin duda, el éxito que logró con *Los siete locos.* "Véase: *Los lanzallamas.*

"Novedades del día". Buenos Aires. *La Razón.* p. 10. 17 Mayo 1938. «El teatro del pueblo inician su temporada con la pieza «Africa» de R. Arlt, farsa en sies actos de ensueño."

NÚÑEZ, ANGEL. *La obra narrativa de Roberto Arlt.* Buenos Aires. Editorial Minor Nova. 1968. El libro conformó una tesis para la licenciatura y obtuvo el premio del Fondo Nacional de las artes.
Indice:
Prólogo: solamente explica su apoyatura teórica
Cap I. La Técnica narrativa/Cap. II Valoración de la técnica narrativa. /cap. III El reflejo social en la obra. /Cap IV *El Mundo* de Roberto Arlt/ Cap V La aventura del amor. /Bibliografía citada. El libro se centra principalmente en el análisis de *El jorobadito* y Una Noche terrible. (Véase: Libros dedicados a Arlt).

NÚÑEZ, JUAN ALBERTO. «Una vigencia intacta». Buenos Aires. En *Amaru*, Rev. Literaria Nº 18 octubre 1984.

Obra completa de Roberto Arlt. Buenos Aires. *La Nación*, 5/7/81 (S. F) Reseña bibliográfica. 1981.
"Ofreció ayer su primer espectáculo el Teatro del Pueblo. *Africa* contiene una sugestiva atmósfera dramática". Buenos Aires. *La Nación*. pág 9, 18 de marzo, 1938.

Olea Franco, Rafael (ed). Valender, James (ed), Barriga Villanueva, Rebeca (ref.) *Reflexiones lingüísticas y literarias: Literatura, II*. Ciudad de México. Centro de Estudios de Lingüística y Literatura. Colegio de México. 1992. 378pp. Rose Corral: "Onetti/Arlt o la exploración de algunos vasos comunicantes" Véase: Rafael; Valender, James; Barriga Villanueva, Rebeca. y Corral, Rose. Artículos sobre J. C. Onetti y sobre las novelas de Arlt.

Olivari, Nicolás «Un Himalaya de las palabras». Buenos Aires. *Tiempo Argentino*. 6/1/85. p. 3. Reproducción del artículo publicado en Conducta, Buenos Aires. Julio/Agosto de 1942.

— «Roberto Arlt en el cielo. »Buenos Aires. *Conducta*, XXI Julio-Agosto, 1942.

— «*Los lanzallamas* de Roberto Arlt. »Buenos Aires. *Claridad*, N°. 239. Noviembre, 1931.

— "Sobre 300 millones". Buenos Aires. Argentina de Hoy, 20 de setiembre de 1951.

— «Bibliografía». Buenos Aires. *Claridad*. N°. 239. Noviembre, 1931. "Tú gran crimen es haber escrito eso aquí. Tú lugar no es América. No serás nunca juzgado como debes. No te darán ni siquiera el primer premio municipal y no reconocerán tu libro como el mejor del mes. Es trágico tu destino- Porque teniendo tu talento bestial, seguís caminando por la calle como vulgar transeunte. !No tenés leyenda, ni siquiera escándalo! Y lo tienen y tuvieron quienes no valían ni tu cuarta parte...".

Onega, Gladys S. *La inmigración en la literatura argentina*. Santa Fe: Universidad Nacional del Litoral, 1965. Tesis válida con respecto al registrto que la autora da de las obras no incluye a Arlt por una cuestión de límites temporales.

ONETTI, JUAN CARLOS, «Semblanza de un genio rioplatense», Buenos Aires. *Nueva Novela Latinoamericana.* comp. de Jorge Lafforgue. Dos Volúmenes, Paidós, 1972, pp. 363-377. «Roberto Arlt visto por Juan Carlos Onetti» (La Opinión, Buenos Aires, págs. 1-2, 18 de julio, 1971). (Macedonio, año 3, nº 11, págs. 49-57, setiembre, 1971).

—«Los cargos contra la prosa de Arlt no admiten réplica» Reproducción de un fragmento del prólogo a I sette pazzi, Milán. Ed. Bompiani. 1971. / La versión castellana fue publicada en *Marcha.* Montevideo. 28/12/1971.

—*Los siete locos.* Traducción al inglés Naomí Lindstrom (Véase). en *Review: Latin American Literature and Arts.* Neva York. 1982Enero/abril pp34-38. Reproduce el prólogo de 1971. Naomí Lindstrom ha realizado muchos e importantes trabajos sobre la obra de Arlt. Véase: Lindstrom, Naomí. Hemos tenido dificultades para ubicarlos.

O. P. "El peor libro del año" (1926). Buenos Aires. *La Opinión.* p. 19. 13 de junio de 1976. Sobre Zogoibi de Larreta.

ORDÁZ, LUIS. *El teatro en el Río de la Plata.* Desde sus orígenes hasta nuestros días, Futuro, 1946, (Col. Eurindia). Sobre Roberto Arlt, págs. 171, 172, 173, 174, 186, 187, 188, 189, 190, 192. - Leviatán, 1957. Sobre Roberto Arlt, págs. 209, 210, 212, 228-235, 306, 316.

— «La dramática de Roberto Arlt». Lanús. *Ateneo. nº 37.* p1. marzo, 1962.

— «Los autores de estos últimos treinta años». Buenos Aires. *Lyra, nº 174-176,* Número dedicado al teatro. 1959.

— *Teatro: desde la generación intermedia a la actualidad,* Buenos Aires. Centro Editor de América Latina, Sobre Roberto Arlt, «El Teatro del Pueblo y Roberto Arlt», cap. 52, págs. 1236-1237. 1967.

—Adaptación teatral de *El amor brujo.* 1971. Sergio Renán.

—"El Saverio de R. Arlt". Buenos Aires. *Clarín*, 29, pág. 8 (sobre el estreno cinematográfico). Sep. 1977.

— "El teatro de la verdad". Buenos Aires. *Clarín*, pág. 4. 28-7-77.

—*El teatro independiente* (3 fascículos). Buenos Aires. C. E. A. L. Capítulos de lit. Argentina, Arlt renovador dramático. 43/Nº1. 1981.

— *El teatro en el Río de la Plata*. Ediciones Leviatán, 1957.

ORDÓÑEZ, VÍCTOR Y GUASTA, EUGENIO. «Un autor: Dos juicios». Buenos Aires. *Señales*, Nº. 103. Octubre, pp 26-28. (R.A. la reedición de *El juguete rabioso*). Véase: Guasta, Eugenio. 1958.

ORGAMBIDE, PEDRO. *Enciclopedia de la literatura argentina*. Buenos Aires. Editorial Sudamericana, 1970. En colaboración con Roberto Yanhi. Véase: Yanhi, Roberto.

— «Roberto Arlt: Cronista de 1930». Prólogo: *Nuevas aguafuertes porteñas*. Buenos Aires. Librería Hachette, 1960. "Es interesante observar que el temperamento anárquico de Arlt no le impedía ser lúcido, que lo era en múltiples aspectos. La discusión ideológica promovida en la izquierda después de la publicación del libro de Raúl Larra sobre la obra de R. Arlt es sintomática: prueba el carácter revulsivo de esta obra. Precisar los términos y saber de una buena vez qué significa la palabra negativo al estudiar una obra literaria. Pero vayamos por parte:
a) Se dijo que los ambientes y personajes pintados por Arlt eran negativos. b) De donde se deduce -según sus detractores- que su obra es negativa. c) Tal afirmación no deja de ser un silogismo
(...) En el país de las vacas gordas, en el "granero del mundo", en la ilusión de estabilidad económica (que se desmoronaría en 1930 y que se terminaría de destruir en las tres décadas siguientes) la angustia de Erdosain y la locura del Astrólogo son un duro mentís, el reverso desde donde se puede ver la podredumbre. No es poco." p 21-22.
Se trata de un grupo de aguafuertes que se encontraron después de la muerte de Ekaterine Iostraibizser-madre de Arlt- quien juntaba y recortaba estas notas. Pedro Orgambide intenta una clasificación temática.

—*Yo argentino*. Buenos Aires. Jorge Alvarez, 1968. Analiza la obra de Arlt. "... Puedo ver de cerca y con sentido crítico a un personaje clave del periodismo en esos años anteriores o inmediatamente posteriores a 1930, a un director de diario con características novelescas; Natalio Botana. Este hombre audaz, inteligente, arbitrario, creador del periodismo sensacional de *Crítica*, anticlerical y amigo de emociones fuertes, era el principal personaje de una novela que Roberto Arlt no llegó a escribir".

—«De *Rosaura a las diez* a *300 millones*. Del largo al cortometraje argentino». *Gaceta Literaria*, año 3, nº 13, págs. 8-9, abril-mayo, 1958. *300 millones*, cortometraje adaptado y realizado por Simón Feldman.

«Orientación bibliográfica». Buenos Aires. *Cuadernos del Idioma*, Nº. 4 Abril, pp 148-49. 1966.

OSPINA, URIEL. *Problemas y perspectivas de la novela americana*. Bogotá. Ediciones Tercer Mundo, 1964.

ORTEGA, JOSÉ. "La visión del mundo de Arlt: *Los siete locos/ Los lanzallamas*". *Cuadernos Hispanoamericanos*. Madrid. España. Supp. 11, 71-76, 1993.

«Otra vez Roberto Arlt y el Remo Erdosain» Buenos Aires. *Contemporánea*, segunda época, nº2, pág. 4, octubre, 1957.

—P—

PAGÉS-LARRAYA, ANTONIO. «Viva actualidad». Buenos Aires. *La Prensa*, 23 Noviembre 1958. "Nuevas ediciones, dentro de una correinte nunca interrumpida, acercan algunos de sus libros al público de hoy. Leidos cuando se han borrado simpatías y diferencias de grupos, su obra se siente viva, se yergue contrastada y discutible, ingente e imperfecta, honda e inquietante como pocas."

— «Buenos Aires. en la novela. »Buenos Aires. *Revista de la Universidad de Buenos Aires*, II. Abril-Junio, pp 254-75. 1946.
"Desde *El juguete rabioso* (1926), su primera novela, se reveló como novelista de Buenos Aires. Conocía los secretos e intuía el alma de los barrios porteños. El J. R. sorpendió por su recia sustancia humana, por el espíritu de inquietud renovadora que trasuntaba..." p. 272.

— «Roberto Arlt: un escritor de hoy». Buenos Aires. *La Palabra y el Hombre*, XII. Enero-Marzo, pp 125-6. 1968.

— *20 ficciones argentinas*. Buenos Aires. *Editorial Universitaria de Buenos Aires*, 1963.

— *Apuntes Introducción a la literatura*. Buenos Aires, *Cátedra*. FFYL. Universidad Buenos Aires. 1972. Cátedra Enrique Pezzoni-Jorge Panessi.

PALANT, PABLO. "Babilonia y La isla desierta. Dos espectáculos muy mediocres dio la Comedia de la Provincia". Buenos Aires. *La Opinión*. p. 3, 27 de julio, 1971.

"Paolantonio presentó su versión de «300 millones» una pesadilla de R. Arlt convertida en show". (R. J) Buenos Aires. *La Opinión,* pág. 19. 13 abril 1973.

PAOLANTONIO, JOSÉ MARÍA. *300 millones*. Puesta y dirección. Buenos Aires. Teatro General San Martín temporada 1993. Junto con la obra Paolantonio prologó la versión editada por El Teatro Gral San Martín.

—*El juguete rabioso*. Film. Guión Mirta Arlt y J. M. Paolantonio. Buenos Aires. 1983. Adaptación libre. Actores: Pablo Cedrón, Cipe Linkosky, Osvaldo Terranova.

PAOLETTI, MARIO. "Poemas con Arlt". Madrid. *Monte Negro*, 1983.

PARRA, ERNESTO. "Retrato de un ex-novelista"Barcelona. *El viejo Topo*. dic. Nº39. 1979.

PASTOR, BEATRIZ «Dialéctica de la alienación: ruptura y límites en el discurso narrativo de R. Arlt", *Revista de Crítica Literaria Latinoamericana* nº 10. 2º semestre, p. p. 87, 97. 1979.

—*Alienación y rebelión en la narrativa de R. Arlt.* Tesis doctoral en U. Minnesota. 1980.

— "De la rebelión al fascismo: *Los siete locos* y *Los lanzallamas.*" Maryland. *Hispamérica*. Año IX, nº 27. U. S. A. 1982.

—*Roberto Arlt y la rebelión alienada*. Gaithersburg. Ed. Hispamérica. U. S. A. 120 p. 1983

PAULS, ALAN. "Arlt, la máquina literaria" en *Historia Social de la Literatura Argentina*. Viñas-Montaldo, Tomo VII. 1989.

PAVIS, PATRICE. *Diccionario del teatro*. (Dramaturgia, estética, semiología). Barcelona. Ed. Paidós. 1980.

PAZ, ALFREDO. "Con Roberto Arlt nuestra literatura ingresa, de modo tajante, a la modernidad". Buenos Aires. *Acción*. p. 6. 16 al 30 de junio de 1976. "Medio siglo atrás, año 1926, se conocía *El juguete rabioso*, su primer novela. Los personajes arltianos, marcados por una angustia punzante, empujados por el delirio, son reflejos alucinados de la época" (Copete).

PAZ, JUAN CARLOS. "La música de la memoria". Buenos Aires. *La Opinión*. 11 de julio de 1971. Sobre Roberto Arlt, pág 2.

PELLETIERI, OSVALDO. "Una dramática germinal y el teatro independiente". Buenos Aires. *Clarín* Cultura y Nación, p. 1 ss. 5/4/90.

—Enrique Santos Discépolo. Buenos Aires. en *Todo es Historia*. 8. Tango II, pp. 363-377. 1976.

PELTZER, FEDERICO. "Arlt, Erdosain y el hombre de hoy". Buenos Aires. *La Nación*. p. 2. 10 de octubre de 1971.

—"Dios en la Literatura argentina". Buenos Aires. *Señales* Año XIII. N°126/7. Nov/Dic. 1960.

"Pensamientos imaginarios". Buenos Aires. *La literatura Argentina* LXVIII. p. 233. Véase: Roberto Arlt. Abril 1934.

PERERA SAN MARTIN, NICASIO. "Roberto Arlt: ruptura y renovación". París. *Rio de la Plata: Culturas*. 1986.

PEREZ AMUCHÁSTEGUI, ANTONIO. *Mentalidades Argentina*. Buenos Aires. EUDEBA. 1965. Dedica dos páginas a Arlt en especial a *Las aguafuertes*. Tiene como refrente *Nuevas Aguafuertes porteñas*. Estudio Preliminar de Pedro G. Orgambide. Hachette. 1960. El texto de Amuchástegui tiene errores de información.

PÉREZ, ALBERTO JULIÁN. *Jorge Luis Borges y la ficción*. Madrid. Gredos. 1986. (sátira-parodia-pastiche).

PEREZ MARTÍN, NORMA. "Angustia metafísica en las novelas de R. Arlt." Buenos Aires. *Universidad*. 53-54. 41-53. Julio/Diciembre 1962.

PEROSIO, GRACIELA. *La crítica Literaria*. Buenos Aires. C. E. A. L. Capítulo. la Historia de la Literatura Argentina. Nº 62. 1981.

PESCE, RUBÉN. "Acerca de una puesta en escena". Buenos Aires. *Gaceta de los Independientes*. Año 1. Nº1. Mayo/Junio 1955. Sobre Erdosain, El Humillado de Ernesto Castany (Véase) estrenado por el Teatro del Pueblo en el año 1955.

PETIT DE MURAT, ULISES. "Roberto Arlt, novelista" Buenos Aires. *Sintesis*. - Nª41. pp161-164. Octubre de 1930. Primera crítica de importancia que recibe *Los siete locos*.

—"Roberto Arlt escribe para el cine". Buenos Aires. *Clarín*. p. 8. 12 de abril de 1977.

PEZZONI, ENRIQUE. *El texto y sus voces*. Buenos Aires. Sudamericana. 1987. "Memoria, actuación y habla en un texto de Roberto Arlt"

—"Memoria actuación y habla en un texto de R. Arlt. ". En Homenaje a Ana María Barrenechea. Compiladores: Isaías Lerner y Lía Schwartz. Madrid. Castalia. 1984. (incluido en *El texto y sus voces)*.

PICHÒN RIVIÈRE, ENRIQUE. *Conversaciones con...* Entrevistado por Vicente Zito Lema. Buenos Aires. Timerman Editores. 1973. Hay muchas referencia a encuentros con Arlt.

PICCINI, MABEL. "*Los siete locos* de Roberto Arlt: un momento de la realidad argentina". *Hispanófila*. N. Carolina. Nº40. pp. 29ss. Septiembre 1970.

PIGLIA, RICARDO. «Roberto Arlt: la lección del maestro» en *Clarín*, Buenos Aires. Suplemento Cultura y Nación, p. 1. 23-7-81.

— «Roberto Arlt, una crítica de la economía literaria» en *Los libros*, nº 29, Marzo/Abril, 1973. P. 22/27. (Incluye "El poeta parroquial").

— «Literatura y propiedad» en *La Opinión*, Buenos Aires. 1º de Abril 1973 p. 10/11. Un estudio de Ricardo Piglia sobre el autor de *Los 7 locos*.

— «Roberto Arlt, la ficción del dinero» en Rev. *Hispanoamericana nº 7.* Buenos Aires, oct. 1986
"Las novelas de Arlt son extrañas utopías, negativas y crueles, que se alimentan del presente, quiero decir de nuestra actualidad. Sus textos hacen pensar en esa forma tan moderna de ficción especulativa tipo Philip Dick con quien, por supuesto, tiene muchos puntos en común. La escritura de Arlt se instala en el porvenir, trabaja lo que todavía no es: parece que siempre estuviera escribiendo sobre la Argentina de hoy... Arlt supo captar el centro paranoico de esta sociedad. Sus novelas manejan lo social como conspiración, como guerra; el poder como una máquina perversa y ficcional. Arlt narró las intrigas que sostienen las redes de dominación en la Argentina."

— «No hay escritores espontáneos o ingenuos» (Reportaje) Véase: Graciela Rocchi. *La actualidad en el Arte.* Noviembre-diciembre Año III Nº17. Número extraordinario 1979.
"¿No creés que tenés influencias de este escritor (Arlt)?
Yo creo que sí, que tengo relaciones concientes con Arlt. Es por eso que escribí el Homenaje..., que es un poco cerrar las relaciones, cerrar una etapa, donde yo mismo escribo un relato de Arlt y me despido. Pero sostengo que fue notable el gesto de Arlt, porque la inmigración destruye los valores nacionales –la lengua, en especial– y Arlt tomó elementos del lenguaje y manejó ese material, e hizo sobrevivir el lenguaje". p. 7.

—"¿Cómo salir de la miseria?" Entrevista de Ricardo Kunis. Buenos Aires. »*Clarín.* 26 de julio de 1984.
Piglia formula el riesgo de la canonización de la obra de Roberto Arlt. «Hasta hoy, contesta Piglia, los permanentes estados de alteración de la lengua literaria impidieron el ingreso del escritor a los museos, a las momificaciones, puesto que su estilo estaba armado con restos, con estilos prestados.» En

1979 Piglia afirma que tanto Arlt como Borges son grandes escritores y abren dos caminos posibles para la literatura nacional: «de Arlt me interesa su estilo», luego declara que es consciente de la influencia que ha ejercitado sobre su propia obra de narrador. En la entrevista de 1984, Ricardo Piglia, hace recaer nuevamente su interés en el tema del dinero como cercano a la falsificación (implícito en la narrativa arltiana). Desde el punto de vista de la estafa los personajes de Arlt, comenta Piglia, no acceden a lugares sociales posibles para la obtención de dinero, mantienen un nivel de marginalidad más cercano al delirio, a la magia, al acontecimiento extraordinario que a una pura realidad.

—*Respiración Artificial* (novela). Buenos Aires. Editorial Sudamericana. 1980.

—*Encuesta a la Literatura Argentina Contemporánea*. Ricardo Piglia. Capítulo Historia de la Literatura Argentina. Nº 133. p. 133/55. CEAL 1982.

— "Notas sobre literatura en un diario". En *Homenaje a Ana María Barrenechea*. Lía Schwartz, e Isaías Lerner. Madrid. Catalia. 1983. Véase: Schwartz.

"Ricardo Piglia, viajero, teórico y detective". Buenos Aires. *Tiempo Argentino*. Cultura. p. 8/9. 24/4/83. Reportaje de Mónica López Ocón (incluye fotografía de R. Piglia). Durante el reportaje formula varias teorías sobre Roberto Arlt.

Crítica y ficción. Santa Fe. Universidad Nacional del Litoral. 1986. Expresa la importancia de la parodia en la literatura nacional en particular: Borges.

—"Homenaje a R. Arlt", en *Prisión Perpetua*
(cuentos)Buenos Aires. Sudamericana. 1988. Nota página 175.

—Prólogo. *El juguete rabioso*. Buenos Aires. Espasa Calpe. Col. Austral. 1992.

—"Arlt: un cadáver sobre la ciudad." Buenos Aires. *Página/12*. Suplemento Primer Plano. p6-7. 9 de junio de 1991. (En relación a la Obra Completa de Planeta)
"Una tarde Martini Real me mostró una serie de fotos del velorio de Rober-

to Arlt. La más impresionante era una toma del féretro colgado en el aire con sogas y suspendido sobre la ciudad. Habían armado el ataúd en su pieza pero habían tenido que sacarlo por la ventana del edificio con aparejos y poleas porque Arlt era demasiado grande para pasar por el pasillo. El féretro suspendido sobre Buenos Aires. es una buena imagen del lugar de Arlt en la literatura argentina. Murió a los cuarenta y dos años y siempre será joven y siempre están sacando su cadáver por la ventana." (…) Las poleas y las cuerdas que lo sostienen forman parte de las máquinas y las invenciones que mueven su ficción hacia el porvenir."

—*La Argentina en Pedazos*. Buenos Aires. Ediciones de la Urraca. 1993. Recopilación de las notas a las adaptaciones en historietas que hacía la revista Fierro. (La agonía de Haffner, el rufián melancólico)R. Arlt: "La ficción del dinero".

Pineta, Alberto. *Verde memoria*. Buenos Aires. Ediciones Antonio Zamora, 1962. Tres décadas de literatura y periodismo en una autobiografía. Los grupos de Boedo y Florida. 227pp. Dedicado: "A Eugenia bondad, ampor, belleza". El libro está dividido en ocho partes. La sexta parte "Los Arqueros y la esfinge": II. -Roberto Arlt y la deshumanización de la locura. p. 140-151. Narra sus primeros contactos con Arlt, lo jusga violento y "bestial" lo asocia al partido comunista y lo define como afecto al whisky, a las mujeres y al mal humor.

—«La promesa de la nueva generación». Buenos Aires. *Síntesis*. N°29. pp 207-18. Octubre 1929.

Pinto, Juan. *Panorama de la literatura argentina contemporánea*. Buenos Aires: Editorial Mundi, 1941.

—*Brevario de la literatura contemporánea con ojeada retrospectiva*. Buenos Aires: Editorial La Mandrágora, 1958.

—*Diccionario de la República Argentina*. Histórico, geográfico, biográfico, literario. Mundo Atlántico, 1949. Sobre Roberto Arlt, pág. 72. - Literatura argentina del siglo XX. Ediciones Argentinas, 1943, (Col. Ensayos, 2). Sobre Roberto Arlt: «Roberto Arlt y la generación del Martín Fierro», págs. 15-33.

—"Roberto Arlt y la generación de Martín Fierro". Buenos Aires en *La Literatura Argentina del siglo XX.* Editorial Argentina. Col. Ensayos. Nº2. pp. 15-33. 1943.

PIRÁN, CARLOS. 'Roberto Arlt «*El juguete rabioso*»'. Hojeando los últimos libros. Reseña. En *Rev. Mundo Argentino,* Año XVI, nº 830, p. 24. 15 de dic. de 1926.

PLÁ, JOSEFINA. (Introducción): Roa-Bastos. Augusto. (introducción). Literatura como intertextualidad: IX Simposio Internacional de literatura. Buenos Aires. Instituto de Literatura Hispánico. p. 576pp. Piglia, R. Luba: Homenaje a Arlt. 1993 (Véase: Roa-Abastos, Augusto).

PLA, ROGER. *Proposiciones. Novela nueva y narrativa argentina.* Rosario, Editorial Biblioteca (Col. Ensayos, 3). Contenido: «El grupo Boedo y Roberto Arlt», págs. 220-229. 1969.

PLAZA, JAIME. «Sobre La fiesta del hierro». Buenos Aires. *La Vanguardia.* 1940.

—"Función y destino del teatro independiente en Buenos Aires". Buenos Aires. p. 11. *Argentina libre,* 30/1/1941.

POLLMANN, LEO. *Der Neue Roman in Frankreich und Lateinamerika.* Stuttgart, W. Kohlhammer GmbH, 1968.

PONCE, ANIBAL. Firma con el seudónimo Lucas Godoy en la revista *Mundo Argentino.* p. 61. 28 de dic. de 1932. «Yo, Lucas Godoy, me presento… » (Véase: Godoy, Lucas «Roberto Arlt: *El amor brujo*».

¿Por qué montamos *Saverio el cruel?.* Edición *Teatro de Arte.* (Folleto de 8 páginas) (S. datos). Sep. 1956.

PORTANTIERO, JUAN CARLOS. *Realismo y realidad en la narrativa argentina.* Ediciones Procyon, 1961.

PORTOGALO, JOSÉ. *Buenos Aires,* Buenos Aires. Col. *La Historia Popular.* Nº 93, C.E.A.L. Sobre Arlt p. 20-25. 1972.

Po, Raimondo. "Nuevas aguafuertes porteñas, por Roberto Arlt". Buenos Aires. *Ancu,* nº 2, pág. 2, febrero, 1962.

Posse, Abel. "Roberto Arlt: La furia, la ira, la rebeldía". Buenos Aires. *Clarín* 15 junio 1972.

— "R. Arlt el habitante solitario" (Clarín. Ibídem). 1972.

Posse, Melchor Angel. *Los desarraigados.* Buenos Aires: Editorial Desarrollo, 1964.

Prieto, M. Juan. "Cuadritos Porteños". Buenos Aires. *Mundo Argentino* 1925.
Durante mucho tiempo Prieto escribe estos cuadritos porteños con muchísimo éxito "polleritas cortas" o "Viaje en autobús" etc… lo hace a partir del 28 de octubre de 1925. El director de la revista era Carlos Muzzio (Saenz Peña) quién en julio de 1928 se hace cargo de la dirección de *El Mundo* y le permite a Arlt firmar sus notas y definir su recuadro como *Aguafuertes.*

Prieto, Adolfo. *Estudios de literatura argentina.* Buenos Aires. Galerna, 1969.

—*Diccionario básico de literatura argentina.* Centro Editor de América Latina, 1968. 159pp
Nota preliminar: "El propósito de ofrecer al lector no especializado un repertorio de informaciones básicas sobre la literatura argentina, parece por sí mimo suficientemente explícito y ajeno a cualquier necesidad de justificación o de aclaración previa. Realizar ese propósito, en cambio, puede remitir a tal diversidad de criterios y apuntar a tan distintos objetivos secundarios, que vuelven, sí, deseable y hasta imprescindible, una reflexión preliminar sobre los procedimientos y los supuestos utilizados en las décisiones fundamentales del proyecto "Sobre Arlt. p. 15-16. y p. 146. Siete locos (Los): "Erdosain, el protagonista de *Los siete locos,* 1929, es un hombre que a través de la humillación, descubre la inanidad de los valores del mundo en que vive, y la angustia existencial…".

— «La literatura de izquierda; el grupo Boedo» Buenos Aires. *Fichero,* n. 2, abril de 1959.

— *Literatura y Subdesarrollo.* Rosario. Biblioteca. p 167ss. 1968.

— *Antología de Boedo y Florida.* Córdoba: Universidad Nacional de Córdoba, 1964.

— «La fantasía y lo fantástico en Roberto Arlt». *Boletín de Literaturas Hispánicas,* V 5-18. Luego figuró como prólogo a una edición de *Viaje terrible.* 1963.

—"El grupo boedo". *Buenos Aires. Rev, Fichero.* pp 17-20. Abril 1959. La literatura de izquierda: el grupo Boedo. (La revista puede consultars en Instituto de Literatura Argentina. Facultad de Filosofía y Letras. U. B. A. "El planteo inicial del grupo Boedo, contrapuesto a aquel en que se asentaba la literatura lúdica de los escritores de Florida, le asigna una importancia cronológica nada desdeñable, y su conocimiento, si lo emprendemos sin demasiados prejuicios, puede revelarnos temas y claves de permanente interés. La voluntaria limitación de este trabajo está ceñida por un obstáculo más: el grupo Boedo, contrapuesto al de Florida, se lo sigue únicamente a lo largo de tres años, los años del fervor literario en Buenos Aires, 1930, gozne de la historia argentina, lo fue también de su literatura y de los grupos que con mayores o menores títulos la representan."

—"Silvio Astier, lector de folletines." Paris. 4-6. pp. 329/336. *Rio de la Plata Culturas.* 1987.

—Prólogo y cronología a *Los siete locos y Los lanzallamas.* Caracas. Biblioteca Ayacucho. 1978

PRILUTZKY FARNY DE ZINNY, JULIA. *Cuentistas rioplatenses de hoy.* Vértice, 1939. Incluye: «», por Roberto Arlt, págs. 38-52). Ilustrado por Enrique de Lara. El cuento había sido publicado anteriormente en la revista *Vértice.*

«Primera autobiografía de Arlt». Buenos Aires. *Conducta,* XXI Julio-Agosto, 1942. Se trata de un aguafuerte. Número homenaje.

«Primicias y minucias literarias. ». Buenos Aires. *Claridad,* Núm. 204 Abril, 1930.

PROVENZANO, SERGIO, ALONSO, FERNANDO Y LAFLEUR, RENÉ HÉCTOR
Las revistas literarias argentinas 1893-1960. Ediciónes Culturales Argentinas. 1962. Primera edición-Véase: Lefleur o Alonso, Fernando. especialmente por la segunda edición.

PUENTE, MARÍA LUISA/PEPE, LUZ E. A. *La crítica teatral argentina. 1880-1962.* Bs. As, Fondo Nacional de las Artes. Col. Badal Nº 27-28. 1966. Serie bibliográfica creada y dirigida por Raúl Cortazar. Las autores registran solamente dos críticas a Arlt: una en la Guía Quincenal, que editaba la Comisión de Cultura de la Nación-julio 1949-homenaje a la memoria de Arlt. Véase: Guía Quincenal. Y la otra pertenece a Julio García "Erdosain el humillado". Véase: García, Julio. y Pepe, Luz.

«Puntos de vista.»Buenos Aires. *La Literatura Argentina.* Nº X. p. 17. Junio, 1929.

—Q—

QUIMERA. Revista de literatura. Barcelona. Nº 144, febrero 1996. "Dossier Roberto Arlt", de 18-39 incluyo el sumario e la Revista sobre el cierre de este libro: 19. Dossier Roberto Arlt. Omar Borré y Domingo Luis Hernández han contribuido a la realización de este dossier aportando parte del material que se incluye, además de sus propios trabajos. También se transcriben artículos de Teodosio Fernández, Flora Guzmán, Sonia Mattalía, Blas Matamoro, Mercedes Serna y Anna M. Vila.

QUIROGA, OSCAR. Un diálogo humano con Mirta Arlt: ¿qué siente la hija de un escritor?. Buenos Aires. *El Mundo,* p. 13, 27 de febrero, 1959.

—R—

RAFFO, CARLOS. "Roberto Arlt, el hombre". Buenos Aires. *Gaceta de los Independientes.* 1, nº 1, mayo-junio, 1955.

RAFFO, ANALÍA. "Roberto Arlt, el insolente". Buenos Aires. La cooperación libre. *Rev. de El hogar obrero* Nº 733, p. 32-33-34 reproduce un aguafuerte «El hombre que busca empleo». Julio 1982.

RAMA, ANGEL. "Vuelven los Twenties: Roberto Arlt o la imaginación". Montevideo. *Marcha.* 24-10-58. p. 22. Incluye un dibujo del rostro de Arlt. Rama hace el comentario general de la obra de Arlt con motivo de la reedición de *El jorobadito - El juguete rabioso - Los 7 locos* y *Aguafuertes porteñas.* Editorial Losada de Buenos Aires. en su col. Biblioteca Contemporánea, 1958. Rama recuerda que *Claridad* había despertado, en su momento, una audiencia mucho mayor de la que le hubiera correspondido por la apreciación de los críticos. Es decir que juzga a los críticos de la época de Arlt como negativos, y a Arlt como el narrador "más singular del Plata". Esta nueva edición se hace posible solamente por el empuje de la nueva generación. «Ahora que esos años últimos del twenty adquirieron epidémica novedad, la relectura de Arlt parece oportuna para desentrañar lo que significaron para nosostros." Angel Rama. El artículo incluye una caricatura de Arlt realizada por Roberto, conocido dibujante del diario Marcha.

RAMOS, JORGE ABELARDO. *Crisis y resurrección de la literatura argentina.* Buenos Aires. Ediciones Coyoacán, 1961.

RAVIOLO, HEBER. "Prólogo a la antología de Aguafuertes" Montevideo. *Lectores de la Banda Oriental.* Quinta serie. Volumen Nº 35. Enero 1993.

"Reanudará sus actividades el Teatro del Pueblo. Roberto Arlt expone los elementos de su pieza Africa". Buenos Aires. *La Nación.* p. 11. 16 de marzo de 1938.

REICHARDT, DIETER. «Literateur und Interesse, Eine Politische Asthetik, überprüft in Vergleich von Don Segundo Sombra und *El juguete rabioso*» *Iberoamericana,* 3, Igg. nº1, pp. 3/15. 1974.

"Reinició anoche sus actividades el Teatro del Pueblo"·Buenos Aires. *La Prensa.* 18 de marzo de 1938. p. 14. Sobre el estreno de *Africa.* 18 de marzo de 1938.

REGA MOLINA, HORACIO. *La flecha pintada.* Buenos Aires. Ediciones Argentinas, . Ensayos/Glosas. p. 269. 15 de nov. 1943. "Cuentos de R. Arlt", *El jorobadito.*
"Cada nuevo libro de Arlt suscita en torno de su obra arremolinadas opiniones. Desde su inicial *El juguete rabioso* ha logrado convertir a pocos de los que, desde el primer momento no fueron cautivados por sus novelas." Refle-

xiona sobre el cuento *Noche terrible)* "Si algún célebre escritor occidental hubiera escrito este libro, sobrarían lenguas de alabanza, pero, por ahora, y hasta tanto subsiste la indígena penuria de nuestra admiración colectiva, sólo es un cuento de Roberto Arlt".

—"Una obra de R. Arlt en el Teatro del Pueblo" Sección Teatro Nacional 1936. Buenos Aires. *Mundo Argentino.* p. 28. 2 sep. 1936. Extensa nota sobre *Saverio el cruel.*

—«Arlt». Buenos Aires. *Conducta* Nº 21 julio/agosto 1942.

—«El fabricante de fantasmas» Buenos Aires. *Mundo Argentino* 23 de sep. 1936.

—«Roberto Arlt, novelista impresionante...» Buenos Aires. *La Literatura Argentina.* Año 1, nº 11, pp. 18/22, julio 1929. «Horacio Rega Molina destaca que el movimiento intelectual argentino es un suceso contemporáneo del Subte, Pasaje Barolo, *Crítica* 6ª, Galería Güemes, Palermo, de los ómnibus trágicos, de los colectivos, de los bares automáticos, del entubamiento del arroyo»Maldonado»

— Idem-París. Liberación. p. 23. 8 et 6 décembre 1981,

—"Representan con éxito una obra de Roberto Arlt" Buenos Aires. *El Mundo.* pp13-17. Agosto de 1940. Reseña a La fiesta del Hierro

RELA, WALTER. *Guía Bibliográfica de la literatura hispano americana.* (Desde el siglo XIX hasta 1970). Buenos Aires. Casa Pardo. 613 pp. 1279/2724 /2837/3017/3112/3174/5704. (Asientos bibliográficos). 1971.

—"Argumentos renovadores de R. Arlt en el teatro moderno". Kansas. *Latin American Theatre Review.* University of Kansas. Spring. 1980.

RENAUD, MARYSE. "Arlt y Onetti, buceadores de la urbe y de lo imaginario". Tenerife. *La Página. Nº13/14.* pp. 29-38. 1993.

— "La ciudad Babilónica o los entretelones del mundo urbano en *Los siete locos* y *Los lanzallamas.* "En *La selva del damero: Espacio literario y espacio ur-*

bano en América Latina. Pisa Giardini. Rosalba Campra editores. Introducción por Aldo José Altamirano. 1993. Véase: Altamirano, Aldo José.

REYES, GABRIEL. "La mentira de Arlt". Buenos Aires. *Contorno.* II. Número dedicado a Arlt. Mayo 1954.

REST, JAIME. *El cuarto en el recoveco.* Buenos Aires. Biblioteca Argentina Fundamental Dirigida por Beatriz Sarlo. Serie Complementaria. Sociedad y Cultura. /10. C. E. A. L. 1982. Volumen Nº 158. Capítulo. p. 59. "Tercer ensayo: Roberto Arlt y el descubrimiento de la ciudad". Conferencia de Rest en la S. A. D. E, septiembre 1978.

— "Roberto Arlt y el descubrimiento de la ciudad", en *El cuarto en el recoveco.* 1982.

Reseña sobre *Obras Completas* de la editorial Planeta. Carlos Lohlé. *El País Cultural.* Nº114. 3 de enero de 1992.

RÍOS PATRÓN, JOSÉ LUIS. "Reencuentro con Roberto Arlt". Buenos Aires. *Clarín.* 3 de junio de 1965.

RIVAS ROONEY, OCTAVIO. "Sentido de la vida en Arlt". Buenos Aires. *Conducta.* XXI. Julio. 1942. Número Homenaje. Rivas Rooney fue amigo de Arlt y trabajó en el Teatro del Pueblo donde se representaron muchas de sus obras.

— "Roberto Arlt a un cuarto de siglo de su desaparición". Buenos Aires. *Argentores.* Año 32. Nº 126. pp 8-10. Julio/Diciembre. 1967.

RIVERA, JORGE B. *Roberto Arlt: los siete locos.* Buenos Aires. Hachette. 1986.

—"El folletín y la novela popular". C.E.A.L. 1968.

—"Erdosain, la víctima complaciente". Buenos Aires. *Clarín.* 31/7/75.

—*El juguete rabioso.* Buenos Aires. *Tiempo Argentino.* 7/10/84.

—"Cronología de Roberto Arlt". Buenos Aires. *Tiempo Argentino.* p. 5. 6/1/85.

—"Arlt inusual". Buenos Aires. *Clarín*. p. 6. Cultura y Nación. (Reseña de *Estoy cargada de muerte*). 17/1/85.

— "Borges esquina Arlt". Trayectoria y confluencias de un entrañable tema de nuestra literatura. Buenos Aires. *Clarín*. p. 8 Cultura y Nación. 28-3-1991.

—"Textos sobre Roberto Arlt y la Ciudad rabiosa", en *América Latina: palavra literature e cultura*. Edición organizada por Ana Pizarro. San Pablo. Brasil. Memorial. Camponas. UNICAMP, Vol. II, pp. 789/803. 1994. (Todos los artículos se transcriben en sus lenguas originales).

—Y EDUARDO ROMANO. Selección, prólogo y notas-*El costumbrismo*. (1910-1955). Buenos Aires. Centro Editor de América Latina. 1980.

—"Ergueta, el profeta escrupuloso". Montevideo. *El País* (cultura). p. 155. 28-X-1994.

ROA-BASTOS. AUGUSTO. (introducción) PLÁ, JOSEFINA. (Introducción): *Literatura como intertextualidad:* IX Simposio Internacional de literatura. Buenos Aires. Instituto de Literatura Hispanico. p. 576pp. Piglia, R. Luba: Homenaje a Arlt, Véase: Plá, Josefina. 1993.

«Roberto Arlt o el mensaje de un maldito». Buenos Aires. *Sol de América*, nº 1, págs. 95-96, (S. F.). Enero-febrero, 1967.

«Roberto Arlt, el autor de *El juguete rabioso*, está terminando una novela autobiográfica que se titulará *Los siete locos*» Buenos Aires. *El Mundo*. 18 de abril de 1928.

"Roberto Arlt: un espejo de la desesperación". Buenos Aires. *La Prensa*. 25 de julio de 1982 [S. F.] Sobre obras completas.

«Roberto Arlt, a casi 40 años de su muerte, vivo. Prólogos prescindibles» [S. F.] [Se refiere a la Antología y prólogo de Noé Jitrik para la edición de Siglo XXI]. 20 febrero 1981.

"Roberto Arlt a 15 años de su desaparición, el tiempo aguarda su dimensión literaria." Buenos Aires. *Ahorro*, p18 ss. El folleto no lleva ni firma ni fecha, aproximadamente 1979.

"Roberto Arlt". Buenos Aires. *Línea.* Año II, Nº 17. Dic. 1981. Breve comentario en relación a la aparición de las obras completas por Ed. Lolhé.

"Roberto Arlt en el Teatro del Pueblo". Buenos Aires. *Propósitos.* pág. 34, 14 de mayo de 1964. Sobre el estreno de *La cabeza separada del tronco.* a cargo del teatro del Pueblo que dirigía Leónidas Barletta, director de *Propósitos.* Véase: Barletta, Leonidas.

«Roberto Arlt» Buenos Aires. Artículo bilingüe en revista *Argentina Nº 15,* pág. 58 y ss. Buenos Aires. Director Raúl Ustirberea. Incluye: Un retrato de Arlt por Sábat, una breve cronología y el cuento Los hombres fieras (The beast men) ligeramente fragmentado. Hay fotos de Arlt con su primera esposa y varias ilustraciones. p. 65ss. 1970.

«Roberto Arlt» Buenos Aires. *Gaceta Literaria,* XVI Noviembre-Diciembre, p. 3, 1958.

«Roberto Arlt» Buenos Aires. *Clarín, cultura y nación,* jueves 31 de julio de 1975. Incluye: La tragedia del hombre que busca empleo/aguafuerte de 1930/Arlt el angél al revés, nota de Abelardo Castillo, *Las aguafuertes* porteñas de R. A. por Tomás Lara. Erdosain, la victima complaciente por Jorge B. Rivera. Arlt en la zona peligrosa por V. Petit de Murat. El aprendiz de inventor. por Elías Castelnuovo. Véase: Castillo, Abelardo, Lara, Tomás-Rivera, J. -Petit de Murat, U. -Castelnuovo, Elías.

Roberto Arlt. Buenos Aires. Folleto: Editado por un núcleo de actores en ocasión de la semana de homenaje. 20 páginas. 1948. "Se terminó de imprimir el 16 de agosto de 1948 en la imprenta Chile, Perú 565, Buenos Aires". 60 ctvs. Colaboran: Córdova Iturburu, Pascual Naccarati, , Marcelo Mensaché, José Marial, Raúl Larra, Vicente Barbieri, Ernesto Castany. Véase: cada uno de los autores.

«Roberto Arlt, Entrevista». Buenos Aires. *La Literatura Argentina,* XII, 25-7. Agosto, 1929, Véase: Entrevista. Extensa entrevista a Roberto Arlt donde pasa revista a autores y hechos de la literatura argentina. Sumamente importante por todas las opiniones personales sobre la literatura y sobre su obra. Véase: en Cronología año 1929 la entrevista completa.

"Roberto Arlt: intimidad y muerte". Reportaje a Elizabeth Schine de Arlt por

Francisco Urondo, *Rev Artiempo* Buenos Aires. Nº 1. Año 1, oct. p. 7 y ss. 1968. El reportaje no fue publicado en su totalidad pero hemos leido el texto completo que por distintas razones no se incluyó en la revista.

"Roberto Arlt". Buenos Aires. *Gaceta de los Independientes,* nº 1, mayo-junio, Número dedicado. 1955.

"Roberto Arlt, como se sabe, permanece en Río de Janeiro, desde donde remite sus pintorescas notas a *El Mundo".* Buenos Aires. *La Literatura Argentina,* XXI, 250, Mayo 1930.

«Roberto Arlt publicará dos tomos de Aguafuertes españolas». Buenos Aires. *La literatura argentina.* Revista bibliográfica, secc. 1936.

«Roberto Arlt, un escritor genial La Stampa» Buenos Aires. *La Opinión,* 14 de mayo, 1971.

"Roberto Arlt acaba de publicar su última novela *Los lanzallamas,* 260pags. 60ctvs. Se vende en todos los kioskos y puestos de periódicos. Pida esta obra donde compra *El Mundo.* Véase: *Los lanzallamas.* 1931.

ROBERTO ARLT. "Nuestro compañero de redacción R. Arlt, cuyo último libro *Los lanzallamas,* continuación de su novela *Los siete locos,* acaba de ser entregado a la circulación". Buenos Aires. *El Mundo.* p. 32. 31 de octubre de 1931. Contratapa, foto de Arlt. Véase: *Los lanzallamas.*

ROBERTO ARLT. Buenos Aires. Guía quincenal. Comisión Nacional de Cultura. Año III. Nº 47. Segunda quincena. pp. 28-29-30. Julio 1949. Sobre el teatro. Fotografía de Arlt, la sección se subtitula Teatro, debajo dice: R. Arlt (1900-1942), se cumplen 7 años de su desaparición. La nota valoriza su vida y su obra. y resalta su capacidad dramatúrgica. La nota es sumamente elogiosa. Sin Firma. Véase: Guía Quincenal.

«Roberto Arlt». Tucumán. *Gaceta Literaria.* XVI. Noviembre-Diciembre, p 3. 1958.

«Roberto Arlt, Entrevista». Buenos Aires. *La Literatura Argentina,* XII, pp25-7. Agosto, 1929.

Roberto Arlt. Buenos Aires, Capítulo N°42, Redactado por Luis Gregorich. Fascículo acompañado de un libro *El juguete rabioso.* 1968.

"Roberto Arlt visto por Juan Carlos Onetti". Buenos Aires. *La Opinión.* 18 de julio de 1971. p. 1-2 (Idem). Buenos Aires. *Macedonio.* año 3. N°3. pp 49-57. sep. 1971.

ROCCHI, GRACIELA «Ricardo Piglia: no hay escritores espontáneos o ingenuos» (Reportaje) en la *Actualidad en el Arte.* Año III. N° 17, 2ª Epoca, número extraordinario, p. 5/6/7. Véase: Piglia, Ricardo. Nov. Dic. 1979.

RODRIGUEZ, RAIMUNDO. «Divagaciones en torno del misterio de un autor. Roberto Arlt y su obra» (Conferencia) Julio 1987. (No se publicó).

RODRIGUEZ LARRETA, HORACIO. "Erdosain el humillado". Buenos Aires. *Ciudad* N°4/5. pp 146-147- 2° y 3er Trimestres de 1956.

RODRIGUEZ MONEGAL, EMIR. *El juicio de los parricidas.* Montevideo. Editorial Deucalion, 1956.

— *Narradores de esta América. I.* Montevideo. Alfa. 1969. (El II nunca se publicó)

RODRIGUEZ PÉRSICO, ADRIANA. "Arlt: sacar las palabras de todos los ángulos". Madrid. *Cuadernos de Cultura Hispanoamericanos.* N°11. 5-14. 1993

ROJAS, RICARDO. *Historia de la literatura argentina,* 4ª Buenos Aires. ed. Guillermo Kraft, 1957.

Latein Amerikanische Autoren Literaturlexikon. (und Bibliographie der deutschen Ubersetzungen). 1972.

ROLIN, OLIVIER. «Roberto Arlt: un voyage an bout de la nuit argentine» en *Liberación.* p. 24 (Sobre Les lance-flammes -Belford- 283 p. (79 F). Samedi 8 et dimanche 9 octubre 1983.

ROMANO, EDUARDO. "Roberto Arlt" Buenos Aires. *Los Libros.* N°2. pp6-7. Agosto 1969.

— «Arlt y la vanguardia argentina» en *Cuadernos Hispanoamericanos*. nº 373. Madrid. Julio 1981.

—Y JORGE RIVERA. *Roberto Arlt, Roberto Gache, Borocotó y otros*. (Selec. prol. y notas) El costumbrismo: 1910/1955". Antología C. E. A. L. Capítulo nº 68. Buenos Aires. 1981. Véase: Rivera, Jorge B.

—Y JORGE B. RIVERA. Selección, prólogo y notas-*El costumbrismo*. (1910-1955). Buenos Aires. Centro Editor de América Latina. 1980

ROSA, NICOLÁS. *La crítica literaria contemporánea*. Selec. Prol. (2 Vol) Buenos Aires. C. E. A. L. Col. Capítulo Lit. Argentina nº 113/4. 1981.

ROSSI, ESTELA EDITH. *Bibliografía. Prepartada especialmente para el libro de Diana Guerrero Roberto Arlt el habitante solitario*. Buenos Aires. Granica. 1972. Véase: Guerrero, Diana.
Indice de la bibliografía:
A/Trabajos de Roberto Arlt
B/ Antologias de Roberto Arlt.
C/ Antologías que incluyen trabajos de Arlt.
D/ Estudios críticos/Ensayos/reseñas/Juicios ocasionales/Homenajes/etcétera.
Addenda. pp. 191. -218.
Una de las bibliografías más completas publicadas hasta la fecha.

ROSSI, ETTORE Y MEO ZILIO, GIOVANNI. *El elemento italiano en el habla de Buenos Aires. y Montevideo*. Florencia, Valmartina Editore, 1970, t. 1. Consiglio Nazionale delle Ricerche. Sobre Roberto Arlt, págs. 11, 16, 31, 42, 51, 62, 64, 65, 68, 69, 80, 107, 114, 116. Obra analizada: *Aguafuertes porteñas*, Buenos Aires, 1933 y 1958. Véase: Meo Zilio, Giovanni.

ROSSLER, OSVALDO. «Roberto Arlt y los descuartizadores de la imaginación». Buenos Aires. *La Opinión*. p. 24. 31 de mayo de 1980.

—«Arlt perteneció a la poesía» Buenos Aires. *Clarín*. 4º, Sec. p. 1. 8 de mayo 1969.

ROXLO, CONRADO NALÉ. «Arlt, el torturado». Buenos Aires. *Conducta*, XXI Julio-Agosto, 1942. Raúl Larra tomó este título para encabezar su libro sobre Arlt en 1959. Véase: Larra, Raúl.

"La visión de la vida de Roberto Arlt era muy parecida a la de Segismundo y por las mismas razones. Alguna vez, con más tiempo y más calma, trataré de explicar a que caverna vivió encadenado antes de lanzarse con los ojos desmesuradamente abiertos a ver la vida y contarla. De ahí la originalidad de su visión, la frescura infantil con que todo lo iba descubriendo, el violento choque con la realidad a que respondía con igual vciolencia, como quien se siente atacado por sorpresa; y también su loca, su incomprendida alegría ante cosas que a todos dejaban indiferentes y su constante angustia y ese sentimiento de desolación que es el último telón de todos sus cuadros."

—*Nueva antología apócrifa.* Buenos Aires, Fabril, 1969. Incluye un texto apócrifo de Arlt.

—*Borrador de memorias.* VII. Buenos Aires. *El Mundo.* 2º secc.. p. 1, 30 de noviembre, 1958. Incluye buena parte de material sobre Arlt, es decir sobre la amistad que unió a los dos escritores, y sobre el trabajo que realizaban en el diario. Véase: Cronología año 1917, texto completo.

—*Borrador de memorias.* Buenos Aires. Ed. Plus Ultra. 1978.
"Solo unas palabras" por M. Hortensia Lacau. p. 7, "Puesto que Conrado Nalé Roxlo ya no exite, y lo que hubo de ser un tomo de Memorias quedó en el primitivo Borrador de Memorias que él publicara fragmentariamente, yo, como obligación de amistad, justicia y afecto, sólo quiero recordar a los lectores algunas cosas."
"Una carta de Roberto Arlt". p. 31ss
"Roberto Arlt"p. 140.
"Rocambole y un terceto aventurero". p. 87
Durante todo el libro la mención a Arlt es muy frecuente.

RUFINELLI, JORGE. *La escritura invisible: Arlt, Borges, García Marquez, Roa Bastos, Cortázar, Rulfo, Vargas Llosa.* México. V. Veracruzana. 1986.

—"Arlt: complicidad y traición de clase". Caracas. Escritura. Rev. de Teoría y Crítica Literarias. Julio/Dic. pp375-405. 1981.

RUIZ BARRIONUEVO, CARMEN. «Doble y parodia en *El jorobadito* de Roberto Arlt». Gaithersburg. *Hispamérica* Año XVIII. Nº 49 1988.

RUIZ, ELIDA. *El juguete rabioso.* Prólogo y notas. Buenos Aires. Colihue. 1993.

RUIZ, LUIS ALBERTO. *Diccionario de la Literatura Universal.* Buenos Aires. Raigal, 1953-1956, 3 vols. Sobre Roberto Arlt, t. 1, p. 83-84.

—"A quiénes debemos recordar. Roberto Arlt ". La Plata. *El Día.* p. 13. 26 de julio. 1967.

RUSSI, DAVID. "Metatheatre: Roberto Arlt's Vehicle toward the Public's Awareness of an Arlt Form. "Lawrence. Latin American Theatre Review. (en inglés) 24: 1. pp. 65/75. Fall 1990.

—S—

SÁBATO, ERNESTO. *El escritor y sus fantasmas.* Buenos Aires. M. Aguilar, Editor. 1963. "Roberto Arlt escribía sus novelas que algunos creen costumbristas, pero que en realidad son mágicas y desaforadas fantasías de un ser desgarrado por el mal metafísico." p. 191.
Más adelante Sábato se expresa sobre Boedo y Florida
"Esta división se manifestaría literariamente, hacia 1920, en los grupos de Florida y Boedo. Y darían los arquetipos: Jorge Luis Borges y Roberto Arlt.

— *Sobre la cultura nacional.* Buenos Aires. Fondo Nacional de las Artes. 1975. Se trata de un folleto impreso en rotapring y abrochado manualmente. "Ahora está de moda hablar aquí de Arlt: todo él está moldeado por Dumas, Sue, Gorki, la picaresca española, Dostiewski… ¿ Y qué podríamos decir del lenguaje? Formidable herencia cultural que no sólo no podemos sino que no debemos negar, pero que como toda herencia cultural es enriquecida por los herederos del genio… ". p. 8.

— "A quién debemos recordar. Roberto Arlt. "La Plata. *El Día.* 26 de julio de 1967. p. 13.

SABAJANES, BEATRIZ SARLO. *Cuentos de dos orillas.* Buenos Aires: Centro Editor de América Latina, 1971. Selección.

SÁENZ, MÁXIMO (Last Reason, seudónimo). Firmas ajenas: Los siete 'colos' de Roberto Arlt. Buenos Aires. *El Mundo.* 16 de diciembre de 1929.

SAENZ GERMÁIN, ALEJANDRO Y FERRER, HORACIO. "Roberto Arlt: un argentino que usted debe conocer". Buenos Aires. *Rev. Gente.* año IV, n° 185, 6-2-69, p. 46-57). 1969. Un panorama muy interesante, con muchas fotos y... de varios poemas entre ellos... Véase: Ferrer, Horacio.

SAER, JUAN JOSÉ. «Roberto Arlt, o por qué no está aquí para contarlo» en *Tiempo Argentino.* Domingo. p. 3 (cultura). 6 de enero de 1985.

SAÍTTA, SYLVIA. *Aguafuertes porteñas.* Buenos Aires, vida cotidiana. Selección, notas y prólogo. Buenos Aires. Alianza 1993. Silvya Saítta ha recopilado un grupo de aguafuertes porteñas no publicadas en libro. (Véase: Arlt, R. *Aguafuertes porteñas).*

SAÍTTA, SYLVIA. "Roberto Arlt y las nuevas formas periodísticas". *Cuadernos Hispanoamericanos.* Madrid. España. 1993. Supp. 11. 59-69. (Número dedicado).

SALAMA, ROBERTO. El mensaje de Roberto Arlt. Buenos Aires. *Cuadernos de Cultura Democrática y Popular, n° 5,* febrero, 1952. Este artículo desata una polémica con Raúl Larra (Véase) en las páginas de la misma revista.

Sala Roberto Arlt, Teatro Altos de Florida. Florida 640.

SALAS, HORACIO. "Los herederos de Arlt". Buenos Aires. *Clarín,* p.1. 28-7-73.

SALDÍAS, JOSÉ ANTONIO. *La inolvidable bohemia porteña* Ed. Freeland. 1968. [no se menciona a Arlt... 1910-1920, pero hace mención de la creación de *Crítica* y de los cafés porteños.]

SALVADOR, NÉLIDA. Florida. »en *Sur,* Núm. 283, 68-72. Julio-Agosto, 1963.

— "Mito y realidad de una polémica literaria: Boedo-Florida". Buenos Aires. *Sur.* N°283. p. 68-72. Julio/agosto. 1963.

—*Revistas Literarias Argentinas* (1893-1940). Buenos Aires. F. N. de los Arts. Col. Badali. Enero/Marzo/1961. R. Arlt: 4129/4132/4135/4138/4146. Revistas donde figura Arlt como colaborador. Excelente trabajo de investigación.

Sánchez, Luis Alberto. *Proceso y contenido de la novela hispanoamericana.* Madrid, Gredos, 1953.

—*Historia comparada de las literaturas americanas, Tomo IV.* Del vanguardismo a nuestros días. Buenos Aires. Losada. "Los antecedentes: Arlt y Arévalo Martinez. pp. 268ss. 1976.

Sánchez Cortés, Diego. (Seudónimo de David Viñas) "Arlt, un escolio", Buenos Aires. *Contorno Nº2.* Mayo, 1954, "Dedicado a Roberto Arlt". Véase: Contorno y Viñas, David.

Sanchez Grey, Alba Esther. "*Los siete locos* de R. Arlt". en Círculo: Revista de Cultura. Verona (en español). pp31-. 41Nº12. 1983.

Sánchez Trincado, José Luis. *Literatura latinoamericana siglo XX.* Buenos Aires: Editorial A. Peña Lillo, 1964.

Saint-Lu, Jean-Marie. "Buenos Aires. la maudite". París. *Magazine Literaire.* Nº 215. Febrero 1985.

Sanjú. (Dibujante). Adaptación de un cuento de Arlt como argumento de una historieta. Dibujos y adaptación argumental Sanjú. Buenos Aires. *Revista Superhumor. Nº 5.* Marzo 1981. Véase: Ricardo Piglia, *La Argentina en pedazos.*

Sarlo, Beatriz y Sergio Visconte. *El cuento argentino.* (selección. prólogo-notas). Buenos Aires. C. E. A. L. 1980. ("Pequeños propietarios").

—"Una modernidad periférica» Bs, As. *Clarín.* p. 4. -Suplemento Cultura y Nación. (Presentación del libro). 7 de abril de 1988.

—*La imaginación técnica.* Sueños modernos de la cultura argentina. Buenos Aires. Nueva Visión. p. 43 ss. "Arlt: la técnica en la ciudad". 1992.

—y María Teresa Gramuglio. *Cátedra Literatura Argentina.* II. F. F. y L. Las novelas de Arlt. Véase: Gramuglio, M. T. 1986.

Sasturain, Juan. "Arlt en dos ladrillos básicos". Buenos Aires. *Rev. Humor*

p. 115. oct. 1981. Con motivo de la aparición de los 2 tomos de las obras completas. Lo de ladrillos es por el color de las tapas.

SCALABRINI ORTIZ, RAÚL. "En el umbral de una piedad". Buenos Aires. *El Mundo*, 27 de junio de 1932. Nota elogiosa sobre el estreno de 300 millones de Roberto Arlt.

SCARDI, ROBERT M. "La novela Moderna en Roberto Arlt". Madrid. *Cuadernos Hispanoamericanos*. N°25. Marzo 1971. pp. 581 ss.

—"Traición y renovación en *Las aguafuertes* porteñas de R. Arlt". Madrid. *Anales de Literatura Hispanoamericana*. Universidad Complutense. N° 5. 1976.

—"Roberto Arlt: el periodista, el inventor, el polémico" *Revista Chilena de Literatura*. Santiago de Chile. Noviembre 22. pp 105-116. 1983. Incluye información biográfica. La novela moderna en Roberto Arlt: "El argentino es el único hombre en el mundo que se ha elegido como chivo expiatorio de sí mismo. Por eso Arlt es nuestro prójimo, nuestro igual, nuestro hermano;precisamente porque no quiere serlo, porque no pretende serlo; porque comprendió que la solidaridad no puede existir entre nosotros, entre culpables."

— "El arte del ensayo costumbrista en Roberto Arlt". Chile. *Revista Chilena de Literatura*. N°14. pp. 75-84. Octubre 1979.

—"Estructura y Técnica de los ensayos costumbristas de Roberto Arlt. "*Revista de Literatura Hispanoamericana*. N°10. pp 59ss. Enero/junio. 1976.

—"Roberto Arlt, escritor moderno y adolescente". *Cuadernos Americanos*. Año XXXII. Vol. CLXXXVII. N°2. pp252ss. Mayo/Abril 1973.

SCHWARTZ, KESSEL. *A new History Of Spanish American Fiction*. I y II. Coral Gables: University Of Miami Press. Vol I. 1971. VolI. 1972.

SCOBIE, JAMES R. *Argentina: A city and a Nation*. New York. "2ª Edición. Oxford University Press. 1971.

SCROGGINS, DANIEL C. "Roberto Arlt in the *Aguafuertes porteñas*". *The American Hispanist*. Col. II. N° 11. pp 3-7. Octubre 1976.

—"The crisis of 1930 in the *Aguafuertes porteñas* of Roberto Arlt". Kentucky. *Romance Quarterly.* Vol. 26. Nº 4. pp. 469-477. 1979.

—*Las aguafuertes porteñas de R. Arlt.* Buenos Aires. Ediciones Culturales Argentinas. Secretaría de Cultura de la Nación. 1981
Contiene: "las lecturas de R. Arlt documentado en *Las aguafuertes* porteñas". /"Recopilación de algunas aguafuertes"/Cronología de aguafuertes entre 1928 hasta 1933.
Por primera vez se ha realizado este relevamiento título por título, fecha y página, e inclusive indica si fue publicada y donde. Daniel Scroggins estuvo durnate un año en Buenos Aires. y trabajó en Biblioteca Nacional, microfilmó mucho material e incluso pasó a fotos algunos negativos. Su libro tuvo críticas que no justifican su enorme y escrupuloso trabajo a partir del cual muchos investigadores se lanzaron a la recopilación de aguafuertes.

SEBRELI, JUAN JOSÉ. "Inocencia y culpabilidad de R. Arlt". Buenos Aires. *Sur.* Nº223. pp 109ss. Julio/agosto. 1953.
"Arlt escribe para inventar, para inventarse a sí mismo. Está obligado a inventar para poder vivir. Los personajes de sus novelas realizan las posibilidades que él no puede realizar, sus sueños frustrados, sus tentativas abortadas. El creador produce sus criaturas para vivir a través de ellas sus propias posibilidades y por medio de ellas despojarse y liberarse de sus deseos. Construye con la imaginación todos los bosquejos irrealizados de su vida, produce en pensamiento eso que pudo ser, agrupa a su alrededor todas las posibilidades para escapar a la contingencia avara que no permite realizar más que algunas, y para poder verse como una totalidad."

—*Buenos Aires: vida cotidiana y alienación.* Buenos Aires: Ediciones Siglo - Veinte, 1965.

— Reportaje. Buenos Aires. *Crisis.* Nº15. Hace algunas referencias a Arlt. Julio 1974.

"Se estrenará hoy Aguafuerte porteñas de Roberto Arlt Buenos Aires. *La Prensa,* 2ª secc., pág. 9, 21 de mayo, 1971. Adaptación de Mirta Arlt y Carlos Pais.

"Se filma en Avenida de Mayo". Buenos Aires. *La Razón,* 21-1-73. Acerca de la filmación de *Los 7 locos* por Torres Nilson.

SEIBEL, BEATRIZ. *Crónica de mi gente.* Textos de L. Lugones, R. Arlt, A. Discépolo, N. Trejo, N. Olivari, Eva Perón, J. Gelman, N. Etchenique, G. Tuñón y otros. Dirección: Beatriz Seibel. Teatro Payró. Actríz: Elsa Berenguer. 19-XII-72. Reseña en *Nueva Plana* nº 9, p. 26. 19-XII-72. Véase: Crónica de mi gente.

SEIGUERMAN, OSVALDO. "Balance y propósito de las revistas literarias argentinas". Buenos Aires. *La Opinión.* domingo 1º de abril de 1979.

Seminario sobre Roberto Arlt. Publicatións du. Centre de Recherches Latino-Americano de l'Université de Poitiers. Sep. 1981. [Seminario realizado en abril de 1978 bajo la dirección del Prof. Alain Sicard] [Impreso en Portugal 22-6-82]. Gerardo M. Goloboff: La primera novela de R. Arlt: el asalto a la literatura. p. 1. Maryse Renaud: Una ambigüedad fecunda. p. 29. Ximena Mandakovic: De la angustia a la Revolución de *Los siete locos* y *Los lanzallamas.* p. 43. Soledad Bianchi: Ayer y hoy de una «Fiera» p. 73. Nicasio Perera San Martin: Distancia y distanciación en El Criador de gorilas, p. 85. F. Moreno Turner: La fábrica de mentiras. A propósito de una burlería de R. Arlt. p 111. Paul Verdevoye: Aproximación al lenguaje porteño de R. Arlt. p. 133. Paul Verdevoye: Léxico. p. 151. Véase: cada auator por separado.

SERNA, MERCEDES. (Véase: *Quimera*).

SERRANO VERNENGO, MARISA. «La tristeza» (poema). Buenos Aires. *Conducta nº 21,* julio-agosto, 1942. Número dedicado a R. Arlt.

SILVA CÁCERES, RAÚL Y FLORES, ANGEL. *La novela hispanoamericana actual.* New York: Las Américas, 1971. Véase: Flores, Angel.

SILLATO DE GOMEZ, MARÍA DEL CARMEN. "Lo carnavalesco en *Saverio el cruel.* "Lawrence. *Latin American THeatre Review.* Spring, 22: 2. pp. 101/109. 1989.

SIMONOV, VLADIMIR. «El individuo y el mundo en la obra de Roberto Arlt». Buenos Aires. *América Latina.* nº 8. pp. 111/119. 1980.

SOLER CAÑÁS, L. "La profunda huella de Carriego". Buenos Aires. *Clarín.* 14-10-76, se refiere a Carriego- Arlt y Ferrari Amores.

Soler Cañás, Luis y Gobello, José; *Primera antología lunfarda*, Buenos Aires, Las Orillas, 166 págs. Incluye: «Laburo nocturno», por Roberto Arlt, p. 23. Véase: Gobello, José. 1961.

Solero, Francisco Jorge. *Las narraciones más extraordinarias*. Buenos Aires. Schapire. Antología de cuentos, incluye: «La cadena del ancla», de Roberto Arlt, págs. 271-279. 1954.

—«Roberto Arlt y el pecado de todos. » Buenos Aires. *Contorno*, II Mayo Dedicado a Roberto Arlt. 1954.

Soriano, Osvaldo. "El inventor de Buenos Aires". Buenos Aires, Pagina/12. p. 32. Soriano anota que Arlt escribió "notas existosas en *El Mundo* "horriblemente diagramadas, entre las páginas 4 y 6 del matutino". 26 de julio de 1992. (*Las aguafuertes* solamente aparecieron en página 6).

Sorrentino, Fernando. "Borges y Arlt: Las paralelas no se tocan. "Barcelona. *Anthropos*. Nº142/3. pp. 129ss. Marzo-abril 1993.

Soto, Luis Emilio. "Comentario sobre el premio municipal". Buenos Aires. *La literatura Argentina*. XVIII. p. 165. Febrero 1930.
"En primer término, creo sin rodeos que la novela *Los siete locos* de Roberto Arlt, es acreedora a la mayor recompensa. Tengo en preparación un trabajo de cierto aliento sobre ese libro, cuya concepción -me apresuro a declararlo. para mí, no tiene entre nosostros, precursores ni adyacencias siquiera, y por esa razón me limito ahora solamente a señalar su robusta singularidad. No es posible juzgar a la crítica de un país sin relacionarla con el grado de expansión de su literatura." p. 165.

—*Crítica y estimación*. Buenos Aires. 1938

—"El cuento". *Historia de la literatura argentina*, tomo IV. dir. por Rafael. A. Arrieta. Buenos Aires. Peuser. p. 439-440. 1959.

—"Roberto Arlt". Buenos Aires. *Argentina libre* 30. p. 7. Sobre su muerte. Julio 1942.

— "Comentarios bibliográficos". Buenos Aires. *La Prensa*. 9-2-1930.

SPECK, PAULA K. *Roberto Arlt and the conspiracis of Fiction* (tesis. EE. UU. Universidad Yale).

— "Underworld: sexual satire un three latin American Novelists"New Scholar: An Amaericanist Review. Santa Barbara. 1982. pp235-11244.

STABB, MARTIN S. "In Quest of Identity". Chapel Hill. *University of North Carolina Press,* 1967.

STIRO, ARMANDO. «La novela de Roberto Arlt. »Buenos Aires. *Claridad Nº. 226* Mayo, 1931. "No es el caso de decir que la novela de Arlt es una obra de arte, ni que es perfecta, ni que es completamente personal; ni que carece de defectos. Pero sería maligno negar que quién la escribió es todo un novelista, un novelista verdadero, el más completo novelista que haya producido nuestro país." "Prontuario de hechos diversos". Se refiere a *Los siete locos.*

STORNI, EDUARDO RAÚL. "Nuevas aguafuertes porteñas, por Roberto Arlt. Con estudio preliminar de Pedro G. Orgambide. Hachette, 1960 Col. El Pasado Argentino". Santa Fe. *Universidad. nº 46,* pág. 335, Noticia bibliográfica. 693. Octubre-diciembre. 1960.

«Suplemento explicativo de nuestro Manifiesto». *Martín Fierro,* Núms. 8 - 9. Septiembre, 1924.

SCHWARTZ LERNER, LÍA; LERNER, ISAÍAS; GUILLEN, JORGE. (dedicatoria). Homenaje a *Ana María Barrenechea.* Madrid. Castalia. 581pp. 1984. Véase: Piglia, Ricardo.

—T—

Talía. Importante revista teatral dirigida por Emilio Stevanovich. La revista regsitraba todo tipo de acontecimientos y puestas dramáticas, incluyendo trabajos especiales. Posteriormenete Stevanovich formó la Editorial Talía en la que publicó una gran cantidad de obras naciones y extranjeras.

Teatro de Arlt en Washington (Marcado interés de la crítica (S/F) en la Gaceta de Tucumán. p. 3. 2ª sección. 29/7/79.

THOMAS, EDUARDO. "El héroe mítico y la imagen del narrador en la novela hispanoamericana contemporánea." Santiago de Chile. *Revista Chilena de Literatura*. Abril 29, 69-80. 1987. En el artículo se estudia el tratamiento del héroe arltiano aplicando las teorías de Joseph Campbell desarrolladas en *El héroe de las mil caras*.

TIEMPO, CÉSAR. (Seudónimo de Israel Zeitlin) *Protagonistas. Buenos Aires. Ed* Kraft, Col. Cúpula. Sobre Roberto Arlt, págs. 249-258. 1954. Véase: Zeitlin, Israel.

—«Roberto Arlt». Buenos Aires. *La Prensa*. 27 de julio, 1952. Texto incluido en *Protagonistas*.

—«Pequeña crónica de la generación literaria de Boedo». Buenos Aires. *Argentina de hoy*, 1 de octubre de 1952.

—"Los profetas de Boedo". Buenos Aires. *Argentina de hoy*. 3 de noviembre de 1952.

—«Boedo vivo. un movimiento literario que hizo época y dio notoriedad a un barrio». Buenos Aires. *El Nacional*. 23 de enero de 1959.

—*Antología de Boedo y Florida*. Córdoba. Universidad de Córdoba. 1964.

— «Los diez centavos fuertes» Buenos Aires. César Tiempo y la bohemia literaria de 1926. *La Opinión Cultural*. p. 2 y 3. Domingo 13 de junio de 1976, Cesar Tiempo fue amigo de Roberto Arlt, falleció en 1982, y siempre recordó y habló de Arlt con gran admiración.

—*Manos de obra*. Buenos Aires. Corregidor. 319 pp. "Roberto Arlt", p. 15-35. 1980.

«Torre Nilson y la filmación de Los 7 locos». Buenos Aires. *Clarín*. p. 4-5 [S. F]. 3/12/72,

«Torre Nilson llevará al cine *Los siete locos*, de Roberto Arlt»Buenos Aires. *La Opinión*. p. 19. 27 de noviembre de 1971. Comentario sobre la filmación y algunos conceptos en relación a Arlt y la adaptación en la que participaron:

Luis Pico Estrada y Beatriz Guido, y lo que se llamó guión psicológico Mirta Arlt.

TORRES-RÍOSECO, ARTURO. *The Epic of Latin American Literature*. Berkeley y Los Angeles. University of California, 1959.

— *Nueva historia de la gran literatura iberoamericana*. Emecé Editores, 1945.

— *Ensayos sobre literatura latinoamericana*. México. Fondo de Cultura Económica, 1958.

TOWNE LELAM, CRISTOPHER. *The last Happy Men the generation of 22 and the Argentine Reality*. Siracuse University Press. U. S. A. (7) R. Arlt *El juguete rabioso*. 1986.

«Tragicomedia atribuida a Roberto Arlt La cabeza separada del tronco». Buenos Aires. *La Nación,* pág. 11, 1 de junio, 1964.

TREJO, MARIO. "Testimonio para Roberto Arlt". Buenos Aires. *El Nacional.* 5/5/58.

—"Arlt, un desconocido". Buenos Aires. *Democracia.* 27 de enero, 1957.

"300 millones en el Teatro del Pueblo»Buenos Aires. *El Mundo.* Sección Vida teatral. p. 14. 15 de junio de 1932. «El conjunto de Teatro experimental, Teatro del Pueblo, que dirige el señor Leónidas Barletta, dará el viernes el estreno de una obra de nuestro compañero de tarea Roberto Arlt intitulado 300 millones. Contra la costumbre y por la confianza que les merece la pieza cuyo éxito se descuenta, el Teatro del Pueblo dará función tres días consecutivos con los 300 millones".

Tres dramaturgos Argentinos. Antología. Col. Telon. Edited and with introductin by. F. Daustr, L Lyday and G. Woodegad. (R. Arlt. Saverio el cruel). 225. p. Girol Books Inc. U. S. A. July 1981.

TRIMARCO, JUAN CARLOS. "Roberto Arlt y sus 7 locos". Buenos Aires. Conferencia dada en Bmé Mitre 1656 el 22/7/82. Información en *Clarín* 22/7/82, pág. 42, Agenda: . Taller -El Taller Literario Buenos Aires. Poesía, de las Universidades Populares Argentinas, que coordina Teresa Carmen Freda, recibe hoy al Prof. Juan Carlos Trimarco, quien disertará sobre el tema «Roberto Arlt y sus 7 locos». En Bmé. Mitre 1656, a las 19. 30.

TRÍPOLI, VICENTE. "Cuando el sueño se pasea en subte". Buenos Aires. *Clarín.* 11-12-69.

—*Crónicas ilusas.* Plus Ultra, Contenido: Semblanzas de la vida de Roberto Arlt. 1971.

—"Tres libros de R. Arlt" Buenos Aires. *Clarín,* pág. 8. Nota bibliográfica. 11-12-69,

TROIANI, OSIRIS. "La vida dura del periodista Buenos Aires". *La Opinión* 4. 5. 6). 12, mayo 1974/3. [muy interesante recorrido por los años 30-40 del periodismo; hace varias y abundantes referencias a R. Arlt].

TROIANO, JAMES J. «Literary Traditions and the Interplay of Illusion and Reality in the Work of Roberto Arlt». Unpublished Ph. D. disertation, State University of New York at Buffalo, 1973.

— «Pirandellism in the theatre of Roberto Arlt» en Latin American Theatre Review. University of Kansas, Otoño 1974.

— "The Relativity of Reality and Madness in Arlt's 'Escenas de un grotesco'" Latin American Theatre Review. Lawrence. Otoño, 19: 1. pp. 49-55. 1985.

—"Love and Madness in Arlt's: La juega de los Polichinelas. "Greeley. *Confluencia: Revista Hispánica de Cultura y Literatura.* Fall, 6: 1, 135. 40. 1990.

—"Literaty Traditions in El Fabricante de Fantasmas by Roberto Arlt". Providence. Revista de Literatura Hispánica. Fall-Spring. pp163-172. 1986.

—U—

ULLA, NOEMÍ. Nosotros. Selección y epílogo. Buenos Aires. Col. Las Revistas. Ed. Galerna. 462 p. 1969.

—*Identidad rioplatense, 1930, La escritura coloquial.* Buenos Aires. Torres Agüero. 1993. *El juguete rabioso,* p. 61-100.

ULQUIANO MURGA, ANTONIO (seudónimo: El Duende). Momento del teatro argentino en la temporada 1949. Buenos Aires. *Histonium.* año 11. nº 122. pp. 59-61. 1949. Contenido: Reposición de *300 millones,* de Roberto Arlt, p. 59.

"Un relato de Roberto Arlt". Buenos Aires. *Sur.* 1er semestre. 1971. Reproduce solamente un aguafuerte porteña.

"Una obra de Roberto Arlt fue presentada". Buenos Aires. *La Nación.* p. 10. 12 de setiembre. 1967.

«Una farsa de Roberto Arlt»Buenos Aires. Boletín del Instituto Amigos del Libro Argentino. año 1. nº 1. p5. junio-julio. 1953.

"Un desconocido llamado Arlt". Buenos Aires. Nueva Plana. 19-XII-72. p. 8-9. Comentario sobre la aparición del cuento "Regreso". Prólogo de Alberto Vanasco.

"Un espectáculo interesante ofreció el Teatro del Pueblo". Buenos Aires. Vida Teatral, *El Mundo.* p. 8. Domingo 19 de junio 1932. En este pequeño artículo se vincula al Teatro del Pueblo con el teatro español El Mirlo Blanco, de corte anarquista y exalta 300 millones de Roberto Arlt. Señala las reminiscencias de lecturas infantiles toman cuerpo en la imaginación (…) de esta obra de Arlt.

"Una plaza se llamará Roberto Arlt". La disposición municipal se debe a que las autoridades pretenden rendir, de esa manera, un homenaje al desaparecido novelista, cuentista y dramaturgo. *Diario La Opinión.* p. 12. 9 de junio. 1971.

"Una pieza de valor literario: El fabricante de fantasmas en el Argentino". Buenos Aires. *La Nación.* p14. 9 de octubre. 1936.

"Una página desconocida de Arlt. El libro de los Pelafustanes". Buenos Aires. *Hoy en la Cultura.* nº 5. p11. Septiembre 1962.

"Un nuevo novelista argentino: Roberto Arlt ". Buenos Aires. *La Nación.* p9. 9 de agosto 1930.

"Un relato inédito de Roberto Arlt". Buenos Aires. *La Nación.* p5. 9 de marzo 1969.

"Un espectáculo de calidad relativa en el Cervantes ". Buenos Aires. *La Prensa.* p6. 24 de julio 1971. Sobre *La isla desierta* de Roberto Arlt

URONDO, FRANCISCO (PACO). "Julio Cortázar: el escritor y sus armas políticas". Buenos Aires. *Rev. Panorama.* 24 nov. 1970. p., 34ss. Extenso reportaje a J. Cortázar (Véase) mencionado por Raúl Larra en *R. Arlt el torturado* en la tercera edición.

— "Arlt: intimidad y muerte". Buenos Aires. *ARTiempo*
Año I N°1. pp 7-8. Oct. 1968.
Extenso reportaje a Elizabeth Shine de Arlt segunda esposa del escritor. Abundante material fotográfico. Shine confiesa haber incinerado todos los manuscritos de su esposo y dice haberse dejado llevar por impulsos de bronca y dolor.

—"Arlt: intimidad y muerte. "Madrid. *Cuadernos Hispanoamericanos.* N° 231. Marso 1969. pp. 677 ss. (Ibídem anterior)

"Un texto de R. Arlt sobre su amistad con Leónidas Barletta" *(La Opinión* cultural, domingo 30 de marzo de 1975, pág 10) (Barletta había muerto el 15 de marzo). [Reproduce «Pequeña Historia del teatro del pueblo» que apareció en *Conducta* (julio/agosto 1942), al margen de *El amor brujo* (*El Mundo*, 8 de agosto de 1932.). Autores y libros (título de la sección firmada por Vignale que aparecía los lunes). Véase: Vignale, Juan Pedro.

USABEL, HÉCTOR. *Presencia del autor en las novelas de Roberto Arlt. (Inédito).* Este texto no fue fichado porque solamente recibí la información y no he podido ubicar a su autor.

USLAR PIETRI, ARTURO. *Breve historia de la novela hispanoamericana.* Caracas. Ediciones Edime. 1955.

VALENDER, JAMES (ed), Barriga Villanueva, Rebeca (ref.) Olea Franco, Rafael (ed) *Reflexiones lingüísticas y literarias: Literatura, II.* Ciudad de México. Centro de Estudios de Lingüística y Literatura. Colegio de México. 1992. 378pp. Rose Corral: "Onetti/Arlt o la exploración de algunos vasos comunicantes" Véase: Rafael; Olea Franco, Rafael;Barriga Villanueva, Rebeca. y Corral, Rose. Artículos sobre J. C. Onetti y sobre las novelas de Arlt.

VALLEJO, ANTONIO. "La literatura argentina" . Buenos Aires. en *La Literatura Argentina.* Buenos Aires. Febrero 1930. El poeta ultraista Antonio Vallejo condena la obra de R. Arlt *Los siete locos.* Es la primera vez que un comentario adverso aparece en las páginas de esta revista.

VANASCO, ALBERTO. Prólogo a un cuento de Arlt "Regreso". Corregidos. 1972. 95pp. El cuento fue rescatado de entre las páginas de *La Nación* por A. Vanasco pero no ha dejado la indicación de la fecha. Presumo que se trata de un cuento de 1932, época en que Arlt publicó varios cuentos en *La Nación.*

—"Los ruidos del derrumbe" Buenos Aires. *La Opinión.* 15 de agosto de 1971. p 11. Este texto fue reproducido integramente en el Nº XI de la revista Macedonio, invierno de 1971, Número dedicado a Arlt. Véase: Macedonio.

—"Roberto Arlt, o los ruidos del derrumbe" *Macedonio* Xi. Invierno 1971. pp 59-64. El prólogo, "los ruidos del derrumbe" y Roberto Arlt o los ruidos del derrumbe" son un mismo textos.

—"El Regreso de Arlt". Buenos Aires. *Confirmado.* del 19 al 25 de dic. 1972. p. 36.

—"Roberto Arlt". Buenos Aires. *Letra y Línea* Año 1. -Nº1. oct. 1953. pp. 2 y 6.

VAZQUEZ-RIAL, HORACIO. "Bastan siete locos". Barcelona. Rev. Quimera 1982. Marzo 17. 46-49. En relación a la novela y la clase media.

Veinte cuentos de Buenos Aires. Selección de Nira Etchenique y Mario Jorge

De Lellis. Buenos Aires. Fabril 1961. 150pp. Colección Mirasol. Incluye el cuento de Arlt *El jorobadito*.

Veinte ficciones Argentinas. 1900-1930. Selección y prólogo de Antonio Pagés Larraya. Buenos Aires. Eudeba. 1963. 194pp. Serie del siglo y medio. Col. Ñandu Nº 45. La antología incluye el cuento de Arlt "Pequeños propietarios. pp 17-26.

VERDEVOYE, PAUL. "Aproximación al lenguaje porteño de R. Arlt." en *Seminario sobre Roberto Arlt*. Publications du Centre de Recherches Latino-Américaines de l'Université de Poitiers. Septiembre de 1981. pp. 151-185. S trata d eun cuidadoso listado de palabras y definición de cada una de ellas y una bibliografía utilizada. Véase: Seminario sobre Roberto Arlt. 1981. Poitiers

VERBITSKY, BERNARDO. "Proposiciones para un mejor planteo de nuestra literatura". Buenos Aires. *Ficción*. Nº12. Marzo/Abril 1958. pp. 3-20.

— "El increible destino de Roberto Arlt". Buenos Aires. *Confirmado* Nº54. Julio 1966. p. 51.

—"Vigencia de Arlt". Buenos Aires. *La Nación* 10 de octubre de 1971. p. 1.

VIGNALE, PEDRO JUAN. "Al margen de *El amor brujo*". Buenos Aires. *El Mundo* 8 de agosto de 1932. Autores y libros. Título de la sección firmada por Vignale que aparecía todos los lunes. La nota sobre la novela de Arlt es bastante larga, continúa en otra sección del diario, lo elogia en general y sale a defenderlo de otras críticas que le atribuyeron influencia de Dostoieski en *Los siete locos* y que *El juguete rabioso* era un calco de la picaresca española y *Los lanzallamas* le atribuína afirmaciones marxistas. Vignale no hace una crítica específica a: *El amor brujo*.

VILÁ, ANNA M. (Véase: *Quimera*).

VILALLONGA, LUIS M. "Mi encuentro con Roberto Arlt". Barcelona. *Rev. Camp de L'Arpa* Nº 79/80. Sep-Oct. Sección: Encuentro pp. 39-53.

VILLAR, MARÍA ANGÉLICA. Roberto Arlt. Novelas completas y cuentos Buenos Aires. *La Nación*, pág. 4, 17 de mayo, 1964. Reseña.

VINELLI, ANIBAL MIGUEL. "*Crítica*, la oveja negra del periodismo argentino". Buenos Aires. *La Opinión*, 2-9-73, p. 7 y ss. 1973.

VIÑAS, DAVID. «Arlt, humillar y seducir.» *Montevideo*. Marcha, Núm. 1298. 1966.

— «Sábado de gloria en la capital» En Buenos Aires: de la fundación a la angustia. Buenos Aires. Ediciones de la Flor, 1967.

— «Arlt. Un escolio» Buenos Aires. Contorno, año 1, nº 2, págs. 11-12. Dedicado a Arlt. Véase: *Contorno*. Mayo 1954.

—*Literatura argentina y realidad política*. De Sarmiento a Cortázar. Buenos Aires. Siglo Veinte, 253 págs. Sobre Roberto Arlt, «El escritor vacilante, Arlt. Boedo y Discépolo», págs 67-73. 1971.

— «Arlt y los comunistas». Buenos Aires. *Contorno*. Nº 2. p. 8. Dedicado a Arlt. Mayo, 1954. Véase: *Contorno*.
David Viñas incrimina a Raúl Larra por su artículo "Arlt es nuestro" aparecido en Cuadernos de Cultura 1952, en ese artículo Larra justifica la obra de Arlt frente a las acusaciones de Roberto Salama "El mensaje de Roberto Arlt" en Cuadernos de Cultura, Nº5, 1952, lo acusa de burgués a Arlt y a su literatura y Larra sostiene que es "nuestro" es decir del partido comunista. Véase: Larra, Raúl. "Arlt es nuestro". Cuadernos de Cultura. Nº6. Febrero 1952. "Larra explica que Arlt es de nuestra literatura".

—Contratapa al libro de Diana Guerrero Roberto Arlt *El habitante solitario*. Buenos Aires. Granica. 1972. Véase: Guerrero, Diana.
"Con Arlt empieza la narrativa argentina moderna. Y con este libro de Diana Guerrero empieza realmente la crítica moderna sobre Arlt: el universo de los trabajos humillantes, las miserias crispadas y sordas de la pequeña burguesía a la fascinante distancia de los ricos (con sus hijas codiciadas, inasibles, y sus porteros de galones y en guardia). Pero Diana Guerrero -sistemática, lúcidamente- también analiza al lumpen y al místico del café de los años 30 y a "las esposas" con su adiposidad y su lenguaje, hasta llegar a los jorobados, inventores y rufianes.
Por todo esto, si con el trabajo inaugural de Raúl Larra se esbozó un camino para interpretar al autor de *Los siete locos* y con el ensayo de Masotta se exhi-

bió un método, con este producto de Diana Guerrero se llega a una culminación crítica que -además de modelo por su manejo del entramado clasista- se convierte en instrumento indispensable. " (texto completo de David Viñas para la contratapa.)

—«Sábado de gloria en la capital». En *Buenos Aires: de la fundación a la angustia.* Buenos Aires: Ediciones de la Flor, 1967.

— «Prólogo» La Habana. En *Antología de R. Arlt.* Casa de las Américas, 1967. "Y a partir de acá el núcleo temático de R. Arlt: el dinero, la motivación fundamental del desgarramiento como recurrencia u obsesión en la obra arltiana. Es decir, el dinero como carencia. En eso reside siempre el punto de partida, que de inmediato se habre en la duplicidad de un dilema: superar esa carencia mediante el trabajo o eludirlo por intermedio de la magia." p. 13.

—*Historia Social de la literatura argentina.* Buenos Aires. Contrapunto. 1989. T. VII. *Irigoyen entre Borges y Arlt* (1916-1930) Compilador: Graciela Montaldo (Varios). (Se publicó un solo tomo). Véase: Montaldo, Graciela.

VIÑAS, ISMAEL. «Una expresión, un signo». Buenos Aires. *Contorno*, nº 2, págs. 2-5, mayo, 1954. Dedicado a R. Arlt. "A un decenio de la muerte de Arlt, su obra, casi olvidada durante un tiempo, es recordada desde las mas diversas voces". p. 2. Reproducido en *Contorno* (selección). Biblioteca Argentina Fundamental, Capítulo Nº122 por Carlos Mangone y Jorge Warley. 1981.

— "Roberto Arlt: una autobiografía" (firmado con el seudónimo de Marta Molinari). Buenos Aires, *Contorno.* Nº2. p. 8. Mayo 1954. Dedicado a Roberto Arlt. Véase: Molinari, Marta. y *Contorno.*
"Asomarse a entender la obra de Arlt es comprender cuanto tiene de confesión elegida o inconciente; cuanto de interna autobiografía ha puesto en sus personajes; cuantos son estos el mismo Arlt. La reflexión de La coja ante Erdosain arrodillado a sus pies es reveladora. Él representa a los hombres espirituales, sensibles, débiles ante el mundo, destinados a ser machacados por los hombres prácticos que pueblan la tierra".

— «La mentira de Arlt» Buenos Aires. *Contorno*. nº 2. p. 1. mayo, 1954.

— (Seudónimo usado por Ismael Viñas: Arrow, Jorge). Buenos Aires. *Contorno*, nº 2, p12, . mayo, 1954. Dedicado a Roberto Arlt. Véase: *Contorno* y también Arrow y Viñas, Ismael.

—"Algunas reflexiones en torno a las perspectivas de nuestra literatura". Buenos Aires. Ficción. XV. pp. 6-21. Sep/Oct. 1958.

VISCONTI, SERGIO. (notas a *El cuento argentino*). Buenos Aires. C. E. A. L. 1980. Véase: Sarlo, Beatriz.

"Vitalidad de los dramas de R. Arlt". Buenos Aires. *La Nación*, pág. 11) [S. F]. 16 sep. 1963.

«¿Vuelve usted a releer sus propias obras?» Buenos Aires. *El Hogar*, 29 de abril, 1932. Respuesta de Roberto Arlt, pág. 50.

—W—

WARLEY, JORGE Y MANGONE, CARLOS. *Contorno, selección*. Selección y prólogo por. Col. Capítulo Nº122. Ed. Centro Editor de América Latina. 174p. Véase: Mangone, Carlos.

WHITAKER, ARTHUR. *Argentina*. Englewood Cliffs, N. J.: Prentice Hall, 1965.

WOULFLIN, DANIEL "Asís, Jorge: Yo desciendo del tronco de Roberto Arlt". Buenos Aires. *Ayesha*, nº 2, Buenos Aires. Julio 1978, p. 13. Reportaje, revista del Colegio Nacional Sarmiento. Véase: Asís, Jorge. .

WOODYARD, GEORGE. Prólogo a *Saverio el cruel* (Tres dramaturgos Rioplatenses. *Antología del teatro hispanoamericano del siglo XX*. Vol. IV. Fl. Sanchez, R. Arlt, E. Pavlovsky. Ed. Ginol Books, inc. Col. Telón. Ottawa, Canadá 1983) [Cada día está introducida por distintos proleguistas]

—Y—

YAHNI, ROBERTO. *70 años de narrativa argentina*. 1900-1970. Madrid, Alianza Editorial, 1971, 212 págs. (El libro de bolsillo. Secc. Literatura). Sobre Roberto Arlt, pág. 20. Incluye: «Pequeños propietarios», de Roberto Arlt, págs. 88-96. [Cada autor va precedido de algunos datos biográficos).

YUNQUE, ALVARO. *La literatura social en la Argentina.* Editorial *Claridad,* 1941.

YUNQUE, ALVARO. «Roberto Arlt». Buenos Aires. *Nosotros.* Nª76. Julio, 1942. p 113-114. "Ya parece que fue ayer, allá en Boedo: se nos presentó un muchacho ríspido, extraño, movedizo, icosaedro, singular. Traía los manuscritos de su primer libro, una novela: *El juguete rabioso.* Libro desigual, fruto con trozos verdes y otros excesivamente maduros; improvisación y decadencia. Se le acogió con entusiasmo. Después, Arlt se encontró con Ricardo Güiraldes, el reflexivo, el sutil, el educado, flor de civilización-su antítesis. Urbanismo de Güiraldes, suburbio de Arlt. Aquél pulió y aconsejó al muchacho mucho menor. Hasta le enseñó ortografía. Arlt cogió de su generoso, imoprovisado maestro la técnica, lo exterior del oficio."

—Z—

ZAMORA, ANTONIO. «El favor de los Premios Municipales». Buenos Aires. *Claridad.* N°. 205. Abril, 1930.

ZANETTI, SUSANA. *América Latina: el pasaje a la madurez.* (Capítulo... (fascículo N° 8) C. E. A. L. 197O. Sobre Arlt pág. 189 y 191) Contiene una pequeña Bibliografía «Sobre R. Arlt».

ZAS, LUBRANO. *Palabras con Elías Castelnuovo,* Carlos Pérez, editor, 1969.

La historia de la literatura argentina. Buenos Aires, C.E.A.L. Col. Capítulo. Dirigida por Susana Zanetti. 1981. (Se trata de una segunda edición ampliada de la anterior realizada por Adolfo Prieto.

ZEITLIN, ISRAEL. (Usó el seudónimo de Cesar Tiempo) *Protagonistas.* Guillermo Kraft, 1954. (Dos capítulos donde recopila anécdotas). Véase: Tiempo, Cesar.

ZÍA, LIZARDO. «Agenda». Buenos Aires. *Clarín,* 2ª secc., pág. 3, 20 de abril, 1958.

ZITO LEMA, VICENTE. *Conversaciones con Enrique Pichon Riviere.* Muchísimas referencias de Pichón Rivier y sus encuentros con Arlt. Timerman Editor. 1972. Véase: Pichón Rivier, Enrique.

ZUBIETA, A. MARÍA. *El discurso narrativo arltiano*. Buenos Aires: Hachette. 1987.

—"Roberto Arlt: Las huellas de una escritura". Caracas. *Escritura:* Rev. de Teoría y Crítica Literarias. Julio/dic. 406-419pp. 1981.

ZUCCONI, ANGIOLINA. Traduzione di Il Giocattolo Rabbioso di Roberto Arlt. Roma. Ed. Savelli. Col. il pane e le rose. 1978. Romanzo. Subtítulo: "Un adolescente degli anni venti tra rivolta e delazione". Introduzione di Goffredo Fofi. Nota critico-bibliográfica di Vanni Blengino.
Contratapa: "Scritto nel 1926, il giocattolo rabbioso é il primo romanzo di R. Arlt: carico di allusioni autobiografiche, mai tuttavia meccanicamente riprodotte, é la storia di un adolescente, della sua voglia di vivere, della sua rabbia e delle sue angosce esistenziali. Véase: Fofi, Goffredo-Blengino, Vanni-Roberto Arlt.

ZUM FELDE, ALBERTO. *Indice crítico de la literatura hispanoamericana*, la narrativa. México: Editorial Guarania, 1959.

— La narrativa hispanoamericana». en *Las modalidades suprarrealistas de mediados del siglo*. México, Guarania, 1959.

— *La narrativa en Hispanoamérica*. Madrid, Aguilar, 1964.

— «Roberto Arlt». Conferencia Pronunciada en la Sociedad Científica Argentina el 19 de marzo de 1961.

"Zum Felde y la narrativa Hispanoamericana". Montevideo. Temas. N°4. Noviembre /diciembre 1965.

4.1.2.4. Diarios y revistas en los que participó Roberto Arlt.

Actualidad
Agonía
Argentina
Argentina Libre
Azul -de Azul-
Bandera Roja
Cabalgata
Claridad
Columna
Conducta
Crítica
Don Goyo
El Hogar
El Litoral-Santa Fe
El Mundo
Extrema Izquierda
Gaceta de Buenos Aires.
Izquierda
La Estrella de Francisco.
    Propato-1918-

La Hora
La Idea de Flores. Felix Visillac
La Literatura Argentina
La Nación
La Reveu Argentine-París-
Los Pensadores
Nueva Gaceta.
Nuestra Novela N°6
Martín Fierro
    (Anuncian en el último número su
    participación)
Metrópolis -mayo 1931.
Mundo Argentino
Patria (Córdoba)
Proa
Revista Popular -1917-
Santa Fe de Hoy,
    dir: por Luis di Filippo
Tribuna Libre N°1-N°13
Vértice

4.1.2.5. Datos útiles

• Las primeras indicaciones de búsqueda de material me las facilitó la profesora Josefa Sabor, y principalmente Edmundo Guibourg y Pascual Nacaratti.

• *Los Pensadores* se encuentra completa en la Universidad Popular Julio Korn de la ciudad de La Plata.

• La Revista *Don Goyo:* está completa e inclusive tiene la parte de Don Goyito (niños) en la hemeroteca de la Biblioteca Nacional de Buenos Aires.

• Diario *El Mundo:* la colección más completa está en la hemeroteca de la Biblioteca Nacional de Buenos Aires. Está encuadernado por meses.

• *El Hogar:* revista quincenal. Biblioteca Nacional, tiene una colección completa encuadernada por cada tres meses. La Biblioteca del Museo de La Ciudad, calle Alsina y Defensa, tiene la colección completa encuadernada, es de fácil acceso, no poseen fotocopiadora.

• La Biblioteca del Museo de la Ciudad posee *Mundo Argentino* completa y encuadernada. Excepto los meses de septiembre, octubre, noviembre y diciembre de 1941. *El Hogar, Caras y Caretas, PeBeTe* y *Atlántida*. Además de folletos y abundante material sobre la ciudad y los escritores. La bibliotecaria Sra Marta Caresa me ha permitido consultar y fotocopiar bastante material. La Sra Caresa en un punto de consulta fundamental para comenzar cualquier investigación.

• Asimismo Elena Baudissone en Biblioteca Central de La Facultad de Filosofía y Letras es una excelente orientadora en la búsqueda de material.

• *Caras y Caretas.* También se puede consultar en la Biblioteca del Instituto de Teatro de la Facultad de Filosofía y Letras de la U. B. A.

• La Biblioteca del Consejo deliberante posee algunas revistas pero no posee *Mundo Argentino* ni *El Hogar*.

380

Es posible comprar números sueltos de *La Nación, La Prensa, Mundo Argentino, El Hogar, Don Goyo, El Mundo*, circulan con facilidad entre los libreros de "viejo".

• *Conducta y Metrópolis*: fue consultado en el Instituto de Teatro de la Facultad de Filosofía y letras. U. B. A. El prof. A. Cambours Ocampo preparaba un trabajo sobre revistas literarias en 1982.

• *La Prensa, la Nación, Clarín y La Razón*: fueron consultados en la Biblioteca Nacional de la calle México. Buenos Aires. Pero también el Museo Mitre posee muchísimo material sobre *La Nación*, la sede del diario no facilita la consulta.

• La Biblioteca del Congreso de la Nación, carece de material accesible. En general es una biblioteca con poco material de hemeroteca y de muy complicado acceso. Se debe llenar una ficha a la entrada de la biblioteca con todos los datos personales posibles más dirección y teléfono. Luego se pasa a una mesa donde corroboran los datos y se debe dejar incautado el documento y en su lugar uno se lleva una ficha sellada y una número de lector. Luego debe recurrir a los archivos y en otros papelitos debe ubicar perfectamente los números y siglas de entrada del libro o revista. Se entrega en un mostrador y se espera alrededor de 20 a 30', si uno desiste debe devolver el papelito del pedido y canjearlo por la ficha de salida. Luego encaminarse a la salida donde se nos devolverá el documento.

• El archivo del diario *El Mundo* fue adquirido por el diario Clarín.

• El archivo de *La Razón* fue lastimosamente devastado en una época en que el diario había estaba a punto de cerrar.

• El archivo del famoso diario *Crítica* fue parte adquirido por *La Nación* y parte por *Clarín*.

• La Revista *Claridad* está completa en Biblioteca Nacional, aunque es muy complicado el trámite para llegar al material y más complicado para fotocopiarlo.

• La Revista *Martín Fierro* está completa en la Biblioteca Central de la Facultad de Filosofía Y Letras. La Editorial Centro Editor de América Latina en 1992 editó una serie en la Col. Capítulo Serie Complementaria: Ediciones Facsimilares de varias revistas literararias entre ellas *Proa Y Martin Fierro*. Dirección Carlos Altamirano y Beatriz Sarlo.

• Asimismo Alberto Salas con el auspicio del Fondo Nacional de Las Artes llevó a cabo una edición Facsimilar de la revista *Martin Fierro* (completa), en un sólo volumen. 1994.

• La Biblioteca del Instituto de Literatura Argentina de la Facultad de F. y Letras posee *Nosotros, Sur, Contorno,* primeras ediciones de Arlt, la revista *Crisis* (Biblioteca Nacional posee solamente tres ejemplares) y *Los Libros* completa. La Bibliografía de Artes y Letras del Fondo nacional de las Artes se halla completa.

• *Proa:* está en Biblioteca Nacional y Facultad de F y letras.

• *Cuadernos de Cultura* (a partir de su aparición 1952). Los he consultado en el comité central de Partido Comunista de Capital Federal y algunos números me facilitó el profesor Juan Carlos Romero quien posee una valiosa colección de libros y revistas.

• *La Vanguardia*: es fácilmente ubicable en la Biblioteca Socialista de Avda la Plata y Rivadavia.

• La Sra Josefa Goldar, esposa de L. Barletta poseía la colección completa de *Propósitos.*

• El Museo de la Sociedad de Escritores de Buenos Aires posee fragmentos de muestras de medias gomificadas o vulcanizadas hechas por Arlt.

• *Revieu Argentine.* Paris. Hemeroteca Biblioteca Nacional (completa).

• El Teatro del Pueblo (Hoy La Campana) donó por intermedio de las hermanas Ereski la mayor parte del material histórico de Barletta a la Biblioteca de Teatro del Cervantes.

• Fundación Cinemateca Argentina. Calle Corrientes 2092, 2º piso. Muy amplio archivo de recortes pasados a microfilm. Buenos Aires. El investigador tiene fácil acceso a todo el material.

Se terminó de imprimir en el mes de mayo de 1996 en
los talleres de Carlos A. Firpo S.R.L., Suárez 659 Buenos Aires

robertoarltylacr00borr

robertoarltylacr00borr

robertoarltylacr00borr